基礎教育シリーズ

分析化学

〈基礎編〉

—第 2 版—

本水昌二・朝本紘充・石坂昌司・井原敏博
内山一美・齊藤和憲・佐藤健二・塚原　聡
中釜達朗・西澤精一・沼田　靖・南澤宏明
森田孝節・吉川賢治　　著

東京教学社

著者紹介

本水　昌二　［岡山大学・名誉教授・理学博士］
朝本　紘充　［日本大学生産工学部・准教授・博士（薬学）］
石坂　昌司　［広島大学大学院先進理工系科学研究科・教授・博士（理学）］
井原　敏博　［熊本大学大学院先端科学研究部・教授・博士（工学）］
内山　一美　［元 東京都立大学・教授・薬学博士］
齊藤　和憲　［日本大学生産工学部・准教授・博士（理学）］
佐藤　健二　［日本大学工学部・教授・理学博士］
塚原　　聡　［大阪大学大学院理学研究科・教授・博士（理学）］
中釜　達朗　［日本大学生産工学部・教授・博士（工学）］
西澤　精一　［東北大学大学院理学研究科・教授・博士（理学）］
沼田　　靖　［日本大学工学部・教授・博士（工学）］
南澤　宏明　［日本大学生産工学部・教授・博士（工学）］
森田　孝節　［日本大学理工学部・准教授・博士（工学）］
吉川　賢治　［日本大学理工学部・准教授・博士（工学）］

はじめに

—「基礎教育シリーズ 分析化学」〈基礎編〉の改訂にあたって—

最近の科学・技術の進歩は目覚ましく，自然科学系の大学学部，大学院や高等専門学校（高専）などで学ぶ内容は多岐にわたるとともに，ますます広く，深く，かつ高度になっている．

1995年に本シリーズのルーツともいうべき「基礎教育 分析化学」が，2011年に後続の本「基礎教育シリーズ 分析化学」が〈基礎編〉と〈機器分析編〉の二分冊として発刊され，それから10年目を迎えた．この間の時代の変化，分析化学分野の進歩と深化も目覚ましく，このたび時代に即した内容とすべく改訂した．改訂に際しては，ひきつづき初学年生用にもやさしい表現で，分かりやすく，しかも本文・図表の構成と配置，関連適所にコラムを設けるなど，読みやすく，見やすく，興味を引くようにさまざまな工夫を凝らし，本書のこれまでの基本的編集方針を踏襲した．

「分析化学とは，自然科学の重要な一分野である化学において，（自然に潜む）真実・真理を発見し，その情報を取り出す方法論の開拓を担うものである．これが最も基本的かつ重要な分析化学（分離化学も含む）の学術的役割である．さらに分析化学発展の成果として新しい分析技術を産み出し，これら分析化学と技術は車の両輪として，産業の発展，安全で安心できる社会構築に貢献し，さらには人類共通の知的資産形成のための必須の学問としての重要な役割を担っている．加えて分析化学は最先端科学の進展に必須の分析・解析技術を生み出す母体として基盤的役割を担っており，自然科学へ貢献する責任は重大である．」（“本書・第1章 分析化学とは” より一部抜粋・まとめ）

前述のように，分析化学の役割と学術的および社会的重要性について，自然科学系，特に理工学系の学部，大学院や高等専門学校で学ぶ学生には是非とも学んでいただきたい学問領域のひとつであるとの共通認識の下，研究・教育に携わる分析化学者が寄り集い本書を上梓した．

本書は，大学，高専で初めて「分析化学」を学び始める初学年生およびそれ以降の中級，上級者を対象とした教科書，参考書であるが，従来の我国の教科書 —ページ数と受講時間数に縛られた教科書— とは趣が異なっている．本書には，初学年の講義時間（2単位あるいは4単位）以上の内容が含まれており，「分析化学」の基礎から応用までの全容が理解でき，さらには環境計量士などの資格試験の参考書として末永く利用できる内容になっている．講義に際しては，その時間数に応じて，各章の基本的な部分と例題などを選択しながら，レベルアップに応じて，応用的分野や章末問題，課題を利用していただきたい．

第２章では「分析技術の基本的考え」，第３章では「水溶液と化学平衡」について基礎的事項を整理し，まとめた．第４章以降では，高等学校までの理科で学んだ化学反応，すなわち，「酸塩基」（第４章），「錯体生成」（第５章），「酸化還元」（第６章），「沈殿生成」（第７章）について，「分析化学」の基本的で重要な反応として統一的に整理し，平衡論的に説明し，解き明かし，かつ応用力を高めていくスタンスで進め，最後に「物質の分離と濃縮」（第８章）をまとめた．各章の適所に例題を加え，分析化学的考え方の重要ポイントと解に至る経過を，見やすい２段組で丁寧に解説した．章末には３段階（チャレンジ，推奨，必須）にランク付けした「章末問題」を配し，考え方，解き方を丁寧に解説した「解答」を本書の最後にまとめた．さらに，学生にレポートにまとめて提出させることなどに利用する目的で，章末には「課題」を配した．章末問題や課題テーマは初級，中級，上級（大学院生）などに応じて利用していただきたい．より深く「分析化学」と「分離化学」を学ぶ人の知的向上に役立つものと確信している．

本書において，分かり難い箇所，間違い，改善点など，忌憚のないご意見，ご叱正を賜れば，著者一同大変幸甚に存じます．

本書の執筆にあたり，多くの成書，論文などを参考にさせていただき，また引用させていただいた．それらの著者の方々に深甚なる謝意を表したいと思います．

また，本シリーズの初版発刊以来，本改訂までの長きにわたり，終始お世話になりご指導，ご尽力いただいた，櫻川昭雄先生（元 日本大学理工学部教授）・善木道雄先生（岡山理科大学名誉教授）・寺前紀夫先生（東北大学名誉教授）・平山和雄先生（元 日本大学工学部教授）・三浦恭之先生（東海大学名誉教授）に厚く御礼申し上げます．

なお，本書の分担執筆後，この発刊を見ずして急逝（2020年８月）された内山一美先生（元 東京都立大学教授）を悼み，感謝と共に謹んでご冥福を祈る次第です．

終わりに，本書の出版に際し，終始お世話になり，激励いただいた東京教学社 社長の鳥飼正樹氏と編集部の神谷純平氏に心より御礼申し上げます．

2021年３月

著者代表　本水　昌二

目　次

第4章　酸塩基反応

第5章　錯体生成反応

第6章　酸化還元反応

第7章　沈殿生成反応

第8章　物質の分離と濃縮

『基礎教育シリーズ　分析化学〈機器分析編〉』目次

第1章　分析化学とは

分析化学は，化学あるいは物質が関係するあらゆる科学分野で，それらの基盤を構成する学問分野である．学術的にはこれまで自然科学発展に大きく貢献し，今後ともさまざまな分野で重要な貢献が期待される必須の学問分野である．さらに，社会生活，産業，工業，医療関連，環境など幅広い分野でも分析化学・技術はきわめて重要な役割を担っている．

本章では，分析化学のおいたち，役割，貢献，将来などについて考えてみる．

《本章で学ぶ重要事項》

（1）　分析化学の必要性と重要性：分析化学のおいたちと誕生

（2）　分析化学の役割：真実・真理の情報取得，分析の質保証，自然科学への貢献

（3）　化学分析とは何か：分析化学と化学分析の違い

（4）　分析化学の展望：安全，安心社会構築，基礎学問

（5）　分析化学の学習に必要な平衡論的，数学的事項

注意　容量モル濃度の単位は “mol dm^{-3}” が好ましいが，“mol L^{-1}” もしばしば用いられる．以下では，簡便のため，mol dm^{-3} あるいは mol L^{-1} を “M” で表記することとする．

1.1　分析化学のおいたち

人類が他の生命体(動物，植物）と異なる最も大きな要因は，「考える術を持つこと」,「それを子孫に伝承し，蓄積していくこと」，さらに「それらを進歩・発展させていくこと」，ができる点であろう．人類は，その誕生以来，身の回りのモノが「何でできているか」,「どのようにしてできるのか」という疑問を抱いたことであろうと推察できる．例えば，古代ギリシャでは「土，水，空気，火」の4元素からできると考えた．ある “モノ” が変化するのは，これら4元素が混合したり，分解したりすることで起こると考えていた．

このような考えに基づいて，当時貴重で高い価値ある “モノ” の1つ “金” を新たにつくり出すことを目的に “錬金術” によるモノつくりが盛んに行われた．錬金術により偶然的に新しいモノの誕生も見られたが，その “術” の発展にはおのずと限界があった．それは，錬金術の多くが自然の理に根ざしたものではなかったということである．

1600年頃，イギリスのベーコン（Francis Bacon, 1561～1626）は，それまでの先人たちの自然観が根本的に誤っていることを指摘し，「新しい科学の方法論」を編み出すことに努力を傾注した．ベーコンは自然を知るためには「正確に “測る” こと」が重要であると説き，一切の先入観を排して「自然を観測した結果」から「その根底に横たわる法則」を見出した．これらの実証から，「観測によって検証していく」ことの重要性を指摘した．すなわち，自然科学では「モノを観測し，測る」ことが自然を知るための基本的アプローチの仕方であることを提唱した．

ベーコンの後に生まれたボイル（Robert Boyle, 1627 ～ 1691）も，古代ギリシャの物質観を批判し，「合理的で先入観のない実験」のみが物質を明らかにすることができるとした（ボイルは“Analyst：分析技術者”という語をつくったことでも有名である）.

以後，自然のなぞ解きのために，正しい観察と測定技術が編み出されるようになった. 1700年代初頭に，燃焼には空気に含まれる成分が関係していることが見出され，それがラボアジェ（Antoine Laurent Lavoisier, 1743 ～ 1794）による酸素の発見へとつながっていくことになる.

ラボアジェは，化学の基礎を築いた1人であり，精密化学天秤を用いた定量実験を行い，質量保存の法則を見出したことから，“分析化学の父”といわれている．また，ボイル以後，「分析化学がなければ化学はない」と歴史的に考えられていることから，“分析化学は近代化学の母”といわれてきた．現在では，分析化学は化学の領域にとどまらず，広く自然科学を対象とする傾向が強まり，分析化学の役割を幅広くとらえて，“分析科学（analytical science)”といわれることがある．今後とも，分析化学あるいは分析科学の重要性はますます高まるであろう．分析化学と分析科学の概念は若干異なる面があるが，ここではほぼ同義として説明していく.

Antoine Lourent Lavoisier
（1743～1794,フランス）

Robert Boyle
（1627～1691,アイルランド）

Francis Bacon
（1561～1626,イギリス）

1.2　自然科学と化学および分析化学のかかわり

自然科学（Natural Science）とは，自然界に存在する諸対象を取り扱い，そこに潜む真実・真理を発見し，その基本的法則性を明らかにすることを目的とする学問である．したがって，自然科学は，（a）自然に潜む真実・真理に関する情報取得の“方法論”，（b）それらの情報をまとめる“各論”，（c）各論から導出される“理論”，およびその“体系化”，これらが三位一体となった調和ある発展によって一層の進歩を遂げることができる.

一方，化学は，自然に存在する物質はどのような物質の集合体か，またそれらの間にはどのような相互作用が存在するのか，さらにそれらの物質はどのような元素がどのような割合で構成されているのか，その構成の法則性は何か，を追究し，物質の本性に迫るものであり，その法則性を利用して新しい有用な物質をつくり出すことを研究する学問分野である．

この地球上に存在する全ての化学物質 — 大気，地球，生命体の全てを含めて — は，人工的に合成されたものを含めて1,500万種以上あるといわれるが，これらは約90種の元素の結びつきによってつくられている．このような膨大な数の物質に関する化学を進歩・発展させることにより，自然の成り立ち，生命現象の解明，自然に潜む真実・真理の解明などが一層進展する．人類が生存する限り，化学の研究はつきることはない．それだけに，分析化学の役割はきわめて重要となる．

1.3　分析化学とは

自然科学の重要な一分野である化学において，真実・真理を発見し，その情報を取り出す方法論の開拓は分析化学・分離化学が担い，各論の蓄積は主に無機化学，有機化学，理論の展開は物理化学，量子化学が担う．この関係を図1.1に示す．

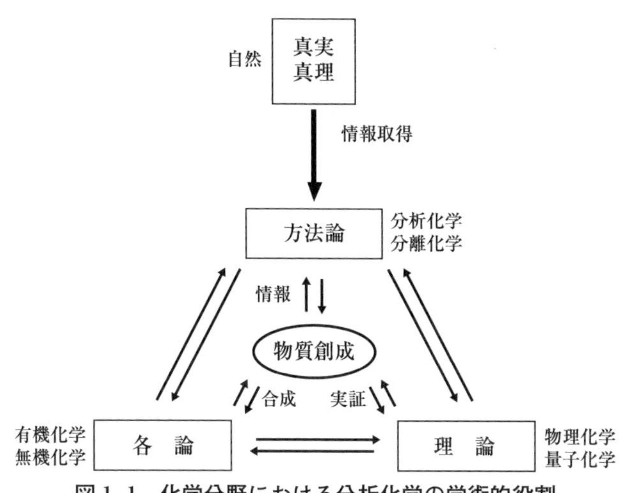

図1.1　化学分野における分析化学の学術的役割

これら三位一体となった化学の研究成果は新しい物質の創成を促し，さらに新しい真実・真理の解明に寄与する．分析化学発展の成果として新しい分析技術も生まれ，生命科学，臨床化学，食糧科学，環境科学，工業化学など広範な分野で各種試料の分析に活用され，産業の発展，安全で安心できる社会構築に重要な役割を担っている．したがって，分析の質的低下は，まかりまちがえば生命の危険をもたらし，品質管理分析の間違いは製造元のみならず社会全体に対して膨大な損失，危険性をもたらすことにつながる可能性が高い．

分析化学・技術は，人類の知的資産形成に必須の学問であるばかりではなく，その成果が現実の人間社会に密接にかかわっていることからもわかるように，重要かつ必須の学問分野である．故に人類社会の進歩，発展に先んじて常に進化し続けなければならない運命にある．いいかえれば，分析化学は最先端科学の進展に必須の分析・解析技術を生み出す母体としての基盤的役割を担っている．それだけに，分離機能，センシング機能，解析機能の創成をとおして自然科学に貢献する責任は重大である．これら機能創成の前には広大なフロンティアが無限に広がっており，チャレンジするに値する学問である．

1.4　分析化学と化学分析

分析化学とは，前節で述べたように，自然に潜む真実・真理に関する情報取得の方法論の展開を化学的な観点から研究する学問領域であり，分析技術を生み出す原動力，あるいは技術の正当性を裏付け，得られた測定結果の妥当性を確認し，分析の質[*1]を保証するものである．

一方，化学分析とは，「分析の対象となる試料（分析試料）に関する化学的情報を取得するための方法や技術を駆使してその分析目的を達成すること」である．図1.2に示すように，化学分析には何らかの化学反応を利用して情報を得る化学的方法（化学的分析法）と光，電子，粒子線，熱などを用いて情報を得る物理的方法（物理的分析法）がある．

化学分析には，単に物質（分析試料）の構成要素を知る目的の定性分析，量的な関係を明らかにすることを目的とする定量分析，その存在形態・状態を明らかにすることを目的とする状態分析，存在種ごとに定量することを目的とする種別分析（スペシエーション）などがある．

化学的分析は，一般に溶液化学反応を伴うので，湿式化学分析ともいわれる．滴定，重量分析のように，絶対定量法[*2]として重要なものが多い．一方，物理的分析は，ほとんどの場合，比較的高価な器具，装置を測定に用いるので機器分析ともいわれる．物質の表面の化学形態・状態などを知るための非破壊分析（例えば蛍光X線，放射化分析，電子線を用いる表面分析など）を除いて，ほとんどの物理的分析においては，その前段階で試料の調製と調整，前処理などにおいて化学反応を必要とする．したがって，溶液中で起こる反応を理解し，縦横に活用できることが新規分析法・分析技術の開発にきわめて重要である．また，非破壊物理的分析の精度，確度の向上など分析の質の確保のためには化学的分析による情報が必須である．

---

*1　分析データの要求度．どのような情報をどの程度まで知りたいかを示すこと．

*2　絶対定量法　理論式に絶対値を与えたあと，ひとつの変数を測定して濃度あるいは量を決める定量法．酸塩基滴定，沈殿滴定，酸化還元滴定，キレート滴定，電量滴定などがあり検量線の作成は必要としない．

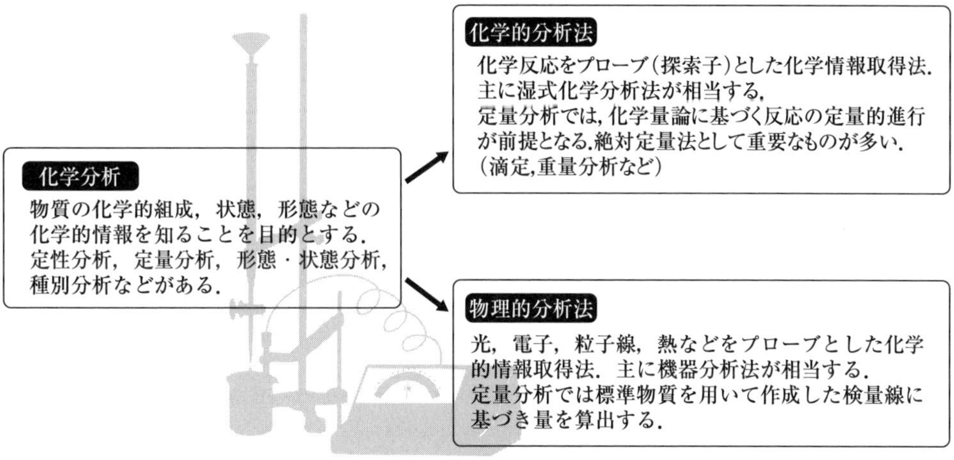

化学分析
物質の化学的組成，状態，形態などの
化学的情報を知ることを目的とする．
定性分析，定量分析，形態・状態分析，
種別分析などがある．

化学的分析法
化学反応をプローブ（探索子）とした化学情報取得法．
主に湿式化学分析法が相当する．
定量分析では，化学量論に基づく反応の定量的進行
が前提となる．絶対定量法として重要なものが多い．
（滴定，重量分析など）

物理的分析法
光，電子，粒子線，熱などをプローブとした化学
的情報取得法．主に機器分析法が相当する．
定量分析では標準物質を用いて作成した検量線に
基づき量を算出する．

図 1.2　化学分析の分類

コラム　スペシエーション（speciation）

同じ元素を含む化学種でも有機態，無機態などの化学形態，あるいは同じ無機態でも複数の酸化数を有するものも存在する．元素はその化学形態によって毒性などの化学特性が変わることもあり，単に元素の合計量を測定するのではなく，さまざまな化学形態の異なる元素種を特定し，その濃度を明らかにすることが重要になる．毒性の他にも元素の酸化数や化学形態の違いによって，栄養価，環境持続性，生体利用性，揮発性，化学反応性などが異なる場合もある．このように化学形態の異なる化学種（元素種）を分離・定量するプロセスのことを化学形態別分析（スペシエーション分析：speciation analysis）といい，特に，環境，食品，臨床分野で重要視されている．

1.5　分析化学の教育および学習の目的

ある試料が与えられ，その化学分析が課題として設定されたとき，その化学分析の目的（分析対象物質の定性，定量，スペシエーションなど；分析の精度，確度に対する要求など）を達成するための方法を考案し，実際に化学分析の目的にかなうことを実証して，課題を解決できる分析技術者・研究者を養成することが分析化学教育の重要な目的であり，さらには次世代の分析化学者の育成が期待される．具体的には，すでに確立された分析技術をまちがいなく正しく利用でき，また課題を間違いなく遂行できる新しい化学分析法を構築する能力・技術をそなえた人材育成である．

このために必須となる化学反応の原理・法則，器具・装置の原理・取扱方法，データ処理法を学ばなければならない．重要で基礎的な溶液内化学反応には，酸塩基反応，錯体生成反応，酸化還元反応，沈殿反応，二相間分配反応などがあり，分析化学をとおしてこれ

らを学ぶことができる．

また，真のアナリスト（analyst：分析技術者）の役割は，「物質の本性」に迫る分析・解析方法の創成をとおして科学の発展に貢献することである．図1.3に示すように，ある分析課題に適切に対処できるグランドデザインを描き，試料採取から始まり，適切な前処理，分離・濃縮，測定，データ処理，分析結果の提示など一連の分析法をまとめあげ，さらに分析結果として得られた情報を基に真実・真理を引き出すことができなければならない．単にマニュアルに従って測定し，結果を提示するだけではオペレータにすぎない．

第1ステップ
【分析目的の明確化】
- 分析の必要性　• 分析の質，分析の技術レベル　• 分析対象試料
- 分析目的物質　• 分析結果に関連する測定項目

↓

第2ステップ
【分析操作の明確化】
- 試料のサンプリング方法　• 測定試料の調製と調整方法
- 必要な前処理方法　• 測定方法，使用器具・機器の選択

↓

第3ステップ
【試料採取】
- サンプリング：場所，時間，天候など　• サンプリングおよび現場における前処理
- サンプリング現場での関連項目設定

↓

第4ステップ
【試料調製と調整】
- 試料の縮分　• 分析試料の調製（固体の溶解などを含む）
- 測定のための試料調整（各種前処理などを含む）

↓

第5ステップ
【分析試料の測定】
- 分析環境の状況確認　• 分析手法の確認　• 測定機器の確認
- 分析試料の確認　• 分析試料の測定および結果の確認

↓

第6ステップ
【分析結果の提示と報告】
- 測定データの処理，統計処理　• 分析の質の確認
- 分析結果の妥当性確認　• 分析結果に基づく分析評価

↓

第7ステップ
【分析結果の整理・保存】
- 測定データ，分析結果の整理･保存
- 分析関連資料，データなどの整理･保存　• 分析の終了

図1.3　分析の過程：目的の明確化から分析の終了まで

1.6　分析化学の将来展望

限りある地球資源を活用して人類社会が永続的に発展していくためには，「物質を取り扱う化学」の重要性は今後よりいっそう増すことに疑いの余地はないであろう．また，生命，環境，食糧など人類の生存に必須の分野において，安全で安心できる社会構築が必要とされる．学術的な課題への対処とともに，これら身の回りの現実的で緊急を要する問題解決にも分析化学・技術への期待はますます大きくなる．

分析化学は，化学の分野の中でもきわめて重要な学問分野であり，その誕生からもわかるように，化学のみならず自然科学の先導となる任務が課されている．分析化学を専攻する人のみならず，自然科学を学ぶ人たちにも分析化学は基礎学問として必須のものである．このような観点から，最近では分析化学が分析科学といわれるようになっている．

1.7　分析化学の学習に必要な平衡論的および数学的事項

分析化学を学び，よりよく理解するために必須の事柄として，水溶液内の平衡反応の解析がある．溶液内反応の基礎として本書で学ぶ平衡反応は，化学の基礎として，さらには化学的分析法のバックボーンとしても重要である．このような平衡反応を理解し，それらに関わる平衡定数の取り扱いに習熟しておく必要がある．また，通常使用する水素イオン濃度は 10^{14} 桁の範囲であり，それゆえ，$-\log[H^+] = pH$ が用いられるように，指数，対数の理解，およびそれらの計算が必要となる．本格的な平衡反応を学習するために有用な基礎を学ぶことで，平衡反応の理解をスムーズに進めることができる．したがって，以下の例題を通じ，これらについて理解しておくことを期待する．

例題 1.1　平衡反応の取扱い

（1）　平衡反応 $A + B \rightleftarrows C$ がある．この反応の平衡定数 $K(=[C]/[A][B])$ を 10^2, 10^3, 10^4, 10^5 とする．A および B の初濃度（C_0）がそれぞれ 1.0×10^{-2} M，1.0×10^{-4} M のとき，生成物 C の濃度はいくらになるか．また，残っている A または B の濃度はいくらになるか[*3]．これらの計算結果からどのようなことがわかるか．

（2）　平衡反応 $C \rightleftarrows A + B$ がある．この反応の平衡定数 $K(=[A][B]/[C])$ を 10^{-2}, 10^{-3}, 10^{-4}, 10^{-5} とする．C の初濃度（C_0）が 1.0×10^{-2} M および 1.0×10^{-4} M のとき，生成物 A および B の濃度はいくらになるか．また，残っている C の濃度はいくらになるか．これらの計算結果からどのようなことがわかるか．

---

*3 [A]，[B]，[C]はそれぞれの（容量）モル濃度（第 2 章）を示す．また，平衡反応で示す左辺の物質が出発物質，右辺が生成物である．

（3）（1）において，Aの初濃度（C_0）が1.0×10^{-1} M，Bの初濃度（C_0）が1.0×10^{-2} Mのとき，また，Aの初濃度（C_0）が1.0×10^{-1} M，Bの初濃度（C_0）が1.0×10^{-4} Mのとき，生成物Cの濃度はいくらになるか．また，残っているAおよびBの濃度はいくらになるか．これらの計算結果からどのようなことがわかるか．

解　答

（1）　このような反応の例としては，金属錯体生成反応（$M + Y \rightleftarrows MY$）（第5章）などがある．

生成物Cの濃度を y Mとする．

$K = y/(C_0 - y)(C_0 - y)$

$Ky^2 - (2KC_0 + 1)y + KC_0^2 = 0$　①

（a）$C_0 = 1.0 \times 10^{-2}$ Mのとき

式①より，

$Ky^2 - (2 \times 10^{-2}K + 1)y + 10^{-4}K = 0$　②

（i）$K = 10^2$ のとき

$10^2y^2 - 3y + 10^{-2} = 0$　③

式③の二次式を解くと，$y = 0.38 \times 10^{-2}$ M

（ii）$K = 10^3$ のとき

（i）と同様にして，yを求めると，

$y = 0.73 \times 10^{-2}$ M

（iii）$K = 10^4$ のとき

$y = 0.91 \times 10^{-2}$ M

（iv）$K = 10^5$ のとき

$y = 0.97 \times 10^{-2}$ M

（b）$C_0 = 1.0 \times 10^{-4}$ Mのとき

$Ky^2 - (2 \times 10^{-4}K + 1)y + 10^{-8}K = 0$　④

（i）$K = 10^2$ のとき

式④より，$10^2y^2 - (2 \times 10^{-2} + 1)y + 10^{-6} = 0$　⑤

式⑤の二次式を解くと，

$y = 0.01 \times 10^{-4}$ M

（ii）$K = 10^3$ のとき

（i）と同様にして，yを求めると，

$y = 0.10 \times 10^{-4}$ M

（iii）$K = 10^4$ のとき

$y = 0.38 \times 10^{-4}$ M

（iv）$K = 10^5$ のとき

$y = 0.73 \times 10^{-4}$ M

表1.1　反応後のA，B，Cの濃度

	K			
	10^2	10^3	10^4	10^5
$C_0 = 1.0 \times 10^{-2}$ Mのとき				
Cの濃度（10^{-2} M）	0.38	0.73	0.91	0.97
Aの濃度（10^{-2} M）	0.62	0.27	0.09	0.03
Bの濃度（10^{-2} M）	0.62	0.27	0.09	0.03
$C_0 = 1.0 \times 10^{-4}$ Mのとき				
Cの濃度（10^{-4} M）	0.01	0.10	0.38	0.73
Aの濃度（10^{-4} M）	0.99	0.90	0.62	0.27
Bの濃度（10^{-4} M）	0.99	0.90	0.62	0.27

表1.1からわかるように，平衡定数Kが大きくなるにつれて，反応収率（生成物Cの割合）も大きくなることがわかる．また，初濃度C_0が小さくなると，反応収率は悪くなり，1.0×10^{-4} Mのとき，$K = 10^5$でも反応収率は73 %（0.73）である．いずれの濃度においても，反応は定量的とはいえない（定量的：反応収率が99.9 %以上，すなわち0.999以上のとき）．

定量的な反応のためには，

$$[C]/[A] = [B] \times K > 10^3 (\approx 0.999/0.001) \quad ⑥$$

であればよい．$C_0 = 1.0 \times 10^{-2}$のときには，$[C] \approx 10^{-2}$，$[A] = [B] \approx 10^{-2} \times 10^{-3} = 10^{-5}$を式⑥に代入すると，$K > 10^8$であれば，定量的に反応することがわかる．

（2） このような反応としては，酸解離反応（$HA \rightleftarrows H^+ + A^-$）などがある．

生成物AおよびBの濃度をy Mとすると，

$$K = [A][B]/[C] = y^2/(C_0 - y)$$

$$y^2 + Ky - C_0K = 0 \quad ⑦$$

（a）$C_0 = 1.0 \times 10^{-2}$ Mのとき式⑦より，

$$y^2 + Ky - 10^{-2}K = 0 \quad ⑧$$

（i）$K = 10^{-2}$のとき

式⑧より，$y^2 + 10^{-2}y - 10^{-4} = 0$ ⑨

式⑨の二次式を解いてyを求める．

$y = 0.62 \times 10^{-2}$ M

（ii）$K = 10^{-3}$のとき

（i）と同様に二次式を解いてyを求める．

$y = 0.27 \times 10^{-2}$ M

（iii）$K = 10^{-4}$のとき

（i）と同様に二次式を解いてyを求める．

$y = 0.10 \times 10^{-2}$ M

（iv）$K = 10^{-5}$のとき

（i）と同様に二次式を解いてyを求める．

$y = 0.03 \times 10^{-2}$ M

（b）$C_0 = 1.0 \times 10^{-4}$ Mのとき式⑦より，

$$y^2 + Ky - 10^{-4}K = 0 \quad ⑩$$

（i）$K = 10^{-2}$のとき

式⑩より，$y^2 + 10^{-2}y - 10^{-6} = 0$ ⑪

式⑪の二次式を解いてyを求める．

$y = 0.99 \times 10^{-4}$ M

（ii）$K = 10^{-3}$のとき

（i）と同様に二次式を解いてyを求める．

$y = 0.92 \times 10^{-4}$ M

（iii）$K = 10^{-4}$のとき

（i）と同様に二次式を解いてyを求める．

$y = 0.62 \times 10^{-4}$ M

（iv）$K = 10^{-5}$のとき

（i）と同様に二次式を解いてyを求める．

$y = 0.27 \times 10^{-4}$ M

表1.2　反応後のA，B，Cの濃度

	K			
	10^{-2}	10^{-3}	10^{-4}	10^{-5}
$C_0 = 1.0 \times 10^{-2}$ Mのとき				
Cの濃度（10^{-2} M）	0.38	0.63	0.90	0.97
Aの濃度（10^{-2} M）	0.62	0.27	0.10	0.03
Bの濃度（10^{-2} M）	0.62	0.27	0.10	0.03
$C_0 = 1.0 \times 10^{-4}$ Mのとき				
Cの濃度（10^{-4} M）	0.01	0.08	0.38	0.63
Aの濃度（10^{-4} M）	0.99	0.92	0.62	0.27
Bの濃度（10^{-4} M）	0.99	0.92	0.62	0.27

平衡定数K(この場合には解離定数ともいわれる）が大きいほど解離は進み，また濃度が小さいほど，解離は進むことがわかる．

（3）A，Bの初濃度をC_0(A)，C_0(B)，および生成物Cの濃度をyとする．

$K = [C]/[A][B] = y/(C_{0(A)} - y)(C_{0(B)} - y)$

$$Ky^2 - (KC_{0(A)} + KC_{0(B)} + 1)y + C_{0(A)}C_{0(B)}K = 0 \quad ⑫$$

（a）$C_{0(A)} = 1.0 \times 10^{-1}$ M,
　$C_{0(B)} = 1.0 \times 10^{-2}$ Mのとき

式⑫より，

$$Ky^2 - (10^{-1}K + 10^{-2}K + 1)y + 10^{-3}K = 0 \quad ⑬$$

（i）$K = 10^2$のとき
　式⑬より，$10^2y^2 - 12y + 10^{-1} = 0$
　$y = 0.90 \times 10^{-2}$ M

（ii）$K = 10^3$のとき
　$y = 0.989 \times 10^{-2}$ M

（iii）$K = 10^4$のとき
　$y = 0.999 \times 10^{-2}$ M

（iv）$K = 10^5$のとき
　$y = 0.9999 \times 10^{-2}$ M

（b）$C_{0(A)} = 1.0 \times 10^{-1}$ M,
　$C_{0(B)} = 1.0 \times 10^{-4}$ Mのとき

式⑫より，

$$Ky^2 - (10^{-1}K + 10^{-4}K + 1)y + 10^{-5}K = 0 \quad ⑭$$

（i）$K = 10^2$のとき
　式⑭より，$10^2y^2 - 11.01y + 10^{-3} = 0$
　$y = 0.909 \times 10^{-4}$ M

（ii）$K = 10^3$のとき
　$y = 0.995 \times 10^{-4}$ M

（iii）$K = 10^4$のとき
　$y = 0.999 \times 10^{-4}$ M

（iv）$K = 10^5$のとき
　$y = 0.9999 \times 10^{-4}$ M

表 1.3　反応後の A，B，C の濃度（表中の濃度は有効数字を考慮せずに示している）

	K			
	10^2	10^3	10^4	10^5
$C_{0(A)} = 1.0 \times 10^{-1}$，$C_{0(B)} = 1.0 \times 10^{-2}$ M のとき				
C の濃度（10^{-2} M）	0.901	0.989	0.999	0.9999
A の濃度（10^{-2} M）	9.099	9.011	9.001	9.0001
B の濃度（10^{-2} M）	0.099	0.011	0.001	0.0001
$C_{0(A)} = 1.0 \times 10^{-1}$，$C_{0(B)} = 1.0 \times 10^{-4}$ M のとき				
C の濃度（10^{-4} M）	0.909	0.995	0.999	
A の濃度（10^{-2} M）	9.9909	9.99005	9.99001	
B の濃度（10^{-4} M）	0.091	0.005	0.001	

一方の反応試薬が過剰にある場合である．反応収率は向上し，低濃度でも定量的な反応を行わせせることが容易であることがわかる．通常分析化学で反応収率を高めるために用いられる手法である．

A が B に対して過剰のとき，$[C]/[B] = K \times [A] > 10^3$ であれば B は定量的に反応している．生成物 C の収率は反応後に存在する A の濃度に依存するので，$C_{0(B)} = 1.0 \times 10^{-4}$ M のときがわずかに収率は大きくなる．

例題 1.2　定量的な反応の条件

平衡反応 A + B $\rightleftarrows$ C がある．この反応の平衡定数を $K(= [C]/[A][B])$ とする．A および B の初濃度（C_0）が 1.0×10^{-5} M のとき，生成物 C が定量的に生成するためには，平衡定数 K の値はいくらであればよいか．また，A の初濃度が 1.0×10^{-5} M，B の初濃度が 1.0×10^{-3} M のとき，生成物 C が定量的に生成するためには，平衡定数 K の値はいくらであればよいか．

なお，ここで定量的とは A の 99.9 % が反応している状態をいう．

解　答

（1）　A，B の初濃度が等しいとき

$K = [C]/[A][B]$，$[C]K = [C]^2/[A]^2$，

$([C]/[A])^2 = [C]K$

定量的に C が生成するためには，$[C]/[A] \geqq 10^3$ であればよい．

したがって，$[C]K \geqq 10^6$，$K \geqq 10^{11}$ であればよい．

（2）　A，B の初濃度がそれぞれ 1.0×10^{-5}，1.0×10^{-3} M のとき

$K \approx (10^{-5})/(10^{-5} \times 10^{-3})\ (10^{-3} - 10^{-5})$

$= 10^{-5}/(10^{-8} \times 10^{-3}) = 10^6$

すなわち，目的物 A に対して反応試薬 B を過剰に加えておけば，K が小さくても目的とする反応を定量的に行わせることができる．

例題 1.3　指数と対数の計算

分析化学では，反応系内に存在する化学種の濃度の関係を平衡論的観点に基づき計算により求めることが必要となる．このような計算では，指数，対数計算がしばしば用いられる．次の指数，対数を含む計算問題に答えよ．ただし，$\log 2 = 0.30$，$\log 3 = 0.48$ とする．

注　ここでは指数と対数の理解および練習のために電卓を使用せずに解いてみる．

（1）$\log 4$，$\log 5$，$\log 6$，$\log 8$，$\log 20$，$\log 10^3$，$\log 10^{2.3}$ の値を求めよ．

（2）$\log(3/2)$，$\log(2/3)$，$\log(10/3)$，$\log(5/2)$ の値を求めよ．

（3）$\log 7$，$\log 11$ のおおよその値を求めよ．

（4）$2 = 10^x$，$3 = 10^x$，$6 = 10^x$ の x を求めよ．

（5）$10^Y =$（i）$10^2 \times 10^5$，（ii）2×10^3，（iii）2×3，（iv）3×40，（v）$2 \div 3$，（vi）$(10^3)^4$，（vii）$10^4 \div 10^2$ における Y を求めよ．

（6）X の濃度を［X］とし，$Y = [X] + 10^3[X]^2 + 10^6[X]^4 + 10^9[X]^5$ とする．
［X］が（i）10^{-2}，（ii）10^{-5} のときの Y を求めよ．

（7）X の濃度を［X］とし，$Y = 1 + [X] + 10^3[X]^2 + 10^6[X]^4 + 10^9[X]^5$ とする．
［X］が（i）10^{-2}，（ii）10^{-5} のときの Y を求めよ．

（8）$Y =$（i）$\sqrt{2} \times \sqrt{5}$，（ii）$\sqrt{2} \times \sqrt{3}$，（iii）$\sqrt{2} \div \sqrt{3}$，（iv）$\sqrt{2} \times \sqrt[3]{2} \times \sqrt[4]{2}$，
（v）$\sqrt{2} \times \sqrt[3]{3} \times \sqrt[4]{5}$
における Y の値を求めよ．

解　答

$\log AB = \log A + \log B$，$\log(A/B) = \log A - \log B$，$\log 10 = 1$ の関係が成立する．

（1）$\log 4 = \log 2^2 = 2\log 2 = 2 \times 0.30$
$= 0.60$
$\log 5 = \log(10/2) = 1 - 0.30$
$= 0.70$
$\log 6 = \log(2 \times 3) = \log 2 + \log 3$
$= 0.78$
$\log 8 = \log 2^3 = 3\log 2 = 3 \times 0.30$
$= 0.90$
$\log 20 = \log(2 \times 10)$
$= \log 2 + \log 10 = 1.30$
$\log 10^3 = 3$
$\log 10^{2.3} = 2.3$

（2）$\log(3/2) = \log 3 - \log 2$
$= 0.48 - 0.30 = 0.18$
$\log(2/3) = 0.30 - 0.48 = -0.18$
$\log(10/3) = 1 - 0.48 = 0.52$
$\log(5/2) = \log(10/4)$
$= 1 - \log 2^2$
$= 1 - 2 \times 0.30 = 0.40$

（3）狭い範囲では対数の値もほぼ直線と考え，按分法で求める．
$\log 7 = (\log 6 + \log 8)/2$
$= (\log 2 + \log 3 + \log 2^3)/2$
$= (0.30 + 0.48 + 3 \times 0.30)/2$
$= 0.84$（実際の値 0.845）
$\log 11 = (\log 10 + \log 12)/2$
$= (1 + \log 3 + \log 2^2)/2$
$= (1 + 0.48 + 0.60)/2$
$= 1.04$（実際の値 1.041）

(4) $2 = 10^x$,

$\log 2 = \log 10^x = x \log 10 = x$

したがって，$x = 0.30$

同様に，$3 = 10^x$ の場合 $x = 0.48$,

$6 = 10^x$ の場合 $x = 0.78$ となる.

(5)

(i) $10^Y = 10^2 \times 10^5 = 10^7$, $Y = 7$

(ii) $10^Y = 2 \times 10^3 = 10^{0.30} \times 10^3$

$= 10^{3.30}$,

$Y = 3.30$

(iii) $10^Y = 2 \times 3 = 10^{0.30} \times 10^{0.48}$

$= 10^{0.78}$,

$Y = 0.78$

(iv) $10^Y = 3 \times 40 = 10^{0.48} \times 10^{0.60} \times 10$

$= 10^{2.08}$,

$Y = 2.08$

(v) $10^Y = 2 \div 3 = 10^{0.30} \div 10^{0.48}$

$= 10^{0.30-0.48} = 10^{-0.18}$,

$Y = -0.18$

(vi) $10^Y = (10^3)^4 = 10^{12}$, $\mathrm{Y} = 12$

(vii) $10^Y = 10^4 \div 10^2 = 10^{4-2} = 10^2$,

$Y = 2$

(6)

(i) $[\mathrm{X}] = 10^{-2}$ のとき，

$Y = 10^{-2} + 10^3 \times (10^{-2})^2$

$+ 10^6(10^{-2})^4 + 10^9(10^{-2})^5$

$= 10^{-2} + 10^{-1} + 10^{-2} + 10^{-1}$

$= 2 \times 10^{-2} + 2 \times 10^{-1}$

$= 22 \times 10^{-2} = 0.22$

(ii) $[\mathrm{X}] = 10^{-5}$ のとき，

$Y = 10^{-5} + 10^3 \times 10^{-10} + 10^6 \times 10^{-20}$

$+ 10^9 \times 10^{-25}$

$= 10^{-5} + 10^{-7} + 10^{-14} + 10^{-16}$

$= 1.01 \times 10^{-5} \approx 10^{-5}$

(7)

(i) $[\mathrm{X}] = 10^{-2}$ のとき，

$Y = 1 + 10^{-2} + 10^3 \times (10^{-2})^2 +$

$10^6(10^{-2})^4 + 10^9(10^{-2})^5$

$= 1 + 0.22 = 1.22$

(ii) $[\mathrm{X}] = 10^{-5}$ のとき，

$Y = 1 + 10^{-5} + \cdots \approx 1$

(8) $\sqrt[x]{\mathrm{a}} \times \sqrt[z]{\mathrm{a}} = \mathrm{a}^{1/x} \times \mathrm{a}^{1/z} = \mathrm{a}^{(1/x+1/z)}$ の関係がある.

(i) $Y = \sqrt{2} \times \sqrt{5} = \sqrt{(2 \times 5)} = \sqrt{10}$

$= 10^{1/2}$,

$Y = 10^{0.5} = 3.2$

(ii) $Y = \sqrt{2} \times \sqrt{3} = 1.414 \times 1.732$

$= 2.449$

($\sqrt{\ }$ の値は表または計算機による)

あるいは $Y = \sqrt{6} = 2.449$

(表または計算機による)

(iii) $Y = \sqrt{2} \div \sqrt{3} = \sqrt{(2/3)} = \sqrt{0.6666}$

$= 0.816$

(表または計算機による)

(iv) $Y = \sqrt{2} \times \sqrt[3]{2} \times \sqrt[4]{2} = 2^{1/2} \times 2^{1/3}$

$\times 2^{1/4}$

$= 2^{(1/2+1/3+1/4)} = 2^{(0.5+0.33+0.25)}$

$= 2^{1.08}$

$\log Y = \log 2^{1.08} = 1.08 \times \log 2$

$= 1.08 \times 0.30 = 0.324$

$Y = 10^{0.324} = 2.11$

(表または計算機による)

(v) $Y = \sqrt{2} \times \sqrt[3]{3} \times \sqrt[4]{5}$ のとき，

$\log Y = (\log 2)/2 + (\log 3)/3 +$

$(\log 5)/4$

$= 0.30/2 + 0.48/3 + 0.70/4$

$= 0.485$

$Y = 10^{0.485} = 3.05$

(表または計算機による)

コラム　常用対数と自然対数について

指数・対数計算は，パソコンや電卓が普及する前は指数・対数表や計算尺などにより求められていた．現在，対数による計算は関数電卓やパソコンなどで手軽にでき，また有効数字を考慮した概略値を求めるときには便利な方法である．化学では，対数や指数を用いる場合も多い．本章でも分析化学で必要な計算例を示している．

対数（logarithm）とは，ある正の実数（$a \neq 1$）をとり，任意の正の実数xに対し，$x = a^p$を満たす実数pである．このpを$p = \log_a x$と示し，pはaを底（base）とするxの対数という．また，xを真数（anti-logarithm）という．これは指数関数を用いた定義である．底（a）を10とした対数は常用対数といわれ，$p = \log_{10} x$または底の10を省略して$p = \log x$で表す．

aをπ（3.14159…）と同じような数学定数である自然数で示すことも便利である．記号e(ネイピア数）は自然対数の底としてよく用いられる．すなわち$e = 2.71828\cdots$と続く超越数である．このeを収束数列により定義すると，$n > 1$において

$$e = \lim_{n \to \infty}\left(1 + \frac{1}{n}\right)^n \quad ①$$

となる．これは利子の複利計算との関連で知られている．底$a = e$とした対数を自然対数（natural logarithm, ln）という．この他にも，底にはいろいろな定数が用いられる．常用対数と自然対数の関係を示すと，底の交換式を利用して次式の関係が得られる．

$$\log_{10} x = \frac{\log_e x}{\log_e 10} \quad ②$$

ここで$y = \log_e 10$とすると，$e^y = 10$であり，$e = 2.718$とすると，$y = 2.303$が得られる．式②から$\log_e x = 2.303 \times \log_{10} x$である．すなわち

$$\ln x = 2.303 \times \log x \quad ③$$

分析化学以外の分野でも，対数を用いた理論式が出てくるが，まず一般論として自然対数を用いて公式化している．したがって，式③を用いて計算しやすい常用対数に変換して数値を求めればよい．本書でも随所においてこの関係を利用している．

参考資料

（1）　Gary D. Christian, “Analytical Chemistry” 6th edition (John Wiley & Sons), 2004.
原口紘.監訳，「クリスチャン分析化学 I 基礎編」，(丸善)，2005.

（2）　Gyula Svehla (Trans.), “History of Analytical Chemistry” by Ferenc Szabadvary, (Pergamon Press).
坂上正信他訳，「分析化学の歴史」，(内田老鶴圃)，1988.

第1章の章末問題

1.1［推 奨］

水溶液内平衡反応（$2A + B \rightleftharpoons C + D$）について，次の問に答えよ．

（1）　この反応の平衡定数 $K = [C][D]/[A]^2[B] = 10^4$ M，A，B の初濃度 C_A，C_B が 1.0×10^{-2} M のとき，生成物 C，D の濃度を求めよ．また，残っている A，B の濃度を求めよ．

（2）　$K = 10^{-2}$ および 10^6，C_A，C_B が 1.0×10^{-2} M について，（1）と同様に求めよ．

1.2［推 奨］

初濃度 C_A の弱酸の溶液の［H^+］は次式で示される（第4章参照）．

$[H^+] = K_a \times (C_A - [H^+] + [OH^-])/([H^+] - [OH^-])$

（1）　$K_a = 10^{-5}$ M，$C_A = 1.0\times10^{-2}$ M，および 1.0×10^{-4} M のときの［H^+］を求めよ．

（2）　$[H^+] \gg [OH^-]$ として，［H^+］の2次式を解き，（1）の結果と比較せよ．

課　題

1.1　「分析，分析する analysis, analyze(analyse)」，「測定，測定する measurement, measure」，「定量，定量する determination, determine」の正しい意味，使用法について，これら3種類の言葉の違いを述べよ．さらに，これらの語を含む英語の短文を英語の教科書，論文などから引用し，良否を検討し，レポートにまとめよ．

例　analysis of water, measurement of water, determination of water の違い

1.2　湿式化学分析，非破壊分析，種別分析，状態分析の実際例をおのおの2，3例調べ，レポートにまとめよ．

1.3　分析化学，技術が関係した最近の話題を新聞，ニュースなどから探し，それに関する分析化学・技術をまとめ，レポートにまとめよ．

1.4　天秤を用いて，純金であるか，金と銀の混ざりものであるか，非破壊鑑定法の観点から分析法を考察せよ．

第2章　分析操作の手順とデータ処理

試料中に含まれる物質を化学分析するためには，まず分析の目的に即した試料の採取から始まり，試料の調製，目的成分の分離，妨害成分の対策など十分に検討しなければならない．また成分の濃度に応じた適切な測定法を選択することが重要である．さらに，測定には常に誤差や不確かさが伴うため，得られた結果を統計的に処理し報告する必要がある．したがって，データの処理も測定実験と同等に大切なことである．この章では，化学分析で用いられる単位や数値の取り扱いと，誤差やデータの統計処理ついて学ぶ．

《本章で学ぶ重要事項》

（1）　試料に応じた分析操作の方針：分析操作の流れ
（2）　分析結果の表し方：化学量論
（3）　溶液濃度について：モル濃度，質量モル濃度，分率
（4）　数値の取り扱い：有効数字，計算法，数値の丸め方
（5）　測定値の信頼性：精確さ，真度，精度
（6）　誤差：系統誤差，偶然誤差
（7）　分析データの統計処理：信頼区間，Q 検定

2.1　分析操作の流れ

試料中にどのような化学成分が含まれているか（定性分析），どのくらいの量が含まれているか（定量分析），あるいはどのような状態で存在しているか（状態分析）を知るために行う操作が化学分析である．それでは，実際の試料の分析をするにはどうしたらよいだろうか．答えは簡単ではなく，試料が天然物質か人工物質か，無機物質か有機物質か，その状態は気体なのか液体なのか固体なのか，また，どのような情報をどの程度まで知りたいかなどの目的によって，用いる方法も異なる．

分析とは目的に応じ，最適な試料採取法の計画から始まり，分析結果を得，報告書の作成にいたるまでの一連の操作をいう．この一連の分析操作を設計でき，しかも実行できる人をアナリスト(analyst)といい，測定のみができる人(determinator，あるいは operator)と区別される．一連の分析操作のうち，たとえ1カ所でも誤りをおかせば，その分析は結果的に全て失敗したことになる．単純な操作といえども細心の注意と熟練した技術が要求される．分析操作には多種多様な化学反応が用いられており，機器による測定操作は最終段階におけるごく一部にすぎない．このことから機器の測定技術に習熟することはもちろん大切であるが，より一層化学的操作法の原理を学び技術に習熟することの必要性を十分理解しておかなければならない．

2.2　分析データの取り扱い

化学分析は試料について定性・定量・状態分析などにより，化学情報・データを得ることを最終目的としている．したがって，どのような情報が必要であるかを十分熟知したうえで計画を立て，得られた情報・データを正しく取り扱うことが重要である．

2.2.1　分析結果の表し方

分析結果の表し方には種々の方法があり，一般的な表現や測定に用いられる単位に慣れることが肝要である．結果は多くの場合，重量あるいは体積を基準とした濃度，すなわち試料の単位重量または単位体積あたりの分析成分量で報告される．分析成分の質量に用いられる単位にはSI単位（付表1）としてkgがある．その千分の1のグラム（g）は主成分の分析で最も多く使われている．少量成分や微量成分に対しては，より小さい単位であるミリグラム（mg，10^{-3} g），マイクログラム（μg，10^{-6} g），ナノグラム（ng，10^{-9} g），ピコグラム（pg，10^{-12} g）などが使用される．体積としては，m^3（立方メートル）があり，その千分の1はdm^3（立方デシメートル）となり，1 dm^3 = 1 L（リットル）である．その千分の1であるミリリットル（mL）は容量分析（滴定）で通常使用されている．また，小さい容積単位として，マイクロリットル（μL，10^{-6} L），ナノリットル（nL，10^{-9} L），ピコリットル（pL，10^{-12} L），フェムトリットル（fL，10^{-15} L）などが使用される．

1）化学量論に基づく計算

分析化学では，溶液の濃度測定を行い，濃度と体積の関係から溶液中の分析成分の質量を計算する．この計算には化学量論（stoichiometry）の知識が要求される．ここでは，原子量，分子量，式量，モルなどの基本的概念を説明する．

① **原子量**（atomic weight）

天然に存在する多くの元素には，質量数の異なる同位体が一定の割合（存在比）で存在する．このような元素の原子の相対質量は，各同位体の相対質量に存在比を掛けて求めた平均値で表し，その元素の原子量という．よって，原子量が整数の元素はない．また，^{12}Cに対する相対値なので，単位はつけない．例えば，天然の塩素には^{35}Clが75.8 %と，^{37}Clが24.2 %含まれるので，塩素の原子量は，次のように求められる．

$$\text{塩素の原子量} = 35.0 \times \frac{75.8}{100} + 37.0 \times \frac{24.2}{100} = 35.484 \fallingdotseq 35.5$$

どの元素でも1モル中に含まれる原子の数は同数であり，^{12}Cの12 gに含まれる原子数（アボガドロ数）に等しい．すなわち，ある元素の原子1個の質量は，原子量／アボガドロ数（6.02×10^{23}個）である．逆にこの数値にアボガドロ数を掛けたものが，ある元素の原子量として化学の計算に用いられる．

② **分子量**（molecular weight）**と式量**（formula weight）

分子量とは，化合物（分子）を構成する原子の原子量の総和として定義される．また，塩化ナトリウム，鉄やダイヤモンドのように，分子としては存在しない物質では，組成式に含まれる原子の原子量の総和を分子量の代わりとして用いる．これを式量という．さらに式量は，イオン性化合物として存在する物質に対しても用いられ，イオン式に基づいて求められる．

③ **モル**（mole）**とモル質量**

原子や分子が一定の割合で反応することは経験的に知っているが，反応した原子や分子の数を数えることは簡単にはできない．しかし，それらの相対的な質量は決められているので，反応した原子や分子の数の代わりに，これらの相対的な質量を用いて反応を示すことができる．例えば，塩酸と水酸化ナトリウム水溶液の中和（酸塩基）反応では，1分子の塩化水素（HCl）と1分子の水酸化ナトリウム（NaOH）が反応することが知られており，反応式は次のように示される．

$$\mathrm{HCl + NaOH \longrightarrow NaCl + H_2O}$$

あるいは，

$$\mathrm{H^+ + Cl^- + Na^+ + OH^- \rightleftarrows H_2O + Na^+ + Cl^-}$$

$$\mathrm{H^+ + OH^- \rightleftarrows H_2O}$$

塩化水素および水酸化ナトリウムの式量は，それぞれ36.461と39.997なので，塩化水素の質量36.461 gと水酸化ナトリウムの質量39.997 gが反応していることになる．ここで，計算を簡単にするために，アボガドロ数(6.02×10^{23}個)に相当する原子，分子およびイオンなどの化学種を1モル(mol)という概念で表す．

一方，物質1 molあたりの質量をモル質量という．二酸化炭素の分子量は44.01なので，二酸化炭素のモル質量は44.01 g/molになる．また，いずれの物質でも1 molは同じ数の原子あるいは分子，イオンなどを含んでいるので，化学反応において示される係数の比と等しいモル比で反応する．

2) 溶液濃度の表示法

溶液の濃度には種々の表し方があるが，それぞれの場合によって適した単位系が用いられる．ここでは一般に用いられている濃度の単位について説明する．

① **モル濃度あるいは容量モル濃度**

最も広く用いられている濃度の単位である．2種類の溶液が反応するとき，その反応する溶液の体積の比率を知る必要のある分析では，特に有用な濃度表示法となっている．溶液 1 dm^3(1 L) 中に 1 mol の物質を含む溶液を 1 モル濃度の溶液と定義する．溶液のモル濃度(molarity)の単位は mol/dm^3，mol dm^{-3}，あるいは mol/L，mol L^{-1} または簡単のために M で表される[*1]．

② **質量モル濃度**

質量モル濃度（molality）は，溶媒 1 kg 中に溶けている溶質の物質量（モル）として定義される．質量モル濃度の単位は，mol/kg，mol kg^{-1}，あるいは簡単のために m で表される．溶液の体積は温度により変化するため，モル濃度は温度に依存するが，質量モル濃度は，溶媒 1 kg あたりに含まれる溶質の粒子数で決まるため温度に依存しない．質量モル濃度は，凝固点降下，蒸気圧，浸透圧などの計算に用いられる濃度の単位である．

③ **百分率 他**

100 g の溶液中に含まれる溶質のグラム数を表す質量百分率（weight percent，wt % または w/w %），液体を液体に溶かしたときは容量百分率（volume percent，vol % または v/v %），および容量／質量百分率（volume/weight percent，v/w %），質量／容量百分率（weight/volume percent，w/v %）などがある．市販の液体試料は通常質量パーセントとその密度が与えられている場合が多いので，購入した液体試薬のモル濃度を計算するのに利用できる．

また，溶液 1000 g 中に含まれる溶質のグラム数を表すのに千分率（パーミル，permill，‰）を用いることもある．さらに含有量の少ない場合は，百万分率（ppm：parts per million，10^{-6}），十億分率（ppb：parts per billion，10^{-9}），1 兆分率（ppt：

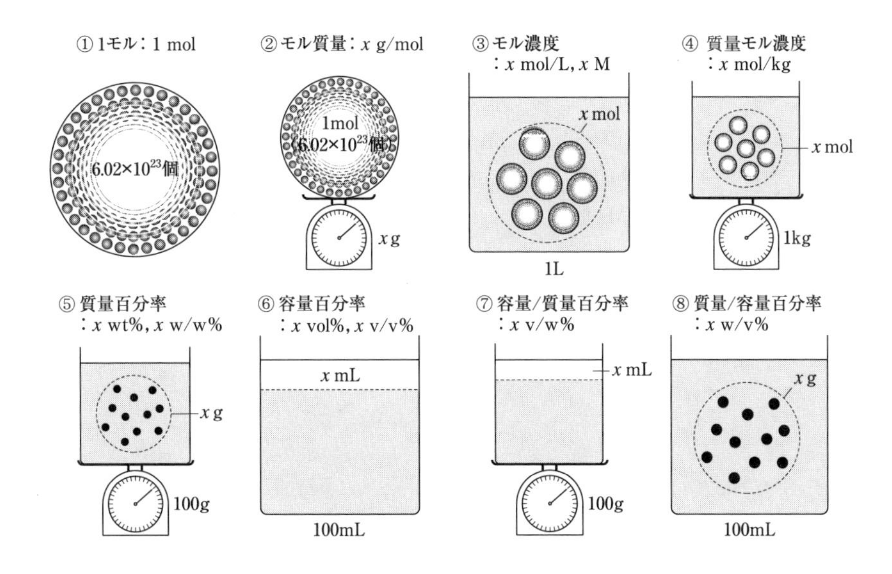

*1　モル濃度の単位は，SI 単位である mol dm^{-3} の表記が推奨されている．しかしながら，定量分析で用いられるメスフラスコ，ビュレット，ホールピペットなどのガラス器具の容積はリットル（L）やミリリットル（mL）の単位で表記されており，mol/L の単位は直観的に理解しやすいため慣用的に用いられている．本書では M を使用する．

parts per trillion, 10^{-12}）などが用いられる．これらの単位は，いずれもある溶質が単位質量の溶液（または固体）中に何グラム含まれるかに相当する．

ppm = mg/kg = μg/g　　溶液（固体）1 kg中に1 mgの溶質を含む

ppb = μg/kg = ng/g　　溶液（固体）1 kg中に1 μgの溶質を含む

ppt = ng/kg = pg/g　　溶液（固体）1 kg中に1 ngの溶質を含む

例えば，溶液 10 g 中に溶質 10^{-7} g を含むとき，10 ppb，あるいは 0.01 ppm と表現する．

例題 2. 1　硫酸アンモニウム鉄（Ⅱ）(モール塩) {$(NH_4)_2Fe(SO_4)_2 \cdot 6H_2O$，式量 392} 0.200 g を水に溶かして 1 L とした．この溶液の比重を 1.000 として，

（1）NH_4^+，Fe^{2+}，SO_4^{2-} のモル濃度を求めよ．

（2）NH_4^+，Fe^{2+}，SO_4^{2-} の ppm 濃度を求めよ．

（3）H_2O のモル濃度を求めよ．

解　答

（1）モール塩は次式のようにそれぞれイオンとなり水に溶解する．

$$(NH_4)_2Fe(SO_4)_2 \cdot 6H_2O \longrightarrow 2NH_4^+ + Fe^{2+} + 2SO_4^{2-} + 6H_2O$$

すなわち，1 mol のモール塩から 2 mol の NH_4^+，1 mol の Fe^{2+}，2 mol の SO_4^{2-} を生成する．

$$\text{モール塩のモル濃度} = \frac{0.200\,(\text{g/L})}{392\,(\text{g/mol})} = 5.10 \times 10^{-4}\ (\text{M})$$

したがって，

$$[NH_4^+] = 2 \times 5.10 \times 10^{-4} = 1.02 \times 10^{-3}\ (\text{M})$$

$$[Fe^{2+}] = 5.10 \times 10^{-4}\ (\text{M})$$

$$[SO_4^{2-}] = 1.02 \times 10^{-3}\ (\text{M})$$

（2）ppm = 10^{-6} g/g = mg/kg ≈ mg/L である．

したがって，モール塩 0.200 g = 200 mg 中のそれぞれのイオンの質量（mg）を計算すればよい．

$$NH_4^+(\text{mg}) = \frac{2 \times 18.0 \times 200(\text{mg})}{392} = 18.4(\text{mg})$$

$$Fe^{2+}(\text{mg}) = \frac{55.8 \times 200(\text{mg})}{392} = 28.5(\text{mg})$$

$$SO_4^{2-}(\text{mg}) = \frac{2 \times 96.1 \times 200(\text{mg})}{392} = 98.1(\text{mg})$$

したがって，NH_4^+ は 18.4 ppm，Fe^{2+} は 28.5 ppm，SO_4^{2-} は 98.1 ppm．

（3）比重は 1.000 であるので，この水溶液 1 L = 1000 g．水の質量 = 1000 − 0.200 g ≈ 1000 g である．水の分子量 18.0 で割ると，

$$[H_2O] = \frac{1000}{18.0} = 55.6\ (\text{M})$$

例題 2. 2　市販の硝酸は，61.00 w/w % の HNO_3 を含み，密度は 1.380 g/cm^3 (20℃) である．硝酸の式量（分子量）を 63.01 として（1）モル濃度（M），および（2）質量モル濃度（mol/kg）を求めよ．また，（3）この硝酸から濃度 1.000 M (20℃) の希硝酸を 250 mL 調製するには，この硝酸を何 mL とって希釈すればよいか計算せよ．

解　答

（1）モル濃度（M）

市販の硝酸 1 L（ = 1000 cm^3）の質量は，1.380（g/cm^3）× 1000（cm^3）= 1380 g である．

また，硝酸の含有量は 61.00 w/w % であるから，

市販の硝酸 1 L に含まれる硝酸の質量（g）：1380（g）× 0.6100 = 841.8 g

841.8 g の硝酸の物質量（mol）：841.8（g）/ 63.01（g/mol）= 13.36 mol

よって，13.36 mol の硝酸が 1 L の溶液中に存在するので，モル濃度は 13.36 M である．

（2）質量モル濃度（mol/kg）

市販の硝酸（溶質 + 溶媒）1380 g に含まれる硝酸（溶質）の質量は 841.8 g であるので，水（溶媒）の質量は，1380（g）− 841.8（g）= 538.2 g = 0.5382 kg である．また，841.8 g の硝酸の物質量は，13.36 mol であるので，

$$\frac{13.36\ (\mathrm{mol})}{0.5382\ (\mathrm{kg})} = 24.82\ \mathrm{mol/kg}$$

（3）濃度 1.000 M の希硝酸 250 mL を調製するには，

$$13.36\ (\mathrm{mol/L}) \times x\ (\mathrm{L}) = 1.000\ (\mathrm{mol/L}) \times \frac{250}{1000}\ (\mathrm{L})$$

$$x = 0.01871\ \mathrm{L}$$

すなわち，0.01871（L）× 1000（mL/L）= 18.71 mL をとり，水で 250 mL に希釈すればよい．

2.2.2　数値の取り扱い

1）有効数字

有効数字（significant figure）は，「確かな桁のあとに不確かな桁を 1 つ加えた数字」である．例えば，ビュレットの読みが 4.93 mL であった場合，最小目盛間隔（0.1 mL）の 1/10 まで目分量で読み取るため，最後の桁の 3 という数字は不確かである．すなわち，実験者によっては 3 ではなく 2 または 4 と読み取るかもしれない（4.93 ± 0.01 mL）．

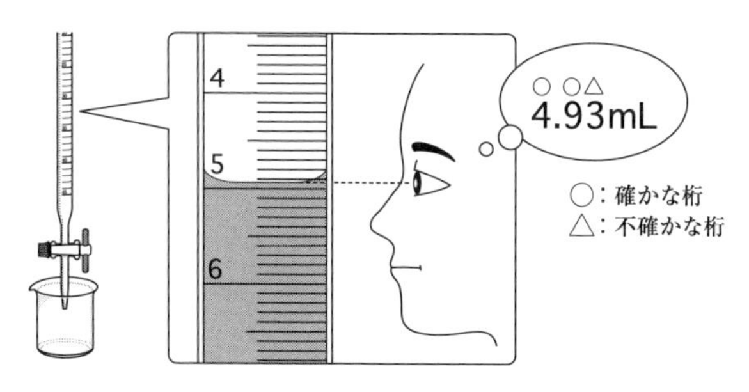

4.9 までの数字は確実であることを示す意味で 3 には重要な意味があり，この場合の有効数字は 3 桁となる．もし数字を丸めて 4.9 と書いた場合には，小数点以下 1 桁目の 9 という数字が疑わしくなってしまう．このように，測定値の有効数字の桁数は極めて重要な意味を持つ．したがって，たとえ最後の数字が 0 であってもこれを明記しなければならない．

24.93，2.493，0.2493 および 0.02493 は，すべて有効数字 4 桁である．なお，位取りを示

すだけの0は有効数字ではない．また，12.030や0.12030の有効数字は5桁であるが，120300の有効数字は不明確である．このような場合には，1.2030×10^5 と表示すれば有効数字は5桁であることが明確になる．

例題2. 3　次に示した数字の有効数字の桁数を答えよ，また，それぞれのどの0が有効であるか答えよ．

（1）0.215　（2）92.03　（3）200.0　（4）0.0209

解　答

（1）0.215：有効数字3桁

（2）92.03：有効数字4桁（0は有効）

（3）200.0：有効数字4桁（0はすべて有効），

（4）0.0209：有効数字3桁（2と9の間の0は有効）

2）足し算と引き算

有効数字は，小数点以下の桁数が少ない数にそろえる．例えば，塩化ナトリウム（NaCl）の式量は，

Na：22.98976928

Cl：35.453

NaClの式量：58.443

Naの原子量は小数点以下8桁まで知られているが，Clの原子量は小数点以下3桁までしか知られていない．したがって，小数点以下4桁目の数を丸めて，NaClの式量は58.443となる．

3）掛け算と割り算

有効数字は，演算に含まれる最も有効数字桁数が小さい数（キーナンバー）によって決まる．

$$\frac{45.02 \times 0.5691 \times 0.0520}{1.4781} = 0.90135029 = 0.901$$

この演算のキーナンバーは0.0520であり，有効数字は3桁なので，0.901となる．

4）対数の計算

対数は指標と呼ばれる整数と仮数と呼ばれる少数から成り立っている．指標は小数点の位置を示す絶対的な数なので有効数字には関与しない．仮数の有効数字を考える．

例えば，3.4×10^3 の対数は，

$$\log(3.4 \times 10^3) = \log(3.4) + \log(10^3) = \overset{\text{仮数}}{0.53148} + \overset{\text{指標}}{3} = 0.53 + 3 = 3.53$$

真数（3.4）の有効数字の桁数（2桁）と等しく

であり，指標は3で，仮数は0.53148ある．ここで，仮数の有効数字の桁数は，真数（3.4）の有効数字の桁数（2桁）と等しくしなければならないため，0.53148を有効数字2桁に丸めて0.53となり，対数の値は3.53となる，

一方，2.854の真数は，

$$10^{2.854} = 10^{(\overset{\text{指標}}{2} + \overset{\text{仮数}}{0.854})} = \underbrace{714.4963 = 714}_{\text{仮数（0.854）の有効数字の桁数（3桁）と等しく}}$$

2.854(= 2 + 0.854）は，指標は2で，仮数は0.854である．真数の有効数字の桁数は，仮数（0.854）の有効数字桁数（3桁）と等しくなければならないため，714となる．

5）数値の丸め方

ある数値を有効数字 n 桁の数値に丸める場合，（$n + 1$）桁目以下の数値を次のように処理する．

① **5未満の数であれば切り捨て，5よりも大きい数であれば切り上げる．**

例：3.5647を有効数字4桁に丸めると3.565，3桁に丸めると3.56となる．

② **5でありその前の桁の数字が偶数のときは切り捨て，奇数のときは切り上げ**（偶数にする）．

例：3.55を有効数字2桁に丸めると3.6，3.65を2桁に丸めると3.6となる*2.

③ **丸め方は1段階で行わなければならない．**

例：2.362501を4桁に丸める場合，まず5桁に丸めて2.3625とし，その後，4桁に丸めて2.362としてはいけない．

例題2.4 次に示した数値を2桁に丸めよ．

（1）2.47 （2）5.43 （3）8.65 （4）4.35 （5）2.2501

解 答

（1）2.5 （2）5.4 （3）8.6 （4）4.4 （5）2.3

例題2.5 $\frac{1}{10}$ Mの塩酸標準溶液（ファクター f = 1.023）25.00 mLをとり，$\frac{1}{10}$ Mの水酸化ナトリウム溶液で標定したところ，25.14 mLを要した．有効数字を考慮して，この水酸化ナトリウム溶液のファクター f を求めよ．

*2 最後の数字がちょうど5のとき，四捨五入では5は常に切り上げとなり，数字が大きい方に偏ってしまう．5の1つ上の位が偶数か奇数かは統計的に同じ確立となるため，偶数に丸めると誤差の累積を防ぐことができる．ただし，このルールは最後の数字がちょうど5のときに，切り上げるか切り捨てるかを判断するためのものである．3.6501を2桁に丸める場合は，5の後ろの桁に数字がある（5よりも上に偏っている）ため，切り上げて3.7となる．

解　答

水酸化ナトリウム溶液のファクターは，次式で計算される．この演算に含まれる数値の有効数字はいずれも4桁なので，ファクターの有効数字は4桁である．

$$f = \frac{25.00 \times 1.023}{25.14} = 1.017303103 = 1.017$$

2. 2. 3　測定値の信頼性（真度と精度）

測定値と真の値がどの程度一致しているかを真度（trueness）という．絶対的な真の値を知ることはまずできないので，現実としての真度の定義は「測定値と真の値と認められる値との間にどのくらいの差があるか，あるいはどのくらい一致しているか」ということになる．精度（precision）の定義は，「同じ試料を繰り返し測定したとき，測定値がどの程度一致した値になるか，どの程度ばらついているのか」で，いわゆる測定値の再現性のことである．なお，真度と精度を含めた総合的な概念として精確さ（accuracy）の用語が用いられる（図2. 1）．

精確さ（accuracy）
- 真度（trueness）：かたより（系統誤差）
- 精度（precision）：ばらつき（偶然誤差）

図2. 1　測定値の信頼性を表す用語の関係

1）真度の表し方

真度は，真の値と測定値がどの程度一致しているかを示すもので，これを表す用語として絶対誤差（absolute error）と相対誤差（relative error）がある．

$$絶対誤差 = 測定値 - 真の値$$

$$相対誤差 = \frac{測定値 - 真の値}{真の値} \times 100\ \%$$

ただし，真の値はほとんどの場合知ることができないため，標準試料の表示値やその試料で定められている標準分析法によって得られた値などを真の値とみなす場合が多い．

2）精度の表し方

精度は，個々の測定値が平均値のどのくらい近くに集まっているかを特徴づける標準偏差（standard deviation）を用いて表される．標準偏差に関しては，2. 2. 5で詳しく説明する．

コラム　信頼性を表す用語について

測定値の真の値からのかたより度合いとして「正確さ」や「確度」の用語が用いられることがあるが，「精確さ」との混乱を避けるため，2013年に改正されたJIS K 0211:2013分析化学用語（基礎部門）では，「真度」の用語を用いることが推奨されている．

ダーツを例として，真度と精度の概念を図示した．ここでは，的の中心が真の値であると仮定する．Aは測定値のばらつきが大きく，平均値も真の値からずれている場合，Bは測定値のばらつきは大きいが，平均値は真の値に近い場合，Cは真度と精度が共に高い場合，Dは測定値のばらつきは小さいが，平均値は真の値からずれている場合を表している．ここで注目すべきは，Dのように精度が高い実験結果が得られた場合であっても，真度が必ずしも高くない場合が存在する点である．例えば，物質の質量測定に用いる分銅に誤差があるとき，この誤差は精度には影響しないが，真度には大きな影響を与えるので注意が必要である．

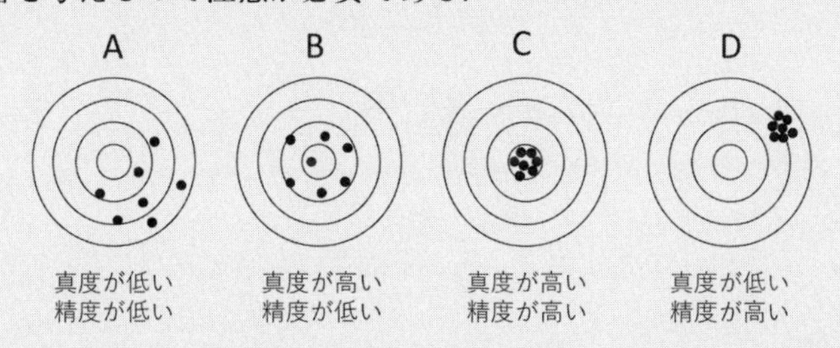

ダーツボードに刺さったダーツの分布を用いた真度と精度の図解

2.2.4 系統（確定）誤差

系統誤差（systematic error）とは原因を確定でき，回避あるいは補正することが可能な誤差であり，確定誤差（determinate error）ともいわれる．一連の反復測定における系統誤差は，すべての結果が一様に高くなる，または低くなる原因となる．一般的な系統誤差には以下のようなものがある．

1) **測定機器による誤差**（instrumental error）校正されていない，もしくは誤った校正が行われた機器を測定に用いた場合や，ピペット，ビュレット，メスフラスコなどを校正温度と著しく異なる温度で使用した場合などに生じる．測定機器による誤差は，多くの場合，校正によって排除することができる．
2) **操作誤差**（operative error）実験操作において，溶液の移し替え時の損失，試料溶解時の跳ねこぼしや，試料の乾燥が十分でなかったことなどから生じる．操作誤差は，分析者の経験や注意によって回避，あるいは小さくすることできる．
3) **方法誤差**（error of method）試薬中に含まれる不純物，不純物の共沈，沈殿物のわずかな溶解，副反応および不完全な反応などから生じる．方法誤差を回避するためには，その測定条件を改良する必要がある．

2.2.5　偶然（不確定）誤差

偶然誤差（random error）は，熟練した分析者が同一の条件で繰り返し測定を行った場合であっても，小さな数値上の違いとして現れるもので，不確定誤差（indeterminate error）ともいわれる．偶然誤差は原因を明確に特定することが困難であるため，完全に排除することはできない．

1）正規分布

検出不可能な小さな誤差が累積すると検出可能な偶然誤差となり，測定値は平均値の周りでほぼ対称的にばらつくことになる．実験を繰り返す回数が増えるにしたがい，測定値の頻度分布はベル型の形状に近づく傾向がある．この分布は，正規分布（normal distribution）またはガウス分布（Gaussian distribution）と呼ばれる（図2.2）．正規分布は，「平均値」と「標準偏差」の2つのパラメータによって特徴づけられる．

① **標本平均**（sample mean）：$\bar{x}$ は，測定値 x_i の和を測定値の数 n で割った値である．

$$\bar{x} = \frac{\sum_{i=1}^{n} x_i}{n}$$

② **標本標準偏差**（sample standard deviation）：s は，

$$s = \sqrt{\frac{\sum_{i=1}^{n} (x_i - \bar{x})^2}{n - 1}}$$

によって与えられ，$(x_i - \bar{x})$ は偏差（deviation）を，$(n - 1)$ は自由度（degree of freedom）を表す．図2.2に示したように，s の値が大きいほど，$\bar{x}$ を中心とした測定値の分布の幅は大きくなる．つまり，標本標準偏差は，測定値のばらつきを表している．

また，標準偏差の二乗は分散（variance）と呼ばれ，標準偏差を平均値の百分率で表したものは相対標準偏差（relative standard deviation, RSD）または変動係数（coefficient of variation, CV）と呼ばれる．

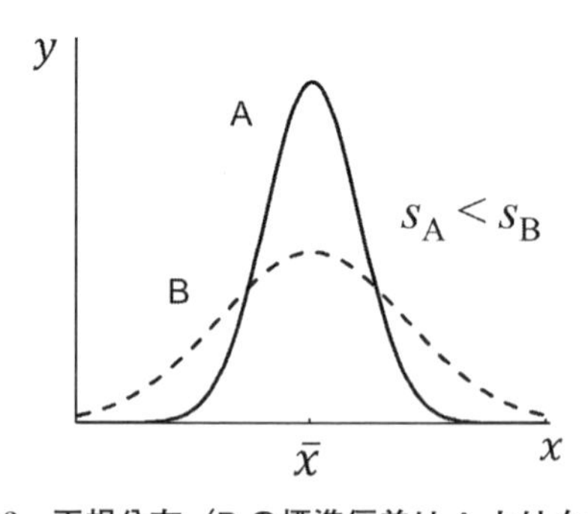

図2.2　正規分布（Bの標準偏差はAよりも大きい）

例題 2.6 ある鉄鉱石中の鉄の含有量を5回測定した結果，次のような分析値を得た．（1）平均値，（2）標準偏差，および（3）相対標準偏差を求めよ．

62.47 %，62.93 %，62.65 %，62.86 %，62.54 %

解　答

x_i	$\lvert x_i - \bar{x}\rvert$	$(x_i - \bar{x})^2$
62.47	0.22	0.0484
62.93	0.24	0.0576
62.65	0.04	0.0016
62.86	0.17	0.0289
62.54	0.15	0.0225
$\Sigma x_i = 313.45$		$\Sigma (x_i - \bar{x})^2 = 0.1590$

（1）平均値　$\bar{x} = \dfrac{\Sigma x_i}{n} = \dfrac{313.45}{5} = 62.69\ \%$

（2）標準偏差　$s = \sqrt{\dfrac{\Sigma(x_i - \bar{x})^2}{n - 1}} = \sqrt{\dfrac{0.1590}{5 - 1}} = 0.1994\ \%$

（3）相対標準偏差　$\mathrm{RSD}(\%) = \dfrac{0.1994}{62.69} \times 100 = 0.3180\ \%$

2.2.6 測定値の統計処理

1）母集団と標本

母集団（population）とは，実験者が対象とするすべてのデータの集合であり，標本（sample）とは，対象となるデータの全体からランダムに抽出された一部分のことである．例えば，河川水の硬度を決定する場合，川の水全体は無限個のデータを含む「母集団」であり，すべてを分析することは不可能である．そこで，川の水の一部をサンプリングした「標本」の硬度を計測し，母集団である河川水全体を推測することになる（図 2.3）．ここで，母集団の平均値は母平均（population mean）とよび小文字のギリシャ文字“μ”で表し，標準偏差は母標準偏差（population standard deviation）とよび“σ”で表す．

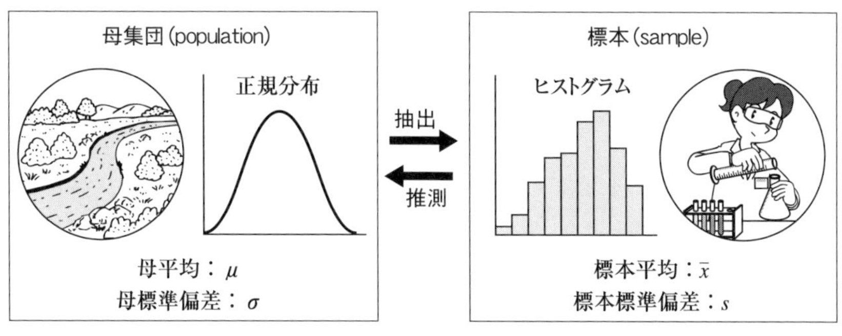

図 2.3　母集団と標本の関係

ここで注目すべきは，μ と σ は実験的に測定することができない点である．測定数を無限に増やすと，$\bar{x}$ と s はそれぞれ μ と σ に近づくが，実際には，測定を無限に繰り返すことはできないため，実験的に得られた $\bar{x}$ が，真の値である μ にどれだけ近いかはわからない．そこで区間推定という統計理論を用いて，限られた回数の測定結果から，真の値が存在し得る範囲を推定する必要がある．

2）信頼区間

真の値である母平均（μ）が存在し得る範囲は，信頼区間（confidence interval）と呼ばれ，μ がこの範囲内に存在する確率は信頼水準（confidence level）と呼ばれる．信頼区間は，信頼限界（confidence limit）ともいい，n 回の繰り返し測定により得られた標本平均（$\bar{x}$）と標本標準偏差（s）を用いて次式で計算される．

$$\mu の信頼区間 = \bar{x} \pm \frac{ts}{\sqrt{n}}$$

また，ここで現れる $\frac{s}{\sqrt{n}}$ は標準誤差という．t は自由度（$n-1$）と必要な信頼水準によって決まる統計因子であり，スチューデントの t と呼ばれる．表2.1に信頼水準95%と99%における t 値を示した．

表2.1　スチューデントの t 値

自由度（$n-1$）	95% 信頼水準	99% 信頼水準
2	4.303	9.925
3	3.182	5.841
4	2.776	4.604
5	2.571	4.032
6	2.447	3.707
7	2.365	3.500
8	2.306	3.355
9	2.262	3.250
10	2.228	3.169
20	2.086	2.845

コラム　誤差（error）と不確かさ（uncertainty）について

誤差は，測定値と真の値の差を表す．しかしながら，現実の測定では，真の値はほとんどの場合知ることができないため，測定結果の信頼性の評価に誤差を用いることは不都合が多い．1993年にISO（国際標準化機構）を含む計測にかかわる国際機関によって “Guide to the Expression of Uncertainty in Measurement；GUM” が発行された．GUMでは，測定結果の信頼性の評価に「誤差」や「真の値」などの原理的に知り得ない量は持ち込まない立場が採用され，新たな指標として「不確かさ」を用いることが提唱された．測定値（$\bar{x}$）を報告する際は，不確かさ（u）を明記する（$\bar{x} \pm u$）ことが重要である．

例題 2.7　水道水の硬度をキレート滴定で測定した．3回繰り返し測定を行い，25.1，25.3，24.9 mg/L の結果を得た．95 %信頼水準で水道水の硬度の信頼区間（信頼限界）を求めよ．

解　答

x_i	$\|x_i - \bar{x}\|$	$(x_i - \bar{x})^2$
25.1	0.0	0.00
25.3	0.2	0.04
24.9	0.2	0.04

$\Sigma x_i = 75.3$　　　$\Sigma (x_i - \bar{x})^2 = 0.08$

平均値：$\bar{x} = \dfrac{\Sigma x_i}{n} = \dfrac{75.3}{3} = 25.1\ \text{mg/L}$，

標準偏差：

$$s = \sqrt{\frac{\Sigma(x_i - \bar{x})^2}{n - 1}} = \sqrt{\frac{0.08}{3 - 1}} = 0.2\ \text{mg/L}$$

表 2.1 より，自由度 $(n - 1) = 2$ のとき 95%信頼水準で，$t = 4.303$ であるから，

$$信頼区間 = \bar{x} \pm \frac{ts}{\sqrt{n}} = 25.1 \pm \frac{4.303 \times 0.2}{\sqrt{3}}$$

$$= 25.1 \pm 0.5\ \text{mg/L}$$

系統誤差がないとすれば，水道水の硬度は，95%の確率で 24.6〜25.6 mg/L の間に存在する．

3）測定値の棄却

同一の実験を繰り返し行った際に，測定値の中で他の数値とかけ離れた値が得られることがある．その場合，勝手にその値を捨ててしまってはいけない．実験操作などの誤りが原因であることが明らかな場合を除き，統計的に数値を捨てるかどうかを判断する必要がある．測定値の棄却法のうち，測定値が比較的少ない場合でも信頼性が高いとされる Q 検定（Q test）を以下に説明する．

数値が大きい順に測定値を並べ，疑わしい測定値（最大値または最小値）とそのとなりの数値との差を範囲（= 最大値 − 最小値）で割る．

$$Q_\mathrm{M} = \frac{|\text{疑わしい値} - \text{そのとなりの数値または最も近い値}|}{\text{最大値} - \text{最小値}}$$

この値 Q_M を表に示した棄却係数 Q 値と比較し，Q 値と等しいか，大きい場合には，その数値は棄却できると判断する．表 2.2 に信頼区間 90 % における Q 値を示した．

表 2.2　90 %信頼区間における棄却係数 Q_{90}

測定回数	3	4	5	6	7	8	9	10	∞
Q_{90}	0.94	0.76	0.64	0.56	0.51	0.47	0.44	0.41	0.00

例題 2. 8　ある実験で，2.19，2.21，2.17，2.31 および 2.16 の測定値を得た．2.31 が棄却できるかどうか検定せよ．また，2.16 はどうか．

解　答

大きい順に並べると，2.31，2.21，2.19，2.17，2.16

そこで，

$$Q_{\mathrm{M}} = \frac{2.31 - 2.21}{2.31 - 2.16} = 0.67$$

表中，$n = 5$ での Q 値は，0.64 であり，$Q = 0.67$ はこれより大きいため，棄却できる．2.31 を棄却後，同様にして 2.16 を検定する．

$$Q_{\mathrm{M}} = \frac{2.17 - 2.16}{2.21 - 2.16} = 0.20$$

$Q_{\mathrm{M}} < Q(= 0.76)$ であり，棄却できない．

2. 2. 7　誤差の伝搬

2. 2. 5 に記されているように，実際の実験では，複数回の操作を行って標準偏差 s が求められる．その標準偏差を有した数値同士の計算を行う場合，一般に次のような伝搬則が成り立つ．

$$y = f(x_1, x_2, \cdots);\ s_y^2 = \left(\frac{\partial f}{\partial x_1}\right)^2 s_{x_1}^2 + \left(\frac{\partial f}{\partial x_2}\right)^2 s_{x_2}^2 + \cdots \qquad (2.\ 1)$$

足し算と引き算，掛け算と割り算について計算すると，下記のようになる．

足し算と引き算：$y = x_1 \pm x_2$；$s_y^2 = s_{x_1}^2 + s_{x_2}^2$　(2. 2)

掛け算と割り算：$y = x_1 \times x_2$；$\dfrac{s_y^2}{y^2} = \dfrac{s_{x_1}^2}{x_1^2} + \dfrac{s_{x_2}^2}{x_2^2}$（$y = \dfrac{x_1}{x_2}$ の場合も同じ式になる）

(2. 3)

例えば $x_1 = 0.12$，$x_2 = 1.532$，$s_{x_1} = 0.02$，$s_{x_2} = 0.003$ の場合，足し算では $0.12 + 1.532 = 1.65$，標準偏差は $\sqrt{0.02^2 + 0.003^2} = 0.02$ となる．掛け算では $0.12 \times 1.532 = 0.18$，標準偏差は $0.18 \times \sqrt{\left(\dfrac{0.02}{0.12}\right)^2 + \left(\dfrac{0.003}{1.532}\right)^2} = 0.03$ となる．

なお，式（2. 1）から（2. 3）の s を，2. 2. 6 に記した標準誤差に置き換えれば，計算結果の標準誤差を求めることも可能である．

参考文献

（1）　James N. Miller, Jane C. Miller, "Statistics and Chemometrics for Analytical Chemistry" 6th edition, 2010. 宗森　信他訳,「データのとり方とまとめ方（第2版）分析化学のための統計学とケモメトリックス」（共立出版）2004.

（2）　上本道久「分析化学における測定値の正しい取り扱い方 "測定値" を "分析値" にするために」（日刊工業新聞社）2011.

（3）　田中　秀幸，高津　章子著「分析・測定データの統計処理　分析化学データの扱い方」朝倉書店 2021

第2章の章末問題

2.1 必 須

次の各数字の有効数字は何桁か.

（1）0.325　（2）68.287　（3）11.20　（4）0.00298

2.2 必 須

次の各数値を3桁にまとめよ.

（1）7.3248　（2）3.635　（3）5.265　（4）55.43　（5）32.47

2.3 必 須

水酸化ナトリウム溶液25.00 mLをとり，0.1005 M塩酸で滴定したところ，滴定値が次のようであった．滴定値の平均値，標準偏差を求めよ．また，95%信頼水準で水酸化ナトリウム濃度の信頼区間（信頼限界）を求めよ.

25.21，25.25，25.17，25.20，25.14，25.18，25.18，25.14，25.11，25.23 mL

2.4 必 須

ある実験で5.63，5.66，5.59，5.61，5.55，5.61，5.58，5.77，5.65，5.48の測定値を得た.

（1）5.77，5.48が棄却できるかどうかを90%信頼限界（p.29, 表2.2）で検定せよ．また，平均値，標準偏差，相対標準偏差を求めよ.

（2）5.77，5.48が棄却できるかどうかを80%信頼限界（p.277, 付表8）で検定せよ．また，平均値，標準偏差，相対標準偏差を求めよ.

（3）これらの測定値を95%信頼限界で検定し，平均値を求めよ.

（各々の信頼限界における棄却係数は付表8を用いよ.）

2.5 必 須

次の問いに有効数字を考慮して答えよ.

（1）$A = 2.563 \times 4.7551 \div 1.3465 + 1.23$

$B = 10.5 \times 25.65 \times (13.602 - 2.3)$

について，A，Bの値を求めよ.

（2）（1）のA，Bについて，log Aおよびlog Bの値を求めよ.

（3）（2）のlog A，log Bについて，(log A + log B) および (log A − log B) の値を求めよ.

（4）A × B，A ÷ Bの値を（1）および（3）の値を用いて求めよ.

課　題

2.1　信頼限界 Q_{80}, Q_{95}, Q_{99} などの数値を調べ，Q_{90} と比較して棄却は厳しくなるかどうかをまとめよ.

2.2　不確かさの伝播について調べ，例をあげて説明せよ.

2.3　同一試料を異なる手法で分析し，得られた測定結果が一致しているかどうかを評価する場合，どのような統計的手法を用いればよいか，例をあげて説明せよ.

第3章　水溶液と化学平衡

紀元前7世紀末から6世紀の古代ギリシャにおいて，哲学者のタレス（Thales : B.C. ca.625 ～ 550）が“万物の根源は水である”と説き，その後，空気，土，火と共にアリストテレス（Aristoteles : B.C. 384 ～ 322）が主張した4元素説が錬金術の理論的根拠となった．しかし，17世紀から18世紀になるとロバート・ボイル（R. Boyle : 1627 ～ 1691）やジョン・ドルトン（J. Dalton : 1766 ～ 1844）ら多くの化学者や物理学者らによって万物の構造や性質が原子・分子レベルで解明され，その中で水の組成も明らかとなった．一方，水は地球上に存在する多くの生命体にとって必要不可欠な必須の物質であり，また，最も身近に存在する化学物質の1つである．水の物理的・化学的性質については数多く報告されており，特に，溶媒としての水は，他の化学物質にはない特有な性質を有している．

分析化学および化学分析では，主に水溶液を用いる湿式化学分析をはじめ，分析対象となる試料や分析結果に至る段階で水溶液を取り扱うことが多い．そのため，まず水の特性を理解し，同時に水に溶解している化学物質との相互作用や水溶液内での化学反応について理解することが重要となる．

本章では，水の構造と物理的性質を確認することからはじめ，溶媒としての特性を学ぶと共に，水溶液内での化学反応と化学平衡，平衡定数について学ぶ．

《本章で学ぶ重要事項》

（1）　水の基本的性質と水の構造：水の特殊性
（2）　イオンの水和：溶媒和，水和水
（3）　化学反応と化学平衡：可逆・不可逆反応，平衡定数，質量作用の法則
（4）　活量と活量係数：熱力学的定数，デバイ-ヒュッケルの理論，イオン強度
（5）　化学平衡の移動：ギブスの自由エネルギー，ル・シャトリエの原理
（6）　水溶液内の化学平衡：電離平衡，加水分解

3.1　溶媒としての水

容量分析法や重量分析法など，化学的分析法において化学反応の利用は必要不可欠である．また，物理的分析法の機器分析法においても，それぞれの分析装置に適する測定試料へ変換するための前処理などにさまざまな化学反応が利用されている．化学反応は，固・液・気の各相で進行するが，最も多いのが液相，いわゆる溶液内反応であり，中でも水を溶媒とした水溶液中での化学反応は，最も身近で肉眼でも確認できることが多い反応である．溶液内反応において溶媒として用いるためには，溶質に対して化学的に不活性であることが重要であるが，他にも揮発性が大きすぎないことや溶質の溶解度が温度によって大きく異なることなども重要である．また，異なる複数の溶質がイオンに分かれ，その後に

起こる化学反応では，溶媒の中で安定なイオンとして存在することが重要で，そのためには溶媒の比誘電率（誘電率）の大きさも溶媒を選ぶ際の基準となる．表3.1には，溶媒として用いられる数種の物質の性質を示した．溶媒として最も広く用いられる水は，メタンやアンモニアなどとほぼ同じ分子量にもかかわらず，融点や沸点は大きく異なり，我々の生活の中において3態（固体：氷，液体：水，気体：水蒸気）が確認できる物質である．また，比誘電率（誘電率）も他の溶媒と比べ大きい値を持つ．本章では，こうした水の特殊性はどこから来るのかについて重要な点を述べることにする．

表3.1　各種溶媒の性質

物質名	化学式	分子量*	融点℃	沸点℃	比誘電率(25℃)
水	H_2O	18.02	0	100	78.54
メタン	CH_4	16.04	−182.5	−164	1.001(0℃)
アンモニア	NH_3	17.03	−77.7	−33.4	16.9
メタノール	CH_3OH	32.04	−96	64.65	32.6
エタノール	C_2H_5OH	46.07	−114.5	78.33	24.3
アセトン	CH_3COCH_3	58.08	−94.82	56.3	20.7
四塩化炭素	CCl_4	153.81	−28.6	76.74	2.24
ベンゼン	C_6H_6	78.11	5.5	80.1	2.27
ヘプタン	C_7H_{16}	100.2	−90.6	98.5	1.93

*便宜上4桁の原子量表を用いて計算した．

3.1.1　水の構造とその特殊性

水分子では，酸素原子1個に水素原子2個がそれぞれ共有結合で結ばれており，水蒸気中の水分子H-O-Hの結合角は104.5°である．また，酸素原子を中心に置けば，それぞれ2つの水素原子と非共有電子対がほぼ正四面体に近い構造の頂点方向を向いている（図3.1）．ちなみに，完全な正四面体での中心角は109.5°である．酸素原子は，電気陰性度が水素原子に比べ大きい（電気陰性度　水素2.1；酸素3.5）ため，共有結合に関与した電子対を強く引きつけている．

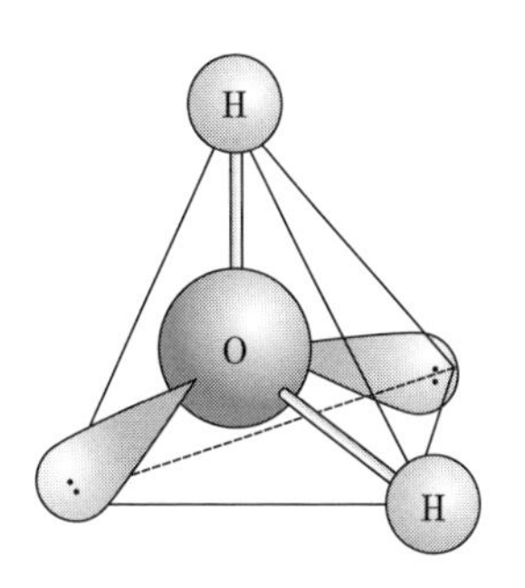

図3.1　水分子の構造

したがって，O-H結合は，完全な共有結合ではなく酸素原子側に多くの電子が存在することになる．その結果，酸素原子は電気的に負電荷，そして水素原子は正電荷を帯びることになり，水分子全体としては極性分子となる．このように分子内での電荷分布の偏りは，双極子モーメント（dipole moment）という物理量で表されるが，前述した比誘電率（誘電率）と合わせて水が特殊性を示す大きな要因である．液体の水は，正に帯電した水素原子が負に帯電した酸素に引きつけられることで生じる水素結合（hydrogen bond：O-H…O）を形成するため，いくつかの水分子がまとまって存在している．しかし，水素結合は，角度 O-H…O が直線，すなわち 180°で最も強く結合するが，150°以下になると水素結合の結合角に対応するエネルギーが小さくなり切れてしまう．そのため，液体の水は絶えず他の水分子と水素結合を形成したり離れたりしながら，その都度，集合体（クラスター）を形成している（図 3. 2）．このように，水分子同士が水素結合しクラスターを形成しているため水分子間の隙間も多くなる．水の密度は 4 ℃で最大値となるが，4 ℃以下では，クラスター形成が分子運動に勝ることで密度が減少し，4 ℃以上では，逆にクラスターが壊れて分子運動が激しくなるために密度が減少すると考えることができる．また図 3. 3 には，エタノール水溶液について濃度と密度との関係を示している．水分子とエタノール分子と間に相互関係がなければ，図中の点線のように直線となるが，実際には上に凸型の曲線となる．このことは，隙間の多い水分子間にエタノール分子が入ることで水溶液自体の容積はあまり変化せず，添加したエタノールの質量の分だけ増加するために密度が高くなるのである．また，エタノールのように比較的小さい分子量の場合，親水性のヒドロキシ基の影響が強い．そのためエタノール濃度の増加と共に水分子との水素結合が多く形成され，点線から離れた場所を通る曲線となっている．

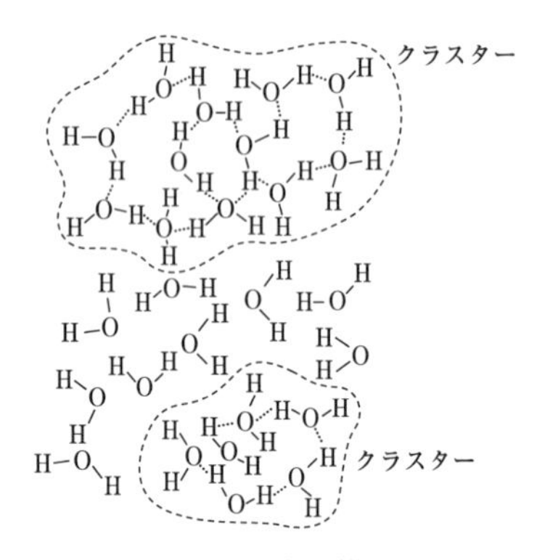

図 3. 2　水の構造

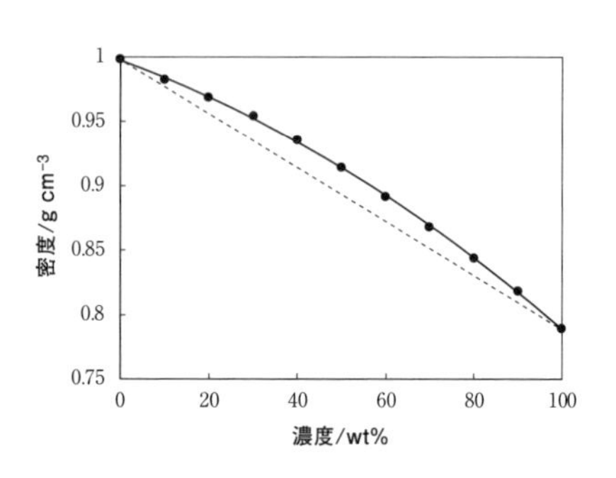

図 3. 3　エタノール水溶液の濃度と密度（25℃）

3. 1. 2　氷の構造

極性分子や無極性分子に限らず物質の多くは，固体・液体・気体の 3 つの状態をとるが，表 3. 1 に示されるように，水は日常生活で三態を確認することができる物質である．前述したように，液体の水では，一部の水分子が水素結合によりクラスターを形成し，ある限られた容積の中で存在している．気体の水，すなわち水蒸気となった水分子は，水素結合という束縛から放たれ，1 個の分子として空気中を自由に動き回っている．固体の水，すなわち氷は液体や気体の水とは大きく異なる．図 3. 1 のように，2 つの水素原子と非共有電子対が 4 方向に向いた正四面体に近い構造を成している水分子を中心に，周囲にある水分子が水素結合で繋がった結晶構造をしているのが氷である．いくつかの水分子が水素結合している，あるいは，クラスターを形成している水に対して，氷では，図 3. 4 のように水よりも隙間の多い構造になる．このため，0 ℃における水の密度が 0.9998 g/cm^3 であるのに対して，氷では0.9168 g/cm^{3}となり，体積は約10％増加することになる．また，水蒸気中の水分子の結合角H-O-Hは104.5°であるが，氷の結晶ではより正四面体構造に近い106.5°，あるいは，ダイヤモンド構造と同じ109.5°結合角となっているとの指摘がなされている．

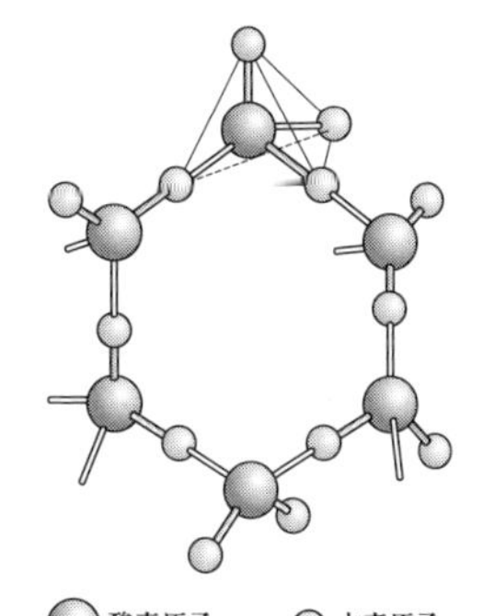

図3.4　氷の構造の模式図

3.1.3　イオンの水和

われわれが実験で使用する溶媒には，水やエタノールなどの極性溶媒と，ベンゼンやヘキサンなどの無極性溶媒がある．例えば，ヘキサンに非電解質を溶解させた有機溶液では，溶媒のヘキサン分子の間に非電解物質が均一に存在し，ファンデルワールス力（van der Waals force）が働いているのみである．しかし，極性溶媒である水は，高い比誘電率と大きい双極子モーメントを有しているため，ショ糖のような非電解質であっても分子中に極性を有する－OHや＞C＝Oなどの官能基に対して，水分子の正に帯電した水素原子や負に帯電した酸素原子との水素結合によって水溶媒中で安定に存在することができる．もちろん，水の中に溶解した塩化ナトリウムなど陽・陰の各イオンに解離した電解質は，水分子を引きつけ，全体として水分子で取り囲まれたような形で存在することになる．例えば，図3.5に示すようにNa^+に対しては，水分子の2つの水素原子が外側に向き酸素原子が配向する形をとり，Cl^-に対しては，正に帯電した2つの水素原子が配向することで，陽イオンと陰イオンは引き離され，いわゆる溶解した状態になる．この際，水分子は溶質との静電相互作用に基づく引力で結合しており，その大きさによっては多くの水分子が結合することになる．このような作用を水和（hydration）といい，水以外の溶媒でも溶質との相互作用によって1つの集団を形成する場合には，一般に溶媒和（solvation）といっている．水素結合した水分子がイオンへの配向に変わるには，配向の力が水素結合を形成する力に打ち勝つ必要がある．結果として，電荷が大きく，イオン半径が小さいイオンほど水和しやすいことになる．一方，イオンから離れた位置にある水分子は，水和の影響を受けずに水素結合やクラスターを形成し液体としての水本来の構造を保つことになる．前述したように，イオンに対する水和は陽・陰イオンによって異なるが，陽イオンでも陰イオンでも水和する水分子の数は，イオン半径が小さいほど，そして電場の強いイオンほど多くなる傾向に

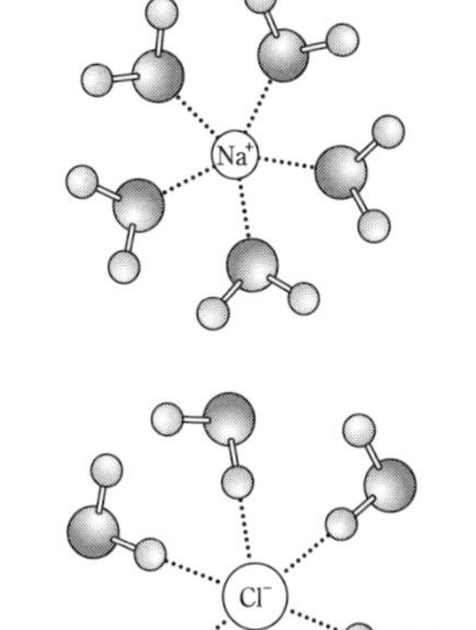

図3.5　Na^+とCl^-の周りの水分子の配置

あることは想像に難くない．一方で，水に対して電解質をはじめとするさまざまな物質が溶解しやすいのは，水の比誘電率の大きさが要因であるが，全てではない．他に溶解する物質の格子エネルギー，水和エネルギー，そしてエントロピー変化など熱力学的な諸条件を総合して判断されることになる．

水溶液中で水和したイオンの反応について考えてみよう．例えば，陽イオンの場合には，水分子の酸素原子が静電相互作用によってのみ陽イオンに配向するのではない．酸素原子が持つ非共有電子対が陽イオンとの間で共有されると考えれば，水分子は陽イオンに対し配位結合した配位子と考えることもできる．また，陰イオンの場合には，水分子の水素原子が配向することになるため水素結合が形成される可能性がある．こうした場合，水溶液の中での反応，特に陽イオンの反応では，水和した水分子の影響を考えることが必要になってくる．いま，塩化アルミニウム（$AlCl_3$）の水溶液を考えてみよう．Al^{3+} と Cl^- の周りには，それぞれ6個と4個の水分子が配位し $Al(OH_2)_6{}^{3+}$ と $Cl(H_2O)_4{}^-$ となって存在している*1．この水溶液を加熱していくと水は蒸発すると共に，Cl^- の周りに配位していた4個の水分子はとれて，6個の結晶水を有する $AlCl_3 \cdot 6H_2O$ となる．また，塩化鉄（$FeCl_3$）の水溶液では Fe^{3+} はアクア錯体 $Fe(OH_2)_6{}^{3+}$ として存在しているが，これに塩化物イオン Cl^-（HCl として）を加えると以下のような反応が起こり，Cl^- が配位した錯体ができる．

$$[Fe(OH_2)_6]^{3+} + Cl^- \rightleftarrows [Fe(OH_2)_5Cl]^{2+} + H_2O$$

さらに，加える塩酸の濃度を大きくすると以下のような反応が起こり，鉄イオンは電気的に中性の化合物となる．さらに，Cl^- を加えると $[Fe(OH)_2Cl_4]^-$，$[Fe(OH)Cl_5]^{2-}$ などの高次錯体が生成する．

$$[Fe(OH_2)_5Cl]^{2+} + Cl^- \rightleftarrows [Fe(OH_2)_4Cl_2]^+ + H_2O$$

$$[Fe(OH_2)_4Cl_2]^+ + Cl^- \rightleftarrows [Fe(OH_2)_3Cl_3] + H_2O$$

電気的に中性となった鉄の化合物（錯体）は，水溶液には溶けにくくなる反面，有機溶媒に溶けやすくなる．このことを利用して水溶液中に存在する各種金属イオンの中から鉄イオンのみを有機溶媒へと取り出すことができる*2．

3.2　化学反応と化学平衡

化学反応は反応物から生成物になる方向のみを考えることが多いが，生成物から反応物になる反応（逆反応）も同時に起こっている．この逆反応が正反応と同程度起こるのであれば，最終的に反応物と生成物が混ざっている状態になる．これが化学平衡（chemical equilibrium）であり，平衡定数（equilibrium constant）の概念が成り立つ．分析化学で

---

*1　Al イオンに配位している水分子を OH_2 と書いたのは，酸素原子が配位していることを示している．また，$Al(OH_2)_6{}^{3+}$ のように，金属イオンに水分子が配位した物質を“アクア錯体”というが，詳しくは第5章 錯体生成反応で学ぶ．

*2　このような操作を“溶媒抽出”といい，詳しくは，第8章 物質の分離と濃縮で学ぶ．

はこの化学平衡および平衡定数の考えを扱う問題が多岐にわたってでてくる．例えば，酸と塩基，酸化－還元，沈殿生成，相平衡，クロマトグラフィーや溶媒抽出などの吸着や分配である．ここでは初めに化学平衡と平衡定数の概念を説明し，熱力学を用いて理解していく．

3. 2. 1　化学平衡

化学平衡とは，釣り合いが取れていて見かけ上何も変化しない状態のことである．教室を例にして考えてみる．100 人が集まっているある部屋（A 室）にはいすが 30 脚しかないとする．そこでもう 1 つの部屋（B 室）に 70 脚用意すると，時間が経つと A の部屋に 30 人，B の部屋に 70 人に分かれて全員座った状態になる．もし A にいる人 3 名が B の部屋に移ったら，B の部屋にいる人 3 名が A の部屋に移れば A, B にいる人の数は変わらない．このような状態を平衡状態にあるという．

では，化学反応では平衡はどのように考えれば良いであろうか．化学反応で平衡が成り立つためには，逆反応も起こる必要がある．逆反応とは A から B が生成する反応を正反応とすると，B から A になる反応のことである．通常，どんな化学反応でも逆反応が起こっているが，正反応の方が圧倒的に起こりやすく，逆反応が起こりにくい場合は化学反応式で反応物と生成物を一方向の矢印（⟶）で書いて良いことになっている．（例：塩酸の電離反応　$HCl \longrightarrow H^+ + Cl^-$）一方，逆反応も起こりやすい場合は，正反応と逆反応が同時に起こっており，生成物と反応物の間を両矢印で結ぶ（$A \rightleftarrows B$）．これを可逆反応（reversible reaction）という．例えば，弱酸の電離反応は可逆反応と考えると理解しやすい．すなわち，酸が電離する反応と共役塩基と水素イオンが化合する逆反応が同時に起こるため，弱酸の全ては電離せず一部分のみ電離している．例えば酢酸（CH_3COOH）の電離反応は次のように表せる．

$$CH_3COOH \rightleftarrows CH_3COO^- + H^+$$

この反応の場合，平衡では酢酸の濃度と酢酸イオン（または水素イオン）の濃度が一定になっており，見かけ上はそれぞれの濃度に変化はない．例えば 1.00×10^{-1} M の CH_3COOH が電離平衡に達したとき，電離せずに残っている酢酸の濃度は 9.87×10^{-2} M であり，電離によって生成した酢酸イオンおよび水素イオンはそれぞれ 0.13×10^{-2} M となる．このように化学平衡では，生成物の濃度と反応物の濃度がある一定の状態になっている．注意して欲しいのは，化学平衡になっているからといって反応が止まっているわけではないということである．化学平衡に達している場合でも常に正および逆反応は起こっており，それぞれの濃度が見かけ上変化していないという状態である．

3. 2. 2　化学平衡と速度

可逆反応において濃度が変化しない状態というのは，正反応（forward: f）と逆反応

(reverse: r) の速度が同じになっているときである.

$$v_f = v_r$$

次式で示される可逆反応を例に説明する.

$$A \rightleftarrows B \tag{3.1}$$

正反応と逆反応はどちらも一次反応で反応速度定数をそれぞれ k_1, k_{-1} とする. 反応速度は時間に対する濃度の変化で表せるので, 微分を使うと

$$v_f = -\frac{d[A]}{dt} \qquad v_r = -\frac{d[B]}{dt}$$

となる. 今どちらの向きの反応も一次反応なので $v_f = k_1[A]$, $v_r = k_{-1}[B]$ となる. Aの初濃度を1 Mで $k_1 = k_2$ として反応時間における各濃度をプロットすると図3.6のようになる.

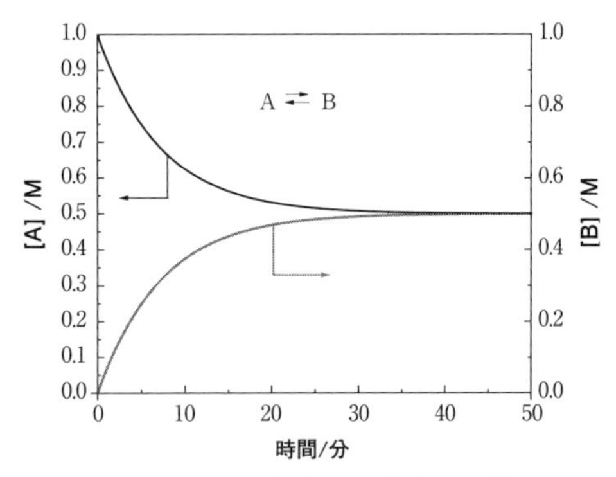

図3.6　反応時間と濃度の関係

図3.6からわかるように最初はAの濃度が減少していき, Bの濃度が増加しているが, ある時間が経過したのちにどちらの濃度の増減も見られなくなる. この状態が化学平衡に到達した状態である.

反応速度 v は速度定数と濃度の積に比例しているので, ある時間 t における正反応の反応速度は $k_1[A]_t$ で, 逆反応では $k_{-1}[B]_t$ と表せる. 繰り返しになるが平衡に達したときは, 正反応と逆反応の反応速度が同じときであるので, 平衡になった時のAとBの濃度をそれぞれ $[A]_{eq}$, $[B]_{eq}$ とすると

$$k_1[A]_{eq} = k_{-1}[B]_{eq} \tag{3.2}$$

となり, 次式 (3.3) の関係が得られる.

$$\frac{[B]_{eq}}{[A]_{eq}} = \frac{k_1}{k_{-1}} \tag{3.3}$$

左辺に現れる $[B]_{eq}/[A]_{eq}$ は式 (3.1) の平衡定数 K である.

$$K = \frac{[B]_{eq}}{[A]_{eq}} = \frac{k_1}{k_{-1}} \tag{3.4}$$

式 (3.4) は単に $K = [B]/[A]$ と表すことが多いが, A, Bの濃度は平衡時の濃度であることを忘れてはならない.

一般に式 (3.5) のような可逆反応の場合, 平衡定数 K は, 式 (3.6) で表される.

$$aA + bB + cC \rightleftarrows dD + eE + fF \tag{3.5}$$

$$K = \frac{[D]^d[E]^e[F]^f}{[A]^a[B]^b[C]^c} \tag{3.6}$$

ここで [ ] は平衡状態における物質の濃度である. 式 (3.4) や式 (3.6) の関係を質量

作用の法則という．

例題 3.1

酸触媒中で酢酸とエタノールが反応して酢酸エチルを生成する．酢酸とエタノールの濃度がともに 8.75×10^{-3} M の場合，平衡時に生成した酢酸エチルの濃度が 5.78×10^{-3} M となった．このときの平衡定数を求めよ．

解　答

この反応の化学反応式は次式で示される．

$$CH_3COOH + C_2H_5OH \rightleftarrows CH_3COOC_2H_5 + H_2O$$

したがって，平衡定数 K は次式となる．

$$K = \frac{[CH_3COOC_2H_5][H_2O]}{[CH_3COOH][C_2H_5OH]}$$

平衡時の酢酸エチルの濃度が 5.78×10^{-3} M だから，水も 5.78×10^{-3} M 生成している．一方，反応物の酢酸とエタノールはそれぞれ，

$8.75 \times 10^{-3} - 5.78 \times 10^{-3} = 2.97 \times 10^{-3}$ M

となる．

したがって，$K = 3.79$ となる．

ここまでは溶液系の平衡で考えてきたが，気体の場合は圧力で平衡定数を考えることが多い．例えば，気体の窒素と水素からアンモニアを生成する反応がある．

$$N_2 + 3H_2 \rightleftarrows 2NH_3$$

この反応も平衡反応であり，平衡時の窒素，水素，およびアンモニアの圧力（分圧）を P_{N_2}，P_{H_2} および P_{NH_3} とすると平衡定数 K は次式（3.7）で示される．

$$K = \frac{{P_{NH_3}}^2}{P_{H_2}\,{P_{H_2}}^3} \tag{3.7}$$

このように圧力から求められた平衡定数のことを圧平衡定数といい，K_p で表すことがある．また，先に説明した濃度から求めた平衡定数を濃度平衡定数 K_c で表す．

平衡定数には圧平衡定数と濃度平衡定数があるがいずれも無次元となる．これは，濃度の場合は標準の濃度で割っているからである．厳密にいえば，平衡定数を考えるときには圧力はフガシティ，濃度は活量で考えなくていけない．活量については 3.4 で述べる．

例題 3.2　水素と窒素からアンモニアを生成する反応で，仕込みの物質量が水素 3 mol，窒素 1 mol で開始したところ，アンモニアが $2x$ mol 生成したところで，平衡に達した．この時の圧平衡定数 K_p はいくらになるか．ただし，平衡時の圧力を p とする．

解　答

平衡になったとき，窒素は $(1 - x)$mol，水素は $(3 - 3x)$mol，アンモニアは $2x$ mol となっているので，全物質量は $(4 - 2x)$ mol となっている．したがって，それぞれの分圧は，

$$\frac{(1 - x)p}{4 - 2x},\ \frac{(3 - 3x)p}{4 - 2x},\ \frac{2xp}{4 - 2x}$$

となる．したがって，圧平衡定数は

$$K_p = \frac{\left(\frac{2xp}{4-2x}\right)^2}{\frac{(1-x)p}{4-2x} \times \left(\frac{(3-3x)p}{4-2x}\right)^3}$$

となり，式をまとめると，

$$K_p = \frac{(4-2x)^2 \times (2x)^2}{(1-x) \times (3-3x)^3} xp^{-2}$$
$$= \frac{16(2-x)^2 x^2}{27(1-x)^4} xp^{-2}$$

3.3　化学平衡とギブスエネルギー

3.3.1　ギブスエネルギー

純物質の相平衡（気液平衡）を考えてみる．例えばある密閉容器に n-ヘキサンを入れ，一定温度でしばらく放置すると液体のヘキサンから気体のヘキサンが飛び出し，その圧力（いわゆる蒸気圧（vaper pressure））は一定になって落ち着く．これが気相—液相の平衡である．平衡状態では気相，液相の量が変わらないのだから，蒸発の速度 v_{vap} と凝縮 v_{con}（気体から液体の相変化）の速度は同じになっている．

$$v_{vap} = v_{con}$$

このとき，ギブスエネルギー（Gibbs energy）は2つの相（液相と固相）で等しくなっている．2つのギブスエネルギーをそれぞれ G(液) と G(固) で表すと

$$G(\text{液}) = G(\text{固})$$

となる．このように平衡を考えるうえで重要な物理量はギブスエネルギーである．

ここで少し，ギブスエネルギーをまとめておこう．ギブスエネルギーの定義式は系のエンタルピーHとエントロピーSを以下の式で表すことができる（T：絶対温度）．

$$G = H - TS \tag{3.8}$$

ギブスエネルギーは系と外界のエントロピーの合計に -1 をかけたものであるので，自発的に反応が進む方向はエントロピーの和が増大する方向だからギブスエネルギーは減少していく方向に進んでいく．したがって，平衡ならばギブスエネルギーは変化しない．

化学反応でも同様にギブスエネルギーは減少していく方向に進んでいく．そしてその反応は G が変わらなくなるまで進むことになる（$\Delta G = 0$）．

ギブスエネルギーの変化は次式で表せる*3．

$$\Delta G = \Delta G^\circ + RT \ln K \tag{3.9}$$

平衡時の ΔG は0なので，式（3.2）から

$$\Delta G^\circ = -RT \ln K \tag{3.10}$$

となる．

*3　ここで ΔG° は標準状態ではギブスエネルギーを表している．標準状態は圧力 100 kPa での値であるが，温度についての規定はない．しかし 25 ℃（298.15 K）での値を示していることが多い．

例題 3.3　100 kPa, 25 ℃において，気体の水素とヨウ素からヨウ化水素を生成する反応の平衡定数は 0.25 と求められた．標準ギブスエネルギーを求めよ．

解　答

式（3.3）より，

$\Delta G^\circ = -RT \ln K$だから

$\Delta G^\circ = -8.31 \text{ J mol}^{-1} \text{ K}^{-1} \times 298.15 \text{ K} \times \ln 0.25$

$= +3.4 \text{ kJ mol}^{-1}$

反応の進行に対するギブスエネルギーを見ていこう．今，温度が 1000 K で，圧力が 101.325 kPa のもと，気体の水素とヨウ素がそれぞれ 1 mol 入っている反応容器がある．これは次の反応でヨウ化水素を生成し，平衡に達する．

$$I_2 + H_2 \rightleftarrows 2HI$$

初期条件ではまだ反応が起こっていないのだから，ギブスエネルギー（G）はヨウ素と水素のギブスエネルギーの和となる．この反応が進行すると図 3.7 のようになる．反応が 74 % 進んだあたりで $\Delta G = 0$ になる．つまりこの組成のとき，反応は平衡に達している．

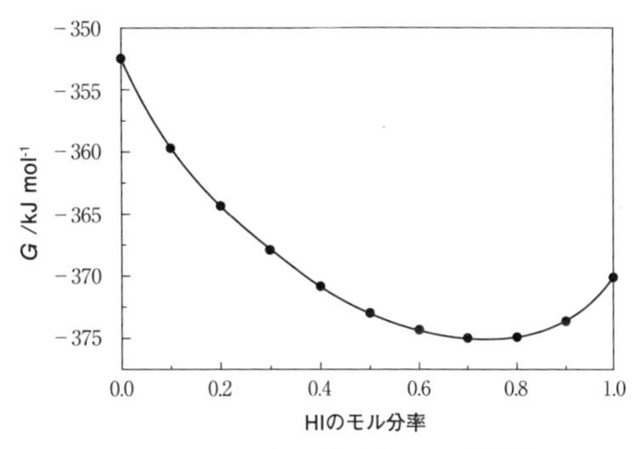

図 3.7　反応の進行と G の関係

3.3.2　化学ポテンシャル（chemical potential）

平衡はギブスエネルギーに大きく関係していることがわかった．では次に温度と圧力が一定のとき，化学組成が変化する場合のギブスエネルギー変化を考えてみよう．一定の化学組成の時，ギブスエネルギーは温度 T と圧力 p の関数であるので，その完全微分（微小変化）は，

$$\mathrm{d}G = \left(\frac{\partial G}{\partial T}\right)_p \mathrm{d}T + \left(\frac{\partial G}{\partial p}\right)_T \mathrm{d}p \qquad (3.11)$$

$$\mathrm{d}G = -S\mathrm{d}T + V\mathrm{d}p \qquad (3.12)$$

となる．

もしも成分が少し変化した場合は，ギブスエネルギーは温度，圧力の他に成分 i の物質量 n_i も変数になる．したがって，その成分変化 $\mathrm{d}n_i$ がギブスエネルギー変化に与える量を加える必要がある．成分 i を除く残りの成分 j の物質量を n_j とすると，ギブスエネルギーの完全微分の式は 3.13 式となる．

$$\mathrm{d}G = \left(\frac{\partial G}{\partial T}\right)_{p,\,nj} \mathrm{d}T + \left(\frac{\partial G}{\partial p}\right)_{T,\,nj} \mathrm{d}p + \sum\left(\frac{\partial G}{\partial n_i}\right)_{p,\,T,\,nj} \mathrm{d}n_i \qquad (3.13)$$

ここで　$\left(\frac{\partial G}{\partial n_i}\right)_{p,\,T,\,nj} = \mu_i$　と表し，μ_i を化学ポテンシャルという．

T, p 一定の下で成分が変化して平衡になった場合でも系のギブスエネルギー変化 $\mathrm{d}G = 0$ である．したがって，T, p 一定の場合，$\mathrm{d}T, \mathrm{d}p = 0$ になるので式（3.13）の最初の二項は0であり，$\Sigma\mu_i = 0$ となる．例えば，相変化 $\alpha \rightleftarrows \beta$ の場合，α が少しだけ（$\mathrm{d}n_i$ 分）β になったとすると，α の変化量は $-\mathrm{d}n_i$ であり，β の変化量は $\mathrm{d}n_i$ であるので，$\mathrm{d}G = \{\mu_i(\beta) - \mu_i(\alpha)\}\,\mathrm{d}ni$ となる．$\mathrm{d}n_i$ は0ではないので，$\mu_i(\alpha) = \mu_i(\beta)$ となる．このように，化学平衡に達している場合には，各成分の化学ポテンシャルは等しくなる．

3.4　活量とイオン強度

3.4.1　理想溶液とラウールの法則

溶液（solution）は溶媒（solvent）に溶質（solute）が溶けているものである．気体の場合は，分子間に働く力や分子の大きさを無視することにより理想気体の概念を導入した．理想溶液（ideal solution）では，溶質が溶けた場合でも溶媒―溶媒間の相互作用と溶媒―溶質間の相互作用が同じであると仮定した理想的な溶液である．この場合，溶液の蒸気圧は溶媒の蒸気圧に溶質の蒸気圧を加えたものになる．蒸気圧はモル分率に比例する（ラウールの法則）ので，溶媒Aに溶質Bを溶かした溶液の場合，純粋なA，Bの蒸気圧を P_A^*，P_B^*，それぞれのモル分率を x_a, x_b とすると，溶媒および溶質の蒸気圧はそれぞれ，$x_aP_A^*$ $x_bP_B^*$ となるので，溶液の蒸気圧 P は $P = x_aP_A^* + x_bP_B^*$ となる．例えば，ベンゼンとトルエン混合物の352.85 Kにおける蒸気圧プロットを図3.8に示す．横軸はそれぞれのモル分率であり，縦軸は圧力である．この系では分圧の和が全体の圧力になっており，ラウールの法則（Raoult's law）によく従っている．

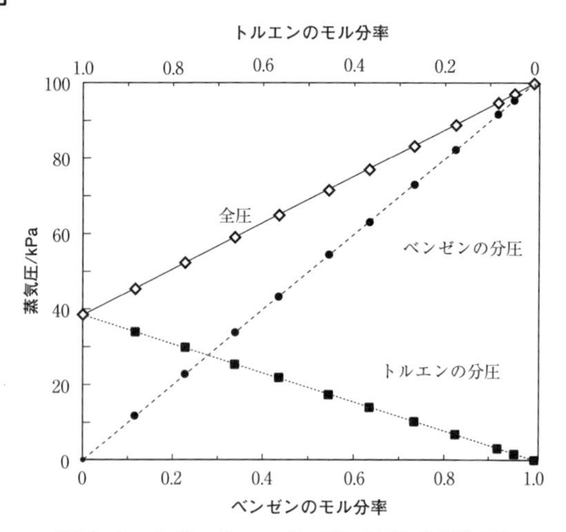

図3.8　トルエン＋ベンゼン溶液の蒸気圧

溶液ABから蒸発した気体Aの化学ポテンシャルは

$$\mu_A(\mathrm{g}) = \mu_A^\circ(\mathrm{g}) + RT\ln P_A$$

である．平衡時では，これが溶液中のAの化学ポテンシャルと $\mu_A(\mathrm{sol})$ と等しいから，

$$\mu_A(\mathrm{sol}) = \mu_A^\circ(\mathrm{g}) + RT\ln P_A$$

であり，$P_A = x_aP_A^*$ を代入すると，

$$\mu_A(\mathrm{sol}) = \mu_A^\circ(\mathrm{g}) + RT\ln P_A^* + RT\ln x_a$$

となる．純粋な液体 A の化学ポテンシャル $\mu_A^*(\mathrm{liq})$ は

$$\mu_A^*(\mathrm{liq}) = \mu_A^\circ(\mathrm{g}) + RT\ln P_A^*$$

であるので，

$$\mu_A(\mathrm{sol}) = \mu_A^*(\mathrm{liq}) + RT\ln x_a$$

となる．これが理想溶液では各成分ですべて成り立っている．

3.4.2　非理想溶液と活量

多くの溶液ではラウールの法則は成り立たない．例えば，アセトンとクロロホルムの二成分系の場合のクロロホルムのモル分率に対するアセトンおよびクロロホルムの各分圧を図 3.9 に示す．この図が示すように，分圧はモル分率に比例していない．これは非理想溶液では，有効な濃度は実際の濃度とは異なっていることを示している．成分 i の有効な濃度を活量（activity）a_i で表し，実際の濃度 x_i との違いを次式で表す．

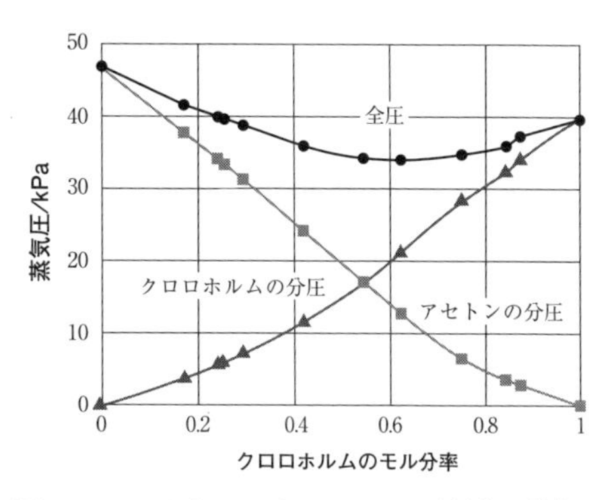

図 3.9　アセトン＋クロロホルム溶液の蒸気圧

$$a_i = \gamma_i x_i$$

ここで，γ_i のことを活量係数（activity coefficient）という．

活量と実際の濃度の違いは分子間の相互作用のために生じる．溶液では純物質 A の間に溶質 B が入り込んでくる．このとき，純物質で働く分子間相互作用は分子 A と A によるものだけであるが，溶液の場合，その他に A と B の相互作用も働いている．理想溶液では，その 2 つの相互作用は同じとみなしている．しかし，実際はその 2 つの分子間相互作用は異なっている．例えば，前述したアセトンとクロロホルムの系では，各分子の分圧は理想溶液より下がっている．すなわち，$\gamma_i < 1$ となっている．これはクロロホルムにアセトンが混ざると各分子は気体になるより，溶液のままで存在した方が居心地がよいことを示している．つまり，クロロホルム―アセトン間の分子間力はクロロホルム間のそれより大きいことが示唆される．このように活量は実際に有効な濃度を表していることになる．活量係数は希薄な状態であれば，$\gamma_i = 1$ とみなせる．この場合は理想溶液とみなしてよい．

一方，水＋エタノール二成分系の場合は逆に各分子の分圧は理想溶液の分圧に比べて大きくなっている．（$\gamma_i > 1$）これは，水，エタノールはそれぞれの純物質より，気体になりやすいことを示している．

化学ポテンシャルを用いて説明すると，純粋な物質の化学ポテンシャルは，

$$\mu_i = \mu_i^\circ + RT\ln x_i$$

であるから，濃度 x_i の代わりに活量 a_i を用いると

$$\mu_i = \mu_i^\circ + RT \ln a_i$$

$$\mu_i = \mu_i^\circ + RT \ln \gamma_i x_i$$

$$\mu_i = \mu_i^\circ + RT(\ln x_i + \ln \gamma_i)$$

となる．このように活量を用いれば，理想溶液と似た式を用いることができるので便利である．ここで，式（3. 5）および式（3. 6）に示した可逆的な反応式とその平衡定数 K を例にして，濃度のかわりに活量を用いた平衡関係式を表すと次式となる。

$$K^\circ = \frac{a_D^d a_E^e a_F^f}{a_A^a a_B^b a_C^c} = \frac{\gamma_D^d \gamma_E^e \gamma_F^f}{\gamma_A^a \gamma_B^b \gamma_C^c} \times \frac{[D]^d[E]^e[F]^f}{[A]^a[B]^b[C]^c} = \frac{\gamma_D^d \gamma_E^e \gamma_F^f}{\gamma_A^a \gamma_B^b \gamma_C^c} \times K$$

ここで，K°は熱力学的平衡定数（thermodynamic equilibrium constant）といい，モル濃度を用いた平衡定数 K とは区別される．K°は温度や圧力が変化しなければ一定の値を有し，共存する電解質などの濃度にも依存しない．

分析化学においては，希薄溶液での活量係数を1とみなすことで活量≒濃度とし，特にモル濃度が多用されている．活量係数は溶液中の電解質の種類によって異なり，また，電解質の種類が同じであったとしても濃度の違いで変化する．そのため，例えば塩酸のような強酸であっても濃度によっては活量係数が1より小さくなることもあり，その結果，ほぼ全てが解離（電離）しているという理想的な状態と実際の濃度との間には差が生じることになる．また，難溶性塩が存在する飽和溶液に塩とは無関係な電解質を添加すると塩の溶解度が大きくなることがある．これは溶液に共存する電解質によって塩を構成するイオンの活量係数が減少するためである．

溶液内の分子間に働くさまざまな相互作用や分子の大きさが同じであると仮定することで理解しやすさを優先したのが理想溶液での考え方である．しかし，現実のさまざまな溶液内のイオン平衡においては理想溶液とのずれを考慮することが必要な場合もある．そのずれを補正するものが活量という関数の考え方であり，そして活量係数もまた後述する電解質の活量とイオン強度の関係や沈殿生成に及ぼす諸因子（第7章参照）を理解するのに重要な関数といえる．

例題 3.4（1）0.001 M HCl，（2）0.05 M HCl，（3）1.0 M HCl の活量（a_{H^+}）を求めよ．ただし，各濃度の活量係数は，それぞれ 0.965, 0.830, 0.81 とする．

解　答

濃度と活量との関係式：$a_i = \gamma_i x_i$ より

（1）$a_{H^+} = 0.965 \times 0.001 = 9.65 \times 10^{-4}$

（2）$a_{H^+} = 0.830 \times 0.05 = 0.042$

（3）$a_{H^+} = 0.81 \times 1.0 = 0.81$

調製した HCl 濃度と活量（a_{H^+}）との相対誤差（%）は，HCl 濃度が高まるに従って大きくなっている．このことから濃度（M）を用い種々の化学平衡を考える際には，活量係数をほぼ1と見なすことができる条件を理解する必要がある．

また，ここで得られた各活量は，あくまでも実在溶液における"有効な"濃度であり，溶液を調製した際の濃度とは区別される．

3.4.3　電解質の活量とイオン強度

電解質では + と − のイオンが存在し，その間に働く相互作用のため化学ポテンシャルが変化する．これも活量の考えを導入して表すことができる．例えば，1価−1価の電解質 AB が水中で完全に電離すると考えられる場合には，$AB \longrightarrow A^+ + B^-$ と表すことができる．このとき，A^+，および B^- の活量 a_{A^+} a_{B^-}，は区別して決めることができないので，全体の活量 a_{AB} でしかわからない．

電解質の全化学ポテンシャル，μ_{total}，は次のように表せる．

$$\mu_{total} = \mu_A^\circ + \mu_B^\circ + RT(\ln a_{A^+} + \ln a_{B^-})$$

ここで，$\ln a_{AB} = \ln a_{A^+} + \ln a_{B^-}$ であるので，

$$a_{AB} = a_{A^+} \times a_{B^-} = \gamma_{A^+} C_{A^+} \times \gamma_{B^-} C_{B^-}$$

となる．

今，平均のイオン活量係数 $\gamma_\pm$ を $\sqrt{\gamma_{A^+}\,\gamma_{B^-}}$ と定義すると

$$a_{AB} = (\gamma_\pm C)^2$$

となる．ここで $C = C_{A^+} = C_{B^-}$ であり，電解質の濃度である．したがって，

$$\mu_{total} = \mu_A^\circ + \mu_B^\circ + RT \ln\,(\gamma_\pm C)^2$$

$$\mu_{total} = (\mu_A^\circ + RT \ln C + RT \ln \gamma_\pm) + (\mu_B^\circ + RT \ln C + RT \ln \gamma_\pm)$$

となるので，理想溶液からのずれは，陽イオンと陰イオンに等しく分けられていることになる．また，このずれは両イオン共に $RT \ln \gamma_\pm$ となるので全体では $2RT \ln \gamma_\pm$ となる．より一般的な塩 M_pX_q の場合，平均活量係数 $\gamma_\pm$ は $\gamma_\pm = (\gamma_{M^+}{}^{p}\gamma_{X^-}{}^{q})^{1/s}$ となる．ここで，$s = p + q$ である．

溶液中のイオンの位置は熱運動で平均的に存在しようとする方向と静電的な引力と斥力のバランスで決められる．その結果，陽イオンの周りには少し陰イオンが存在し，陰イオンの周りには少し陽イオンが多く存在している（イオン雰囲気）．デバイとヒュッケルが遮蔽クーロンポテンシャルを使って，イオン雰囲気における静電エネルギーを計算したところ，平均活量係数 $\gamma_\pm$ は，次式（3.14）となった．

$$\log \gamma_\pm = -A|z^+z^-|\sqrt{I} \tag{3.14}$$

ここで，z はイオンの電荷数であり，A は水の場合，0.509 となる．また，モル濃度 C_i とするとイオン強度 I は式（3.15）で表される．

$$I = \frac{1}{2}\sum C_i\, z_i^2 \tag{3.15}$$

なお，式（3.14）は，希薄な溶液の場合のみ近似的に成り立つ式であり，デバイ−ヒュッケルの極限法則（Debye-Hückel limit law）と呼ばれる．

式（3. 14）は，イオンの濃度が低いところでは適用できるが，濃度が濃くなると同じ電荷を持つイオン間の相互作用が無視できなくなるために式（3. 14）の値からずれてくる．希薄溶液でない場合には，次式（3. 16）を用いる．

$$\log \gamma_{\pm} = \frac{-A|z^{+}z^{-}|\sqrt{I}}{1+Ba_i\sqrt{I}} \qquad (3.16)$$

ここで，a_iはイオンサイズパラメータと呼ばれ，水和イオンが最も近づける距離であり，AとBは定数である．a_iをÅ単位で表せばAとBはそれぞれ，0.509と0.33となる．希薄溶液中，イオン強度が0.01以下であれば式（3. 16）の分母は$1 \approx 1 + Ba_i\sqrt{I}$とみなすことができるので，式（3. 14）で表されるデバイ－ヒュッケルの極限法則となる．また，陽イオンや陰イオンの活量係数（γ_i）についても式（3. 16）と類似した式（3. 17）が成り立つ．

表3.2には，各イオン強度でのイオンの活量係数を示した．

表3. 2　溶液のイオン強度（I）と活量係数（γ_i）との関係

イオン	a_i	溶液のイオン強度（I）				
		0.0005	0.001	0.01	0.05	0.1
無機イオン						
H^+	9	0.975	0.967	0.914	0.86	0.83
Li^+	6	0.975	0.965	0.907	0.835	0.80
NH_4^+, Rb^+, Cs^+, Ag^+	2.5	0.975	0.964	0.898	0.80	0.75
K^+, Cl^-：Br^-, I^-, CN^-, NO_2^-, NO_3^-	3	0.975	0.964	0.899	0.805	0.755
OH^-, F^-, SCN^-, ClO_4^-, BrO_3^-, IO_4^-, MnO_4^-	3.5	0.975	0.964	0.900	0.81	0.76
Na^+, IO_3^-, HCO_3^-, $H_2PO_4^-$, HSO_3^-	4～4.5	0.975	0.964	0.902	0.82	0.775
Hg_2^{2+}, SO_4^{2-}, $S_2O_3^{2-}$, CrO_4^{2-}, HPO_4^{2-}	4	0.903	0.867	0.660	0.445	0.355
Pb^{2+}, CO_3^{2-}, SO_3^{2-}, $[Co(NH_3)_5Cl]^{2+}$	4.5	0.903	0.868	0.665	0.455	0.37
Ca^{2+}, Mn^{2+}, Ni^{2+}, Cu^{2+}, Zn^{2+}, Fe^{2+}, Co^{2+}	6	0.905	0.870	0.675	0.485	0.405
Mg^{2+}, Be^{2+}	8	0.906	0.872	0.69	0.52	0.45
Al^{3+}, Fe^{3+}, Ce^{3+}, Sc^{3+}, Y^{3+}, La^{3+}, In^{3+}	9	0.802	0.738	0.445	0.245	0.18
PO_4^{3-}, $[Fe(CN)_6]^{3-}$, $[Cr(NH_3)_6]^{3+}$, $[Co(NH_3)_6]^{3+}$	4	0.796	0.725	0.395	0.16	0.095
Th^{4+}, Zr^{4+}, Ce^{4+}, Sn^{4+}	11	0.678	0.588	0.255	0.10	0.065
$[Fe(CN)_6]^{4-}$	5	0.668	0.57	0.20	0.048	0.21
有機イオン						
$HCOO^-$, $H_2citrate^-$, $CH_3NH_3^+$, $(CH_3)_2NH_2^+$	3.5	0.975	0.964	0.900	0.81	0.76
H_2N^+-CH_2COOH, $(CH_3)_3NH^+$, $C_2H_5NH_3^+$	4	0.975	0.964	0.901	0.815	0.77
CH_3COO^-, $(CH_3)_4N^+$, $(C_2H_5)_2NH_2^+$, $H_2NCH_2COO^-$	4.5	0.975	0.964	0.902	0.82	0.775
$CHCl_2COO^-$, CCl_3COO^-, $(C_2H_5)_3NH^+$, $(C_3H_7)NH_3^+$	5	0.975	0.964	0.904	0.83	0.79
$C_6H_5COO^-$, $C_6H_4(OH)COO^-$, $C_6H_5CH_2COO^-$, $(C_2H_5)_4N^+$	6	0.975	0.965	0.907	0.835	0.80
$(COO)_2^{2-}$, $Hcitrate^{2-}$	4.5	0.903	0.867	0.662	0.45	0.36
$C_6H_4(COO)_2^{2-}$, $H_2C(CH_2COO)_2^{2-}$, $(CH_2CH_2COO)_2^{2-}$	6	0.905	0.870	0.675	0.485	0.405
$H_2C(COO)_2^{2-}$, $(CH_2COO)_2^{2-}$	5	0.903	0.868	0.67	0.465	0.38
$citrate^{3-}$	5	0.796	0.723	0.405	0.18	0.115

表の数値は活量係数γ_iを示す．a_i：イオンサイズパラメーター（10^{-1} nm）．$citrate^{3-}$：クエン酸イオン．
J. Kielland：*J. Am. Chem. Soc.*, 59, 1675(1937)より引用．

$$\log \gamma_i = \frac{-Az_i^2\sqrt{I}}{1 + Ba_i\sqrt{I}} \qquad (3.17)$$

例題 3.5　モル濃度 0.1 M の塩化ナトリウム水溶液のイオン強度を求めよ．

解　答

イオン強度の式は，

$$I = \frac{1}{2}\sum C_i z_i^2$$

で表せるので，

$$I = \frac{1}{2}\{0.1 \times (+1)^2 + 0.1 \times (-1)^2\} = 0.1$$

例題 3.6　1.0×10^{-3} M の塩化銅（II）水溶液の平均活量係数を求めよ．

解　答

イオン強度は次式で算出できる．

$$I = \frac{1}{2}\{(1.0 \times 10^{-3}) \times (+2)^2 + 2.0 \times 10^{-3} \times (-1)^2\}$$
$$= 3.0 \times 10^{-3}$$

イオン強度が 0.003 なので，式（3.14）のデバイ－ヒュッケルの極限法則を用い計算すると，

$$\log \gamma_{\pm} = -0.509\,|(+2) \times (-1)|\,\sqrt{3.0 \times 10^{-3}}$$
$$= -0.0558$$

$$\gamma_{\pm} = 10^{-0.558} = 0.879$$

平均活量係数は 0.879 となる．

3.5　条件変化による平衡の位置の移動：平衡移動の原理（ル・シャトリエの原理）

ある化学平衡にある系において，平衡を定める状態変数（温度，圧力，濃度）の 1 つが変化したとき，平衡は一瞬乱れるがある時間経過すると再び平衡状態になる．例えば，四酸化二窒素と二酸化窒素が平衡になっているときを考える．

$$\underset{(無色)}{N_2O_4} \rightleftarrows \underset{(褐色)}{2NO_2}$$

N_2O_4 は無色で NO_2 は褐色である．今，ある温度で N_2O_4 を密閉されたガラス管に入れ，しばらく待つと平衡に達してガラス内の気体はやや褐色になる．この色は温度が変化しないかぎり一定である．このガラス管を温めると褐色の色が濃くなり，冷やすと色が薄くなっていくのが観察される．これは系の温度を変えることにより平衡位置が変わることを示している．ここでは，平衡の状態にある系の状態変数を変化させることで，平衡はどちらに移動するかということを考えてみる．

3.5.1　平衡移動の原理（ル・シャトリエの原理）

「平衡状態にある系の状態変数が変化すると，それをやわらげる方向に平衡は移動する」，

すなわち系の温度を上げると温度を下げる方向に平衡は移動し，圧力を上げると系の圧力を下げる方向に平衡は移動することになる．これは平衡移動の原理（ル・シャトリエの原理）と呼ばれる．ここでは種々の状態変数の変化に対して，新たな平衡がどちらに移動するかを考えてみる．

3. 5. 2　温度と平衡定数の関係

ル・シャトリエの原理で考えると温度を上げた場合，平衡は熱を吸収する方向，すなわち吸熱反応の方向へ移動し，逆に温度を下げた場合，発熱反応の方向へ平衡は移動する．例えば，ハーバー・ボッシュ法でアンモニアを生成する反応（$1/2\ N_2 + 3/2\ H_2 \rightleftarrows NH_3 \quad \Delta H = 11$ kcal）は発熱反応であるので，温度を下げた方がアンモニアの生成率はよいことになる．図 3. 10 に種々の圧力でアンモニアの生成率を温度を変化させて調べた結果を示す．いずれの圧力においても温度を上げるとアンモニアの生成率が下がっていることを示している．すなわち温度が上がると平衡は原系の水素や窒素が生成する方向に移動している．ここではこの原因について考えていく．

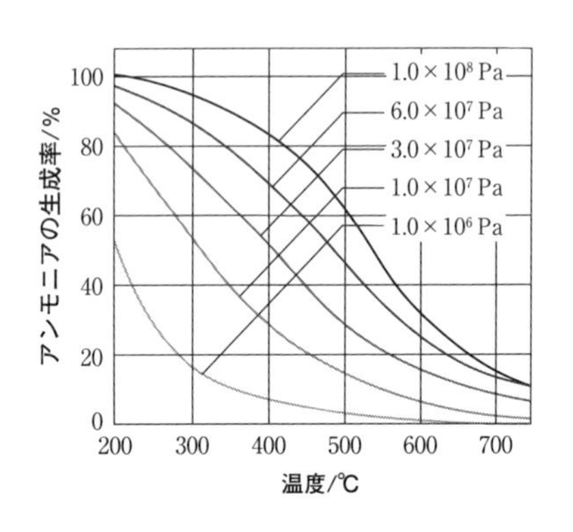

図 3. 10　反応温度におけるアンモニア生成率

まず，平衡定数と温度の関係についてみていこう．ある平衡反応が温度 T のとき，平衡定数 K で，温度が T_2 に変化したとき，平衡定数も変化し，K_2 になったとする．平衡なら K と G の関係は式（3. 9）より，$\Delta G^\circ = -RT \ln K$ であり，
$\Delta G = \Delta H - T\Delta S$ であるので，

$$-RT \ln K = \Delta_r H - T\Delta_r S \tag{3. 18}$$

となる．

(3. 18) 式を変形すると

$$\ln K = -\frac{\Delta_r H}{RT} + \frac{\Delta_r S}{R}$$

となる．温度が T_2 に変化すると，

$$\ln K_2 = -\frac{\Delta_r H}{RT_2} + \frac{\Delta_r S}{R}$$

となる．2つの式の差をとると，

$$\ln K - \ln K_2 = -\frac{\Delta_r H}{R}\left(\frac{1}{T} - \frac{1}{T_2}\right)$$

$$\ln K_2 = \ln K + \frac{\Delta_r H}{R}\left(\frac{1}{T} - \frac{1}{T_2}\right) \tag{3. 19}$$

となる．これを**ファントホッフの式**という．この式から温度変化と平衡定数の変化の関係が得られる．

発熱反応の場合は$\Delta_r H$の値は負である．また，温度が上がると（$T < T_2$）温度の逆数の差の項は正になるので右辺は最初の平衡定数の対数$\ln K$より小さくなることになる．したがって，$\ln K_2 < \ln K$となるので，$K_2 < K$となり，平衡は原系の方に移動する．すなわち発熱反応のとき，温度が上がると反応物の方に平衡は移動することになる．吸熱反応の場合は逆に$\Delta_r H$の値が正の値をとるので，温度が上がると生成物が増加する方向に平衡は移動する．

3.5.3　圧力と平衡定数の関係

次に，気体の可逆反応で圧力が変化する場合を考えよう．圧力が変化しても温度が変化しなければ平衡定数は変化しない（$\Delta G^\circ = -RT \ln K$）．だからといって，圧力と平衡が無関係というわけではない．図3.11にハーバー・ボッシュ法によってアンモニアを生成したとき，その生成率の圧力依存性を種々の温度において測定したものを示す．図3.11から圧力が上がるとアンモニアの生成率は増加していることがわかる．このように圧力を変化させた場合，生成物や原系の物質の分圧（濃度）は変化するが，その分圧は，圧平衡定数$K_p = \dfrac{[NH_3]^2}{[N_2][H_2]^3}$が一定になるように変化しているのである．

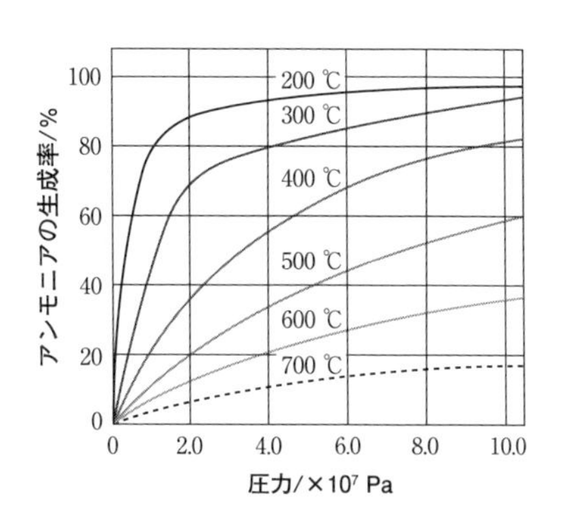

図3.11　アンモニア生成率の圧力

もう少し簡単な系，$A \rightleftharpoons 2B$，でこの理由について考えてみる．今，全圧がP_0のもと，Aの物質量をa_0，で反応が開始したとする．平衡になったときBが$2x$ mol生成したとすると，残っているAの物質量は$a_0 - x$ molになる．全体の物質量が$a_0 + x$ molになるので，平衡時のAの分圧は$(a_0 - x)/(a_0 + x)P_0$になる．一方，生成物Bの分圧は，$2x/(a_0 + x)P_0$になる．したがって，圧平衡定数K_pは

$$K_p = \frac{\{(2x)/(a_0 + x)P_0\}^2}{(a_0 - x)/(a_0 + x)P_0} = \frac{4x^2}{(a_0 - x)(a_0 + x)}P_0$$

となる．温度一定でこの系の圧力が増大したとき（圧力がPになったとすると），すなわち，$P_0 < P$になったとき，K_pの値が一定になるためには$\dfrac{4x^2}{(a_0 - x)(a_0 + x)}$の値が小さくならなくてはいけないので，$x$が小さくなることを示している．逆に圧力が小さくなった場合は，xの値が大きくなることになる．つまり，$A \rightleftharpoons 2B$の反応のような場合，平衡になっているところに圧力を増加させるとAが生成する方向に平衡は移動し，圧力が下がるとA

が減少し，Bが増える方向に平衡は移動することになる．

では，A $\rightleftarrows$ Cのときはどうだろうか？ この場合，

$$K_p = \frac{x}{a_0 - x}$$

となるので，K_pの中に圧力の項が入ってこない．したがって，圧力が変化しても平衡は移動しないことになる．圧力が変わることによって，平衡が移動するのは，反応によって全体の分子の数が変化する場合である．

圧力が増えると系全体の物質量が少なくなる方向に平衡が移動する．すなわち，化学反応式の係数の合計が小さくなる方に平衡は進み，圧力が低くなる場合は係数の合計が大きくなる方向に平衡は進む．そうすることで圧力が大きくなると系の分子の数が減り，圧力が減少すると分子の数は増大することで平衡定数を一定にする．これは，まさしくル・シャトリエが述べた「系にかけられたストレスを解消する方向に平衡は移動する」ということを示している．

3. 5. 4　触媒と平衡

触媒を加えると反応の速度が変化する．これは触媒を加えると反応の活性化エネルギーを変化させるからである．しかしながら，触媒を加えても平衡には何ら変化を及ぼさない．この理由について考えてみよう．今，図3. 12のような反応R $\rightleftarrows$ Pが起こっているとする．

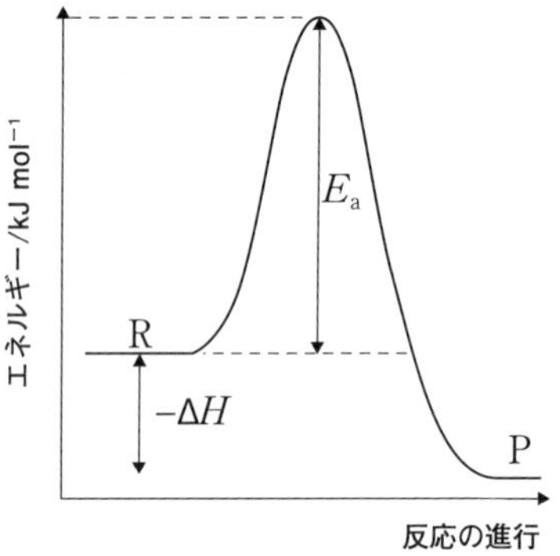

図3. 12　反応の進行とエネルギー変化

RからPを生成するときの活性化エネルギーをE_a，そのときの反応のエンタルピー変化をΔHとするとRからAを生成する逆反応の活性化エネルギーは$E_a + \Delta H$となる．アレニウスの式，$k = Ae^{-E_a/RT}$から

正反応　　$\ln k_1 = \ln A - \dfrac{(E_a)}{RT}$

逆反応　　$\ln k_2 = \ln A - \dfrac{(E_a + \Delta H)}{RT}$

正反応から逆反応を引くと

$$\ln k_1/k_2 = -\Delta H/RT$$

となるので，正反応の速度定数と逆反応の速度定数の比は，活性化エネルギーに依存しない．したがって，触媒で活性化エネルギーが変化しても，速度定数の割合は変わらないので，平衡定数Kも変わらないことになる．

3.6 種々の平衡反応

分析化学では，溶液中に存在する物質の存在形態や濃度を知ることが重要な課題となる場合が多い．このような課題は，関係する化学平衡およびその平衡定数を用いることで解決できる．詳細はそれぞれの章を参照して欲しいが，ここでは分析化学で利用する平衡反応利用の概略を見ていくことにする．

3.6.1 弱酸の電離平衡

酢酸のような弱酸では，酸の一部分は電離するが完全には電離していない．ということは電離する反応と電離した酢酸イオンと水素イオンが会合して，酢酸が生成する反応が同時に起こっていることになる．この電離平衡を化学反応式で表すと

$$\mathrm{CH_3COOH} \rightleftarrows \mathrm{CH_3COO^-} + \mathrm{H^+}$$

となる．

今，酢酸の初濃度を C_0，平衡時の $\mathrm{H^+}$ の濃度を x M とすると電離で生成した酢酸イオンの濃度も x となり，電離しなかった酢酸の濃度は $(C_0 - x)$M となる．したがって，この電離平衡の平衡定数は酸解離定数 K_a に相当し，次式（3.20）で示される．

$$K_\mathrm{a} = \frac{[\mathrm{CH_3COO^-}][\mathrm{H^+}]}{[\mathrm{CH_3COOH}]} \tag{3.20}$$

式（3.20）にそれぞれの濃度関係を代入すると，次式が得られる．

$$K_\mathrm{a} = \frac{x^2}{C_0 - x}$$

ここで，酢酸は弱酸なので電離して生成する $\mathrm{H^+}$ の濃度は初濃度 C_0 に比べると非常に小さい，すなわち $C_0 \gg x$ と近似すると，$K_\mathrm{a} = x^2/C_0$ と非常に簡単な式なる．したがって，電離で生成した $\mathrm{H^+}$ の濃度 x は

$$x = \sqrt{C_0 K_\mathrm{a}}$$

となる．したがって，初濃度と平衡定数がわかれれば平衡時の水素イオン濃度を求めることができる．

このように溶液内に存在する物質の濃度関係が平衡時にはどのようになるか，物質の濃度関係，存在形態を関係する平衡定数から計算により予測することができる．

3.6.2 塩の加水分解

塩は中和反応の結果生じる酸の陰イオンと塩基の陽イオンが化合した化合物である．例えば，塩酸 HCl と水酸化ナトリウム NaOH が中和すると水と塩化ナトリウム NaCl という塩が生成する．このような強酸と強塩基から生成する塩の水溶液は pH ＝ 7 の中性を示

す．一方，弱酸と強塩基から生成する塩が水に溶けるとその水溶液の pH は塩基性になる．例えば，酢酸 CH_3COOH と水酸化ナトリウムの中和によって生成する塩は酢酸ナトリウム CH_3COONa であり，その水溶液の pH は塩基性になる．例えば，0.100 M の酢酸ナトリウム水溶液の pH は 8.9 程度になる．

この理由について，考えてみよう．CH_3COONa は水に溶けやすい塩であり，水中で完全に電離し，全て酢酸イオン CH_3COO^- とナトリウムイオン Na^+ になっている．

$$CH_3COONa \rightleftarrows CH_3COO^- + Na^+$$

この酢酸イオンが水と反応して，次のような化学平衡になる．この反応を塩の加水分解という．

$$CH_3COO^- + H_2O \rightleftarrows CH_3COOH + OH^-$$

この反応が示すように，水酸化物イオンが生成するため水溶液は塩基性になる．

この反応も化学平衡だからこれまでの考え方を用いれば，溶液の pH を求めることができる．次の例題で加水分解する塩水溶液の pH を求めてみよう．

例題 3.7　0.050 M の酢酸ナトリウム水溶液の pH を求めよ．ただし，酢酸の酸解離定数 K_a を 1.8×10^{-5} とする．

解　答

$$CH_3COO^- + H_2O \rightleftarrows CH_3COOH + OH^-$$

の平衡定数は

$$K = \frac{[CH_3COOH][OH^-]}{[CH_3COO^-][H_2O]}$$

$[H_2O]$ は一定とみなせるので，$K[H_2O]$ も一定になるこれを K_b とすると

$$K_b = \frac{[CH_3COOH][OH^-]}{[CH_3COO^-]}$$

となる．水のイオン積 $[H^+][OH^-] = K_w$ なので，

$$K_b = \frac{[CH_3COOH]K_w}{[CH_3COO^-][H^+]} = \frac{K_w}{K_a} = 5.6 \times 10^{-10}$$

となる．K_w を水のイオン積（1×10^{-14}）という．

生成する OH^- の濃度を y M とすると $[CH_3COOH]$ も y M となるので平衡になったとき，残っている酢酸イオンの濃度は $(0.050 - y)$M となる．この加水分解の反応はほんの少ししか進まないので，弱酸のところで行ったように y M はとても小さいので，$0.050 - y \sim 0.050$ M と近似できる．したがって，

$$K_b = \frac{y^2}{0.050}$$

$$y = \sqrt{0.050\,K_b}$$

$$= 5.3 \times 10^{-6}$$

$-\log y = \mathrm{pOH} = 5.3$ となるので，$\mathrm{pH} = 14 - 5.3 = 8.7$ となる．

3.6.3　緩衝液

弱酸（または弱塩基）にその塩を加えると，少々の酸や塩基が加えられても pH があまり変化しない溶液となる．この溶液を緩衝液という．我々の体の中では，緩衝液が生命維持に重要な役割を担っている．例えば血液では，炭酸イオンと炭酸水素イオンによって

pHが7.4程度に，細胞内はリン酸水素イオンとリン酸二水素イオンによってpHが6.9に保たれている．また，pHメータの校正に用いる溶液も緩衝液である．酢酸と酢酸ナトリウムの緩衝液を使って緩衝作用を説明しよう．

酢酸水溶液では次の電離平衡が成り立っている．

$$CH_3COOH \rightleftharpoons CH_3COO^- + H^+$$

この溶液中に酢酸ナトリウムを加えると，酢酸イオン濃度が増加するので，ル・シャトリエの原理からもわかるように，平衡は左（酢酸が生成する方向）に移動する．したがって，電離した酢酸の濃度は無視できる．この系に酸を加えた場合，溶液に存在している酢酸イオンと加えられた水素イオンが化合し，酢酸を生成する．そのため，H^+が加えられても水素イオン濃度に大きな変化は見られない．一方，塩基が加えられた場合には，酢酸と塩基で中和反応が起こり，酢酸塩と水が生成する．したがって，この場合も大きな水素イオン濃度の変化は見られない．このように緩衝液では少量の酸，塩基が加えられても水素イオン濃度はあまり変化しない．次の例題で緩衝液のpHを計算してみよう．

例題 3.8 0.10 molの酢酸ナトリウムと0.10 molの酢酸を1 Lのメスフラスコにとり，水で定容とした．この緩衝液のpHを求めなさい．ただし，酢酸の酸解離定数は，$K_a = 1.8 \times 10^{-5}$とする．

解　答

酢酸ナトリウムは水に溶けやすい塩で，水溶液中では完全に電離しているとみなしてよい．そのため，この緩衝液の中には酢酸，酢酸イオン，水素イオンなどが含まれている．水素イオン濃度を求めたいわけだから，水素イオンをx Mとする．今，酢酸ナトリウム0.10 molを溶かして1 Lにしたのだから酢酸イオンは0.10 Mとなる．

一方，酢酸の電離は無視できるので，0.10 Mとしてよい．酢酸の平衡定数（酸解離定数）から次式が得られる．

$$K_a = \frac{[CH_3COO^-][H^+]}{[CH_3COOH]} = \frac{0.10 \times x}{0.10} = x$$

$K_a = 1.8 \times 10^{-5}$なので，xは1.8×10^{-5} Mとなる．したがって，pH = 4.7である．

第3章の章末問題

3.1 必 須

ある可逆反応 $A \rightleftharpoons 2B$ がある温度において，Aの初濃度を0.100 Mとして反応を進めた．この反応はAの濃度が0.0500 Mになったとき，平衡に達した．この反応の平衡定数を求めよ．

3.2 推 奨

$A + B \rightleftharpoons 2C$ の反応におけるある温度での平衡定数は25.0であった．A，Bともに1.00 Mから始めたとき，Cの濃度がいくらになったときに平衡に達したといえるか．

3.3 **必須**

アンモニアの水溶液での電離は次のように表せる．この反応の標準ギブスエネルギー$\Delta G°$は25 ℃において，26.8 kJ mol^{-1}である．この反応の平衡定数（塩基解離定数）K_bを求めなさい．

$$NH_3 + H_2O \rightleftharpoons NH_4^+ + OH^-$$

3.4 **チャレンジ**

二酸化窒素から四酸化二窒素が生成する反応は次のようにあらわせる．

$$2NO_2 \rightleftharpoons N_2O_4$$

この反応は発熱反応でそのエンタルピー変化は$\Delta H = -57$ kJ mol^{-1}である．またこの反応の標準ギブスエネルギー変化$-\Delta G°$は25 ℃において，-4.0 kJ mol^{-1}である．127 ℃における平衡定数を求め，25 ℃で平衡になっている状態から127 ℃に温度を変化させたとき，どちらに平衡が移動するか述べよ．

3.5 **[推奨]**

ある温度における気相ヨウ化水素HIの解離反応の圧平衡定数K_pは0.15である．HIのみ容器に入れ，その圧力が100 kPaで反応を開始したとき，平衡時のHIの分圧を求めよ．

3.6 **[推奨]**

四酸化二窒素から二酸化窒素が生成する反応は次のようにあらわせる．

$$N_2O_4 \rightleftharpoons 2NO_2$$

今，3.0 molのN_2O_4を密閉容器に入れ，ある温度で平衡にしたところ圧力がpとなった．この解離反応の解離度をαとしたとき，圧平衡定数を求めなさい．

3.7 **[推奨]**

A $\rightleftharpoons$ B + Cで表せる気相反応がある温度Tで平衡状態にある．このときの圧平衡定数をK_p，濃度平衡定数をK_cとしたとき，K_pとK_cの関係を示せ．

3.8 **必須**

pH 3になるときの酢酸CH_3COOHの濃度を求めよ．ただし，酢酸の酸解離定数K_aを1.8×10^{-5}とする．

3.9 **[推奨]**

0.10 MのCH_3COOH水溶液1 Lに酢酸ナトリウムCH_3COONaを8.2 g加えたこの緩衝液のpHを求めよ．ただし，溶かした溶液の体積変化は無視できると考えてよい．

3.10 **[推奨]**

濃度0.10 MのCH_3COOHと0.10 M CH_3COONaを混合して，pH 5の緩衝液1 Lを作りたい．それぞれの体積を答えよ．

3.11 **必須**

モル濃度1.0×10^{-3} Mの硫酸の平均活量係数を求めよ．

第4章　酸塩基反応

酸（acid）の語源はラテン語で「酸っぱい」を意味する *"acere"* に，アルカリ（alkali）はアラビア語で「植物の灰」を意味する *"al-qili"* にそれぞれ由来する．酸およびアルカリの概念は中学校の理科や高校の化学などでも繰り返し登場し，分析化学を学ぶうえでの基礎といっても過言ではない．酸塩基反応（acid-base reaction）は中和反応のみにとどまらず，錯体生成反応，沈殿生成反応，酸化還元反応などにも密接に関係する重要な反応である．また，酸塩基平衡は生体内の代謝過程に深いかかわりを持っており，生物学，農学，医学などの分野でも極めて重要な反応である．

《本章で学ぶ重要事項》

（1）酸および塩基の定義：アレニウスの定義，ブレンステッド－ローリーの定義，ルイスの定義
（2）水溶液における酸塩基反応：酸塩基の強さ，酸解離定数 K_a および塩基解離定数 K_b
（3）水溶液における酸塩基反応：共役酸塩基対の強さ，水の解離
（4）酸塩基反応の予測：pH の概念
（5）溶液の pH の計算法：酸，塩基，塩，混合溶液の pH
（6）酸塩基化学種の分布：一塩基酸，多塩基酸の存在率と pH の関係
（7）酸塩基滴定および滴定曲線：滴定曲線の作図

4.1　酸および塩基の定義

酸（acid），塩基（base）および塩（salt）については，近代化学の歴史に登場する多くの著名な化学者たちも大きな関心を寄せていた．例えば，ボイルの法則で知られるボイル（R. Boyle, 1627～1691年）は酸が植物性の青色色素（litmus）を赤変させることを確認し，酸が体系的に理解されるきっかけとなった．硫酸ナトリウムを発見したグローバー（J. R. Glauber, 1604～1668年）は「アルカリとは酸と相反するもので，塩はこれら2つのもので構成される」と述べている．ちなみに，ルエル（G. F. Rouelle）によって塩基が "base：bottom" という意味で初めて用いられたのは1744年のことである．このように，酸および塩基は古くから身近な物質の1つとして興味を持たれてきた．また，気体の法則で知られるゲイ・リュサック（J. L. Gay-Lussac, 1778～1850年）は「酸には酸素酸と水素酸の2種類がある」とした．リービッヒ（J. Liebig, 1803～1873年）は酸の酸性は水素にあるとし，「酸とは金属で置換できる水素を含む物質である」と述べている．その後，塩基および塩についての考えも整理され，「塩基とは酸を中和して塩と水を生じる物質である」と定義された．19世紀半ば頃には酸はH，塩基はOHを持つ物質と定義されるようになり，この考えがアレニウス（S. A. Arrhenius）の定義，ブレンステッド（J. N. Brønsted）-ローリー（T. M. Lowry）の定義およびルイス（G. N. Lewis）の定義へと発展していった．

4. 1. 1　アレニウスの定義

1887 年にアレニウスは，酸は水に溶けて水素イオン H^+ を生成する物質であり，塩基は水に溶けて水酸化物イオン OH^- を生成する物質であると定義した．例えば，塩化水素（HCl）は，以下のように水に溶けて H^+ を生成するので酸である．

$$HCl \longrightarrow H^+ + Cl^-$$

一方，水酸化ナトリウムは水に溶けて OH^- を生成するので塩基である．

$$NaOH \longrightarrow Na^+ + OH^-$$

この定義では水溶液中の酸および塩基の説明は可能であるものの，水以外の溶液に対する酸塩基反応や塩基性のアンモニア（NH_3）が OH^- を生成しない矛盾を説明することが不可能であった．

4. 1. 2　ブレンステッド - ローリーの定義

1923 年にブレンステッドおよびローリーは，酸は水素の原子核，すなわちプロトンを放出する物質（プロトン供与体，proton donor）であり，塩基はプロトンを受容する物質（プロトン受容体，proton accepter）であると定義した．ブレンステッドの定義（以降，ローリーの定義を省略）では，先に述べたアレニウスの定義を否定せず，むしろ正しいことを立証し，かつそれを包含するものであった（本章ではブレンステッドの酸塩基説に基づいて説明する）．

ブレンステッドの定義によると，酸（HA），塩基（A^-）およびプロトン（H^+）は以下の式（4. 1）の関係にある．

$$\underset{\text{酸}}{HA} \rightleftarrows \underset{\text{塩基}}{A^-} + H^+ \qquad (4.\ 1)$$

酸が解離して H^+ を放出すれば，あとに残った陰イオンは H^+ に対してある程度の親和力を持つ塩基である．ゆえに，ブレンステッドの定義では「共役」酸塩基対という概念が重要である．H^+ の半径は 10^{-14} cm 程度と極めて小さく，非常に高い電荷密度を有するので，単独で存在することは不可能である．したがって，この H^+ の受容体（別の塩基）が必要であり，水そのものが塩基となって H^+ を受け取り，何分子かの水が溶媒和した状態となることが多い．この溶媒和した H^+ をオキソニウムイオン（H_3O^+）と表すと，酸 HA を水に溶解したときの解離反応は以下の式のとおりである．

$$\underset{\text{酸}_1}{HA} + \underset{\text{塩基}_2}{H_2O} \rightleftarrows \underset{\text{酸}_2}{H_3O^+} + \underset{\text{塩基}_1}{A^-} \qquad (4.\ 2)$$

共役な酸塩基対

酸 HA は塩基 H_2O に H^+ を与え，自身は塩基 A^- に変化すると共に，塩基 H_2O は酸 H_3O^+ に変化する．このとき，HA および A^-，H_2O および H_3O^+ の対をそれぞれ共役な酸塩基対（conjugated acid-base pair）という．

一般的に，酸 HA が H^+ を放出する式（4.1）の反応は非常に大きなエネルギーを必要とし，単独で起こることはなく，式（4.2）のように必ず 2 組の共役な酸塩基対が組み合わされて起こる[*1]．例えば，式（4.2）の場合には，以下の 2 つの反応が同時に起こる．

$$
\begin{array}{l}
\text{酸}_1 \rightleftarrows H^+ + \text{塩基}_1 \\
H^+ + \text{塩基}_2 \rightleftarrows \text{酸}_2 \\
\hline
\text{酸}_1 + \text{塩基}_2 \rightleftarrows \text{酸}_2 + \text{塩基}_1
\end{array}
$$

4.1.3 ルイスの定義

1923 年にルイスは，酸は非共有電子対を受け取る物質（電子対受容体，electron-pair accepter）であり，塩基とは非共有電子対を供与する物質（電子対供与体，electron-pair donor）であると定義した．この定義によると，酸はその空軌道に塩基の電子対を受け入れて結合を形成するため，プロトンや多くの金属イオンが酸として分類される．そのため，配位結合に基づく錯体生成反応および非プロトン性溶媒中の有機化学反応の理解において特に有用である．

4.2 水溶液における酸塩基反応

4.2.1 酸の解離およびその強さ

塩酸，硝酸のような酸は水中で完全に解離（電離）する強電解質であり，このような酸を強酸（strong acid）という．仮に，強酸 HA を水に溶解すると，以下に示す平衡関係が成立する．

$$HA + H_2O \longrightarrow H_3O^+ + A^- \tag{4.3}$$

式（4.3）の平衡は著しく右に偏っており，事実上，未解離の HA は水溶液中に存在しない．あらゆる酸は固有の「酸の強さ」を持つと考えられているが，強酸はその強さに関係なくすべて H_3O^+ に変えられ，水溶液中で最も強い酸となる．これを水による酸の水平化効果（leaving effect）という．

一方，ギ酸，酢酸のような酸は水中でごくわずかしか解離しない弱電解質であり，このような酸を弱酸（weak acid）という．水の共役な酸塩基対（$H_3O^+-H_2O$）を相手とする反応の平衡定数 K_a' を用いることで，水中の弱酸 HA の強さ（プロトン供与性）は以下のように表される．

$$K_a' = \frac{[H_3O^+][A^-]}{[HA][H_2O]} \tag{4.4}$$

*1 気相での HCl の解離（$HCl \longrightarrow H^+ + Cl^-$）は多量のエネルギーを必要とする．しかし，強酸である HCl 水溶液は水中でほとんどすべてイオンに解離する．H^+ の溶媒和（$H^+ + H_2O \longrightarrow H_3O^+$）により，この解離に必要なエネルギーは放出される溶媒和エネルギーで十分に賄われるので，結果的に HCl は水中で完全に解離する．

希薄な酸溶液の場合，$[H_2O]$ は一定と見なせるため，$K_a' \times [H_2O]$ の値も一定であり，この値 K_a を酸解離定数（acid dissociation constant）という*2.

$$K_a = K_a'[H_2O] = \frac{[H_3O^+][A^-]}{[HA]} \tag{4.5}$$

また，H_3O^+ を H^+ で表すことにすると，酸 HA の水中での解離は以下のような簡略化した式で表すことも可能である.

$$HA \rightleftarrows H^+ + A^-$$

$$K_a = \frac{[H^+][A^-]}{[HA]} \tag{4.6}$$

簡単のために以降は式（4.6）の表記法を用いるが，内容的には式（4.4）および（4.5）によるものであることを理解しておかなければならない.

酸あるいは塩基の強さを表す解離定数は，水を基準として決めたものである．一般に溶媒間の解離定数の差は，酸または塩基の種類によらずほぼ一定の値を示すことがわかっている．図4.1に示す酸の列のように，水中の値に換算した共通の尺度で酸，塩基の強さを示すことが可能である.

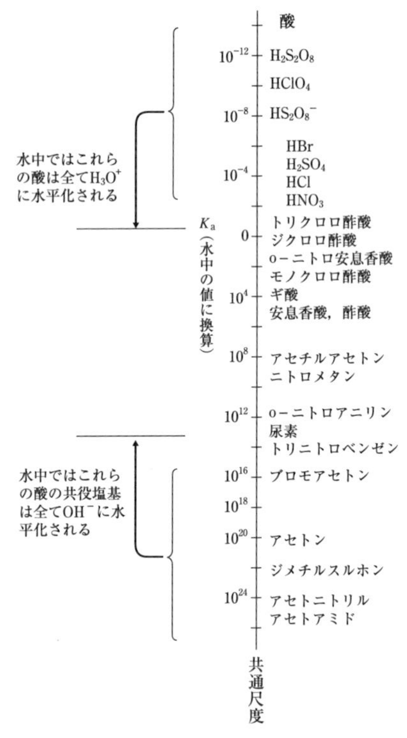

図4.1　水平化効果と酸の K_a の共通尺度

---

*2　厳密には濃度の代わりに活量を用いた熱力学定数 $K_a^\circ = a_{H_3O^+} \cdot a_{A^-}/a_{HA}$ を用いなければ，式（4.3）および（4.4）の右辺の値は定数とはならない．しかし，比較的希薄な溶液でイオン強度が一定の条件下では活量係数は一定と見なせるので，モル濃度を用いた式（4.3）および（4.4）を用いて差し支えない.

例題 4.1 0.010 M 酢酸水溶液の解離度（電離度）を求めよ．ただし，酢酸の酸解離定数は $1.0 \times 10^{-4.74}$（25 ℃）とする．

解 答

式（4.5）より，酢酸の解離反応は以下のとおりである．

$$CH_3COOH \rightleftarrows H^+ + CH_3COO^-$$

$$K_a = \frac{[H^+][CH_3COO^-]}{[CH_3COOH]} = 1.0 \times 10^{-4.74} \quad ①$$

濃度 C M の酸の解離度を α とし，式①に代入すると，

$$K_a = \frac{C\alpha \cdot C\alpha}{C(1-\alpha)} = \frac{C\alpha^2}{1-\alpha} \quad ②$$

K_a の値を用いて式②から 0.010 M 酢酸の解離度を計算すると，$\alpha \fallingdotseq 0.042$ であり，わずか 4.2 % 程度しか解離していないことがわかる．

酸の中には供与しうる H^+ を複数個含む多塩基酸（polybasic acid）がある．例えば，硫酸は以下のように 2 段階で H^+ を放出し，各反応に対する酸解離定数は K_{a_1} および K_{a_2} で表される（1 段目は強電解質に相当する）．

$$H_2SO_4 \rightleftarrows H^+ + HSO_4^- \qquad K_{a_1} = \infty$$

$$HSO_4^- \rightleftarrows H^+ + SO_4^{2-} \qquad K_{a_2} = 10^{-1.89}$$

リン酸 H_3PO_4 は以下のように 3 段階で H^+ を放出し，各反応に対する酸解離定数は K_{a_1}, K_{a_2} および K_{a_3} で表される．

$$H_3PO_4 \rightleftarrows H^+ + H_2PO_4^- \qquad K_{a_1} = 10^{-2.12}$$

$$H_2PO_4^- \rightleftarrows H^+ + HPO_4^{2-} \qquad K_{a_2} = 10^{-7.21}$$

$$HPO_4^{2-} \rightleftarrows H^+ + PO_4^{3-} \qquad K_{a_3} = 10^{-12.32}$$

硫酸およびリン酸の解離からもわかるように，一般的に酸解離定数 K_a の大きさは，第 1 段＞第 2 段＞第 3 段…となる．

コラム　酸解離定数の大きさ

一般的に，負電荷を持つイオンから H^+ は放出されにくく，正電荷を持つイオンからは H^+ が放出されやすい．実際に，H_3O^+，H_2O，OH^- の酸としての強さは以下の順であり，OH^- は水中で全く酸性を示さない．

酸の強さ　$H_3O^+ > H_2O \gg OH^-$

したがって，水中で O^{2-} が安定に存在することは不可能である．

リン酸，硫酸，アンモニウムイオンについても同様で，酸の強さおよび酸解離定数の大きさは以下の順である．

酸の強さ		酸解離定数の大きさ	
	$H_3PO_4 > H_2PO_4^- > HPO_4^{2-}$		$K_{a_1} > K_{a_2} > K_{a_3}$
	$H_2SO_4 > HSO_4^-$		$K_{a_1} \gg K_{a_2}$
	$NH_4^+ \gg NH_3$		$K_{a_2} \gg K_{a_3}$

したがって，NH_3 には水中で H^+ を放出する能力がほとんどないと考えてよい．

4. 2. 2　塩基の解離およびその強さ

アルカリ金属およびアルカリ土類金属の水酸化物（NaOH，$Ca(OH)_2$ など）は水中でほぼ完全に解離する強電解質であり，このような塩基を強塩基（strong base）という．仮に，強塩基 B(あるいは弱酸 HA の共役塩基 A^-）を水に溶解すると，以下に示す平衡関係が成立する．

$$B + H_2O \rightleftarrows OH^- + BH^+ \quad (4.7)$$

$$(A^- + H_2O \rightleftarrows OH^- + HA)$$

式（4. 7）の平衡も著しく右に偏っており，固有の「塩基の強さ」によらずすべて OH^- に変化し，水溶液中で最も強い塩基となる．これも同様に水による塩基の水平化効果といい，このような極めて強い塩基には H-(NaH)，NH_2-($NaNH_2$)，C_2H_5O-($NaOC_2H_5$）などがある．

一方，アンモニア，アニリンのような塩基は水中でごくわずかしか解離しない弱電解質であり，このような塩基を弱塩基（weak base）という．例えば，アンモニアは以下の平衡関係にあり，NH_4^+ と共役な酸塩基対を構成する．

$$NH_3 + H_2O \rightleftarrows NH_4^+ + OH^-$$

$$K_b' = \frac{[NH_4^+][OH^-]}{[NH_3][H_2O]} \quad (4.8)$$

酸溶液と同様に，希薄な塩基溶液の場合も［H_2O］は一定と見なせるため，$K_b' \times [H_2O]$ の値も一定であり，この値 K_b を塩基解離定数（base dissociation constant）という．

$$K_b = K_b' [H_2O] = \frac{[NH_4^+][OH^-]}{[NH_3]} \quad (4.9)$$

式(4. 6) の表記法を用いると，NH_3 の共役酸である NH_4^+ の酸解離は以下のように表される．

$$NH_4^+ \rightleftarrows H^+ + NH_3$$

$$K_a = \frac{[H^+][NH_3]}{[NH_4^+]} \quad (4.10)$$

式（4. 9）および式（4. 10）より，以下の関係式が導かれる．

$$K_a \times K_b = [H^+][OH^-] = K_w \quad (4.11)$$

K_w は水の解離（$H_2O \rightleftarrows H^+ + OH^-$）を表す平衡定数で，水のイオン積（ionic product）といい，$K_w = 1.0 \times 10^{-14}$(25 ℃）である．式（4. 11）より，$K_a$ または K_b の一方が分かればもう一方が分かるので，いずれかを用いて酸塩基の強さを表せばよい（以降は主に酸解離定数 K_a を用いることとする）．

塩基の中には複数個の H^+ を受容しうる多酸塩基（polyacidic base），例えば，二酸塩基のエチレンジアミン（H_2N-CH_2-CH_2-NH_2），三塩基酸の PO_4^{3-}（リン酸の共役塩基）などがある．

4.2.3　共役酸塩基対の強さ

ブレンステッドの定義では，HCl，CH_3COOH，NH_4^+などは酸であり，H^+を放出することが可能である．反対にCl^-，OH^-，CH_3COO^-，NH_3などはいずれも塩基であり，H^+を受容することが可能である．式（4.5）からわかるように，K_aの値が大きいほど酸はH^+を放出しやすく（酸としての性質が強い），共役な塩基はH^+を受け取りにくい（塩基としての性質が弱い）．したがって，以下のことが常に成立する．

強い酸の共役塩基は塩基としての性質が弱い

強い塩基の共役酸は酸としての性質が弱い

強酸HClの共役塩基のCl^-，強塩基NaOHの共役酸のNa^+などは水中でプロトン受容体，プロトン供与体としての性質を全く示さず，酸塩基反応に関与しないと考えて問題ない．このように，酸および塩基の性質を全く示さないイオンには，強酸，強塩基から生成される以下のようなものがある．

Na^+，K^+，Rb^+，Cs^+，Ca^{2+}，Ba^{2+}，$(CH_3)_4N^+$，$(C_2H_5)_4N^+$などの陽イオン

Cl^-，Br^-，I^-，NO_3^-，ClO_4^-などの陰イオン

したがって，これら陽イオンおよび陰イオンの組み合わせにより生成される塩（例えばNaClなど）を水に溶解しても，溶液のpHは変化しない．

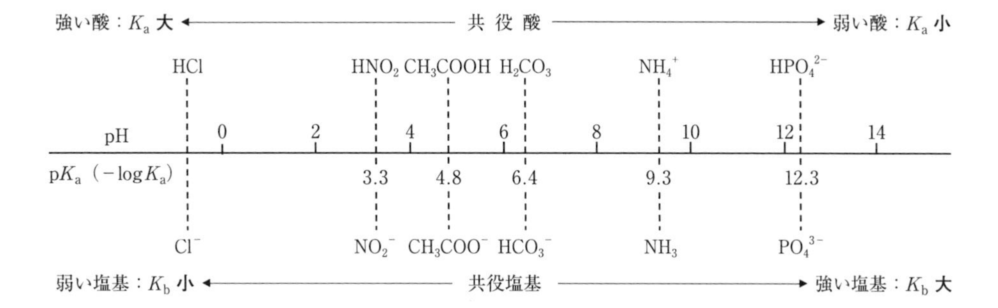

4.2.4　水の解離

水は弱電解質の一種であり，以下のように一部解離する．

$$\underset{酸_1}{H_2O} + \underset{塩基_2}{H_2O} \rightleftarrows \underset{酸_2}{H_3O^+} + \underset{塩基_1}{OH^-}$$

$$K_a' = \frac{[H_3O^+][OH^-]}{[H_2O][H_2O]} \tag{4.12}$$

この場合も$[H_2O]$は一定と見なされるので，H_3O^+を便宜上H^+で表すことにすると，以下の関係式が得られる．

$$K_w = K_a'[H_2O]^2 = [H^+][OH^-] = 1.0 \times 10^{-14.0} \quad (25\ ℃) \tag{4.13}$$

温度が一定であれば K_w は定数となり，水のイオン積（ionic product）という．また，水自身の解離に関係する平衡定数という意味で，自己プロトリシス定数（autoprotolysis constant）という場合もある．純粋な水は $[H^+] = [OH^-]$ であるため，この場合の液性を中性という．$[H^+] > [OH^-]$ であれば液性は酸性，$[OH^-] > [H^+]$ であれば塩基性（アルカリ性）という．

4.3　酸塩基反応の予測と pH 計算

酸塩基反応（中和反応）が定量的に（99.9 % 以上）進行するかを予測することは大変興味深い．また，化学反応を考察するうえで，酸，塩基あるいは塩の水溶液の pH を知ることは重要である．ここでは酸塩基反応の予測のみでなく，種々の酸，塩基および塩水溶液の pH 計算法について考える．

4.3.1　酸塩基反応の予測

酸 HA および塩基 B の反応は以下の式で示される．

$$HA + B \rightleftarrows A^- + HB^+$$

$$K = \frac{[A^-][HB^+]}{[HA][B]} \qquad (4.14)$$

ここで，HA が HB^+ よりも強い酸，いい換えると B が A^- よりも H^+ を受けとりやすい強い塩基であれば平衡は右に偏り，HA と B は反応する．

HA および HB^+ にはそれぞれ以下の平衡が成り立っている．

$$HA \rightleftarrows H^+ + A^-$$

$$K_{a(HA)} = \frac{[H^+][A^-]}{[HA]} \qquad (4.15)$$

$$HB^+ \rightleftarrows H^+ + B$$

$$K_{a(HB)} = \frac{[H^+][B]}{[HB^+]} \qquad (4.16)$$

式（4.15）および（4.16）より，式（4.14）の平衡定数 K は次式で示される．

$$K = \frac{K_{a(HA)}}{K_{a(HB)}} \qquad (4.17)$$

ここで，式（4.14）で示される酸 HA および塩基 B の反応が定量的に進行するために必要な K の大きさについて考える．

酸および塩基の初濃度が等しい場合，酸塩基反応が定量的に進行する条件を満足するには，平衡状態で（$[HB^+]/[B]$）および（$[A^-]/[HA]$）の値がそれぞれ 10^3 より大きければよいので，$K \geqq 10^6$ であれば酸 HA および塩基 B は定量的に反応すると見なせる．

また，酸，塩基のいずれか一方が強酸または強塩基の場合，例えば，弱酸 HA および強塩基 NaOH の水溶液中での反応は以下のとおりである．

$$\mathrm{NaOH} \longrightarrow \mathrm{Na^+} + \mathrm{OH^-}$$

$$\mathrm{HA} + \mathrm{OH^-} \rightleftarrows \mathrm{H_2O} + \mathrm{A^-}$$

この反応の平衡定数 K' は以下の式で表される．

$$K' = \frac{[\mathrm{H_2O}][\mathrm{A^-}]}{[\mathrm{HA}][\mathrm{OH^-}]}$$

希薄溶液では［H_2O］は一定と見なせるので，$(K'/[\mathrm{H_2O}]) = K$ とおき，式（4. 17）にならうと，

$$K = \frac{K'}{[\mathrm{H_2O}]} = \frac{[\mathrm{A^-}]}{[\mathrm{HA}][\mathrm{OH^-}]} = \frac{K_{\mathrm{a(HA)}}}{K_{\mathrm{w}}} = 10^{14.0} \cdot K_{\mathrm{a(HA)}} \qquad (4.\ 18)$$

であり，K も定数である．

例えば，10^{-2} M HA および 10^{-2} M NaOH の反応について，定量的に反応するとすれば，反応後の生成物 A^- および未反応物 HA の濃度の間に，$([\mathrm{A^-}]/[\mathrm{HA}]) \geqq 10^3$ の関係が成り立つ．また，$[\mathrm{OH^-}] \leqq 10^{-5}$ の関係が成り立てばよい．これらの関係と式（4. 18）から，$K \geqq 10^8$ である．したがって，酸 HA の K_a が 10^{-6} 以上（pK_a は 6 以下）であれば定量的に反応する．一般に，初濃度 C が等しい場合には，$K_aC \geqq 10^{-8}$ であれば定量的に反応すると考えてよい．

同様に，酸が強酸の場合には，塩基の K_b，K_a および濃度 C の関係は $K_bC \geqq 10^{-8}$，あるいは $(C/K_a) \geqq 10^6$ であれば定量的に反応すると考えてよい．

例題 4.2　以下のいずれも 2.0×10^{-2} M の溶液を等量混合した場合に起こる反応および反応性について説明せよ．また，反応後の各成分の濃度を求めよ．ただし，pK_a の値は付表 2 のとおりとする．

（1）HCl および NH_3　（2）CH_3COOH および NaOH　（3）HF および NH_3

（4）CH_3COOH および NaH_2PO_4　（5）CH_3COOH および Na_2HPO_4

（6）CH_3COOH および K_3PO_4

解　答

（1）$\mathrm{HCl} + \mathrm{NH_3} \rightleftarrows \mathrm{NH_4^+} + \mathrm{Cl^-}$

$K_bC = 10^{-6.74} > 10^{-8}$ であり，定量的に（99.9 % 以上）反応する．したがって，NH_4Cl 溶液と同じく考えてよい．後述の式（4. 36）もしくは例題 4.1 と同様に計算する．

$$\mathrm{pH} = \frac{1}{2} \times 4.74 - \frac{1}{2} \log 10^{-2} = 5.63$$

$[\mathrm{NH_3}] = [\mathrm{H^+}] \ll [\mathrm{NH_4^+}]$

$[\mathrm{NH_3}] = [\mathrm{H^+}] = 10^{-5.63}$ M；　pH = 5.63；

$[\mathrm{NH_4^+}] \approx 1.0 \times 10^{-2}$ M；

$[\mathrm{Cl^-}] = 1.0 \times 10^{-2}$ M

（2）$CH_3COOH + NaOH \rightleftarrows CH_3COO^- + Na^+$

$K_aC = 10^{-6.74} > 10^{-8}$であり，定量的に反応する．したがって，$CH_3COONa$溶液と同じく考えてよい．後述の式（4. 41）もしくは例題4.1と同様に計算する．

$$pH = 7 + \frac{1}{2} \times 4.74 + \frac{1}{2} \log 10^{-2} = 8.37$$

$[CH_3COOH] = [OH^-] \ll [CH_3COO^-]$

$[CH_3COOH] = [OH^-] = 10^{-5.63}$ M；

$[CH_3COO^-] \approx 1.0 \times 10^{-2}$ M；

$[Na^+] = 1.0 \times 10^{-2}$ M

（3）$HF + NH_3 \rightleftarrows NH_4^+ + F^-$

$K = 10^{-3.16}/10^{-9.26} = 10^{6.10} > 10^6$であり，定量的に反応する．反応後の$[NH_3]$および$[HF]$を$x$とすると，

$$K = 10^{6.10} = \frac{10^{-2} \times 10^{-2}}{x \times x}$$

$x = 10^{-5.05} = 10^{0.95} \times 10^{-6} = 8.9 \times 10^{-6}$；

$[NH_3] = [HF] \ll [NH_4^+] = [F^-]$

$[NH_3] = [HF] = 8.9 \times 10^{-6}$ M

$[NH_4^+] = [F^-] = 9.99 \times 10^{-3}$ M

（4）$CH_3COOH + H_2PO_4^- \rightleftarrows CH_3COO^- + H_3PO_4$

$K = 10^{-4.74}/10^{-2.12} = 10^{-2.62}$であり，わずかに反応する．反応生成物の濃度を$x$とすると，

$$K = 10^{-2.62} = \frac{x^2}{10^{-2} \times 10^{-2}}$$

$$x = 5.0 \times 10^{-4}\ \mathrm{M}$$

$[H_3PO_4] = [CH_3COO^-] = 5.0 \times 10^{-4}$ M

$[H_2PO_4^-] = [CH_3COOH] = 9.5 \times 10^{-3}$ M

$[Na^+] = 1.0 \times 10^{-2}$ M

（5）$CH_3COOH + HPO_4^{2-} \rightleftarrows CH_3COO^- + H_2PO_4^-$

$K = 10^{-4.74}/10^{-7.21} = 10^{2.47}$であり，反応生成物の濃度を$x$とすると，下記のとおり94 %反応するといえる．

$$K = 10^{2.47} = \frac{x^2}{(10^{-2} - x)^2}$$

$$x = 9.4 \times 10^{-3}\ \mathrm{M}$$

$[CH_3COO^-] = [H_2PO_4^-] = 9.4 \times 10^{-3}$ M

$[CH_3COOH] = [HPO_4^{2-}] = 6.0 \times 10^{-4}$ M

$[Na^+] = 2.0 \times 10^{-2}$ M

（6）$CH_3COOH + PO_4^{3-} \rightleftarrows CH_3COO^- + HPO_4^{2-}$

$K = 10^{-4.74}/10^{-12.32} = 10^{7.58} > 10^6$であり，定量的に反応する．

$[CH_3COOH] = [PO_4^{3-}] \ll [CH_3COO^-]$

$[CH_3COOH] = [PO_4^{3-}] = 1.6 \times 10^{-6}$ M,

$[CH_3COO^-] = [HPO_4^{2-}] \approx 1.0 \times 10^{-2}$ M,

$[K^+] = 3.0 \times 10^{-2}$ M

4. 3. 2　pH

水溶液中の酸塩基平衡を取り扱う場合，H^+あるいはOH^-の濃度は1 M以上の高濃度から10^{-14} Mという低濃度まで広範囲で変わりうる．この不便さを解消するため，1909年にセーレンセン（S. P. L. Sørensen）は水素イオン（正確にはH_3O^+）の濃度を表記するのに，その逆数の対数値を用いることを提案した．

$$pH = \log \frac{1}{[H^+]} = -\log[H^+] = (-\log[H_3O^+]) \tag{4. 19}$$

本来のpHは濃度の代わりにH_3O^+の活量a_{H^+}を用いて表される[*3]．実際のpH測定はガ

*3　現在では，pHは「単にある決められたpH標準溶液を基準として，測定溶液および電位差から得られる量」と定義されており，厳密な意味での物理化学的意味はない．しかし，現在決められているpH

ラス電極を用いる pH メーターで行われるが，原理的に活量 a_{H^+} の変化による電位差の変化を測定しているので，pH メーターで得られる値 pH_{meas} は活量を用いた以下の式で表される．

$$pH_{meas} = -\log a_{H^+} = -\log(\gamma_{H^+} \cdot [H^+]) = -(\log \gamma_{H^+} + \log[H^+])$$

したがって，pH_{meas} から濃度［H^+］を求めるには，何らかの方法で活量係数 γ_{H^+} を知る必要がある．しかし，一定条件下であまりイオン強度が大きすぎない場合には，$-\log \gamma_{H^+}$ の変化はそれほど大きくない．例えば，$I = 5 \times 10^{-4}$～0.1 M の変化によって，$-\log \gamma_{H^+}$ は 0.01～0.08 の範囲で変化する（表 3.2 を参照のこと）．しかし，この変化は前節で述べた pH の平衡論的予測における誤差の範囲と考えて差し支えない．よって，以降の pH は式（4.19）で表される $H^+(H_3O^+)$ の濃度を用いた定義に従うものとする．

pH と同様に，pX 関数（“p” は “$-\log$” を意味する）は使用例が多い．例えば，

$$pOH = -\log[OH^-],\ pAg = -\log[Ag^+],\ pCl = -\log[Cl^-]$$

$$pK_a = -\log K_a,\ pK_b = -\log K_b,\ pK_w = -\log K_w$$

25 ℃では，$[H^+][OH^-] = K_w = 1.0 \times 10^{-14.0}$ であるから，

$$pH + pOH = pK_w = 14.0$$

また，$K_a \times K_b = K_w$ であるから，

$$pK_a + pK_b = pK_w$$

4.3.3　強酸，強塩基の水溶液の pH

前述のように，強酸である HCl，HNO_3，$HClO_4$，H_2SO_4(第一解離）は水溶液中で完全に解離する．したがって，これらの水溶液の pH は，加えられた酸の初濃度 C_A M から化学量論的に計算することが可能である．

強酸水溶液のpH　　$pH = -\log[H^+] = -\log C_A$　　(4.20)

同様に，初濃度 C_B M の強塩基水溶液の pH は，

強塩基水溶液のpH　　$pH = -\log(10^{-14.0}/[OH^-]) = 14.0 + \log C_B$　　(4.21)

次に，比較的強い酸または塩基水溶液の pH について考える．pK_a が 6 程度より小さい酸 HA において，$(pK_a+1) < pC_A$ となる場合，HA は 90 % 以上解離し，強電解質のようにふるまう．例えば，モノクロロ酢酸（$pK_a = 2.82$）の 10^{-4} M 溶液の pH は 4.03 となり，ほぼ完全に解離すると見なしてよい．

同様に，pK_a が 8 程度より大きい酸の共役塩基において，$(pK_b + 1) < pC_B$ となる場合も，B は 90 % 以上（$HB^+ + OH^-$）に解離し，強電解質のようにふるまう．

標準液（例えば，JIS Z 8802-1984）を用いれば，活量を用いた物理化学的意味を持つ量（$-\log a_{H^+}$）とかなりよく対応し，± 0.02 以内の範囲で一致する．

例題 4.3　2.0×10^{-2} M の (1)HCl および (2) NaOH 溶液の pH を計算せよ.

解　答

（1）HCl は強酸であり，完全に解離する.

$[H^+] = 2.0 \times 10^{-2}$ M より，

$pH = -\log[H^+] = -\log(2.0 \times 10^{-2})$

$= 1.7$

（2）NaOH は強塩基であり，完全に解離する.

$[OH^-] = 2.0 \times 10^{-2}$ M より，

$pOH = -\log[OH^-] = 1.7$

$pH = pK_w - pOH = 14.0 - 1.7 = 12.3$

4. 3. 4　水素イオン濃度 $[H^+]$ と酸，塩基の濃度を表す一般式

一般的に，以下の（1）～（3）の基本的関係を式に表し，それらを組み合わせることで水溶液内平衡の定量的取り扱いは行われる.

（1）質量作用の法則（law of mass action）

溶液内で起こるすべての反応の平衡を考慮して，それらを平衡定数と濃度の関係として表す.

（2）質量不変の法則に基づく物質収支（mass balance）

反応してその形を変えたとしても，溶液内に加えた物質は決して消滅することはなく，増えることもない．したがって，加えた物質の全量（全濃度）は，反応して生じた物質も含めた総和に等しい.

（3）電気的中性の原理（electroneutrality principle または charge balance）

ある溶液内において，陽イオンが持つ電荷の総和および陰イオンが持つ電荷の総和は等しい.

ある酸 HA(初濃度 C_A M) とその共役な塩基 A^-（初濃度 C_B M，例えば，pH に関係しない陽イオンのアルカリ金属塩 MA として加える）の混合溶液について，$[H^+]$ および濃度の関係を上記（1）～（3）を用いて表すと，以下のようになる.

（1）に関して，以下の 2 つの平衡式（4. 22）および（4. 23）が考えられる.

$$HA \rightleftharpoons H^+ + A^-$$

$$K_a = \frac{[H^+][A^-]}{[HA]} \tag{4. 22}$$

$$H_2O \rightleftharpoons H^+ + OH^-$$

$$K_w = [H^+][OH^-] \tag{4. 23}$$

塩基 A^- の塩 MA は水中で完全に解離する.

$$MA \longrightarrow M^+ + A^-$$

したがって，（2）に関して以下の関係式（4. 24）および（4. 25）が成り立つ.

$$C_B = [M^+] \tag{4. 24}$$

$$C_A + C_B = [HA] + [A^-] \tag{4. 25}$$

（3）に関しては以下の式（4.26）が成立する．

$$[M^+] + [H^+] = [A^-] + [OH^-] \qquad (4.26)$$

式（4.22）～(4.26) において，未知数 5 個（$[H^+]$，$[OH^-]$，$[A^-]$，$[HA]$ および $[M^+]$）に対して 5 個の方程式が成立する．これらの式を連立させることにより，$[H^+]$ および他の濃度すべてを求めることが可能である．式（4.22）の $[A^-]$，$[HA]$ に式（4.24）～(4.26) を代入すると，$[H^+]$ および濃度の関係式として以下の一般式が導かれる．

$[H^+]$ と酸，塩基の濃度の関係を表す一般式

$$[H^+] = K_a \times \frac{C_A - [H^+] + [OH^-]}{C_B + [H^+] - [OH^-]} \qquad (4.27)$$

式（4.27）の適用範囲は非常に広く，$[H^+]$ を計算するための重要な式である．例題 4.3 のように，強酸および強塩基の水溶液の pH は，式（4.20）および（4.21）を用いて計算可能であることを示した．しかし，極めて希薄な水溶液，例えば 1.0×10^{-9} M HCl 溶液の pH は 9.0 ではない．強酸溶液を希釈すると pH ＝ 7.0 に近づくものの，塩基性溶液にはなり得ない．この誤りの原因は水の解離を無視したためである．

例題 4.4　1.0×10^{-7} M の（1）HCl および（2）NaOH 水溶液の pH を計算せよ．

解　答

（1）1.0×10^{-7} M HCl 水溶液には 3 種の化学種（H^+，Cl^- および OH^-）が存在するので，以下の式①～③を考える．

質量作用の法則に関して，水のイオン積の関係がある．

$$K_w = [H^+][OH^-] = 10^{-14.0} \qquad ①$$

物質収支の関係より，

$$[Cl^-] = 1.0 \times 10^{-7}\ M \qquad ②$$

電気的中性の原理より

$$[H^+] = [OH^-] + [Cl^-] \qquad ③$$

式①，②および③より，以下の二次式④が得られる．

$$[H^+]^2 - 10^{-7}[H^+] - 10^{-14} = 0 \qquad ④$$

$$[H^+] = 1.62 \times 10^{-7}\ M$$

$$pH = 6.79$$

（2）1.0×10^{-7} M NaOH 水溶液には 3 種の化学種（H^+, Na^+ および OH^-）が存在するので，以下の式を考える．

質量作用の法則に関して，水のイオン積が成立する．

$$K_w = [H^+][OH^-] = 10^{-14.0}$$

物質収支の関係より，

$$[Na^+] = 1.0 \times 10^{-7}\ M \qquad ⑤$$

電気的中性の原理より

$$[H^+] + [Na^+] = [OH^-] \qquad ⑥$$

式①，⑤および⑥より，以下の二次式⑦が得られる．

$$[H^+]^2 + 10^{-7}[H^+] - 10^{-14} = 0 \qquad ⑦$$

$$[H^+] = 6.2 \times 10^{-8}\ M$$

$$pH = 7.21$$

4.3.5　弱酸，弱塩基の水溶液の pH

まず，初濃度 C_A M の弱酸 HA の pH を求める方法について考える．この溶液中に存在する化学種は H^+，OH^-，HA および A^- であり，以下の関係式が成立する．

$$HA + H_2O \rightleftharpoons H_3O^+ + A^-$$

$$K_a = \frac{[H^+][A^-]}{[HA]} \tag{4.28}$$

$$[H^+] = [OH^-] + [A^-] \tag{4.29}$$

$$C_A = [HA] + [A^-] \tag{4.30}$$

式（4.29）より，$[A^-] = [H^+] - [OH^-]$ であり，HA は酸性を示すはずであるから，$[H^+] \gg [OH^-]$ と考えられる．一般的に，pH 6.5 以下では $[H^+]$ に対して $[OH^-]$ を無視することが可能であるため，

$$[A^-] = [H^+] \tag{4.31}$$

これを式（4.30）に代入すると，

$$[HA] = C_A - [H^+] \tag{4.32}$$

式（4.31）および（4.32）を式（4.28）に代入すると，

$$K_a = \frac{[H^+]^2}{C_A - [H^+]} \tag{4.33}$$

酸の初濃度が（$-\log C_A < \mathrm{p}K_a - 1$）の関係にあるとき，$C_A$ に対して $[H^+]$ を無視することが可能である．よって，式（4.33）はさらに簡単な式で表される．

$$K_a = \frac{[H^+]^2}{C_A} \tag{4.34}$$

$$[H^+] = \sqrt{K_a \cdot C_A} \tag{4.35}$$

したがって，弱酸の溶液の pH 計算式は以下の式で表される．

弱酸の水溶液の pH 計算式

$$\mathrm{pH} = \frac{1}{2}\mathrm{p}K_a - \frac{1}{2}\log C_A \tag{4.36}$$

式（4.36）は弱酸水溶液の pH 計算に広く適用される．これは $[H^+]$ と酸，塩基の濃度の関係を表す一般式（4.27）において，$C_B = 0$ の場合で $[OH^-]$ の濃度を $[H^+]$ の濃度に対して無視し，さらに解離した酸濃度が初濃度に対して無視できる場合に相当する．

次に，初濃度 C_B M の弱塩基溶液の pH を求める方法について考える．弱塩基 B の水溶液では以下の関係式が成立する．

$$B + H_2O \rightleftharpoons HB^+ + OH^-$$

$$K_b = \frac{[HB^+][OH^-]}{[B]} \tag{4.37}$$

$$[H^+] + [HB^+] = [OH^-]$$

$$C_B = [B] + [HB^+]$$

弱酸の場合と同様に考える．この溶液は塩基性を示すので，$[OH^-] \gg [H^+]$ と考えてよい．

$$[HB^+] = [OH^-]$$

$$[B] = C_B - [OH^-]$$

これらを式（4.37）に代入すると，

$$K_b = \frac{[OH^-]^2}{C_B - [OH^-]} \tag{4.38}$$

さらに，ごく薄い溶液でなければ C_B に対して［OH^-］を無視することが可能なため，

$$K_b = \frac{[OH^-]^2}{C_B}$$

$$[OH^-] = \sqrt{K_b \cdot C_B} \tag{4.39}$$

$$pOH = \frac{1}{2}pK_b - \frac{1}{2}\log C_B \tag{4.40}$$

ここで，

$$pH + pOH = 14.0$$

$$pK_a + pK_b = pK_w = 14.0$$

これらの関係式を使って式（4.40）を書き換えると，以下の式（4.41）となる．

弱塩基の水溶液の pH 計算式

$$pH = 7 + \frac{1}{2}pK_a + \frac{1}{2}\log C_B \tag{4.41}$$

例題 4.5　以下の溶液の pH を計算せよ．ただし，酢酸の酸解離定数（K_a）は $10^{-4.74}$ を用いること．

（1）0.050 M 酢酸　　（2）0.050 M 酢酸ナトリウム

解　答

（1）酢酸は弱酸であるので，水中でわずかに解離する．

$$CH_3COOH \rightleftharpoons H^+ + CH_3COO^-$$

ここで，水の解離による H^+ は酢酸の解離による H^+ に対して無視できるので，

$$[H^+] \approx [CH_3COO^-] \quad ①$$

また，酢酸の初濃度に対して解離したものは無視できる．

$$[CH_3COOH] = 0.05 - [H^+] \approx 0.05 \quad ②$$

式（4.35）または式（4.36）に代入して計算すると，

$$pH = 3.02$$

仮に，式②において［H^+］を無視せずに式（4.33）を用いて計算すると，

$$\frac{[H^+]^2}{0.050 - [H^+]} = 10^{-4.74}$$

$$pH = 3.03$$

となり，弱酸の初濃度が濃ければ［H^+］を無視してもよいことがわかる．

（2）酢酸ナトリウム水溶液は次のような平衡にある．

$$CH_3COONa \longrightarrow CH_3COO^- + Na^+$$

$$CH_3COO^- + H_2O \rightleftharpoons CH_3COOH + OH^-$$

ここで，

$$[CH_3COOH] \approx [OH^-]$$

$$[CH_3COO^-] = 0.05 - [OH^-] \approx 0.05$$

これらを式（4.40）または式（4.41）に代入して計算すると，

$$pH = 8.72$$

4. 3. 6　共役な酸と塩基の混合溶液（緩衝溶液）の pH

ある溶液に少量の酸および塩基を添加しても，ほぼ一定の pH を維持する溶液を pH 緩衝溶液（pH buffer solution）という．一般的に，緩衝溶液は弱酸とその塩または弱塩基とその塩の混合溶液から調製され，適当な近似を行えば，pH は以下に示す解離定数および混合溶液の濃度比の関数になる．

一般式（4. 27）において，酸性の緩衝溶液については通常は［OH^-］を，塩基性の緩衝溶液については［H^+］を無視することが可能なため，式（4. 27）は以下のように簡略化される．

酸性の緩衝溶液

$$[H^+] = K_a \times \frac{C_A - [H^+]}{C_B + [H^+]} \tag{4. 42}$$

塩基性の緩衝溶液

$$[H^+] = K_a \times \frac{C_A + [OH^-]}{C_B - [OH^-]} \tag{4. 43}$$

さらに，通常は初濃度（C_A および C_B）が十分大きいと考えられるので，式（4. 42）では C_A，C_B に対して［H^+］を，式（4. 43）では C_A，C_B に対して［OH^-］を無視することが可能であり，以下のように簡単な式で表される．

$$[H^+] = K_a \times \frac{C_A}{C_B}$$

緩衝溶液の pH 計算式

$$\mathrm{pH} = \mathrm{p}K_a + \log \frac{C_B}{C_A} \tag{4. 44}$$

pH 緩衝溶液は pH を一定に維持する重要なはたらきを持つため，あらゆる化学の分野で使用されている．式（4. 44）は pH 緩衝溶液の pH を表す重要な関係式である．

例題 4.6　酢酸が 0.050 M，酢酸ナトリウムが 0.10 M の混合溶液の pH を計算せよ．ただし，酢酸の pK_a は 4.74 とする．

解　答

酢酸ナトリウムは塩であり，完全に解離する．平衡移動の法則から，酢酸の解離は共役塩基である酢酸イオンによって抑えられるので，［CH_3COOH］≈ 0.050 として差し支えない．また，緩衝溶液の pH は pK_a 付近に設定されるので，初濃度 0.050 M，0.10 M に対して［H^+］は無視することが可能である．式（4. 44）から，

$$\mathrm{pH} = 4.74 + \log \frac{0.10}{0.050} = 5.04$$

酸とその塩の濃度比の対数をとるため，体積は関係しないことに注意すべきである．ただし，極端に低濃度，あるいは（[酸]/[塩基]）の比が極端に大きいまたは小さい場合，式（4. 44）は成立しないことにも注意すべきである．このような場合は式（4. 42）および（4. 43）を用いること．

コラム　緩衝溶液および緩衝能

健康な人の血液は pH 7.35 ～ 7.45 の範囲に保たれている．これは血液中に緩衝作用を示す物質が含まれているからである．例えば，緩衝剤を含まない純水 1000 mL に塩酸を加えて 10^{-3} M HCl 溶液を調製すると，pH は 7 から 3 へ大きく低下する．しかし，0.16 M KH_2PO_4 および 0.1 M Na_2HPO_4(pH = 7.0) の溶液に上記と同じ量の HCl を加えても pH の変化はほとんど認められない．10 倍量の 10^{-2} M となるように加えたとき，pH は 0.07 低下するのみである．実用的には，できるだけ高濃度かつ $pK_a \pm 1$ の範囲の緩衝溶液を用いるのが好ましいとされる．

4.3.7　2 種類の酸または塩基の混合溶液の pH

複数個の酸または複数個の塩基を含む溶液の pH

濃度 C_A M の弱酸 HA および濃度 C_S M の強酸（HCl）の混合溶液を考える．HCl は完全に解離するが，弱酸の HA はその一部のみ解離する．

$$HCl \rightleftarrows H^+ + Cl^-$$

$$HA \rightleftarrows H^+ + A^-$$

$$K_a = \frac{[H^+][A^-]}{[HA]} \tag{4.45}$$

電気的中性の原理より，

$$[H^+] = [A^-] + [Cl^-] \tag{4.46}$$

物質収支の関係より，

$$[HA] + [A^-] = C_A \tag{4.47}$$

$$[Cl^-] = C_S \tag{4.48}$$

式（4.46）～(4.48) および式（4.45）の関係より，以下の式が導かれる．

強酸と弱酸の混合溶液の関係式

$$K_a = \frac{(C_S + [A^-])[A^-]}{C_A - [A^-]} \tag{4.49}$$

硫酸水溶液のように，第一解離が強酸，第二解離が弱酸（pK_a = 1.89）の場合も適用可能である．

初濃度 C_A に対して解離によって生じる A^- の濃度が無視することが可能（$C_A \gg [H^+]$）な場合，式（4.46）および（4.48）を用いて書き換えた次式より $[H^+]$ を求めることが可能である．

$$K_a = \frac{[H^+]([H^+] - C_S)}{C_A}$$

弱酸の濃度 C_A が強酸の濃度 C_S よりあまり大きくない場合，$[A^-]$ が C_S に対しても無視することが可能であるため，$[H^+] \approx C_S$ とし，$pH = -\log C_S$ から計算することが可能である．

強酸および弱酸の混合溶液の場合と同様に，複数の弱酸の混合溶液の場合でも，濃度がほぼ等しい場合はより強い方の酸によって pH が決まると考えてよい．強塩基および弱塩基の混合溶液，あるいは弱塩基どうしの混合溶液についても酸の場合と同様に考えればよい．

例題 4.7　(1) 2種類の弱酸 HA_{I} (濃度 C_{AI} M) および HA_{II} (濃度 C_{AII} M) の混合溶液，(2) 2種類の弱塩基 B_{I} (濃度 C_{BI} M) および B_{II} (濃 C_{BII} M) の混合溶液の pH を計算する式を導け．

解　答

(1) 電気的中性の原理より，以下の関係式が成立する．

$$[H^+] = [A_I^-] + [A_{II}^-] \quad ①$$

$C_{AI} > [A_I^-]$，$C_{AII} > [A_{II}^-]$ のとき，それぞれの酸解離の平衡関係式を用いることで，以下の関係式が導かれる．

$$[H^+]^2 = K_{aI} \cdot C_{AI} + K_{aII} \cdot C_{AII} \quad ②$$

それぞれの酸が単独で存在すると仮定したときの H^+ の濃度をそれぞれ $[H^+]_I$ および $[H^+]_{II}$ とすると，式②は以下のように表すことが可能である．

$$[H^+]^2 = [H^+]_I^2 + [H^+]_{II}^2 \quad ③$$

(2) 酸の場合と同様に，弱塩基 B_I (濃度 C_{BI} M)，B_{II} (濃度 C_{BII} M) の場合には，以下の式が導かれる．

$$[OH^-]^2 = K_{bI} \cdot C_{BI} + K_{bII} \cdot C_{BII} = [OH^-]_I^2 + [OH^-]_{II}^2 \quad ④$$

共役でない酸，塩基の混合溶液の pH

ある弱酸 HA およびそれと共役でない弱塩基 B(共役の酸は HB^+) の混合溶液の pH を考える．例えば，酢酸 (HA) およびアンモニア (B) の混合溶液などである．前述のように，HA および B は以下のように反応する．

$$HA + B \rightleftarrows HB^+ + A^-$$

$$K = \frac{[HB^+][A^-]}{[HA][B]} = \frac{K_{a(HA)}}{K_{a(HB)}} \quad (4.50)$$

酸 HA および塩基 B の初濃度が等しいとき，K の値が 10^6 以上であれば反応は定量的に (99.9 % 以上) 進行する．

HA および B を当量ずつ混合した場合，平衡状態では以下の式の関係が成立する．

$$[HA] = [B]$$
$$[HB^+] = [A^-]$$

また，HA，HB^+ に関する式 (4.15) および (4.16) のそれぞれの平衡関係式 $K_{a(HA)}$，$K_{a(HB)}$ と式 (4.50) の関係から，以下の式の関係が得られる．

$$K_{a(HA)} \cdot K_{a(HB)} = [H^+]^2$$

したがって，このような混合溶液の pH は原則的に濃度に無関係な以下の式から計算可能である．

酸 HA と塩基 B の等量混合溶液の pH

$$\mathrm{pH} = \frac{1}{2}\,\mathrm{p}K_{\mathrm{a(HA)}} + \frac{1}{2}\,\mathrm{p}K_{\mathrm{a(HB)}} \tag{4.51}$$

一方が過剰に加えられた場合，式（4.50）が十分に大きいとき，反応はほぼ定量的に進行すると考えてよい．例えば HA が B に対して過剰の場合は以下のとおりである．

$$[\mathrm{HA}] \approx C_{\mathrm{HA}} - C_{\mathrm{B}},\ [\mathrm{A}^-] \approx C_{\mathrm{B}}$$

したがって，この混合溶液は $HA-A^-$ の緩衝溶液と見なされ，以下の式から計算可能である．

酸 HA が過剰の溶液の pH

$$\mathrm{pH} = \mathrm{p}K_{\mathrm{a(HA)}} + \log \frac{C_{\mathrm{B}}}{C_{\mathrm{HA}} - C_{\mathrm{B}}}$$

塩基 B が過剰の溶液の pH

$$\mathrm{pH} = \mathrm{p}K_{\mathrm{a(HB)}} + \log \frac{C_{\mathrm{B}} - C_{\mathrm{HA}}}{C_{\mathrm{HA}}}$$

多塩基酸あるいは多酸塩基の塩（両性物質）の溶液の pH

二塩基酸 H_2A の塩 NaHA の溶液の pH を考えてみる．NaHA は水溶液中では以下のように完全に解離すると見なしてよい．

$$\mathrm{NaHA} \longrightarrow \mathrm{Na}^+ + \mathrm{HA}^-$$

HA^- は，以下の式（4.52）および（4.53）で表される 2 つの平衡関係にある．

$$\mathrm{H_2A} \rightleftarrows \mathrm{H}^+ + \mathrm{HA}^-$$

$$K_{\mathrm{a_1}} = \frac{[\mathrm{H}^+][\mathrm{HA}^-]}{[\mathrm{H_2A}]} \tag{4.52}$$

$$\mathrm{HA}^- \rightleftarrows \mathrm{H}^+ + \mathrm{A}^-$$

$$K_{\mathrm{a_2}} = \frac{[\mathrm{H}^+][\mathrm{A}^-]}{[\mathrm{HA}^-]} \tag{4.53}$$

式（4.52）および（4.53）の平衡定数の関係より，次式の関係が導かれる．

$$K_{\mathrm{a_1}} \cdot K_{\mathrm{a_2}} = \frac{[\mathrm{H}^+]^2\,[\mathrm{A}^{2-}]}{[\mathrm{H_2A}]} \tag{4.54}$$

また，HA^- は酸として，あるいは塩基として解離反応を行う他，以下のような不均化反応（disproportionation）を行うと考えてもよい．

$$\mathrm{HA}^- + \mathrm{HA}^- \rightleftarrows \mathrm{H_2A} + \mathrm{A}^{2-} \tag{4.55}$$

種々の多塩基酸について計算してみると，式（4.55）の平衡定数は酸としてあるいは塩基としての解離定数よりも大きいことが明らかとなり，不均化反応が主体的に起こることがわかる．したがって，式（4.55）から $[H_2A] = [A^{2-}]$ の関係が成立するので，この関係を式（4.54）と組み合わせることにより，pH を表す以下の式が得られる．

両性物質の溶液の pH

$$pH = \frac{1}{2}\,pK_{a_1} + \frac{1}{2}\,pK_{a_2} \tag{4.56}$$

例題 4.8　以下の溶液の pH を計算せよ．ただし，pK_a の値は付表2のとおりとする．

（1）0.1 M NH_4NO_2　（2）0.1 M NH_4Cl + 0.1 M $NaNO_2$　（3）0.1 M $NaHCO_3$

（4）10^{-2} M Na_2HPO_4　（5）10^{-2} M KH_2PO_4　（6）0.1 M フタル酸水素カリウム

（7）10^{-2} M CH_3COOH + 2 × 10^{-2} M NH_3　（8）10^{-1} M HCl + 2 × 10^{-1} M NH_3

（9）10^{-1} M HCl + 10^{-1} M NH_3　（10）3 × 10^{-1} M CH_3COOH + 10^{-1} M NH_3

解　答

（1）酸（NH_4^+）および塩基（NO_2^-）の等量混合物である．

$pH = \frac{1}{2}\,pK_{a_1} + \frac{1}{2}\,pK_{a_2} = \frac{1}{2}(9.26 + 3.35) = 6.31$

（2）反応生成物は（1）と同一（Cl^-, Na^+ は無関係）である．

よって，pH = 6.31

（3）HCO_3^- が酸塩基としてふるまう両性物質である．

$pH = \frac{1}{2}\,pK_{a_1} + \frac{1}{2}\,pK_{a_2} = \frac{1}{2}(6.46 + 10.25) = 8.36$

（4）HPO_4^{2-} が酸塩基としてふるまう両性物質である．

$pH = \frac{1}{2}\,pK_{a_2} + \frac{1}{2}\,pK_{a_3} = \frac{1}{2}(7.21 + 12.32) = 9.77$

（5）$H_2PO_4^-$ が酸塩基としてふるまう両性物質である．

$pH = \frac{1}{2}\,pK_{a_1} + \frac{1}{2}\,pK_{a_2} = \frac{1}{2}(2.12 + 7.21) = 4.66$

（6）フタル酸水素イオンが酸塩基としてふるまう両性物質（酸性側の pH 標準液として使用）である．

$pH = \frac{1}{2}\,pK_{a_1} + \frac{1}{2}\,pK_{a_2} = \frac{1}{2}(2.89 + 5.41) = 4.15$

（7）$CH_3COOH + NH_3 \longrightarrow CH_3COO^- + NH_4^+$

反応後の $[NH_3] \approx 10^{-2}$ M，$[NH_4^+] \approx 10^{-2}$ M

したがって，緩衝溶液である．

$pH = 9.26 + \log \frac{10^{-2}}{10^{-2}} = 9.26$

（8）$HCl + NH_3 \longrightarrow NH_4^+ + Cl^-$

反応後 $[NH_3] \approx 10^{-1}$ M，$[NH_4^+] \approx 10^{-1}$ M

したがって，アンモニア系緩衝溶液である．

$pH = 9.26 + \log \frac{10^{-1}}{10^{-1}} = 9.26$

（9）$HCl + NH_3 \longrightarrow NH_4^+ + Cl^-$

反応後 $[NH_4^+] = 10^{-1}$ M

したがって，弱酸の式から．

$pH = \frac{1}{2} \times 9.26 - \frac{1}{2}\log 10^{-1} = 5.13$

（10）$CH_3COOH + NH_3 \longrightarrow CH_3COO^- + NH_4^+$

反応後 $[CH_3COOH] = 2 \times 10^{-1}$ M

$[CH_3COO^-] = 1 \times 10^{-1}$ M

したがって，酢酸系緩衝溶液である．

$pH = 4.74 + \log \frac{10^{-1}}{2 \times 10^{-1}} = 4.44$

4.4　酸塩基化学種の分布

酸および塩基の解離状態がpHによってどのように変化するかを知ることは重要である．ある化学種の全濃度に対する存在率をpHの関数として導き出せれば，溶液中の化学反応を考察するうえで非常に役立つ情報を与えてくれる．例えば，人間の血液のpHはリン酸塩の緩衝作用によってほぼ中性付近に保たれている．リン酸の化学種は，H_3PO_4，$H_2PO_4^-$，HPO_4^{2-}およびPO_4^{3-}とさまざまな形をとり得るが，血液中でどの化学種が主要化学種として存在するか，それともそれらの混合物で存在するかを知ることは，生化学上興味ある問題である．pHに対して化学種の存在率の変化の図を作成すれば，いかなるpHにおいてどの化学種が主要化学種として存在するか分かるのみでなく，有効な緩衝領域を選択することにも役立つであろう．本節では一塩基酸および多塩基酸の酸塩基化学種の分布について考える．

4.4.1　一塩基酸の化学種の分布

主に共役な酸，塩基が存在するpH領域について，酢酸を例にあげて考える．酢酸分子をHA，酢酸イオンをA^-と略記し，すべての酢酸化学種の全濃度をC_T Mとすると，

$$C_T = [HA] + [A^-] \tag{4.57}$$

酢酸の酸解離定数の式から次式が得られる．

$$[A^-] = \frac{K_a[HA]}{[H^+]} \tag{4.58}$$

式（4.58）を式（4.57）へ代入し整理すると，

$$C_T = [HA]\left(1 + \frac{K_a}{[H^+]}\right)$$

全濃度に対して酢酸分子の占める割合を存在率（f_{HA}）とすると，

$$f_{HA} = \frac{[HA]}{C_T} = \frac{[H^+]}{[H^+] + K_a} \tag{4.59}$$

同様にして酢酸イオンの存在率（f_{A^-}）は次式で与えられる．

$$f_{A^-} = \frac{[A^-]}{C_T} = \frac{K_a}{[H^+] + K_a} \tag{4.60}$$

それぞれのpHにおける$[H^+]$値を式（4.59）および（4.60）に代入し，pHに対して存在率をプロットすると，図4.2のような曲線が得られ，以下のようなことがわかる．

（1）2つの曲線の交点では$[HA] = [A^-]$となり，式（4.44）からもわかるようにpH $= pK_a$である．

（2）pH < pK_aでは，$[A^-] < [HA]$となり，pHがpK_aより2以上小さい領域（pH < pK_a-2）では，ほとんど（99％以上）酢酸分子HAとして存在する．

（3）pH > pK_aでは，$[A^-] > [HA]$となり，pHがpK_aより2以上大きい領域（pH > pK_a+2）では，ほとんど（99％以上）酢酸イオンA^-として存在する．

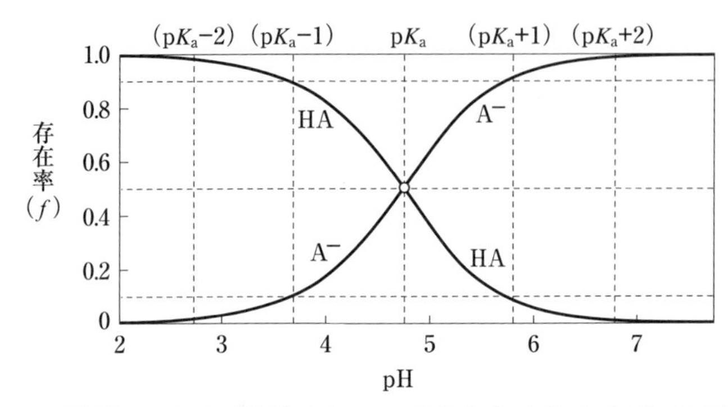

図4.2　酢酸HAおよび酢酸イオンA^-の存在率（f）およびpHの関係

4.4.2　多塩基酸の化学種の分布

三塩基酸のリン酸は，H_3PO_4，$H_2PO_4^-$，HPO_4^{2-}およびPO_4^{3-}の4種の化学種が存在する．その化学種の存在率およびpHの関係を調べる．

リン酸をH_3Aと略記し，リン酸の全濃度をC_T Mとすると，

$$C_T = [H_3A] + [H_2A^-] + [HA^{2-}] + [A^{3-}] \tag{4.61}$$

$$K_{a_1} = \frac{[H^+][H_2A^-]}{[H_3A]} \tag{4.62}$$

$$K_{a_2} = \frac{[H^+][HA^{2-}]}{[H_2A^-]} \tag{4.63}$$

$$K_{a_3} = \frac{[H^+][A^{3-}]}{[HA^{2-}]} \tag{4.64}$$

一塩基酸と同様にして，式（4.61）～（4.64）を組み合わせて，各化学種の存在率を求める式を誘導すると以下のようになる．

$$f_{H_3A} = \frac{[H_3A]}{C_T} = \frac{[H^+]^3}{[H^+]^3 + K_{a_1}[H^+]^2 + K_{a_1}K_{a_2}[H^+] + K_{a_1}K_{a_2}K_{a_3}}$$

$$f_{H_2A^-} = \frac{[H_2A^-]}{C_T} = \frac{K_{a_1}[H^+]^2}{[H^+]^3 + K_{a_1}[H^+]^2 + K_{a_1}K_{a_2}[H^+] + K_{a_1}K_{a_2}K_{a_3}}$$

$$f_{HA^{2-}} = \frac{[HA^{2-}]}{C_T} = \frac{K_{a_1}K_{a_2}[H^+]}{[H^+]^3 + K_{a_1}[H^+]^2 + K_{a_1}K_{a_2}[H^+] + K_{a_1}K_{a_2}K_{a_3}}$$

$$f_{A^{3-}} = \frac{[A^{3-}]}{C_T} = \frac{K_{a_1}K_{a_2}K_{a_3}}{[H^+]^3 + K_{a_1}[H^+]^2 + K_{a_1}K_{a_2}[H^+] + K_{a_1}K_{a_2}K_{a_3}}$$

リン酸化学種の存在率および pH の関係を図 4. 3 に示す．中性付近で $H_2PO_4^-$ および HPO_4^{2-} が共存することがわかる．また，すべての化学種がバランスよく存在する pH 領域はないことがわかる．

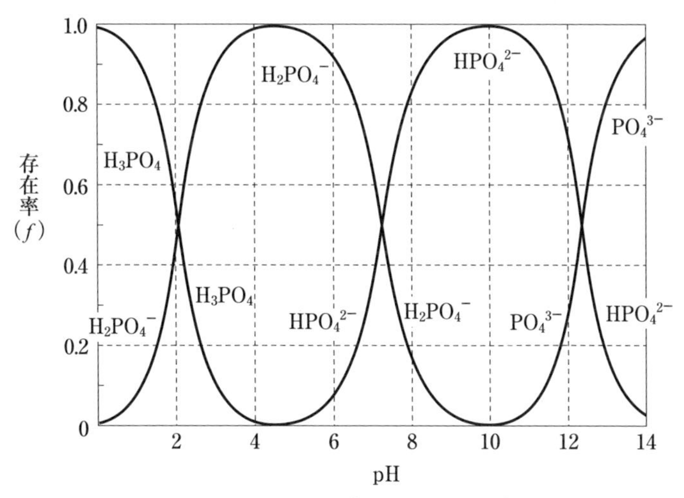

図 4. 3　リン酸化学種（H_3PO_4，$H_2PO_4^-$，HPO_4^{2-}，および PO_4^{3-}）の存在率（f）と pH の関係

4. 5　酸塩基滴定および滴定曲線

酸の溶液を塩基の標準溶液で，あるいは塩基の溶液を酸の標準溶液で滴定する場合，滴定液の滴下量および滴定液中の pH の関係を示す図を滴定曲線（titration curve）という．滴定曲線を作成することで，試料中の酸あるいは塩基の定量が可能かどうか，当量点を求めるための正しい指示薬の選択，当量点および終点の相関関係などを考察するのに役立つ．酸塩基滴定（acid-base titration）は反応の進行および完了がリアルタイムで分かる直接分析法であり，検定済みビュレット，全量ピペットなどを用いて注意深く実験すれば有効桁数 4 桁は容易に得られる絶対定量法である．また，手作業による滴定のみでなく，自動滴定装置による測定も可能である．以上のような背景から，酸塩基滴定は化学工業，食品工業などの品質管理分析法としても広く利用されている．

4. 5. 1　強酸および強塩基の滴定

強酸および強塩基は水溶液中で完全に解離し，相互に定量的に反応する．したがって，反応に関与した酸および塩基の化学量論的量から滴定液中の pH を求めることが可能である．強酸および強塩基の滴定の例として，HCl 溶液を NaOH 溶液で滴定する場合を例にあげて考える．

$$HCl + NaOH \longrightarrow Na^+ + Cl^- + H_2O$$

1）滴定開始前の溶液の pH

HCl 溶液の濃度を C_A M とすると，式（4. 20）に HCl の初濃度を代入することで pH が求まる．

$$\mathrm{pH} = -\log[\mathrm{H^+}] = -\log C_A$$

2）当量点前の溶液の pH

滴定を開始すると HCl および NaOH が反応しはじめるが，当量点までは HCl 由来の H^+ がより多く存在するため，溶液中に残る H^+ の濃度によって pH が求まる．図 4. 4 に示す滴定曲線のように，当量点までは HCl の濃度の減少に応じて徐々に pH が上昇する*4．

$$\mathrm{pH} = -\log[\mathrm{H^+}] = -\log[\text{溶液中の過剰の}\mathrm{H^+}]$$

3）当量点での溶液の pH

当量点付近で急激な pH 変化（pH ジャンプ）が見られる．中和反応が完了した当量点では HCl 溶液および NaOH 溶液が過不足なく反応し，塩化ナトリウムの中性溶液（pH は 7.0）である．当量点前後での pH ジャンプが大きいため指示薬の選択幅は広く，後述のメチルレッド，フェノールフタレインなど多くの指示薬を終点検出に用いることが可能である．

4）当量点後の溶液の pH

当量点を越えると NaOH が過剰となり，溶液中には当量点以降の滴定量に応じた OH^- が生成するため，溶液中に残る OH^- の濃度によって pH が求まる．

$$\mathrm{pOH} = -\log[\mathrm{OH^-}] = -\log[\text{溶液中の過剰の}\mathrm{OH^-}]$$

$$\mathrm{pH} = 14 - \mathrm{pOH} = 14 + \log[\mathrm{OH^-}] = 14 + \log[\text{溶液中の過剰の}\mathrm{OH^-}]$$

強塩基を強酸で滴定する場合，図 4. 4 の滴定曲線のちょうど逆向きに pH は変化し，当量点で急激な pH の低下が見られる（図 4. 5）．この場合，フェノールフタレインを指示薬とし，赤味の完全になくなったところを終点とすればよい*5．

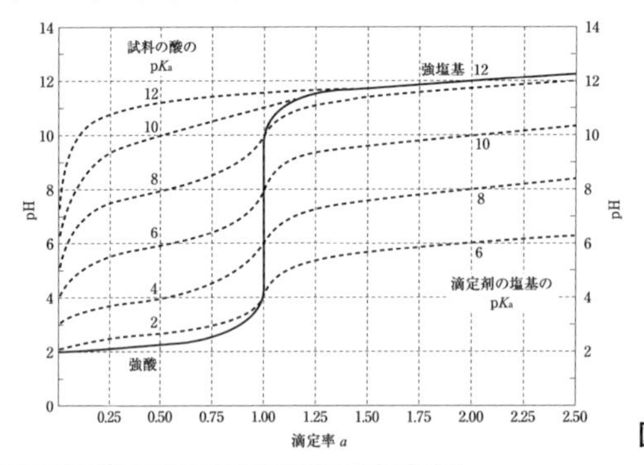

図 4. 4　酸を塩基で滴定する場合の滴定曲線

*4　強酸を強塩基で滴定する場合は実線となる．弱酸を強塩基で滴定する場合は，$a = 0.5$ における pH は $\mathrm{p}K_a$ に等しくなる．$a = 2.0$ における pH は滴定剤の塩基の $\mathrm{p}K_a$ に等しくなる．試料濃度：1.0×10^{-2} M．滴定中の滴定液による体積変化は考慮していない．滴定率 $a = C_B/C_A$（C_A：酸の全濃度，C_B：加えた塩基の全濃度）．

*5　強塩基を強酸で滴定する場合は実線となる．弱塩基を強酸で滴定する場合は，$a = 0.5$ における pH は pKa に等しくなる．$a = 2.0$ における pH は滴定剤の酸の $\mathrm{p}K_a$ に等しくなる．試料濃度：1.0×10^{-2} M．滴定中の滴定液による体積変化は考慮していない．滴定率 $a = C_B/C_A$（C_A：酸の全濃度，C_B：加えた塩基の全濃度）．

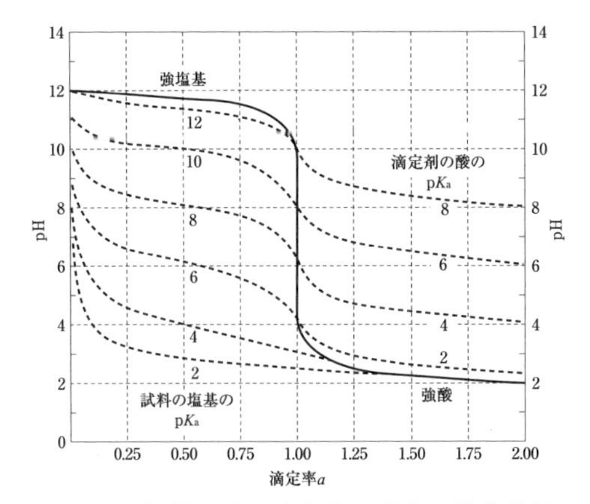

図 4.5　塩基を酸で滴定する場合の滴定曲線

例題 4.9　0.010 M HCl 20 mL を 0.010 M NaOH で滴定するとき，（1）滴定開始前，（2）5 mL，（3）10 mL，（4）15 mL，（5）20 mL，（6）25 mL 滴下したときの各溶液の pH を計算し，滴定曲線を作成せよ．

解　答

（1）滴定開始前，HCl は強酸であるため完全に解離する．

したがって，

$$pH = -\log[H^+] = -\log[0.010] = 2.00$$

（2）5 mL 滴下（滴定率 a = [HCl]/[NaOH] = 0.25）したとき，以下の中和反応が起こる．

$$H^+ + OH^- \longrightarrow H_2O$$

平衡定数 K は 1.0×10^{14}（式 4.11）であり，反応は完全に進行する．滴定溶液の体積変化を考慮すると，反応後の過剰の $[H^+]$ 濃度は以下のとおりである（注意：分母および分子の体積の単位は L もしくは mL で統一すること．）

$[H^+]$

$$= \frac{(0.010[M] \times 20[mL]) - (0.010[M] \times 5[mL])}{(20 + 5)[mL]}$$

$= 6.0 \times 10^{-3}$ M

$pH = -\log[H^+] = -\log[6.0 \times 10^{-3}] = 2.22$

同様に計算すると，

（3）$a = 0.5$，pH = 2.48

（4）$a = 0.75$，pH = 2.84

（5）20 mL 滴下（$a = 1.00$）したとき，当量点である．

この反応で生成した塩 NaCl は加水分解しない（中性）であり，$[H^+] = [OH^-] = 1.0 \times 10^{-7}$ となる．

したがって，pH = 7.00

（6）25 mL 滴下（$a = 1.25$）したとき，当量点を過ぎてさらに NaOH を滴下すると，OH^- が過剰に存在することになるので，

$[OH^+]$

$$= \frac{(0.010[M] \times 25[mL]) - (0.010[M] \times 20[mL])}{(20 + 25)[mL]}$$

$= 1.1 \times 10^{-3}$ M

$pOH = -\log[OH^-] = -\log[1.1 \times 10^{-3}] = 2.96$

$pH = 14 - pOH = 14 - 2.96 = 11.04$

滴定曲線は図 4.4 の太線で示す．

4.5.2　弱酸および強塩基の滴定

弱酸および強塩基の滴定の例として，以下に示す NaOH による酢酸（$pK_a = 4.74$）の中和反応を例にあげて考える．

$$CH_3COOH + NaOH \longrightarrow CH_3COO^- + Na^+ + H_2O$$

1）滴定開始前の溶液の pH

滴定開始前は濃度既知の酢酸溶液（弱酸）であるため，式（4.36）に酢酸の初濃度 C_A および酸解離定数 pK_a を代入することで求まる．

$$pH = \frac{1}{2} pK_a - \frac{1}{2} \log C_A$$

2）当量点前の溶液の pH

滴定を開始すると酢酸および水酸化ナトリウムが反応して酢酸ナトリウムが生成しはじめる．酢酸ナトリウムは水溶液中で完全に解離して酢酸イオンとなり，未反応の酢酸，および酢酸イオン（共役酸塩基対）が混在した緩衝溶液の状態である．この間の pH は酢酸の濃度 C_A および酢酸イオンの濃度 C_B の比によって決定するため，式（4.44）より求めることが可能である．

$$pH = pK_a + \log \frac{C_B}{C_A}$$

滴定が進むと，C_A および C_B の比に応じて pH は徐々に上昇する．なお，当量点までの中間点に相当する半当量点では $C_A = C_B$ となり，pH は pK_a と等しくなる．

3）当量点での溶液の pH

当量点では中和反応が完全に成立し，水と当量の酢酸ナトリウム（酢酸イオン）が生成する．酢酸イオンはブレンステッド塩基であるため，加水分解により当量点の pH は塩基性寄りになる．このときの溶液の pH は以下の式（4.41）より求めることが可能である．

$$pH = 7 + \frac{1}{2} pK_a + \frac{1}{2} \log C_B$$

4）当量点後の溶液の pH

当量点を越えると NaOH が過剰となり，溶液中には当量点以降の滴定量に応じた過剰の OH^- が生成するため，溶液中に残る過剰の OH^- の濃度によって pH が求まる．

$$pOH = -\log[OH^-] = -\log[\text{溶液中の過剰の}OH^-]$$

$$pH = 14 - pOH = 14 + \log[OH^-]$$

例題 4.10　0.010 M 酢酸（$pK_a = 4.74$）溶液 100 mL を 0.10 M NaOH 溶液で滴定するとき，（1）滴定開始前，（2）1.0 mL，（3）2.5 mL，（4）5.0 mL，（5）7.5 mL，（6）9.0 mL，（7）10.0 mL，（8）11.0 mL 滴下したときの各溶液の pH を計算し，滴定曲線を作成せよ．また，終点決定のために用いられる指示薬について考察せよ．

解　答

NaOHの滴定量を V mL，滴定率（滴定された割合）を a とすると，当量点（$a = 1.0$）は10.0 mLとなり，滴定による体積増加のpHへの寄与は無視できる（-0.04 pH以下）．各滴定点における溶液のpHの計算を以下に示す．

（1）$V = 0$ mL，$a = 0$ のとき

滴定開始前なので，0.010 M酢酸溶液（弱酸）のpHを計算すればよい．式（4.36）より，

$$\mathrm{pH} = \frac{1}{2}\,\mathrm{p}K_\mathrm{a} - \frac{1}{2}\log C_\mathrm{A}$$
$$= \frac{1}{2} \times 4.74 - \frac{1}{2}\log 10^{-2} = 3.37$$

（2）$V = 1.0$ mL，$a = 0.1$ のとき，

未反応の酢酸溶液，NaOH溶液と反応して生成する酢酸ナトリウムから由来する酢酸イオンが混在し，酢酸およびその塩からなる緩衝溶液の状態である．このとき，未反応の酢酸溶液の濃度 C_A，酢酸イオンの濃度 C_B はそれぞれ以下のように表される．

$$C_\mathrm{A} = \frac{(0.010 \times 100) - (0.10 \times 1.0)}{100 + 1.0} = \frac{0.9}{101}\ \mathrm{M}$$

$$C_\mathrm{B} = \frac{(0.10 \times 1.0)}{100 + 1.0} = \frac{0.1}{101}\ \mathrm{M}$$

式(4.44)より，

$$\mathrm{pH} = \mathrm{p}K_\mathrm{a} + \log\frac{C_\mathrm{B}}{C_\mathrm{A}}$$
$$= 4.74 + \log\frac{0.1/101.0}{0.9/101.0} = 4.74 + \log\frac{1}{9}$$
$$= 3.79$$

（3）$V = 2.5$ mL，$a = 0.25$ のとき，同様に

$$\mathrm{pH} = 4.74 + \log\frac{0.25/102.5}{0.75/102.5} = 4.74 + \log\frac{1}{3}$$
$$= 4.26$$

（4）$V = 5.0$ mL，$a = 0.5$（半当量点）のとき，未反応の酢酸溶液および酢酸イオンの濃度が1：1である．

$$\mathrm{pH} = 4.74 + \log\frac{0.5/105.0}{0.5/105.0} = 4.74 + \log\frac{1}{1}$$
$$=4.74$$

半当量点ではpHは解離定数と等しいといえる．

（5）$V = 7.5$ mL，$a = 0.75$ のとき，

（2）および（3）とは逆に，酢酸イオンの割合が高い緩衝溶液である．よって，

$$\mathrm{pH} = 4.74 + \log\frac{0.75/107.5}{0.25/107.5} = 4.74 + \log\frac{3}{1}$$
$$= 5.22$$

（6）$V = 9.0$ mL，$a = 0.9$ のとき，同様に，

$$\mathrm{pH} = 4.74 + \log\frac{0.9/109.0}{0.1/109.0} = 4.74 + \log\frac{9}{1}$$
$$= 5.69$$

（7）$V = 10.0$ mL，$a = 1.0$（当量点）のとき，

中和反応が過不足なく進行するため，0.010 M酢酸ナトリウム溶液（弱塩基）のpHを計算すればよい．式（4.41）より，

$$\mathrm{pH} = 7 + \frac{1}{2}\,\mathrm{p}K_\mathrm{a} + \frac{1}{2}\log C_\mathrm{B}$$
$$= 7 + \frac{1}{2} \times 4.74 + \frac{1}{2}\log 10^{-2} = 8.37$$

（8）$V = 11.0$ mL，$a = 1.1$ のとき

当量点を過ぎているため，過剰に添加した水酸化ナトリウムから由来する［$\mathrm{OH^-}$］からpHを計算すればよい．よって，

$$[\mathrm{OH^-}] = \frac{(0.10 \times 11.0) - (0.010 \times 100)}{100 + 11.0}$$
$$= 9.01 \times 10^{-4}\ \mathrm{M}$$

$$\mathrm{pH} = 14 - \mathrm{pOH} = 14 + \log[\mathrm{OH^-}]$$
$$= 14 + \log(9.01 \times 10^{-4}) = 10.95$$

滴定液による体積変化を無視した場合，以下のような計算式となる．

$$[\mathrm{OH^-}] = \frac{(0.10 \times 11.0) - (0.010 \times 100)}{100}$$
$$= 1.0 \times 10^{-3}\ \mathrm{M}$$

$$\mathrm{pH} = 14 - \mathrm{pOH} = 14 + \log[\mathrm{OH^-}]$$
$$= 14 + \log(1.0 \times 10^{-3}) = 11.00$$

滴定曲線を以下の図4. 6の(1)に示す．当量点のpHは8.37となり，チモールブルーは黄色からわずかに青色となった点，フェノールフタレインは無色からわずかに赤色となった点をそれぞれ終点とすれば，当量点とよく一致する．一般的に無色から赤色に鋭敏に変色するフェノールフタレインがよく用いられる．参考までに塩酸（強酸）と水酸化ナトリウムの滴定曲線を(2)に示すが，図中の4つの指示薬はいずれも終点決定に用いて差し支えない．

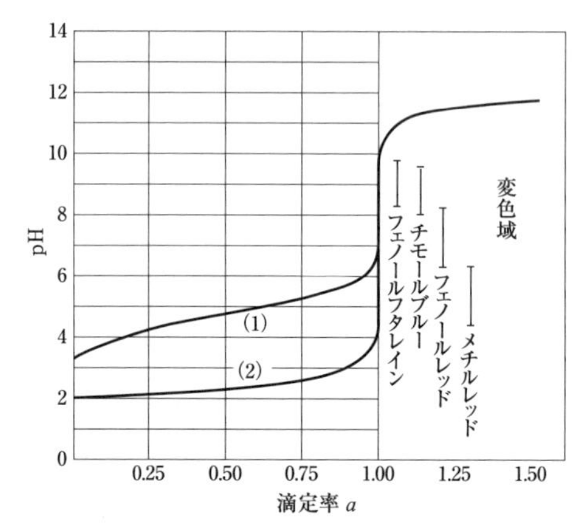

図4. 6　例題4. 10より求めた滴定曲線

（1）1.0×10^{-2} M CH_3COOH を NaOH で滴定した場合
（2）1.0×10^{-2} M HCl を NaOH で滴定した場合

4. 5. 3　強酸および弱塩基の滴定

強酸および弱塩基の滴定は前節で紹介した弱酸および強塩基の滴定と似ているものの，得られる滴定曲線は逆になる．強酸および弱塩基の滴定の例として，以下に示すHClによる NH_3($pK_a = 9.26$) の中和反応を例にあげて考える．

$$NH_3 + HCl \longrightarrow NH_4^+ + Cl^-$$

1）滴定開始前の溶液の pH

滴定開始時は濃度既知の NH_3 溶液（弱塩基）であるため，式（4. 41）に NH_3 の初濃度および解離定数を代入することで求まる．

$$pH = 7 + \frac{1}{2}pK_a + \frac{1}{2}\log C_B$$

2）当量点前の溶液の pH

滴定を開始すると NH_3 が NH_4^+ に変換されるため，溶液中には未反応の NH_3，および NH_4^+ が混在した緩衝溶液の状態である．この間の pH は NH_4^+ の濃度 C_A および NH_3 の濃度 C_B の比によって決定するため，式（4. 44）より求めることが可能である．

$$pH = pK_a + \log\frac{C_B}{C_A}$$

滴定が進むと，C_A および C_B の比に応じて pH は徐々に下降する．当量点までの中間点に相当する半当量点では $C_A = C_B$ となり，pH は pK_a と等しくなる．

3）当量点での溶液の pH

当量点では中和反応が完全に成立し，NH_4^+が生成する．NH_4^+はブレンステッド酸であるため，加水分解により当量点の pH は酸性寄りになる．このときの溶液の pH は式（4. 36）より求めることが可能である．

$$\mathrm{pH} = \frac{1}{2}\,\mathrm{p}K_a - \frac{1}{2}\log C_A$$

4）当量点後の溶液の pH

当量点を越えると HCl が過剰となり，溶液中には当量点以降の滴定量に応じた過剰の H^+が生成するため，溶液中に残る過剰の H^+の濃度によって pH が求まる．

$$\mathrm{pH} = -\log[\mathrm{H^+}] = -\log[\text{溶液中の過剰の}\mathrm{H^+}]$$

4. 5. 4　多塩基酸または多酸塩基の滴定

1 分子の酸が 2 個以上の H^+ を塩基に与えることが可能な酸（硫酸，炭酸，リン酸など）を多塩基酸という．多塩基酸は 2 つ以上の酸解離定数を有し，滴定は段階的に進行する．そのため，強塩基による多塩基酸の滴定曲線は異なる一塩基酸の滴定を組み合わせたような挙動を示す．多くの場合，多塩基酸が持つ解離定数に応じて段階的に中和反応が起こる．

仮に，二塩基酸 H_2A および水酸化ナトリウム（強塩基）の滴定を例にあげて考える．

$$\mathrm{H_2A} \longrightarrow \mathrm{HA^-} + \mathrm{H^+} \qquad ①$$

$$K_{a_1} = \frac{[\mathrm{HA^-}][\mathrm{H+}]}{[\mathrm{H_2A}]}$$

$$\mathrm{HA^-} \longrightarrow \mathrm{A^{2-}} + \mathrm{H^+} \qquad ②$$

$$K_{a_2} = \frac{[\mathrm{A^{2-}}][\mathrm{H^+}]}{[\mathrm{HA^-}]}$$

HA^-に着目すると，反応式①では H^+を受け取るブレンステッド塩基として，反応式②では H^+を放出するブレンステッド酸としてそれぞれふるまう．このような物質を両性物質という．

滴定開始時は濃度既知の H_2A 溶液であるため，式（4. 36）に H_2A の初濃度 C_A および第一酸解離定数 pK_{a_1} を代入することで求まる[*6]．

$$\mathrm{pH} = \frac{1}{2}\,\mathrm{p}K_{a_1} - \frac{1}{2}\log C_A$$

滴定を開始すると H_2A および水酸化ナトリウムが反応して HA^-が生成しはじめる．溶液中には未反応の H_2A および HA^-が混在した緩衝溶液の状態である．この間の溶液の

*6　リン酸のように pK_{a_1} が大きい場合，近似式ではなく二次方程式を解く必要がある．

pH は H_2A の濃度 C_A および HA^- の濃度 C_B の比によって決定するため，式（4. 44）より求めることが可能である[*7].

$$pH = pK_{a_1} + \log \frac{C_B}{C_A}$$

滴定が進むと，C_A および C_B の比に応じて pH は徐々に上昇する．なお，当量点までの中間点に相当する半当量点では $C_A = C_B$ となり，pH は pK_{a1} と等しくなる．

第一当量点では上述の反応式①が完全に成立し，HA^- のみ生成する．この段階で $[H_2A] = [HA^-]$ で両性物質であるため，試料溶液および滴定剤の容量に依存せず，式（4. 56）より求めることが可能である．

$$pH = \frac{1}{2}pK_{a_1} + \frac{1}{2}pK_{a_2}$$

第一当量点を越えると，以降はブレンステッド酸としてふるまう HA^- の濃度 C_A および新たに生成される A^{2-} の濃度 C_B の比によって決定するため，第一緩衝領域と同様に緩衝溶液の pH 計算式を用いて求めることが可能である．

$$pH = pK_{a_2} + \log \frac{C_B}{C_A}$$

第二当量点では上述の反応式②が完全に成立し，A^{2-} が生成する．このときの溶液の pH は以下の式（4. 41）より求めることが可能である[*8].

$$pH = 7 + \frac{1}{2}pK_{a_2} + \frac{1}{2}\log C_B$$

当量点を越えると水酸化ナトリウムが過剰となり，溶液中には当量点以降の滴定量に応じた OH^- が生成するため，溶液中に残る OH^- の濃度によって pH が求まる．

$$pOH = -\log[OH^-] = -\log[\text{溶液中の過剰の}OH^-]$$

$$pH = 14 - pOH = 14 + \log[OH^-] = 14 + \log[\text{溶液中の過剰の}OH^-]$$

以上の結果に基づいて作成された滴定曲線は，理論上は2つの当量点を通過する挙動を示す（図4. 7）．一般的に，2つの当量点が識別可能であるためには，2つの pK_a の値の差が最低でも4あることが望ましいとされる．

例題 4.11　0.100 M 炭酸（$pK_{a_1} = 6.46$，$pK_{a_2} = 10.25$）溶液 10.0 mL を 0.100 M 水酸化ナトリウム溶液で滴定するとき，（1）滴定開始前，（2）5.0 mL，（3）10.0 mL，（4）15.0 mL，（5）20.0 mL 滴下したときの各溶液の pH を計算し，滴定曲線を作成せよ．また，第一当量点を決定するために用いられる指示薬について考察せよ．

---

*7　pK_{a1} が非常に大きい場合（例えば，クロム酸，亜硫酸，硫酸など），式（4. 44）によって第一緩衝領域を計算することは不可能である．

*8　生成する A^{2-} が強塩基の場合，近似式ではなく二次方程式を解く必要がある．

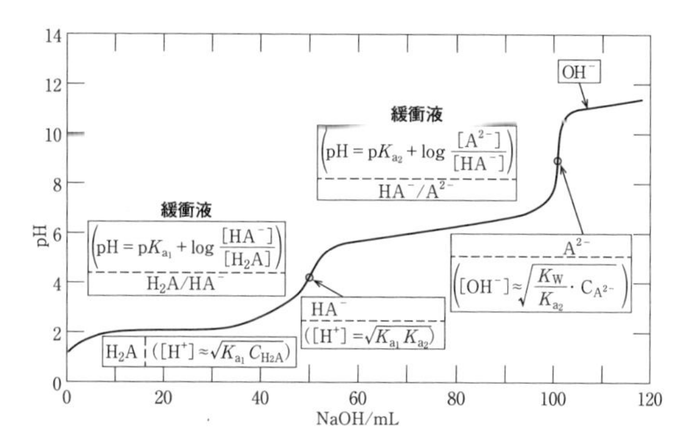

図 4.7　二塩基酸 H_2A の滴定曲線の例
（G. D. Cristian ら，原著 7 版クリスチャン分析化学 I 基礎編，p.267 より引用）

解　答

NaOH の滴定量を V mL，滴定率を a とすると，第一当量点（$a = 1.0$）は 10.0 mL，第二当量点（$a = 2.0$）は 20.0 mL となる．各滴定点における溶液の pH の計算を以下に示す．

（1）$V = 0$ mL，$a = 0$ のとき

滴定開始前なので，0.100 M H_2CO_3 溶液（弱酸）の pH を計算すればよい．式（4.36）より，

$$\mathrm{pH} = \frac{1}{2}\,\mathrm{p}K_{a_1} - \frac{1}{2}\log C_A$$
$$= \frac{1}{2} \times 6.46 - \frac{1}{2}\log 10^{-1} = 3.73$$

（2）$V = 5.0$ mL，$a = 0.5$ のとき

未反応の H_2CO_3 溶液，NaOH 溶液と反応して生成する炭酸水素イオン HCO_3^- が混在し，炭酸およびその塩からなる緩衝溶液の状態である．ここでは第一当量点までの中間点であり，$[H_2CO_3] = [HCO_3^-]$ が成り立つので，

$$\mathrm{pH} = \mathrm{p}K_{a_1} + \log\frac{[HCO_3^-]}{[H_2CO_3]} = 6.46$$

（3）$V = 10.0$ mL，$a = 1.0$（第一当量点）のとき

HCO_3^- が完全に生成する．HCO_3^- は両性物質であるから，式（4.56）より，

$$\mathrm{pH} = \frac{1}{2}\,\mathrm{p}K_{a_1} + \frac{1}{2}\,\mathrm{p}K_{a_2} = \frac{1}{2}(6.46 + 10.25)$$
$$= 8.36$$

（4）$V = 15.0$ mL，$a = 1.5$ のとき

ブレンステッド酸としてふるまう HCO_3^-，NaOH 溶液と反応して生成する炭酸イオン CO_3^{2-} が混在する緩衝溶液の状態である．ここでは第一当量点と第二当量点の中間点であり，$[HCO_3^-] = [CO_3^{2-}]$ が成り立つので，

$$\mathrm{pH} = \mathrm{p}K_{a_2} + \log\frac{[CO_3^{2-}]}{[HCO_3^-]} = 10.25$$

（5）$V = 20.0$ mL，$a = 2.0$（第二当量点）のとき

Na_2CO_3 が完全に生成する．式（4.41）より，0.0333 M Na_2CO_3 溶液（弱塩基）の pH を計算すればよい．

$$\mathrm{pH} = 7 + \frac{1}{2}\,\mathrm{p}K_{a_2} + \frac{1}{2}\log C_B$$
$$= 7 + \frac{1}{2} \times 10.25 + \frac{1}{2}\log 0.0333 = 11.39$$

滴定曲線は各自で作成すること．第一当量点の pH は 8.36 であり，チモールブルーもしくはフェノールフタレインを用いると，第一当量点とよく一致する．

強酸の標定を目的とした一次標準物質として汎用的な炭酸ナトリウム Na_2CO_3 は，ブレンステッド塩基の1つである．炭酸ナトリウムは以下のとおり加水分解を起こす．

$$CO_3^{2-} + H_2O \rightleftarrows HCO_3^- + OH^- \qquad pK_{a_2} = 10.25$$

$$HCO_3^- + H_2O \rightleftarrows H_2CO_3 + OH^- \qquad pK_{a_1} = 6.46$$

炭酸ナトリウムを酸で滴定すると，H^+ が段階的に付加して HCO_3^- および H_2CO_3（厳密には CO_2 および H_2O として存在）を生成する．

0.100 M 炭酸ナトリウム水溶液 50 mL を 0.100 M 塩酸溶液で滴定したときの滴定曲線を図4.8に示す．滴定開始から第一当量点までは CO_3^{2-} および HCO_3^- の混合溶液として存在する第一緩衝領域であり，第一当量点に到達すると HCO_3^-（両性物質）のみ生成する．第一当量点を過ぎると，HCO_3^- および H_2CO_3 の混合溶液として存在する第二緩衝領域であるが，CO_2 の濃度に依存するといっても過言ではない．そのため，pH の変化は緩やかであり，第二当量点の決定は困難である．この問題を克服するためには，第二当量点付近で被滴定溶液を煮沸して CO_2 を追い出した後，滴定を繰り返す必要がある．そうすることによって被滴定溶液は HCO_3^- のみの溶液となり，第二当量点での指示薬の色調変化が分かりやすくなる．

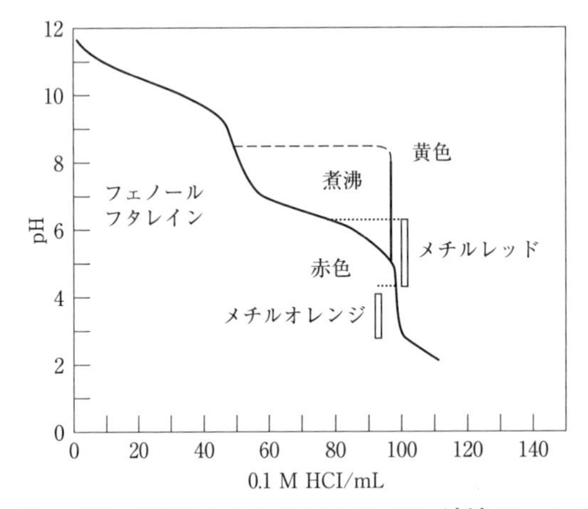

図4.8　0.100 M HCl 溶液による 0.100 M Na_2CO_3 溶液 50 mL の滴定曲線
破線：煮沸による CO_2 除去の場合
（G. D. Cristian ら，原著7版クリスチャン分析化学Ⅰ基礎編，p.265 より引用）

三塩基酸および強塩基の滴定の例として，以下に示す NaOH によるリン酸の中和反応を例にあげて考える．

$$H_3PO_4 \longrightarrow H_2PO_4^- + H^+ \quad pK_{a_1} = 2.12 \qquad ①$$

$$H_2PO_4 \longrightarrow HPO_4^{2-} + H^+ \quad pK_{a_1} = 7.21 \qquad ②$$

$$HPO_4^{2-} \longrightarrow PO_4^{3-} + H^+ \quad pK_{a_1} = 12.32 \qquad ③$$

見かけ上は3つの当量点が明確に現れそうに思えるが，実際には第三当量点は明確には現れない．仮に溶液濃度が1 M程度のとき，酸の pK_a が約8を超えると当量点付近の pH ジャンプが小さくなり，指示薬による終点の決定は困難になる．

4.5.5　酸塩基指示薬による終点の決定法

酸塩基滴定の終点決定に用いられる主な指示薬（indicator）を表4.1に示す．これらの指示薬は酸あるいは塩基としての性質を持ち，酸性および塩基性の呈色が異なる色素である．例えば，図4.9に示すメチルオレンジ（pK_a = 3.46）は pH < 3.1 の酸性では赤色，pH > 4.4 の塩基性では黄色を呈し，3.1 < pH < 4.4 の pH 範囲では中間色（赤色および黄色の混合色）を呈する．

表4.1　酸塩基指示薬の酸解離定数および変色域

指示薬	酸解離定数（pK_a, I = 0.1 M）	変色域 pH	酸性色	塩基性色
クレゾールレッド		0.4 ～ 1.8	黄	赤
チモールブルー	1.65	1.2 ～ 2.8	赤	黄
メチルオレンジ	3.46	3.1 ～ 4.4	赤	黄
ブロモフェノールブルー	3.85	3.0 ～ 4.6	黄	赤紫
ブロモクレゾールグリーン	4.66	3.8 ～ 5.4	黄	青
メチルレッド	5.00	4.2 ～ 6.2	赤	黄
フェノールレッド	7.81	6.4 ～ 8.2	黄	赤
チモールブルー	8.90	8.0 ～ 9.6	黄	青
フェノールフタレイン	8.70	8.2 ～ 9.8	無色	赤
チモールフタレイン	9.20	9.3 ～ 10.5	無色	青
アリザリンイエローR		10.1 ～ 11.6	黄	橙

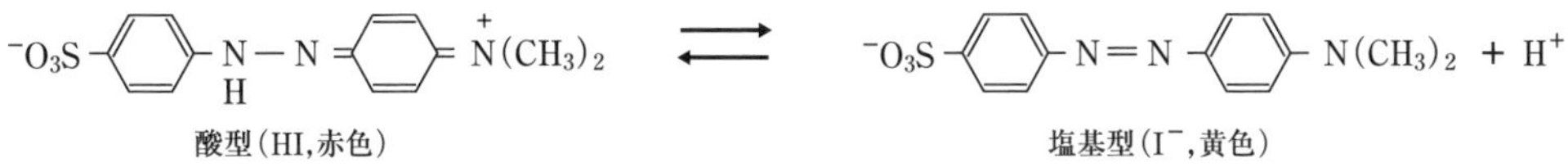

$^{-}O_3S-C_6H_4-N(H)-N=C_6H_4=N^{+}(CH_3)_2 \rightleftharpoons {}^{-}O_3S-C_6H_4-N=N-C_6H_4-N(CH_3)_2 + H^{+}$

酸型（HI, 赤色）　　塩基型（I^-, 黄色）

図4.9　メチルオレンジの構造式

いま，指示薬の酸型を HI とすると，酸解離反応および平衡定数 $K_{a(HI)}$ は以下のように表される．

$$\mathrm{HI} \rightleftarrows \mathrm{H^+ + I^-}$$

$$K_{a(\mathrm{HI})} = \frac{[\mathrm{H^+}][\mathrm{I^-}]}{[\mathrm{HI}]} \tag{4.65}$$

一般に，肉眼では $0.1 < ([\mathrm{I^-}]/[\mathrm{HI}]) < 10$ の範囲で指示薬の色調変化の識別が可能であり，この範囲に相当する pH 範囲が変色域である．したがって，式（4. 65）から以下の関係式が得られる．

$$0.1 < \frac{K_{a(\mathrm{HI})}}{[\mathrm{H^+}]} < 10$$

すなわち，変色域および指示薬の酸解離定数の関係は以下の式となる．

$$\mathrm{p}K_{a(\mathrm{HI})} - 1 < \mathrm{pH} < \mathrm{p}K_{a(\mathrm{HI})} + 1 \tag{4.66}$$

肉眼による色調の識別は光の波長により異なり，個人差もあるので，実際の変色域は式（4. 66）からの予想とは多少異なるものの，変色域は指示薬の $\mathrm{p}K_{a(\mathrm{HI})}$ を中心にほぼ±1の範囲と考えて差し支えない．強酸を強塩基で滴定する場合には当量点の pH は 7.0 であるので，メチルレッドを用いた場合にほぼ完全に黄色に変わった点を，フェノールフタレインではわずかに赤色がついたところをそれぞれ終点とすれば当量点と終点はよく一致し，滴定による正確な定量が可能である．

コラム　酸塩基滴定における濃度の求め方

1 mol の酸が供与できる水素イオン $\mathrm{H^+}$ 数を酸の価数といい，1 mol の塩基が供与できる水酸化物イオン $\mathrm{OH^-}$ の数，または受け取ることのできる $\mathrm{H^+}$ の数を塩基の価数という．酸および塩基が反応するとき，酸から生じる $\mathrm{H^+}$ および塩基から生じる $\mathrm{OH^-}$ の物質量が等しければ酸塩基反応が完結する．例えば，二価の酸である硫酸 1 mol は，一価の塩基である水酸化ナトリウム 2 mol と過不足なく反応する．したがって，以下の関係が成立する．

$$n \cdot C \cdot V = n' \cdot C' \cdot V'$$

n：酸の価数　　n'：塩基の価数

C：酸のモル濃度（M）　　C'：塩基のモル濃度（M）

V：酸の溶液の体積（mL）　　V'：塩基の溶液の体積（mL）

この式を用いて酸または塩基の濃度を算出することが可能である．

参考文献

1）本水昌二ら：『基礎教育シリーズ 新版分析化学実験』，東京教学社（2008）．
2）井村久則，樋上照男：『基礎から学ぶ分析化学』，化学同人（2015）．
3）G. D. Christian, P. K. Dasgupta, K. A. Schug（今任稔彦・角田欣一 監訳）：『原書7版 クリスチャン分析化学Ⅰ 基礎編』，丸善出版（2016）．
4）宗林由樹，向井 浩：『基礎分析化学（新訂版）』，サイエンス社（2018）．
5）北條正司ら：『基本分析化学 －イオン平衡から機器分析法まで－』，三共出版（2020）．

第4章の章末問題

（以下の問題は付表2の pK_a 値を用いて計算すること．）

4.1 ●必 須●

（1）0.10 M CH_3COOH 溶液および，（2）0.10 M CH_3COONa 溶液の pH を計算せよ．

4.2 ●必 須●

（1）0.10 M NH_3 溶液および，（2）0.10 M NH_4Cl 溶液の pH を計算せよ．

4.3 ●必 須●

（1）1.0×10^{-2} M CH_3COOH および 2.0×10^{-2} M CH_3COONa を含む溶液の pH を計算せよ．

（2）1.0×10^{-2} M CH_3COOH および 1.0×10^{-4} M あるいは 1.0×10^{-3} M の CH_3COONa を含む溶液の pH を計算せよ．

4.4 [推 奨]

大気と平衡にある水は 1.5×10^{-5} M の二酸化炭素を溶解している．この溶液の pH を計算せよ．また，酸性雨（pH 5.6 以下の雨）との関連についても考察せよ．

4.5 ●必 須●

いずれも濃度が 2.0×10^{-2} M の2種類の溶液を等量混合した場合に起こる反応と反応性について述べよ．また，反応後のおのおのの成分濃度および pH を求めよ．

（1）HCN および NH_3　（2）NaCN および CH_3COOH　（3）NaCN および HF

（4）NH_4Cl および CH_3COONa　（5）NH_3 および NaCN

（6）CH_3COONa および NaH_2PO_4　（7）CH_3COONa および Na_2HPO_4

（8）NH_4Cl および Na_3PO_4

4.6 [推 奨]

酸 HA，塩基 B の初濃度がそれぞれ 1.0×10^{-2} M，1.0×10^{-3} M の場合，B が定量的（99.9 %）に HB^+ になるためには，平衡定数 K の値はいくらであればよいか．

4.7 [推 奨]

$NaHSO_4$（濃度 C_A）と Na_2SO_4（濃度 C_B）の混合溶液の $[H^+]$ を求める式を導け．また，$C_A = C_B = 1.0 \times 10^{-1}$ M の混合溶液および $C_A = 1.0 \times 10^{-2}$ M の溶液の pH を計算せよ．

4.8 ●必 須●

0.10 M 酢酸アンモニウム溶液の pH，および 0.10 M 酢酸および 0.10 M アンモニアの混合溶液の pH を計算せよ．

4.9 ●必 須●

0.10 M $NaHCO_3$ 溶液の pH を計算せよ．

4.10 [推 奨]

pH 7.51（イオン強度 0.100 M）の緩衝溶液を調製したい．KH_2PO_4 および Na_2HPO_4 の濃度をそれぞれいくらにすればよいか．

4. 11 **必 須**

次の溶液の pH を計算せよ．濃度はすべて 1.0×10^{-2} M とする．

（1）C_6H_5COOH　（2）$(NH_4)_2SO_4$　（3）H_3BO_3　（4）H_2SO_4　（5）C_5H_5N

（6）HCOONa　（7）Na_2HPO_4　（8）$CH_3COOH+NH_3$　（9）$CH_3COOH+HF$

（10）HCl＋HF　（11）$CH_3COOH+CH_3CH_2COOH$（$\mathrm{p}K_a=4.89$）　（12）NH_4NO_2

（13）NaCl　（14）Na_2SO_4　（15）$CaCl_2$　（16）$AlCl_3$

（17）フタル酸水素カリウム　（18）NH_3+NaCN　（19）$NH_3+(NH_4)_2SO_4$

4. 12 [**推 奨**]

アミノ酸（両性電解質）であるグリシン（H_2N-CH_2-COOH；$\mathrm{p}K_{a_1}=2.35$，$\mathrm{p}K_{a_2}=9.78$）には3種の化学種が存在する．それぞれの構造およびそれらが主として存在する pH 領域を示せ．

4. 13 **必 須**

0.010 M NaOH 20 mL を 0.010 M HCl で滴定するとき，以下の各溶液における pH を計算し，滴定曲線を作成せよ．

（1）滴定開始前，（2）5 mL 滴下したとき，（3）10 mL 滴下したとき，

（4）15 mL 滴下したとき，（5）20 mL 滴下したとき，（6）25 mL 滴下したとき

4. 14 **必 須**

0.010 M NH_3 水溶液 100 mL を 0.10 M HCl 溶液で滴定するとき，以下の各溶液における pH を計算し，滴定曲線を作成せよ．また，終点決定の指示薬について考察せよ．

（1）滴定開始前，（2）1.0 mL 滴下したとき，（3）2.5 mL 滴下したとき，

（4）5.0 mL 滴下したとき，（5）7.5 mL 滴下したとき，（6）9.0 mL 滴下したとき，

（7）10.0 mL 滴下したとき，（8）11.0 mL 滴下したとき

4. 15 **必 須**

0.100 M の Na_2CO_3 溶液を 50 mL とり，0.100 M の HCl 溶液で滴定した．各溶液における pH を小数点以下の各溶液における pH を小数点第2位まで計算し，滴定曲線を作成せよ．また，第一当量点を知るための最適な指示薬をあげ，理由を記せ．ただし，H_2CO_3 の $\mathrm{p}K_{a_1}$ は 6.46 であり，$\mathrm{p}K_{a_2}$ は 10.25 とし，H_2CO_3 は CO_2 に変化しないものとする．

（1）滴定開始前，（2）25 mL 滴下したとき，（3）50 mL 滴下したとき（第一当量点），

（4）75 mL 滴下したとき，（5）100 mL 滴下したとき（第二当量点），

（6）125 mL 滴下したとき

課　題

4. 1　酸塩基滴定に用いられる一次標準物質にはどのようなものがあるか．またそれら一次標準物質を用いて標準液を調製する方法をまとめよ．これらの標準液を用いて酸または塩基の溶液（二次標準物質）を標定する方法についてもまとめよ．

4. 2　天然ソーダは Na_2CO_3 および $NaHCO_3$ の混合物である．酸塩基滴定により Na_2CO_3，$NaHCO_3$ の含有量を求める方法にワルダー法，ウインクラー法がある．これらの方法の原理を述べ，それぞれの特徴についてまとめよ．

4. 3　シュウ酸（$H_2C_2O_4$，$\mathrm{p}K_{a_1}=1.19$，$\mathrm{p}K_{a_2}=4.21$）の存在率 f と pH の関係のグラフをかけ．

第5章　錯体生成反応

金属イオンは水中では裸の状態で存在することはできず，共存する配位子と結合し，金属錯体となっている．特別な配位子が存在しない場合でも，水（H_2O）またはその成分（OH^-，O^{2-}）が配位子としてはたらき，金属イオンはこれらの錯体として存在している．

分析化学において錯体生成反応は，金属イオンの発色反応・呈色反応（定性分析，光吸収分析，蛍光分析などへの応用），錯体生成（キレート）滴定，沈殿分離，溶媒抽出分離，酸化還元反応，マスキング反応などに幅広く利用されている．また，生体内では触媒，物質輸送など重要なはたらきをする金属錯体も多い．

《本章で学ぶ重要事項》

（1）　錯体とキレート：単座配位子と多座配位子，金属の配位数
（2）　錯体の安定性：HSAB，キレート効果，結晶場安定化エネルギー
（3）　錯体の生成と反応機構および反応速度：D 機構，A 機構，I 機構，律速段階
（4）　逐次生成定数（K_1，K_2，$\cdots K_n$）と全生成定数（β_1，β_2，$\cdots\beta_n$）
（5）　副反応係数（α）と条件生成定数（K'）：定量的反応，マスキング
（6）　分析化学的応用：キレート滴定，金属イオンの呈色反応，吸光光度法，蛍光光度法，溶媒抽出分離，沈殿分離

5.1　錯体とキレート

ルイス（G. N. Lewis）の酸塩基説（第 4 章 4.1.3）によれば，酸とは非共有電子対を受け取るもの（electron-pair acceptor）であり，塩基とは非共有電子対を与えるもの（electron-pair donor）である．金属錯体生成も一種の酸－塩基反応であり，金属イオン M^{m+} が非共有電子対を受け取る酸，非共有電子対を与える塩基が配位子（ligand，L）であり，両者が結合して生成したものが錯体（complex）である（次式では電荷を省略している）．

$$\underset{\text{酸}}{M} + \underset{\substack{\text{塩基}\\(\text{配位子})}}{:L} \rightleftarrows \underset{\text{錯体}}{M{:}L}$$

$$(\text{例})\quad Cu^{2+} + NH_3 \rightleftarrows Cu(NH_3)^{2+}$$

配位子は分子あるいはイオンであり，配位結合（coordinate bond）により金属イオンと結合している．ルイスの酸塩基に基づく錯体は金属錯体に限ったことではないが，本章では金属錯体に限って説明する．

5.1.1　金属イオンの配位数と錯体の構造

金属イオンが受容しうる電子対の数は配位数（coordination number）といわれる（ここでいう配位数は結晶構造における配位数とは一般に異なった値となる）．金属イオンは特有の配位数を持ち，錯体は特定の幾何学的配置を示すが，これらは反応条件により変わりうる．表5.1には金属イオンの代表的配位数と錯体の構造を示している．この他にも特異な構造を示す錯体，例えば配位数8の十二面体 $[Mo(CN)_8]^{4-}$，配位数9の $[Nd(H_2O)_9]^{3+}$ などがある．

表5.1　金属の配位数と錯体の構造

配位数	立体配置(形状)*	形状の名称	主な実例
2		直線 (linear)	$[Ag(NH_3)_2]^+$,$[HgCl_2]$, $[Ag(CN)_2]^-$
3	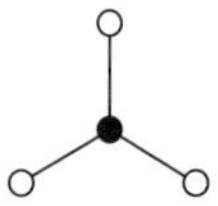	三角形 (triangular plane)	$[HgI_3]^-$
4	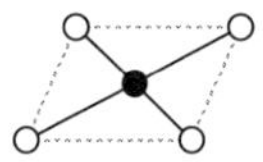	正方形 (square plane)	$[Ni(CN)_4]^{2-}$,$[Cu(en)_2]^{2+}$ $[Pt(NH_3)_4]^{2+}$,$[AuCl_4]^-$ (en：エチレンジアミン)
4	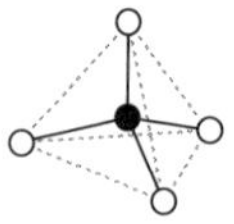	正四面体 (tetrahedron)	$[CoCl_4]^{2-}$ $[Cd(CN)_4]^{2-}$
5	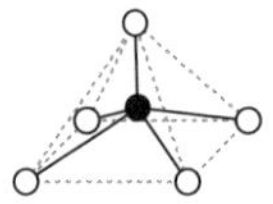	正方錐（四角錐） (square pyramid)	$[VO(H_2O)_4]^{2+}$ $[SbF_5]^{2-}$ $[InCl_5]^{2-}$
5	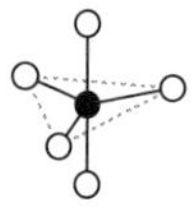	三方両錐（三角両錐） (trigonal bipyramid)	$[CuCl_5]^-$,$[Pt(SnCl_3)_5]^{3-}$ $[CuI(bpy)_2]^+$ (bpy：2,2′-ビピリジン)
6	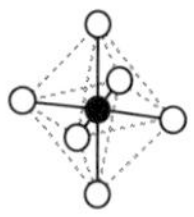	正八面体 (octahedron)	$[Co(NH_3)_6]^{3+}$, $[Zn(en)_3]^{2+}$ $[Cr(H_2O)_6]^{3+}$,$[Fe(bpy)_3]^{3+}$ $[Fe(CN)_6]^{4-}$,$[Ti(H_2O)_6]^{3+}$ $[PtCl_6]^{2-}$
7	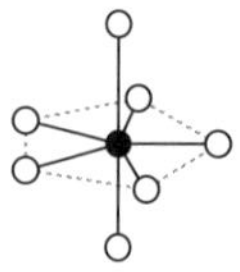	五方両錐 (pentagonal bipyramid)	$[V(CN)_7]^{4-}$ $[UF_7]^{3-}$ $[VO_2F_5]^{4-}$
8	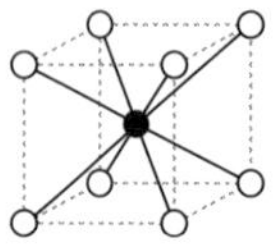	立方体 (cube)	$[UF_8]^{3-}$ $[NpF_8]^{3-}$

＊　●は中心金属イオンを表し，○は配位子を表す．
（木村優著，「溶液内の錯体化学入門」（共立出版）中の表に追加，削除）

5.1.2　金属錯体とキレート

配位子から金属イオンに供与できる電子対の数（配位できる原子数）を配位座数という．配位子の配位座数により，配位子は表5.2のように分類できる．これらのうち，二座以上の配位子を多座（multidentate）配位子という．多座配位子はキレート試薬（chelating reagent）ともいい，生成した金属錯体をキレート（chelate）[*1]という．

表5.2　配位子の分類

配位子の種類	配位子の実例
単座（一座）配位子（monodentate ligand）	NH_3，OH_2，OH^-，Cl^-など．
二座配位子（bidentate ligand）	エチレンジアミン，ジメチルグリオキシム，1,10-フェナントロリン，サリチル酸など．
三座配位子（tridentate ligand）	ジエチレントリアミン（$(H_2N\text{-}CH_2CH_2)_2NH$，イミノ二酢酸 $NH(CH_2COOH)_2$ など．
四座配位子（quadridentate ligand）	ニトリロ三酢酸 $N(CH_2COOH)_3$ トリエチレンテトラアミン $H_2N(CH_2)_2NH(CH_2)_2NH(CH_2)_2NH_2$ など．
五座配位子（quinquedentate ligand）	テトラエチレンペンタアミン $(H_2NCH_2CH_2NHCH_2CH_2)_2NH$ など．
六座配位子（sexidentate ligand）	エチレンジアミン四酢酸（EDTA）など．
その他	七座配位子など． 大環状配位子（クラウンエーテル，クリプタンドなど）． 18-クラウン-6　クリプタンド[2,2,2]

5.2　金属錯体の安定性

金属錯体の安定性については，定性的にはルイス酸塩基の概念，HSABの概念から説明できる．この他にキレート環生成による安定性，配位子場理論から安定性が説明できる．

5.2.1　硬い酸塩基，軟らかい酸塩基の反応：HSABの概念

アルミニウム（Ⅲ）イオン，鉄（Ⅲ）イオンはフッ化物イオン（F^-）と安定な錯体を生成するが，ヨウ化物イオン（I^-）とはほとんど錯体を生成しない．逆に銀（I），水銀（Ⅱ）イオンはI^-ときわめて安定な錯体を生成するが，F^-とは安定な錯体を生成しない．

*1　chelateとはギリシャ語のカニのハサミ（χηλή, chela）からつくられた語で，モーガン（G. T. Morgan）が1920年に初めて使用した．

このような金属と配位子間の錯体生成のしやすさを厳密に説明することは簡単ではないが，ピアソン（R. G. Pearson）は錯体の安定性を定性的に説明できる概念を1963年に提案した．

F，O，Nのような配位原子は，比較的電気陰性度が大きいことからわかるように，電子を強く結びつけており，酸化されにくく（電子を放出しにくい）また分極性が小さい．このような塩基を“硬い塩基（hard base）”という．逆にI，S，Pのような配位原子は電気陰性度が小さく，電子は弱く結びついており，酸化されやすく，分極性が大きい．このような塩基を“軟らかい塩基（soft base）”という．酸についても，“硬い酸（hard acid）”（電荷が大きく，イオン半径の小さいもの）と“軟らかい酸（soft acid）”（電荷が小さく，イオン半径の大きいもの）を考え，“硬い酸と硬い塩基”あるいは“軟らかい酸と軟らかい塩基”が結合しやすいとした．このような考えをHSAB（Hard and Soft Acids and Basesの略）の概念という．表5.3にHSAB概念の酸，塩基の分類を示す．

表5.3　HSABにおける酸の分類

硬い酸	H^+, Li^+, Na^+, K^+, Be^{2+}, Mg^{2+}, Ca^{2+}, Sr^{2+}, Mn^{2+}, Al^{3+}, Sc^{3+}, Ga^{3+}, In^{3+}, La^{3+}, N(Ⅲ), Cl(Ⅲ), Gd^{3+}, Lu^{3+}, Cr^{3+}, Co^{3+}, Fe^{3+}, As(Ⅲ), CH_3Sn^{3+}, Si(Ⅳ), Ti(Ⅳ), Zr^{4+}, Th^{4+}, U^{4+}, Pu^{4+}, Ce^{3+}, Hf^{4+}, WO^{4+}, Sn^{4+}, UO_2^{2+}, $(CH_3)_2Sn^{2+}$, VO^{2+}, MoO^{3+}, $BeMe_2$, BF_3, $B(OR)_3$, $Al(CH_3)_3$, $AlCl_3$, AlH_3, RPO_2^+, $ROPO_2^+$, RSO_2^+, $ROSO_2^+$, SO_3, I(Ⅶ), I(Ⅴ), Cl(Ⅶ), Cr(Ⅵ), RCO^+, CO_2, NC^+, HX(水素結合分子)
軟らかい酸	Cu^+, Ag^+, Au^+, Tl^+, Hg^+, Pd^{2+}, Cd^{2+}, Pt^{2+}, Hg^{2+}, CH_3Hg^+, $Co(CN)_5^{2-}$, Pt^{4+}, Te(Ⅳ), Tl^{3+}, $Tl(CH_3)_3$, BH_3, $Ga(CH_3)_3$, $GaCl_3$, GaI_3, $InCl_3$, RS^+, RSe^+, RTe^+, I^+, Br^+, HO^+, RO^+, I_2, Br_2, ICN, トリニトロベンゼン，クロラニル，キノン，テトラシアノエチレン，O, Cl, Br, I, N, RO^*, RO_2^*, M^0(金属原子)，カルベン
中間に属する酸	Fe^{2+}, Co^{2+}, Ni^{2+}, Cu^{2+}, Zn^{2+}, Pb^{2+}, Sn^{2+}, Sb^{3+}, Bi^{3+}, Rh^{3+}, Ir^{3+}, $B(CH_3)_3$, SO_2, NO^+, Ru^{2+}, Os^{2+}, R_3C^+, $C_6H_5^+$, GaH_3

HSABにおける塩基の分類

硬い塩基	H_2O, OH^-, F^-, CH_3COO^-, PO_4^{3-}, SO_4^{2-}, Cl^-, CO_3^{2-}, ClO_4^-, NO_3^-, ROH, RO^-, R_2O, NH_3, RNH_2, N_2H_4
軟らかい塩基	R_2S, RSH, RS^-, I^-, SCN^-, S^{2-}, $S_2O_3^{2-}$, R_3P, R_3As, $(RO)_3P$, CN^-, RNC, CO, C_2H_4, C_6H_6, H^-, R^-
中間に属する塩基	$C_6H_5NH_2$, C_5H_5N, N_3^-, Br^-, NO_2^-, SO_3^{2-}, N_2

注）Rはアルキル基あるいはアリール基を示す．
（日本分析化学会編「錯形成反応」（丸善）より引用）

HSABの概念に従えば，表5.3の分類からわかるように，冒頭のAl^{3+}あるいはFe^{3+}はF^-，Ag^+あるいはHg^{2+}はI^-と結合しやすいことが理解できる．

例題 5.1

Ca^{2+}, Fe^{3+}, Al^{3+}, Ag^{+}, Hg^{2+}, Cd^{2+}, Cu^{2+} のうち，リン酸イオン（PO_4^{3-}），硫化物イオン（S^{2-}）はそれぞれどの金属イオンとよく反応するか．HSAB の概念から考察しなさい．

解　答

PO_4^{3-} は硬い塩基であるため，硬い酸である Ca^{2+}, Al^{3+}, Fe^{3+} と反応し，イオン会合性の化合物を生成し，電荷が中和されると沈殿しやすい．S^{2-} は軟らかい塩基であるため，軟らかい酸である Ag^{+}, Hg^{2+}, Cd^{2+}, Cu^{2+} と強酸性領域でも反応し，電荷が中和されると沈殿しやすい（Cd^{2+} は黄色の沈殿，他は褐色，黒褐色沈殿）．Fe^{2+} は S^{2-} と弱酸性領域で反応し，黒色沈殿を生成する．

5.2.2　キレート環生成と安定性

キレート試薬は金属イオンに配位できる複数個の配位原子（O，N，S，P 原子など）を持つ配位子で，金属に配位することにより，金属を含む環（キレート環）が形成される．最も小さい環は三員環であるが，原子価角に大きなひずみが生じるため，三員環キレートの存在は確認されていない．四員環を持つキレートとしては原子半径の大きい原子，例えば S を含むキレート試薬の R−C(=S) SH(R = C_2H_5O，エチルキサントゲン酸；R = $(C_2H_5)_2N$，ジエチルジチオカルバミン酸）などが四員環を形成するといわれている（図 5.1 の（a））．

一般的には，最も安定なキレート環は五員環で，六員環が次に安定であり，七員環以上の安定なキレートはわずかしか知られていない．図 5.1 の（c）は Ni-dmg(dmg：ジメチルグリオキシム）キレートを示す．$Ni(Hdmg)_2$ キレートには水素結合を含む六員環も存在し，安定化に寄与している．キレート試薬の中で最も安定なキレートを生成する一群の代表である EDTA（六座配位子）が金属（M）に配位すると，図 5.1 の（d）に示すように，5 個のキレート環が形成される．このようなキレート環が多いキレートほど，一般に安定な錯体となる．

(a)

（四員環を持つキレート）

(b)

$[Cu(en)_2]^{2+}$（五員環を持つキレート）
en：エチレンジアミン

(c)

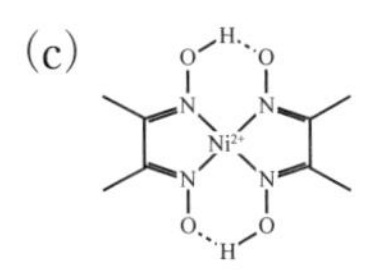

$Ni(H\ dmg)_2$（五員環と六員環を持つキレート）
$H_2\ dmg$：ジメチルグリオキシム

(d)

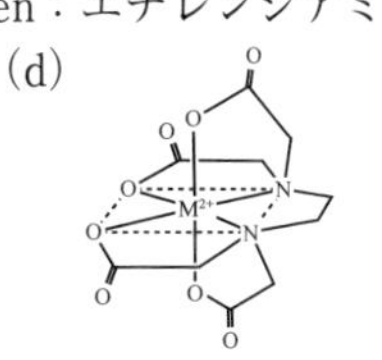

（5 個の五員環を持つ M^{2+} キレート）
H_4Y：EDTA

図 5.1　キレートおよびキレート環の例

例題 5. 2

EDTAは6つのドナー原子（配位原子）を有しているが，Pt^{2+}との錯体は平面四角形構造を，またFe^{3+}との錯体は八面体構造をとることが知られている．その配位構造を図示せよ．

解　答

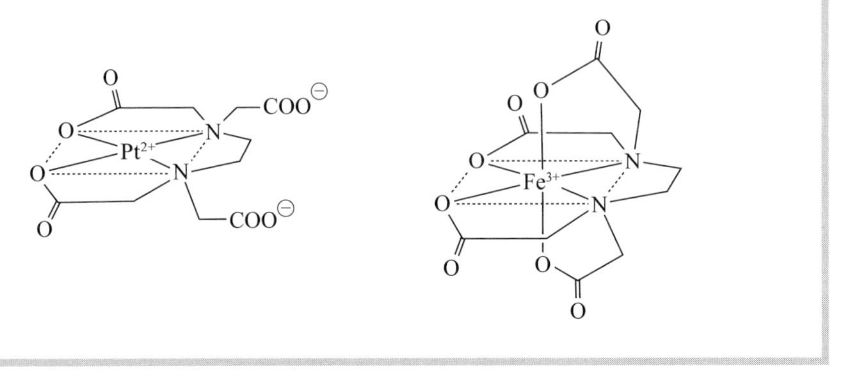

錯体の安定性は生成定数（後述）の大きさから知ることができる．表5. 4には，窒素を配位原子とするアンモニア（単座），エチレンジアミン（二座），トリエチレンテトラアミン（四座）配位子の亜鉛，銅錯体の全生成定数（β_n）の対数値を示している．

表5. 4　単座配位子と多座配位子の錯体の安定性の比較

Zn^{2+}			Cu^{2+}		
NH_3	en*	trien*	NH_3	en	trien
log β_1 2.2			log β_1 4.1		
log β_2 4.5	log β_1 5.9		log β_2 7.3	log β_1 10.7	
log β_3 6.8			log β_3 10.5		
log β_4 8.8	log β_2 10.9	log β_1 11.8	log β_4 12.6	log β_2 20.0	log β_1 20.5

β_n:全生成定数, $\beta_n = [MX_n]/[M][X]^n$(M:金属イオン:X:配位子).
＊en:エチレンジアミン　NH_2-CH_2-CH_2-NH_2(二座配位子)
trien:トリエチレンテトラアミン　H_2N-$(CH_2)_2$-NH-$(CH_2)_2$-NH-$(CH_2)_2$-NH_2（四座配位子）

表5. 4の実例からも，単座配位子のNH_3よりも多座配位子の方がより安定な錯体を生成することがわかる．この安定性の差すなわち生成定数の差は，おもに錯体生成反応のエントロピーの差によるものであり，これをエントロピー効果あるいはキレート効果という．このエントロピー効果は，単座配位子Xと多座配位子，例えば二座配位子（X-X）の錯体生成反応から定性的に説明できる．

$$M(H_2O)_p + pX \rightleftarrows MX_p + pH_2O \tag{5.1}$$

$$M(H_2O)_p + \frac{1}{2}p(X-X) \rightleftarrows M\left(\begin{smallmatrix} X \\ X \end{smallmatrix}\right)_{\frac{1}{2}p} + pH_2O \tag{5.2}$$

反応（5.1），（5.2）において，配位子の溶媒和などは単純に同じものとして考えれば，単座配位子では p 個の H_2O と p 個の X が置き換わっただけで，左辺と右辺の分子数は同じである．一方，二座配位子では，反応が右へ進むにつれて（$p/2$）個の分子数の増加すなわち，エントロピーの増加となる．したがって，エントロピー効果は，またキレート環生成によるものと考えることができる．

金属イオン M と配位子 L とが反応し，金属錯体 ML を生成する反応（電荷と溶媒和水分子は省略）は，次式（5.3）で示される．ここで，生成定数 $K_{M,L}$ は安定度定数といわれる．

$$M + L \rightleftarrows ML \tag{5.3}$$

$$K_{M,L} = \frac{[ML]}{[M][L]}$$

式（5.3）の反応は，ルイスの酸塩基反応の1つと考えることができる．したがって，配位子の塩基性が増せば，錯体の安定性も増すことになる．配位子の酸解離定数（pK_a）は塩基性の尺度の1つであり，事実一連の配位子（例えば8-キノリノール類）について，pK_a と錯体の安定度定数 $\log K_{M,L}$ との間には右肩上がりの直線関係が見いだされている．

金属イオンと配位子の結合性はイオン結合性と共有結合性に大別される．イオン結合性の寄与が大きいと考えられる場合には，静電的な仕事を考えれば，電荷が大きく結合距離の小さいものほど錯体は安定になる．このような例は希ガス構造を有する典型元素の金属のイオンとフッ化物イオンや水酸化物イオン，カルボン酸イオンのような酸素を配位子とする場合である（硬い酸－硬い塩基の反応：HSAB の概念）．次に示すように，イオン半径の小さいものほど，安定な錯体を生成する．

Mg^{2+}（イオン半径 r = 66 pm）＞ Ca^{2+}(99) ＞ Sr^{2+}(112) ＞ Ba^{2+}(134)

Al^{3+}(51) ＞ Sc^{3+}(81) ＞ Y^{3+}(92) ＞ La^{3+}(114)

遷移金属イオンの場合の錯体の安定性について考えてみよう．二価の第一遷移金属イオンでは，配位子の特性によらず，一般に表5.5のような錯体の安定性の関係が成り立つことが知られている．

表5.5　遷移金属錯体の安定性

錯体の安定性の順	Mn^{2+}	＜ Fe^{2+}	＜ Co^{2+}	＜ Ni^{2+}	＜ Cu^{2+}	＞ Zn^{2+}
イオン半径(pm)*	97	77	72	69	71	74
3d 電子の数	5	6	7	8	9	10
CFSE(Dq)**	0	4	8	12	6	0

*　二価金属イオンの結晶イオン半径（pm = 10^{-12} m）

**　CFSE：Crystal Field Stabilization Energy（結晶場安定化エネルギー）

表5. 5の錯体の安定性の順はアーヴィング－ウィリアムズ（Irving - Williams）の系列といわれている．この系列が成立する理由は，結晶場安定化エネルギー（CFSE）から説明できる．金属イオンが正八面体構造の錯体を生成すると，中心金属イオンのd軌道は，図5. 2に示すようにエネルギー準位の低いt_{2g}と高いe_g軌道に分裂する．例えば，3d電子1個を持つTi^{3+}のアクア錯体［$Ti(H_2O)_6$］$^{3+}$ではd電子はt_{2g}軌道に存在し，$4Dq$に相当するCFSEを得ていることになる．このアクア錯体に光を照射すると，$10Dq$に相当する光エネルギーを吸収して電子はe_g軌道に励起される．

このとき吸収される波長の光の余色がアクア錯体の色であり，$Ti(H_2O)_6{}^{3+}$では400～600 nmの光を吸収し，紫色となる．エネルギー準位の低いt_{2g}軌道（d_{xy}，d_{yz}，d_{zx}）からe_g軌道（d_{z^2}，$d_{x^2-y^2}$）へd電子を1個ずつ満たしていく場合のCFSEを計算すると，Mn^{2+}では，t_{2g}，e_g軌道全てに1個ずつ入っているため，$0Dq(= -4Dq \times 3 + 6Dq \times 2)$となる．同様にCFSEを計算すると，Irving-Williamsの系列はCu^{2+}を除いてCFSE安定化エネルギーの順とよく一致していることがわかる．Cu^{2+}錯体がCFSEからの予想よりも安定な錯体を形成する理由としては，ひずんだ八面体構造*2をとるために，分裂の仕方が他の金属イオンと異なるものと考えられる．事実，銅（Ⅱ）錯体は[$Cu(NH_3)_4$]$^{2+}$のように四配位の平面正方形構造となるものが多い．

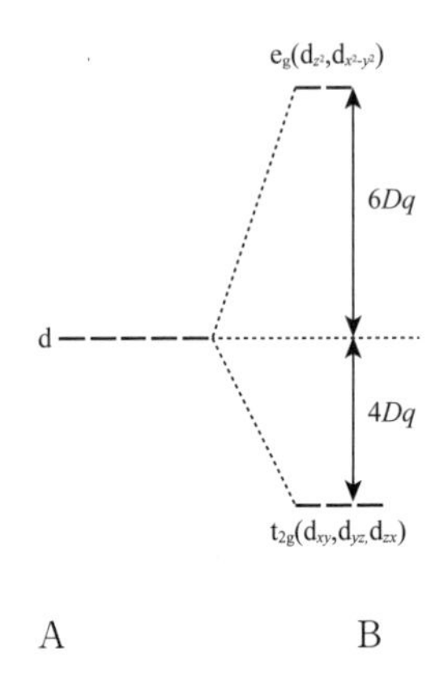

図5. 2　正八面体型六配位錯体における中心金属イオンのd軌道のエネルギー準位の分裂

A：配位子が存在しない場合―5個のd軌道のエネルギーは全て等しい．

B：錯体をつくった場合―三重に縮重したt_{2g}と二重に縮重したe_g準位に分裂する．これらの準位間のエネルギー差は$10Dq$となる．

5. 3　錯体生成反応の機構と速度

水溶液中では，金属イオンM^{m+}は水が配位したアクア錯体（水和イオン）として存在している．したがって，錯体生成反応はアクア錯体の水分子と第二の配位子との置換反応ということになる．例えば，6配位八面体型金属イオンと配位子L^{n-}との反応は次のように表される．

---

*2　x，y平面の四配位の結合に比べ，z方向の結合が伸びている．これをヤーン－テラー（Jahn-Teller）のひずみという

$$\mathrm{M(H_2O)_6}^{m+} + \mathrm{L}^{n-} \underset{k_r}{\overset{k_f}{\rightleftarrows}} \mathrm{ML(H_2O)}_{6-p}^{m-n} + p\mathrm{H_2O} \tag{5.4}$$

ここで k_f, k_r は生成（右向き）反応とその逆（左向き）反応の速度定数を示す，

生成および逆反応の速度を v_f と v_r とすると，

$$v_f = k_f[\mathrm{M(H_2O)_6}^{m+}][\mathrm{L}^{n-}]$$
$$v_r = k_r[\mathrm{ML(H_2O)}_{6-p}^{m-n}] \tag{5.5}$$

となる．平衡状態では $v_f = v_r$ であり，反応（5.3）の平衡定数と速度定数 $K_{\mathrm{M,L}}^{\mathrm{ML}}$ は次の関係にある．

$$K_{\mathrm{M,L}}^{\mathrm{ML}} = \frac{[\mathrm{ML(H_2O)}_{6-p}^{m-n}]}{[\mathrm{M(H_2O)_6}^{m+}][\mathrm{L}^{n-}]} \tag{5.6}$$

また，水以外の配位子からなる錯体が他の配位子と置換する反応，例えば次のような6配位錯体 $\mathrm{MA_5X}$ と Y との置換反応も見られる．

$$\mathrm{MA_5X} + \mathrm{Y} \underset{k_r}{\overset{k_f}{\rightleftarrows}} \mathrm{MA_5Y} + \mathrm{X} \tag{5.7}$$

分析化学では，キレート滴定の終点検出反応のように，式（5.7）で示されるような配位子置換反応（X：指示薬，Y：滴定剤）もしばしば利用され，分析操作の点から置換反応速度が重要な意味を持つことも多い．

5.3.1 配位子置換反応の機構

配位子置換反応は，一般に大きく分けて3種の機構により進行するといわれている．以下，6配位錯体を例に配位子置換反応の機構を説明する．

1）解離機構（D機構，dissociative mechanism）

錯体から配位子が脱離し，配位数が減少した中間段階の錯体を生成し，これに別の配位子が結合するという二段階反応で進行する（おのおのの段階の反応を素反応という）．例えば，式（5.7）の反応は次のように［Ⅰ］と［Ⅱ］の素反応で進行し，［Ⅰ］のXが解離する素反応が律速段階（rate-determining step）[*3] となる．

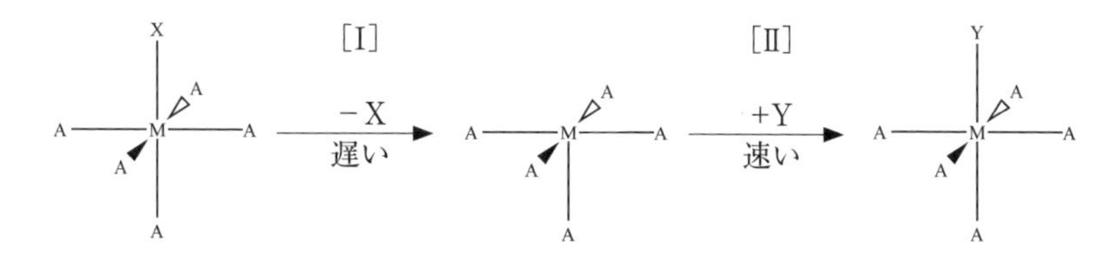

*3 ある反応がいくつもの素反応からなるとき，ある素反応の速度が，他の全ての素反応の速度よりも格段に遅く，この遅い素反応の速度によって全体の反応速度が決まるような場合，この素反応を律速段階という．

2）会合機構（A 機構，associative mechanism）

錯体に別の配位子が付加し，配位数が増加した中間体を生成し，次に置換される基の結合が切断されるという二段階反応である．例えば，式（5. 7）の反応は次のように進行し，[I]の Y が結合する素反応が律速段階となる．

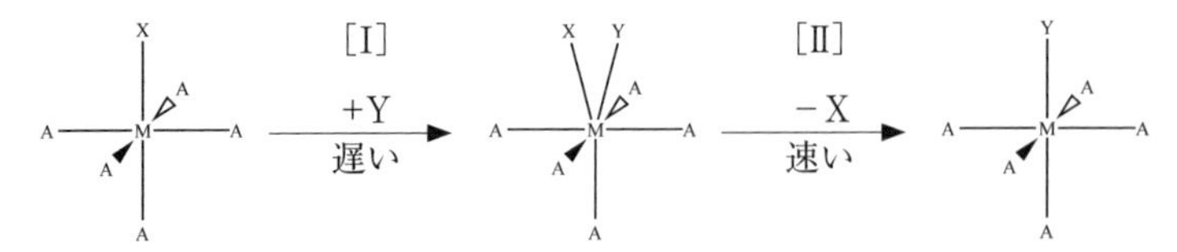

3）交替機構（I 機構，interchange mechanism）

D 機構と A 機構の中間的なものであり，結合切断と結合生成が同時に起こる．I 機構も，金属—配位子結合の切断のしやすさが反応速度に大きく影響する場合と，新しい金属—配位子結合生成のしやすさが大きく影響する場合に分けられる．前者を解離的交替機構（I_d 機構，dissociative interchange mechanism），後者を会合的交替機構（I_a 機構，associative interchange mechanism）という．

5. 3. 2　金属錯体生成反応の機構と速度

水和金属イオン（アクア錯体）から錯体が生成する反応は大部分 I_d 機構によって進行するといわれている[*4]．いま，6 配位金属イオン M^{m+} と配位子 L^{n-} との反応を考えてみる．

$$M(H_2O)_6{}^{m+} + L^{n-} \overset{K_{os}}{\rightleftarrows} M(H_2O)_6{}^{m+}\cdots L^{n-}; K_{os} = \frac{[M(H_2O)_6{}^{m+}\cdots L^{n-}]}{[M(H_2O)_6{}^{m+}][L^{n-}]} \qquad (5.8)$$

$$M(H_2O)_6{}^{m+}\cdots L^{n-} \underset{k_{ML}^{-L}}{\overset{k_{M\cdots L}^{L}}{\rightleftarrows}} ML(H_2O)_{6-p}^{m-n} + pH_2O \qquad (5.9)$$

式 (5. 8) の反応は，$M(H_2O)_6{}^{m+}$ と L^{n-} が水分子を介してクーロン力により外圏錯体（あるいはイオン対ともいう）を生成する反応で，きわめて速い反応である．また，式 (5. 9) の反応は，L^{n-} が金属イオンに配位している水分子と置き換わり，直接結合した内圏錯体を生成する反応である．この反応は I_d 機構で進行し，金属 — OH_2 の結合切断のしやすさが反応速度を決定する．このことは，速度定数 $k_{M\cdots L}^{L}$ は，配位子 L^{n-} の種類によらず，金属イオンに特徴的であることを意味している．したがって，内圏錯体 ML の生成速度は水分子の解離速度定数 $k_{M}^{-H_2O}$ に支配されることになる．事実，一般に式（5. 9）の速度定数 $k_{M\cdots L}^{L}$，すなわち配位水分子と L の交換速度定数は，式（5. 10）で示される水分子の交換速度定数 $k_{H_2O}^{H_2O^*}$ とほぼ等しいことが知られている[*5]．これらの事実から，錯体生成反応の律速段階は水分子が解離する段階であることがわかる．

$$M(H_2O)_6{}^{m+} + H_2O^* \underset{k_{H_2O}^{-H_2O^*}}{\overset{k_{H_2O}^{H_2O^*}}{\rightleftarrows}} M(H_2O)_5(H_2O^*)^{m+} + H_2O \qquad (5.10)$$

*4　M. Eigen らにより 1962 年に明らかにされたもので，Eigen 機構という．

*5　H_2O^* の＊印は，配位している水分子と置き換わる水分子を区別している．

すなわち，式（5.9）の反応は式（5.8）の反応にくらべ非常に遅く，この段階が全体の反応速度（v_f）を決めることになり，近似的に次式の関係が成り立つ．

$$v_f = k^{L}_{M\cdots L}[M(H_2O)_6{}^{m+}\cdots L^{n-}]$$
$$= k^{L}_{M\cdots L}\cdot K_{os}[M(H_2O)_6{}^{m+}][L^{n-}] \qquad (5.11)$$

式（5.11）と式（5.5）の関係から，式（5.4）の k_f は次のように表すことができる．

$$k_f = K_{os}\cdot k^{L}_{M\cdots L} \approx K_{os}\cdot k_M^{-H_2O} \approx k_{H_2O}^{H_2O^*} \qquad (5.12)$$

K_{OS} はおもに水和金属イオンおよびLの大きさ（最近接距離）と電荷により支配される．式（5.12）より，水溶液中での錯体生成反応の速度は，配位水分子の解離速度定数あるいは交換速度定数から予測できることがわかる．図5.3に水和金属イオンの水分子交換速度定数（$\log k_{H_2O}^{H_2O^*}/s^{-1}$）を示す．錯体生成反応を利用する分析法においては，3価の金属イオン，特に Cr^{3+}，Al^{3+}，Fe^{3+} などの反応速度は一般に遅いことを十分考慮しなければならない．なかでも水溶液中の Cr^{3+}（水和金属イオン）の錯体生成反応はきわめて遅く，通常の条件下ではEDTAとキレートを生成しない．

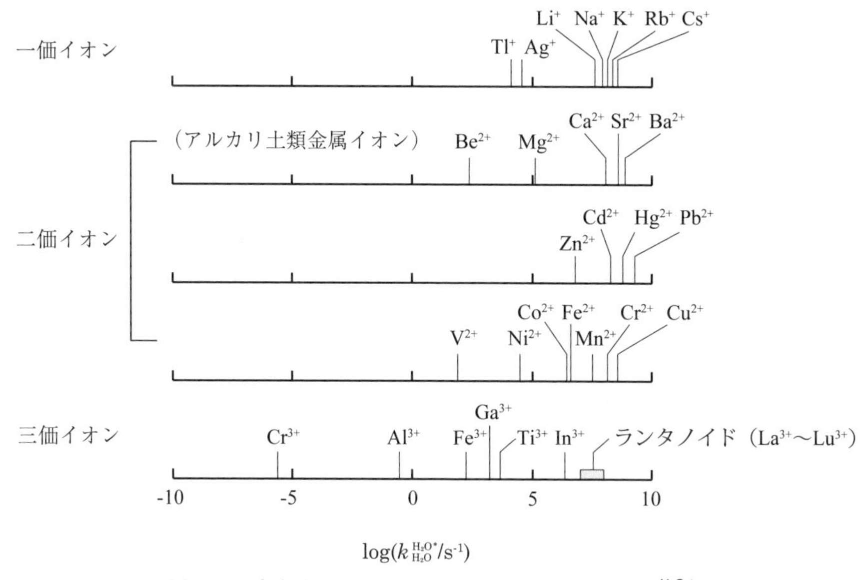

図5.3　水和金属イオンの水分子交換速度定数（$k_{H_2O}^{H_2O^*}$）

5.4　錯体生成反応の平衡論

ここでは，室温（20℃）付近において，水溶液中の錯体生成反応（水と新しい配位子の置換反応）が十分に速い場合について，平衡論的な考察をする．

5.4.1　水溶液における錯体生成反応

水溶液中で金属イオン M(電荷と配位水分子は省略) と配位子 L(電荷と溶媒水分子は省略) が反応して，錯体 ML が生成する場合を考える．この反応および生成定数 $K_{\mathrm{M,L}}^{\mathrm{ML}}$ は次式のように表すことができる*6．

$$\mathrm{M + L \rightleftarrows ML} \tag{5.13}$$

$$K_{\mathrm{M,L}}^{\mathrm{ML}} = \frac{[\mathrm{ML}]}{[\mathrm{M}][\mathrm{L}]} \tag{5.14}$$

例えば，Fe^{3+} とチオシアン酸イオン SCN^- は酸性溶液中で次式のように反応し*7，赤色の錯体を生成する．

$$\mathrm{Fe^{3+} + SCN^- \rightleftarrows Fe(SCN)^{2+}} \tag{5.15}$$

$$K_{\mathrm{Fe,SCN}}^{\mathrm{FeSCN}} = \frac{[\mathrm{Fe(SCN)^{2+}}]}{[\mathrm{Fe^{3+}}][\mathrm{SCN^-}]} \tag{5.16}$$

例題 5.3　次の問に答えなさい．

（1）総濃度（C）が 1.0×10^{-3} M Fe^{3+} と 1.0×10^{-1} M SCN^- を含む酸性溶液中に存在する主要な化学種の濃度を計算しなさい．錯体は $FeSCN^{2+}$ のみとする．

（2）この溶液を 10 倍に希釈した場合についても計算しなさい．

ただし，$K_{\mathrm{Fe,SCN}}^{\mathrm{FeSCN}} = 10^{2.0}$ とする．なお，ここでは濃度の有効数字は考慮しないこととする．

解　答

$K = [\mathrm{FeSCN^{2+}}]/[\mathrm{Fe^{3+}}][\mathrm{SCN^-}] = 10^{2.0}$

（1）平衡状態で$[\mathrm{FeSCN^{2+}}] = x$ M とする．

$K = x/(1.0 \times 10^{-3} - x)(1.0 \times 10^{-1} - x) = 10^{2.0}$

$x = [\mathrm{FeSCN^{2+}}] = 9.10 \times 10^{-4}$ M,

$[\mathrm{Fe^{3+}}] = 0.90 \times 10^{-4}$ M, $[\mathrm{SCN^-}] = 0.0991$ M

（2）10 倍希釈溶液（1）と同様に計算する．

$[\mathrm{FeSCN^{2+}}] = 4.99 \times 10^{-5}$ M;

$[\mathrm{Fe^{3+}}] = 5.01 \times 10^{-5}$ M;

$[\mathrm{SCN^-}] = 9.95 \times 10^{-3}$ M

溶液を希釈すると，$[\mathrm{FeSCN^{2+}}]$の生成割合は 98 %から 50 %となり，反応率は悪くなる．

簡略算

SCN^- が大過剰にあるので，$[\mathrm{SCN^-}] \approx 0.1$ M とする．

$K = x/0.1(1.0 \times 10^{-3} - x) = 10^{2.0}$

$[\mathrm{FeSCN^{2+}}] = 9.09 \times 10^{-4}$ M; したがって，

$[\mathrm{SCN^-}] = 0.1 - 9.09 \times 10^{-4} = 9.91 \times 10^{-2}$ M

以上の結果から，簡略算でも十分である．

ただし，反応後残っている量がきわめて少量と考えられるときには，残っている濃度を未知数として解かなければ解は得られない場合がある．

ここでは，残っている$[\mathrm{Fe^{3+}}] = y$ M とする．

$K = (10^{-3} - y)/(0.1 - 10^{-3} + y)y = 10^{2.0}$

$y = 0.91 \times 10^{-4}$ M;

$[\mathrm{FeSCN^{2+}}] = 9.09 \times 10^{-4}$ M;

$[\mathrm{Fe^{3+}}] = 0.91 \times 10^{-4}$ M; $[\mathrm{SCN^-}] = 0.0991$ M

---

*6　錯体生成定数 K の下付きに反応種を書き，上付きに生成種を書くこととする．混乱しない場合には，簡単のため下付き，上付きあるいは両方とも省略してもよい．

*7　チオシアン酸（HSCN）は強酸であり，水中では解離イオン SCN^- として存在する．

5.4.2 逐次生成定数と全生成定数

金属イオン M^{m+} と n 個の配位子 L^{n-} が反応し，錯体を生成するとする．簡単にするために，電荷を省略して次式（5.17）のように表す．

$$M + nL \rightleftarrows ML_n \tag{5.17}$$

反応（5.17）に対応する全生成定数（over-all formation constant）β_n は，式（5.18）のように表すことができる．

$$\beta_{M,nL}^{ML_n} = \beta_n = \frac{[ML_n]}{[M][L]^n} \tag{5.18}$$

一般に，錯体生成は逐次的に反応する．それぞれの段階に相当する生成定数は，逐次生成定数（stepwise formation constant）K_n と呼ばれ，次のように表すことができる．

$$M + L \rightleftarrows ML \quad K_{M,L}^{ML} = K_1 = \frac{[ML]}{[M][L]} \tag{5.19}$$

$$ML + L \rightleftarrows ML_2 \quad K_{ML,L}^{ML_2} = K_2 = \frac{[ML_2]}{[ML][L]} \tag{5.20}$$

$$\vdots$$

$$ML_{n-1} + L \rightleftarrows ML_n \quad K_{ML_{n-1},L}^{ML_n} = K_n = \frac{[ML_n]}{[ML_{n-1}][L]} \tag{5.21}$$

したがって，全生成定数と逐次生成定数の関係は次式のように表される．

$$K_1 \cdot K_2 \cdot K_3 \cdots K_n = \beta_n \tag{5.22}$$

銅（II）イオンはアンモニアと反応し，アンモニアの配位分子数が異なるアンミン銅錯体 $[Cu(NH_3)_n]^{2+}$ を段階的に生成する*8．

$$Cu^{2+} + NH_3 \rightleftarrows Cu(NH_3)^{2+} \quad K_1 = \frac{[Cu(NH_3)^{2+}]}{[Cu^{2+}][NH_3]} = 10^{4.13} \tag{5.23}$$

$$Cu(NH_3)^{2+} + NH_3 \rightleftarrows Cu(NH_3)_2^{2+} \quad K_2 = \frac{[Cu(NH_3)_2^{2+}]}{[Cu(NH_3)^{2+}][NH_3]} = 10^{3.48} \tag{5.24}$$

$$Cu(NH_3)_2^{2+} + NH_3 \rightleftarrows Cu(NH_3)_3^{2+} \quad K_3 = \frac{[Cu(NH_3)_3^{2+}]}{[Cu(NH_3)_2^{2+}][NH_3]} = 10^{2.87} \tag{5.25}$$

$$Cu(NH_3)_3^{2+} + NH_3 \rightleftarrows Cu(NH_3)_4^{2+} \quad K_4 = \frac{[Cu(NH_3)_4^{2+}]}{[Cu(NH_3)_3^{2+}][NH_3]} = 10^{2.11} \tag{5.26}$$

式（5.23）～（5.26）に対応する平衡定数 K_1 ～ K_4 の逐次生成定数に対して，全生成定数 β_n の関係は式（5.27）で表される．

$$Cu^{2+} + nNH_3 \rightleftarrows Cu(NH_3)_n^{2+} \quad \beta_n = \frac{[Cu(NH_3)_n^{2+}]}{[Cu^{2+}][NH_3]^n} \tag{5.27}$$

---

*8 この場合の[ ]は錯体を表すが，濃度との混乱を避けるため，以下では錯体の[ ]を省略する．

例えば，$Cu(NH_3)_2{}^{2+}$ の全生成定数は次式のように表され，その値は逐次生成定数値を用いて計算できる．

$$Cu^{2+} + 2NH_3 \rightleftarrows Cu(NH_3)_2{}^{2+} \quad \beta_2 = \frac{[Cu(NH_3)_2{}^{2+}]}{[Cu^{2+}][NH_3]^2} = K_1 \cdot K_2 = 10^{7.61} \tag{5.28}$$

式（5.23）～（5.26）の平衡定数値からわかるように，一般に，錯体の逐次生成定数の大きさの順序は

$$K_1 > K_2 > K_3 \cdots > K_n$$

となる*9．

5.4.3　錯体の存在率（f）と配位子濃度の関係

銅イオンとアンモニアの錯体生成反応を例にして考えてみる．銅イオンの総濃度 C_{Cu} は生成定数を用いて次のように表すことができる．

$$\begin{aligned} C_{Cu} &= \sum_{m=0}^{m=n} [Cu(NH_3)_m{}^{2+}] \\ &= [Cu^{2+}] + [Cu(NH_3)^{2+}] + [Cu(NH_3)_2{}^{2+}] + [Cu(NH_3)_3{}^{2+}] + [Cu(NH_3)_4{}^{2+}] \\ &= [Cu^{2+}] + \beta_1[Cu^{2+}][NH_3] + \beta_2[Cu^{2+}][NH_3]^2 + \beta_3[Cu^{2+}][NH_3]^3 \\ &\quad + \beta_4[Cu^{2+}][NH_3]^4 \\ &= [Cu^{2+}] \sum_{m=0}^{m=n} \beta_m [NH_3]^m \end{aligned} \tag{5.29}$$

ただし，$\beta_0 = 1$ とする．

Cu^{2+} の存在率 f_{Cu} はアンモニア濃度の関数として次式のように表すことができる．

$$\begin{aligned} f_{cu} &= \frac{[Cu^{2+}]}{C_{Cu}} = \frac{[Cu^{2+}]}{[Cu^{2+}]\sum_{m=0}^{m=n} \beta_m [NH_3]^m} \\ &= \frac{1}{1 + \beta_1[NH_3] + \beta_2[NH_3]^2 + \beta_3[NH_3]^3 + \beta_4[NH_3]^4} \end{aligned} \tag{5.30}$$

同様に，$Cu(NH_3)_n{}^{2+}$ の存在率 $f_{Cu(NH_3)_n{}^{2+}}$ は次式で示される．

$$\begin{aligned} f_{Cu(NH_3)_n{}^{2+}} &= \frac{[Cu(NH_3)_n{}^{2+}]}{C_{Cu}} = \frac{[Cu(NH_3)_n{}^{2+}]}{\sum_{m=0}^{m=n}[Cu(NH_3)_m{}^{2+}]} = \frac{\beta_n[NH_3]_n}{\sum_{m=0}^{m=n}\beta_m[NH_3]_m} \\ &= \frac{\beta_n[NH_3]^n}{1 + 10^{4.13}[NH_3] + 10^{7.61}[NH_3]^2 + 10^{10.48}[NH_3]^3 + 10^{12.59}[NH_3]^4} \end{aligned} \tag{5.31}$$

例えば，$[NH_3] = 10^{-2}$ M における各イオン種の存在率は次のように計算できる．

---

*9　例えば，$Ag(NH_3)_2{}^+$ の $\log K_1 = 3.40$, $\log K_2 = 4.00$ や $Fe(phen)_3$ 錯体（phen: 1,10-フェナントロリン）のように逆の場合もある．

$$f_{Cu} = \frac{1}{1 + 10^{2.13} + 10^{3.61} + 10^{4.48} + 10^{4.59}} \approx \frac{1}{7.32 \times 10^4} \approx 0$$

$$f_{Cu(NH_3)^{2+}} = \frac{10^{2.13}}{7.32 \times 10^4} = 0.2 \times 10^{-2}$$

$$f_{Cu(NH_3)_2{}^{2+}} = \frac{10^{3.61}}{7.32 \times 10^4} = 5.6 \times 10^{-2}$$

$$f_{Cu(NH_3)_3{}^{2+}} = \frac{10^{4.48}}{7.32 \times 10^4} = 4.11 \times 10^{-1}$$

$$f_{Cu(NH_3)_4{}^{2+}} = \frac{10^{4.59}}{7.32 \times 10^4} = 5.31 \times 10^{-1}$$

図 5. 4 には式（5. 31）より計算したおのおのの錯体種の存在率（f）と log［NH_3］の関係を示している．この図から，あるアンモニア濃度において，存在している錯体種とそれらの割合を容易に知ることができる*10.

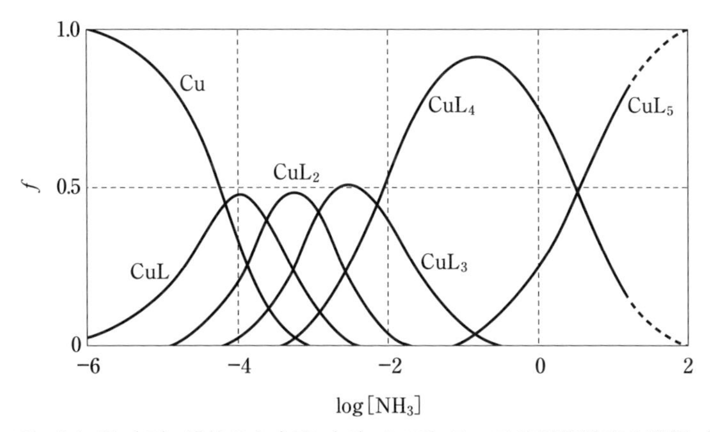

図 5. 4　アンミン銅（II）錯体の存在率（f）とアンモニアの平衡濃度の関係（L：NH_3）

例題 5. 4

0.20 M のアンモニア水 100 mL と 0.0020 M の硝酸銀を含む溶液 100 mL を混合した．この溶液中の[Ag^+]，[$Ag(NH_3)^+$]および[$Ag(NH_3)_2{}^+$]を求めよ．ただし，Ag^+ と NH_3 の錯体生成平衡は次の式で表される．

$$Ag^+ + NH_3 \rightleftarrows Ag(NH_3)^+ \quad K_1 = \frac{[Ag(NH_3)^+]}{[Ag^+][NH_3]} = 10^{3.40}$$

$$Ag(NH_3)^+ + NH_3 \rightleftarrows Ag(NH_3)_2{}^+ \quad K_2 = \frac{[Ag(NH_3)_2{}^+]}{[Ag(NH_3)^+][NH_3]} = 10^{4.00}$$

解　答

混合後 $C_{NH_3} = 0.10$ M，$C_{Ag^+} = 0.0010$ M である．溶存している銀イオンのほとんどが $Ag(NH_3)_2{}^+$ であると仮定すると，[NH_3] $= 0.10 - 0.0020 = 0.098$ M となる．

それぞれの化学種の存在率を f_{Ag^+}，$f_{Ag(NH_3)^+}$，$f_{Ag(NH_3)_2{}^+}$ で表すと，

*10 アンミン銅錯体は高濃度アンモニア存在下では高次錯体（1：5），（1：6）の生成も知られている．

$$f_{Ag^+} = \frac{1}{(1+K_1[NH_3] + K_1K_2[NH_3]^2)}$$

$$= \frac{1}{(1 + 10^{3.40}(0.098) + 10^{3.40} \times 10^{4.00}(0.98)^2)}$$

$$= 4.14 \times 10^{-6}$$

同様に $f_{Ag(NH_3)^+} = 1.02 \times 10^{-3}$，$f_{Ag(NH_3)_2^+} = 0.999$ となる．したがって，

$$[Ag^+] = C_{Ag^+}f_{Ag^+} = 0.0010 \times 4.14 \times 10^{-6}$$

$$= 4.14 \times 10^{-9}\ M$$

$$[Ag(NH_3)^+] = C_{Ag^+}f_{Ag(NH_3)^+} = 1.02 \times 10^{-6}\ M$$

$$[Ag(NH_3)_2^+] = C_{Ag^+}f_{Ag(NH_3)_2^+} = 9.99 \times 10^{-4}\ M$$

この結果は最初の仮定を満足している．

別　解

$[Ag(NH_3)_2^+] \approx 0.001$ M，$[NH_3] \approx 0.098$ M および K_2 より，$[Ag(NH_3)^+] = 1.02 \times 10^{-6}$ M が得られる．

したがって，K_1 より $[Ag^+] = 4.14 \times 10^{-9}$ M.

例題 5.5　Cu^{2+} と NH_3 の錯体の生成定数は次のとおりである．

$$K_1 = 10^{4.13},\ K_2 = 10^{3.48},\ K_3 = 10^{2.87},\ K_4 = 10^{2.11}$$

$[NH_3] = 10^{-3}$ M における各イオン種の存在率 $f_{Cu^{2+}}$，$f_{Cu(NH_3)^{2+}}$，$f_{Cu(NH_3)_2^{2+}}$，$f_{Cu(NH_3)_3^{2+}}$，$f_{Cu(NH_3)_4^{2+}}$ を求めよ．

解　答

銅の全濃度を C_{Cu} とすると，式（5. 31）より次式①～②が得られる．

$$f_{Cu^{2+}} = \frac{[Cu^{2+}]}{C_{Cu}}$$

$$= \frac{1}{(1 + 10^{4.13}[NH_3] + 10^{7.61}[NH_3]^2 + 10^{10.48}[NH_3]^3 + 10^{12.59}[NH_3]^4)} \quad ①$$

$$f_{Cu(NH_3)_n^{2+}} = \frac{\beta_n[NH_3]^n}{(1 + 10^{4.13}[NH^3] + 10^{7.61}[NH_3]^2 + 10^{10.48}[NH_3]^3 + 10^{12.59}[NH_3]^4)} \quad ②$$

$[NH_3] = 10^{-3}$ M を代入してそれぞれのモル分率を計算すると次の値となる．

$$f_{Cu^{2+}} = \frac{1}{(1 + 10^{4.13} \times 10^{-3} + 10^{7.61} \times 10^{-6} + 10^{10.48} \times 10^{-9} + 10^{12.59} \times 10^{-12})}$$

$$= \frac{1}{89.3} = 0.011$$

$$f_{Cu(NH_3)^{2+}} = \frac{10^{4.13} \times 10^{-3}}{89.3} = 0.151$$

$$f_{Cu(NH_3)_2^{2+}} = \frac{10^{7.61} \times 10^{-6}}{89.3} = 0.456$$

$$f_{Cu(NH_3)_3^{2+}} = \frac{10^{10.48} \times 10^{-9}}{89.3} = 0.338$$

$$f_{Cu(NH_3)_4^{2+}} = \frac{10^{12.59} \times 10^{-12}}{89.3} = 0.043$$

5. 4. 4　副反応を伴う平衡反応の解析

Fe(Ⅲ）イオンはチオシアン酸イオン（SCN^-）と式（5. 15）のように反応し，赤橙色の $FeSCN^{2+}$，あるいは高濃度の SCN^- 存在下では $Fe(SCN)_2^+$，$Fe(SCN)_3$ などの高次錯体を生成する．pH ＜ 2では，10^{-2} M 以下の鉄（Ⅲ）イオンは全て Fe^{3+} の形で存在し，また HSCN も強酸のため全て SCN^- の形で存在している．したがって，例えば（1：1）錯体のみが生成する場合には，式（5. 16）の平衡定数から，反応種，生成種の濃度関係を容易に知ることができる（例題3参照）．

次に，銅（Ⅱ）イオンとEDTA（H_4Yと略記）との錯体（キレート）生成を考えてみる．

$$Cu^{2+} + Y^{4-} \rightleftarrows CuY^{2-} \quad K_{Cu,Y}^{CuY} = \frac{[CuY^{2-}]}{[Cu^{2+}][Y^{4-}]} = 10^{18.8} \qquad (5.32)$$

基本的な反応（主反応という）は式（5.16）あるいは式（5.32）のように簡単に表すことができる．

鉄（Ⅲ）イオンとチオシアン酸イオンとの反応では，反応種がFe^{3+}とSCN^-の形で存在する溶液状態は酸性領域で実際に存在する．しかし，全ての銅（Ⅱ）イオンとEDTAがともに式（5.32）で表されるようなイオン種，Cu^{2+}とY^{4-}の形で存在する溶液状態をつくりだすことは現実にはできない．例えば，Cu^{2+}はpHが高くなると，OH^-と$Cu(OH)^+$などの錯体を生成し，またY^{4-}は酸性，アルカリ性の広いpH領域で水素イオンと反応してH_4Y，H_3Y^-，H_2Y^{2-}，HY^{3-}などの種として存在する．またCuY^{2-}はH^+あるいはOH^-と反応することが知られている．このような副次的反応を以下では副反応ということにする．式（5.32）で示されるCu^{2+}とY^{4-}の反応のような主反応に含まれる反応種には，通常それぞれに対して1つまたは複数個の副次的反応が関与している．

5.4.5　副反応と条件生成定数

いま，主反応の金属イオンをM，配位子をL，生成した錯体をMLとする（電荷は省略）．L以外に共存する配位子，例えばOH^-，Xなどと M の副反応，L とH^+，金属イオンNとの副反応，MLとH^+，OH^-との副反応を考える．主反応，副反応の関係は次式で示される．

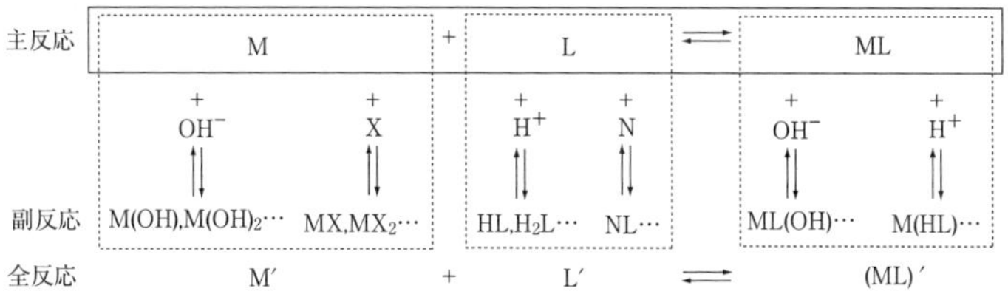

主反応	M		+	L		⇌	ML	
	+ OH^- ⇅	+ X ⇅		+ H^+ ⇅	+ N ⇅		+ OH^- ⇅	+ H^+ ⇅
副反応	M(OH),$M(OH)_2$…	MX,MX_2…		HL,H_2L…	NL…		ML(OH)…	M(HL)…
全反応	M′		+	L′		⇌	(ML)′	

いま，副反応をしている種も全て含めた反応種をプライム“′”をつけて表すことにする．反応は次式（5.33）で示される．このように表した式を条件反応式という．

$$M' + L' \rightleftarrows (ML)' \qquad K' = K_{M',L'}^{(ML)'} = \frac{[(ML)']}{[M'][L']} \qquad (5.33)$$

ここで，[M′]，[L′]，[(ML)′]は条件濃度といい，次式で表すことができる．

$$[M'] = [M] + [M(OH)] + [M(OH)_2] + \cdots + [MX] + [MX_2] + \cdots$$

$$[L'] = [L] + [HL] + [H_2L] + \cdots + NL + \cdots$$

$$[(ML)'] = [ML] + [M(HL)] + [ML(OH)] + \cdots$$

また，$K_{M',L'}^{(ML)'}$を条件生成定数*11といい，ある一定の条件下（H^+，OH^-，X，Nなどの副反応に関与する濃度が一定の条件下）では定数となる．

---

*11 反応種はKの下付で，生成種はKの上付で示し，副反応を考慮している場合には相当するものにプライム“′”をつけることとする．また，全ての副反応を考慮している場合，誤解のない場合には，一部を省略あるいは簡単のためにK'で表してもよい．

5. 4. 6　副反応係数 α と条件生成定数の求め方

主反応における反応種が副反応している程度を副反応係数 α で表すことにすると，式(5. 33) における金属イオン，配位子，錯体の副反応係数はそれぞれ次のように表すことができる．

$$
\begin{aligned}
\alpha_{\mathrm{M(OH,X)}} &= \frac{[\mathrm{M}']}{[\mathrm{M}]} = \frac{[\mathrm{M}] + [\mathrm{M(OH)}] + [\mathrm{M(OH)_2}] + \cdots + [\mathrm{MX}] + [\mathrm{MX_2}] + \cdots}{[\mathrm{M}]} \\
&= \alpha_{\mathrm{M(OH)}} + \alpha_{\mathrm{M(X)}} - 1 \\
\alpha_{\mathrm{L(H,N)}} &= \frac{[\mathrm{L}']}{[\mathrm{L}]} = \frac{[\mathrm{L}] + [\mathrm{HL}] + [\mathrm{H_2L}] + \cdots + [\mathrm{NL}] + \cdots}{[\mathrm{L}]} \\
&= \alpha_{\mathrm{L(H)}} + \alpha_{\mathrm{L(N)}} - 1 \\
\alpha_{\mathrm{ML(H,OH)}} &= \frac{[(\mathrm{ML})']}{[\mathrm{ML}]} = \frac{[\mathrm{ML}] + [\mathrm{M(HL)}] + [\mathrm{ML(OH)}] + \cdots}{[\mathrm{ML}]} \\
&= \alpha_{\mathrm{ML(H)}} + \alpha_{\mathrm{ML(OH)}} - 1
\end{aligned}
\qquad (5.\,34)
$$

ここで，副反応の相手は α の下付で（ ）内に示すこととする．M との副反応の相手が n 個（$x_1, x_2 \cdots x_n$）の場合には副反応係数はそれぞれの副反応係数を用いて，次式で示される．

$$
\alpha_{\mathrm{M}(x_1, x_2, \cdots x_n)} = \alpha_{\mathrm{M}(x_1)} + \alpha_{\mathrm{M}(x_2)} + \cdots + \alpha_{\mathrm{M}(x_n)} - (n - 1) \qquad (5.\,35)
$$

式 (5. 32) の Cu^{2+} と EDTA との反応において，特別な共存配位子 X が存在しない場合，副反応係数は次式となる．

$$
\begin{aligned}
\alpha_{\mathrm{Cu(OH)}} &= \frac{[\mathrm{Cu}']}{[\mathrm{Cu^{2+}}]} = \frac{[\mathrm{Cu^{2+}}] + [\mathrm{Cu(OH)^+}] + \cdots}{[\mathrm{Cu^{2+}}]} \\
\alpha_{\mathrm{Y(H)}} &= \frac{[\mathrm{Y}']}{[\mathrm{Y^{4-}}]} = \frac{[\mathrm{Y^{4-}}] + [\mathrm{HY^{3-}}] + [\mathrm{H_2Y^{2-}}] + [\mathrm{H_3Y^-}] + [\mathrm{H_4Y}]}{[\mathrm{Y^{4-}}]} \\
\alpha_{\mathrm{CuY(H,OH)}} &= \frac{[(\mathrm{CuY})']}{[\mathrm{CuY^{2-}}]} = \frac{[\mathrm{CuY^{2-}}] + [\mathrm{Cu(OH)Y^{3-}}] + [\mathrm{Cu(HY)^-}]}{[\mathrm{CuY^{2-}}]}
\end{aligned}
\qquad (5.\,36)
$$

副反応係数は，副反応をする相手の濃度と平衡定数を用いて表すことができる．例えば，式 (5. 36) の場合は，次式のようになる．

$$
\begin{aligned}
\alpha_{\mathrm{Cu(OH)}} &= 1 + K^{\mathrm{Cu(OH)}}_{\mathrm{Cu,OH}}[\mathrm{OH^-}] + \cdots \\
\alpha_{\mathrm{Y(H)}} &= 1 + ([\mathrm{H^+}]/K_{\mathrm{a_4}}) + ([\mathrm{H^+}]^2/K_{\mathrm{a_4}} \cdot K_{\mathrm{a_3}}) + ([\mathrm{H^+}]^3/K_{\mathrm{a_4}} \cdot K_{\mathrm{a_3}} \cdot K_{\mathrm{a_2}}) \\
&\quad + ([\mathrm{H^+}]^4/K_{\mathrm{a_4}} \cdot K_{\mathrm{a_3}} \cdot K_{\mathrm{a_2}} \cdot K_{\mathrm{a_1}}) \\
&\quad (K_{\mathrm{a_1}},\ K_{\mathrm{a_2}},\ K_{\mathrm{a_3}},\ K_{\mathrm{a_4}} : \text{EDTAの酸解離定数}) \\
\alpha_{\mathrm{CuY(H,OH)}} &= 1 + K^{\mathrm{Cu(HY)}}_{\mathrm{CuY,H}}[\mathrm{H^+}] + K^{\mathrm{Cu(HY)Y}}_{\mathrm{CuY,OH}}[\mathrm{OH^-}]
\end{aligned}
\qquad (5.\,37)
$$

式 (5. 37) からわかるように，副反応係数 α は副反応する相手の濃度の関数となり，Cu^{2+}，Y^{4-} などの濃度に原理的には依存しない値である[*12]．

図 5. 5 に数種の配位子 L について log $\alpha_{\mathrm{L(H)}}$ – pH の関係を示す．このような図をあらかじめ作成しておけば，任意の pH における $\alpha_{\mathrm{L(H)}}$ を簡単に知ることができる．

---

*12 金属イオンは高濃度になると多核錯体を生成する．例えば，$Cu_2(OH)_2$(log $K^{\mathrm{Cu_2(OH)_2}}_{\mathrm{2Cu,2OH}}$ = 17.1)，$Al_6(OH)_{15}$ (log $K^{\mathrm{Al_6(OH)_{15}}}_{\mathrm{6Al,15OH}}$ = 16.3)，$Fe_2(OH)_2$(log $K^{\mathrm{Fe_2(OH)_2}}_{\mathrm{2Fe,2OH}}$ = 25.1) などを生成し，副反応係数は金属イオン濃度に依存することになる．

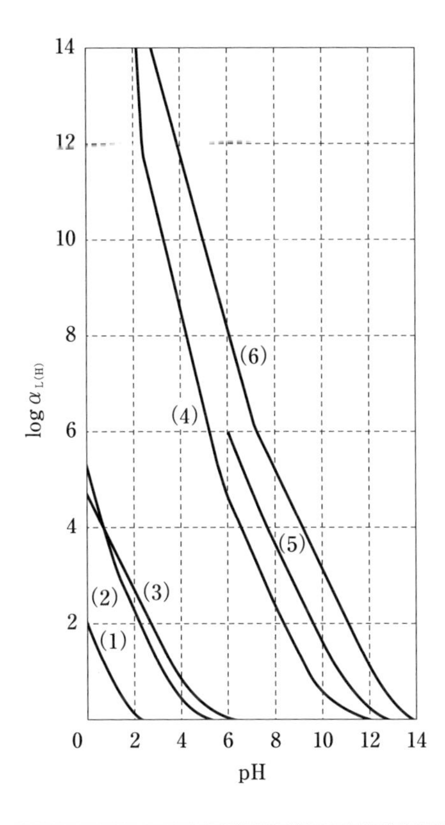

図 5. 5　酸 H_nL の副反応係数（$\alpha_{L(H)}$）と pH の関係

H_nL：（1）　H_2SO_4,
（2）　$(COOH)_2$,
（3）　CH_3COOH,
（4）　EDTA(H_4Y),
（5）　エリオクロムブラック T(BT)
（6）　H_2S

例題 5. 6　アンモニア（NH_3 pK_a = 9.26）および酢酸イオン（CH_3COO^-pK_a = 4.74）の pH − log $\alpha_{L(H)}$の関係を表にしなさい．また，それぞれの pK_a における $\alpha_{L(H)}$を計算しなさい．

解　答

$$\alpha_{NH_3(H)} = \frac{[NH_3] + [NH_4^+]}{[NH_3]} = 1 + \frac{[H^+]}{K_a} = 1 + \frac{[H^+]}{10^{-9.26}}$$

$$\alpha_{CH_3COO(H)} = \frac{[CH_3COO^-] + [CH_3COOH]}{[CH_3COO^-]} = 1 + \frac{[H^+]}{K_a} = 1 + \frac{[H^+]}{10^{-4.74}}$$

pH	$\alpha_{NH_3(H)}$	log $\alpha_{NH_3(H)}$
5.0	1.82×10^4	4.26
6.0	1.82×10^3	3.26
7.0	1.82×10^2	2.26
8.0	1.92×10	1.26
9.0	2.82	0.45
9.26	2.00	0.30
10.26	1.10	0.04
11.26	1.01	0
12.26	1.001	0

pH	$\alpha_{CH_3COO(H)}$	log $\alpha_{CH_3COO(H)}$
1.74	1.00×10^3	3.00
2.74	1.00×10^2	2.00
3.74	1.10×10	1.04
4.74	2.00	0.30
7	1.00	0
9	1.00	0
11	1.00	0

表に示すように pK_a における $\alpha_{L(H)}$はいずれも 2.00(log $\alpha_{L(H)}$ = 0.30）となる．

例題 5. 7

EDTA の $\log \alpha_{L(H)}$ – pH の関係図を描きなさい.

EDTA(H_4Y) の酸解離定数 K_a は, $K_{a_1} = 10^{-2.07}$, $K_{a_2} = 10^{-2.75}$, $K_{a_3} = 10^{-6.24}$, $K_{a_4} = 10^{-10.34}$ である.

解　答

$\alpha_{Y(H)} = 1 + 10^{10.34}[H^+] + 10^{16.58}[H^+]^2 + 10^{19.33}[H^+]^3 + 10^{21.40}[H^+]^4$ (式 (5. 37) より) ①

式①の$[H^+]$に代入して求めた結果を表に示す. $\log \alpha_{L(H)}$ – pH の関係図は図 5. 5 参照.

EDTA(H_4Y) の各 pH における
Y^{4-}の副反応係数 ($\log \alpha_{Y(H)}$)

pH	$\log \alpha_{Y(H)}$	pH	$\log \alpha_{Y(H)}$
2.0	13.70	7.5	2.85
2.5	12.12	8.0	2.34
3.0	10.79	8.5	1.84
3.5	9.65	9.0	1.36
4.0	8.61	9.5	0.90
4.5	7.59	10.0	0.50
5.0	6.58	10.5	0.23
5.5	5.65	11.0	0.08
6.0	4.78	11.5	0.03
6.5	4.03	12.0	0.01
7.0	3.40	12.5	0.00

例題 5. 8　次の反応 (1), (2) における副反応係数 (α_x) を計算しなさい.

(1) pH 10.3 における $\alpha_{Y(H)}$, $\alpha_{Cu(OH)}$, $\alpha_{CuY(OH)}$を計算せよ (Y : EDTA). ただし, EDTA の $pK_{a_1} = 2.07$, $pK_{a_2} = 2.75$, $pK_{a_3} = 6.24$, $pK_{a_4} = 10.34$; $K^{Cu(OH)}_{Cu,OH} = 10^{6.0}$; $K^{CuY(OH)}_{CuY,OH} = 10^{2.5}$ である.

(2) 総濃度 1.1×10^{-2} M のアンモニアを含む pH 10.3 の溶液における銅 (II) の全副反応係数 $\alpha_{Cu(OH,NH_3)}$を計算せよ. ただし, アンモニアの $pK_a = 9.26$ である.

解　答

(1) 式 (5. 37) に各々の平衡定数と$[H^+]$, $[OH^-]$を代入して, 次のように計算される.

$\alpha_{Y(H)} = 1 + 10^{10.34}[H^+] + 10^{16.58}[H^+]^2 \cdots \approx 1 + 1 = 2$

$\alpha_{Cu(OH)} = 1 + 10^{6.0}[OH^-] = 1 + 10^{2.3} \approx 10^{2.3}$

$\alpha_{CuY(OH)} = 1 + 10^{2.5}[OH^-] = 1 + 10^{-1.2} \approx 1$

(2) $\alpha_{NH_3(H)} = 1 + 10^{9.26}[H^+] = 1 + 10^{-1} = 1.1$

したがって, アンモニアの濃度は, $[NH_3]$

$= \dfrac{1.1 \times 10^{-2}}{1.1} = 1.0 \times 10^{-2}$ M となる.

$[NH_3]$と$[OH^-]$の濃度から, 次のように副反応係数は計算できる.

$\alpha_{Cu(NH_3)} = 1 + 10^{4.13}[NH_3] + 10^{7.61}[NH_3]^2 + 10^{10.48}[NH_3]^3 + 10^{12.59}[NH_3]^4$

$= 1 + 10^{2.13} + 10^{3.61} + 10^{4.48} + 10^{4.59} \approx 10^{4.86}$

$\alpha_{Cu(OH,NH_3)} = \alpha_{Cu(OH)} + \alpha_{Cu(NH_3)} - 1$

$= 10^{2.3} + 10^{4.86} - 1 \approx 10^{4.86}$

式（5.33）の条件生成定数は副反応係数を用いれば，次のように表すことができる．

$$K' = K_{M'L'}^{(ML)'} = \frac{[(ML)']}{[M'][L']} = \frac{\alpha_{ML}[ML]}{\alpha_M[M]\cdot\alpha_L[L]} = K_{M,L}^{ML} \times \frac{\alpha_{ML}}{\alpha_M \cdot \alpha_L} \qquad (5.38)$$

図 5.6 には金属−EDTA キレートの条件生成定数 K' と pH の関係を示す．この図から，最もキレートを生成しやすい pH が容易にわかる．Ca^{2+}，Mg^{2+} などでみられるように，通常は pH 上昇とともに EDTA の水素イオン解離が進み（α_Y が小さくなる），式（5.38）からもわかるように，条件生成定数は大きくなる．また，金属ヒドロキソ錯体（M(OH)，$M(OH)_2$…）の生成が無視できない pH 領域（$\alpha_{M(OH)}$ の増大分が $\alpha_{Y(H)}$ の減少分よりも大きくなる領域）では，条件生成定数は逆に小さくなる．

一方，pH 0〜2 付近では，酸性錯体（M(HY)）の生成により，α_{MY} が増大し，条件生成定数が大きくなる場合もある．また，Fe^{3+}，Cu^{2+} などでは塩基性錯体（M(OH)Y）の生成により，高 pH 領域で条件生成定数は pH の増大とともに大きくなる．

条件生成定数の値を知ることができれば，その条件下での反応種，生成種の濃度関係を計算により容易に知ることができる．例えば，金属イオン M，配位子 L の総濃度を C_M，C_L とすれば次式の関係が成立している．

$$C_M = [M'] + [(ML)'] \qquad (5.39)$$

$$C_L = [L'] + [(ML)'] \qquad (5.40)$$

式（5.38）〜（5.40）から，[M′]，[L′]，[(ML)′]を計算することができ，それぞれの副反応係数 α を用いれば，式（5.36）の関係から[M]，[L]，[ML]を求めることができる．

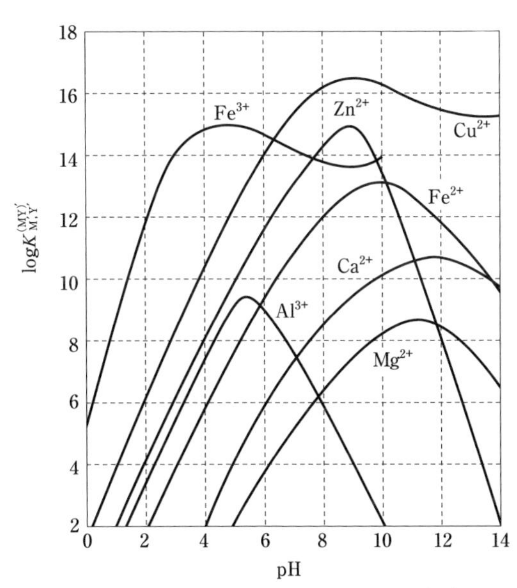

図 5.6　金属− EDTA 錯体の条件生成定数（$\log K_{M',Y'}^{(MY')}$）と pH の関係
（A. Lingbom 著 *Complexation in Analytical Chemistry* Fig 2-15 より引用）

例題 5. 9　1.0×10^{-3} M となるように MnY^{2-}（Y：EDTA，H_4Y）を次の pH の溶液に溶解したとき，MnY^{2-}が解離して生じる$[Mn^{2+}]$を求めよ．

（1）pH = 4.0

（2）pH = 9.0

ただし，副反応としては Y^{4-}のプロトン化のみを考慮し，$K_{Mn,Y} = 6.18 \times 10^{13}$ ($\log K_{Mn,Y} = 13.79$)，Y^{4-} の副反応係数 $\alpha_{Y(H)}$ は，pH 4.0 で $\alpha_{Y(H)} = 2.75 \times 10^{8}$ pH 9.0 で $\alpha_{Y(H)} = 22.9$ とする．

解　答

（1）$K_{Mn,Y'} = \dfrac{K_{Mn,Y}}{\alpha_{Y(H)}}$

$= \dfrac{6.18 \times 10^{13}}{2.75 \times 10^{8}}$

$= 2.25 \times 10^{5}$

MnY^{2-}が溶解して，一部解離したとき

$[Mn^{2+}] = [Y^{4-}] + [HY^{3-}] + [H_2Y^{2-}] + [H_3Y^{-}] + [H_4Y] = [Y']$

となり，解離したものを無視すると

$K_{Mn,Y'} = \dfrac{[MnY^{2-}]}{[Mn^{2+}][Y']} = \dfrac{1.0 \times 10^{-3}}{[Mn^{2+}]^2} = 2.25 \times 10^{5}$

$[Mn^{2+}] = \sqrt{4.4 \times 10^{-9}} = 6.6 \times 10^{-5}$

（2）同様に求めると，

$[Mn^{2+}] = 1.9 \times 10^{-8}$

となり pH が高くなると MnY^{2-}の安定度が大きくなり解離が抑制されることがわかる．また，いずれの pH においても解離したものは初濃度に対し無視してもさしつかえないことがわかる．

例題 5. 10　ある溶液条件下で次の反応の条件生成定数が，$K' = 10^{6.0}$ であるとする．

$M' + L' \rightleftarrows (ML)'$

$K' = \dfrac{[(ML)']}{[M'][L']}$

M, L の初濃度（反応する前の濃度）がそれぞれ 10^{-3} M であったとする．平衡状態で，L と反応していない M の濃度（すなわち$[M']$）はいくらになるか．計算しなさい．

この条件下で，$\alpha_M = 1.0 \times 10^{3}$，$\alpha_L = 1.0 \times 10^{4}$，$\alpha_{ML} = 1.0 \times 10^{2}$ であるとすると，副反応していない M，L，ML の濃度，すなわち[M]，[L]，[ML]はいくらになるか．

解　答

	M'	+	L'	$\rightleftarrows$	$(ML)'$
反応前	1.0×10^{-3} M		1.0×10^{-3} M		0
反応後	x M		x M		$(1.0 \times 10^{-3} - x)$ M

$K' = \dfrac{[(ML)']}{[M'][L']} = \dfrac{1.0 \times 10^{-3} - x}{x^2} = 10^{6.0}$

$x = 3.11 \times 10^{-5}$ M

$\therefore$ $[M'] = 3.11 \times 10^{-5}$ M

$\alpha_M = \dfrac{[M']}{[M]} = \dfrac{3.11 \times 10^{-5}}{[M]} = 1.0 \times 10^{3}$

$[M] = 3.11 \times 10^{-8}$ M

$\alpha_L = \dfrac{[L']}{[L]} = \dfrac{3.11 \times 10^{-5}}{[L]} = 1.0 \times 10^{4}$

$[L] = 3.11 \times 10^{-9}$ M

$\alpha_{ML} = \dfrac{[(ML)']}{[ML]} = \dfrac{10^{-3} - 3.11 \times 10^{-5}}{[ML]} = 1.0 \times 10^{2}$

$[ML] = 9.69 \times 10^{-6}$ M

5.4.7　定量的反応の条件

錯体生成反応を定量的（99.9 %以上）に進行させる条件は，式（5.33）を変形した次式から求められる．

$$\frac{[(ML)']}{[M']} = K_{M',L'}^{(ML)'} \times [L'] \geqq 10^{3} \tag{5.41}$$

逆に，M と L から生成する錯体の濃度が無視できる（(ML)′が C_M の 0.1%以下）条件は次式から求められる．

$$\frac{[(ML)']}{[M']} = K_{M',L'}^{(ML)'} \times [L'] \leqq 10^{-3} \tag{5.42}$$

例題 5.11　例題 5.8 に関連し，次の問に答えなさい．

（1）pH 10.3 における CuY^{2-} 錯体生成の条件生成定数 $K_{Cu',Y'}^{(CuY)'}$ を計算しなさい．（Y：EDTA）．ただし，$K_{Cu,Y}^{CuY} = 10^{18.8}$ とする．

（2）例題 5.8 において，CuY^{2-} の初濃度を 10^{-4} M とするとき，EDTA と反応していない銅（Ⅱ）の濃度を求めよ．また，pCu(= $-\log[Cu^{2+}]$) の値を求めよ．

解　答

（1）式（5.38）および例題 5.8 の結果を用いて計算できる．

① アンモニアを含まない場合：

$$K_{Cu',Y'}^{(CuY)'} = K_{Cu,Y}^{CuY} \times \frac{\alpha_{CuY}}{\alpha_{Cu}\alpha_{Y}} = 10^{18.8} \times \frac{1}{10^{2.3} \times 2} = 10^{16.2}$$

② 1.1×10^{-2} M アンモニアを含む場合：

$$K_{Cu',Y'}^{(CuY)'} = 10^{18.8} \times \frac{1}{10^{4.86} \times 2} = 10^{13.6}$$

（2）①の場合：

$$K_{Cu',Y'}^{(CuY)'} = \frac{[(CuY')]}{[Cu'][Y']} = 10^{16.2}$$

$[Cu'] = [Y']$，$[(CuY') \fallingdotseq 10^{-4}$ M の関係より，

$$[Cu']^2 = \frac{1.0 \times 10^{-4}}{10^{16.2}} = 10^{-20.4}$$

$[Cu'] = 10^{-10.2}$ M となる．

したがって，$[Cu^{2+}] = \dfrac{10^{-10.2}}{10^{2.3}} = 10^{-12.5}$

pCu = 12.5 となる．

②の場合：（1）と同様にして，

$[Cu'] = 10^{-8.8}$，$[Cu^{2+}] = \dfrac{10^{-8.8}}{10^{4.86}} = 10^{-13.7}$

pCu = 13.7 となる．

例題 5.12　2×10^{-3} M $CuSO_4$ 水溶液 50 mL と 2×10^{-3} M Na_3HY（H_4Y：EDTA）水溶液 50 mL を混合した．この水溶液の pH と pCu(= $-\log[Cu^{2+}]$) および $[Y^{4-}]$ を求めよ．ただし，$K_{Cu,Y} = 10^{18.8}$ とする．

解　答

反応式は以下のように表される．

$$Cu^{2+} + HY^{3-} \rightleftarrows CuY^{2-} + H^+$$

この反応は定量的に右へ進行すると考えてよい．

反応式より

$2 \times 10^{-3} \times \dfrac{50}{1000}$ モルの Cu^{2+} と

$2 \times 10^{-3} \times \dfrac{50}{1000}$ モルの HY^{3-} が反応して

$2 \times 10^{-3} \times \dfrac{50}{1000}$ モルの CuY^{2-} と

$2 \times 10^{-3} \times \dfrac{50}{1000}$ モルの H^+ が生じる．

ゆえに，100 mL 溶液では

$$[H^+] = 2 \times 10^{-3} \times \frac{50}{1000} \times \frac{1000}{100} = 1.0 \times 10^{-3}$$

$\therefore$ pH = 3

pH = 3 では $\alpha_{Cu} = 1$，$\alpha_{CuY} = 1$ としてよい．

$$\alpha_{Y(H)} = \frac{[Y^{4-}] + [HY^{3-}] + [H_2Y^{2-}] + [H_3Y^-] + [H_4Y]}{[Y^{4-}]}$$

$$= 1 + \frac{[H^+]}{K_{a_4}} + \frac{[H^+]^2}{K_{a_4} \cdot K_{a_3}} + \frac{[H^+]^3}{K_{a_4} \cdot K_{a_3} \cdot K_{a_2}} + \frac{[H^+]^4}{K_{a_4} \cdot K_{a_3} \cdot K_{a_2} \cdot K_{a_1}}$$

$$= 1 + 10^{10.34} \cdot 10^{-3} + 10^{16.58} \cdot 10^{-6} + 10^{19.33} \cdot 10^{-9} + 10^{21.40} \cdot 10^{-12}$$

$$= 6.19 \times 10^{10}$$

$$K^{(CuY)'}_{Cu',Y'} = \frac{[(CuY')]}{[Cu'][Y']} = \frac{\alpha_{CuY}}{\alpha_{Cu}\alpha_Y} \times K_{CuY} = \frac{1}{6.19 \times 10^{10}} \times 10^{18.8}$$

$$= 1.02 \times 10^8$$

2×10^{-3} M $CuSO_4$ 水溶液と 2×10^{-3} M Na_3HY 水溶液を等量混合しているので，銅の全濃度と EDTA の全濃度はともに 1×10^{-3} M となる．

	Cu′	+	Y′	⇄	(CuY)′
反応前	1.0×10^{-3} M		1.0×10^{-3} M		0
反応後	x M		x M		$(1.0 \times 10^{-3} - x)$ M

Cu′ と Y′ の条件生成定数が非常に大きいので，

$(1 \times 10^{-3} - x)$ M ≈ 1×10^{-3} M と近似できる．

$$K^{(CuY)'}_{Cu',Y'} = \frac{1.0 \times 10^{-3}}{x^2} = 1.02 \times 10^8$$

$\therefore x = 3.13 \times 10^{-6}$

Cu^{2+} の副反応は起こらないと考えて

$x = [Cu'] = [Cu^{2+}] = 3.13 \times 10^{-6}$ M

$\therefore$ pCu = 5.5

$$\alpha_{Y(H)} = \frac{[Y']}{[Y^{4-}]} = \frac{3.13 \times 10^{-6}}{[Y^{4-}]} = 6.19 \times 10^{10}$$

$\therefore [Y^{4-}] = 5.06 \times 10^{-17}$ M

例題 5. 13　1.0×10^{-3} M Fe^{3+} 溶液を 1.0×10^{-3} M EDTA 標準溶液で滴定した．当量点で定量的（99.9 %以上）に Fe^{3+} キレートをつくる最低 pH はいくらか．ただし，Fe^{3+} キレートの生成定数は $K^{FeY}_{Fe,Y} = 10^{25.1}$ とする．

解　答

当量点で 99.9 %反応するために必要な条件生成定数 K′は

$$K' = K \times \frac{1}{\alpha_{Y(H)}} = \frac{[(FeY)']}{[Fe^{3+}][Y']}$$

$$= \frac{\left(1.0 \times 10^{-3} - 1.0 \times 10^{-3} \times \dfrac{0.1}{100}\right) \times \dfrac{1}{2}}{\left(10^{-3} \times \dfrac{0.1}{100} \times \dfrac{1}{2}\right)^2}$$

$$\approx 10^{9.3}$$

となる．$K' = 10^{9.3}$ となるような EDTA の副反応係数 $\alpha_{Y(H)}$ は

$$\alpha_{Y(H)} = \frac{K_{Fe,Y}}{K'} = \frac{10^{25.1}}{10^{9.3}} = 10^{15.8}$$

となる．

一方，EDTA の副反応係数 $\alpha_{Y(H)}$ と $[H^+]$ との間には次式の関係が成り立つ．

$$\alpha_{Y(H)} = 1 + \frac{[H^+]}{K_{a_4}} + \frac{[H^+]^2}{K_{a_4}\cdot K_{a_3}} + \frac{[H^+]^3}{K_{a_4}\cdot K_{a_3}\cdot K_{a_2}} + \frac{[H^+]^4}{K_{a_4}\cdot K_{a_3}\cdot K_{a_2}\cdot K_{a_1}}$$

$$= 1 + 10^{10.34}[H^+] + 10^{16.58}[H^+]^2 + 10^{19.33}[H^+]^3 + 10^{21.40}[H^+]^4 = 10^{15.8}$$

$$10^{15.8} \approx 10^{21.40}[H^+]^4$$

$$\therefore\ [H^+] - \sqrt[4]{\frac{10^{15.8}}{10^{21.40}}}$$

$$\log[H^+] = \frac{1}{4}(15.8 - 21.40)$$

$$\therefore\ pH = 1.4$$

5.4.8　金属イオン緩衝液と配位子緩衝液

pH 緩衝液を考えたように，金属イオン M^{m+} および配位子 L^{n-} の緩衝液すなわち pM，pL 緩衝液を考えることができる．これらの緩衝液は，溶液中の M^{m+} あるいは L^{n-} の濃度を一定に保つために用いることができる．

条件生成定数が十分大きく，また $C_L > C_M$ の場合について考えてみる（C_L，C_M は L，M の総濃度を示す）．この場合，式（5.39），（5.40）は次式となる．

$$C_M = [(ML)'] \tag{5.43}$$

$$C_L = [L'] + [(ML)'] \approx [L'] + C_M \tag{5.44}$$

したがって，これらの式と式（5.38）を組み合わせると，

$$[M'] = \frac{[(ML)']}{[L']} \times (K^{(ML)'}_{M',L'})^{-1}$$

$$\approx \frac{C_M}{C_L - C_M} \times (K^{(ML)'}_{M',L'})^{-1} \tag{5.45}$$

となる．いま，$\dfrac{C_L}{C_M} = a$ とおくと，式（5.45）から次式が導かれる．

$$[M'] = \frac{1}{a-1} \times (K^{(ML)'}_{M',L'})^{-1}$$

$$pM' = \log K^{(ML)'}_{M',L'} + \log(a-1) \quad (a>1) \tag{5.46}$$

あるいは

$$pM = \log K^{(ML)'}_{M,L'} + \log(a - 1)\ (a > 1) \tag{5.47}$$

式（5.46）あるいは（5.47）より，pM′ あるいは pM はある一定の条件（$\log K'$：一定）では，C_L と C_M の比（a）のみによって決まる．また，$a = 2$ のとき $pM' = \log K^{(ML)'}_{M',L'}$ あるいは $pM = \log K^{(ML)'}_{M,L'}$ となり，C_L が過剰で一定の下では $a = 2$ のとき緩衝能は最大となる．

例えば，$C_L = 2 \times 10^{-3}$ M，$C_M = 1.0 \times 10^{-3}$ M のとき，1.0×10^{-4} M の金属イオンを新たに加えても pM′ は 0.09 の減少である．一方，緩衝液でない場合，例えば $C_M = 2 \times 10^{-4}$ M のときには，pM′ は 3.52 となり，0.18 の変化量となる．このように，金属イオンに対し過剰の配位子を含み，C_M が多少変化しても pM′（あるいは pM）がほぼ一定に保たれている溶液を金属イオン緩衝液という．

同様に，$C_M > C_L$ の条件下では，次式の関係が保たれている．

$$\mathrm{pL'} = \log K^{(\mathrm{ML})'}_{\mathrm{M',L'}} + \log \frac{1-a}{a} \quad (a < 1 \text{ の場合}) \tag{5.48}$$

あるいは

$$\mathrm{pL} = \log K^{(\mathrm{ML})'}_{\mathrm{M',L}} + \log \frac{1-a}{a} \quad (a < 1 \text{ の場合}) \tag{5.49}$$

この場合には，pL′ あるいは pL はある一定の条件下で，C_{L} と C_{M} の比（a）によって決まる．また，C_{M} = 一定の条件下では，$a = 0.5$ のとき，

$$\mathrm{pL'} = \log K^{(\mathrm{ML})'}_{\mathrm{M',L'}}$$
$$\mathrm{pL} = \log K^{(\mathrm{ML})'}_{\mathrm{M',L}}$$

となり，緩衝能は最も大きい．

5.4.9　金属イオンのマスキングとデマスキング

目的とする金属イオン M の他に，共存する他の金属イオンが主反応を妨害し，定量の妨げとなる場合がしばしば起こる．このような場合に，適当な錯形成剤を加え，M 以外の金属イオンを安定な錯体とし，目的とする反応に関与しない，あるいは定量を妨害しないようにする．これをマスキング（masking）といい，この目的で用いられる錯形成剤をマスキング剤（masking reagent）という．また，マスキングの条件，例えば pH などを変えることにより，マスクされた金属イオンを遊離の形（マスクされていないイオンの状態）にすることをデマスキングという．

例えば，目的とする金属イオンを M，妨害となる金属イオンを N とすると，式（5.41），（5.42）より次式が導かれる．

$$\frac{[(\mathrm{ML})']}{[\mathrm{M'}]} = K^{(\mathrm{ML})'}_{\mathrm{M,L'}} \times [\mathrm{L'}] \times \frac{1}{\alpha_{\mathrm{M}}} \tag{5.50}$$

$$\frac{[(\mathrm{NL})']}{[\mathrm{N'}]} = K^{(\mathrm{NL})'}_{\mathrm{N,L'}} \times [\mathrm{L'}] \times \frac{1}{\alpha_{\mathrm{N}}} \tag{5.51}$$

いま，M よりも N の方がより安定な錯体を形成する適当なマスキング剤 X を用い α_{M}，α_{N} の大きさを変えることができれば，M と L の主反応を定量的に進行させ，N の妨害反応は無視できる程度にすることが可能である．

$$\frac{[(\mathrm{ML})']}{[\mathrm{M'}]} = K^{(\mathrm{ML})'}_{\mathrm{M,L'}} \times [\mathrm{L'}] \times \frac{1}{\alpha_{\mathrm{M}}} \geqq 10^{3} \tag{5.52}$$

$$\frac{[(\mathrm{NL})']}{[\mathrm{N'}]} = K^{(\mathrm{NL})'}_{\mathrm{N,L'}} \times [\mathrm{L'}] \times \frac{1}{\alpha_{\mathrm{N}}} \leqq 10^{-3} \tag{5.53}$$

ここで，金属イオンとの副反応が $\mathrm{OH^-}$ と X のみであるとすれば，副反応係数は次式より計算できる．

$$\alpha_{\mathrm{M}} = \frac{[\mathrm{M}] + [\mathrm{M(OH)}] + \cdots + [\mathrm{MX}] + [\mathrm{MX_2}] + \cdots}{[\mathrm{M}]}$$
$$= \alpha_{\mathrm{M(OH)}} + \alpha_{\mathrm{M(X)}} - 1 \tag{5.54}$$

$$\alpha_{\mathrm{N}} = \frac{[\mathrm{N}] + [\mathrm{N(OH)}] + \cdots + [\mathrm{NX}] + [\mathrm{NX_2}] + \cdots}{[\mathrm{N}]}$$
$$= \alpha_{\mathrm{N(OH)}} + \alpha_{\mathrm{N(X)}} - 1 \tag{5.55}$$

例題 5.14　エチレングリコールビス（2-アミノエチルエーテル）四酢酸（EGTA，H_4L）について，銅（Ⅱ）イオンとカルシウムイオンの安定度定数を比べると，銅（Ⅱ）錯体の方が，カルシウム錯体よりもかなり大きい．したがって，両者共存の場合，通常は Cu(Ⅱ) イオンが EGTA と先に反応する．Cu^{2+}，Ca^{2+} が共存するような溶液に，pH 10 でアンモニアあるいはエチレンジアミン（en）を添加したとき，Cu^{2+} は定量的にマスクされ，Ca^{2+} は定量的に EGTA 錯体を生成することができるかどうか，考察しなさい．なお，両金属イオンおよび EGTA の総濃度はそれぞれ 10^{-3} M とする．

平衡定数としては次の値を用いなさい（Ca^{2+} と NH_3，en との錯体生成は無視できるとしてよい）．

$\log K_{Cu,L}^{CuL} = 17.0$，$\log K_{Ca,L}^{CaL} = 11.0$；EGTA の $pK_a = 2.08, 2.73, 8.93, 9.54$；

$\log K_{Cu,en}^{Cu(en)} = 10.55$，$\log K_{Cu(en),en}^{Cu(en)_2} = 9.05$；en の $pK_a = 7.30, 10.11$；$\log K_{Cu,OH}^{CuOH} = 6.0$.

解　答

CaL は定量的に（99.9 %）生成するが，銅は定量的にマスクされているとすれば，$[L'] = 10^{-6}$ M となる．

また，pH 10 における L の副反応係数は次式となる．

$\alpha_{L(H)} = 1 + 10^{9.54}[H^+] + 10^{18.47}[H^+]^2 + 10^{21.20}[H^+]^3 + 10^{23.28}[H^+]^4 \approx 10^{0.13}$

また，式（5.41）より，$\dfrac{[(CaL)']}{[Ca']} = K_{Ca',L'}^{(CaL)'} \times [L'] \geqq 10^3$ であればよい．

$\log K_{Ca'L'}^{(CaL)'} + \log [L'] - \log \alpha_{Ca} = (11.0 - 0.1) - 6 - 0 = 4.9 > 3.0$　①

となり，pH 10 で CaL は定量的に生成することがわかる．

一方，Cu(Ⅱ) を定量的に（99.9 %）マスクするためには，

$\log K_{Cu'L'}^{(CuL)'} + \log [L'] - \log \alpha_{Cu} = (17.0 - 0.1) 6 - \log \alpha_{Cu} = 10.9 - \log \alpha_{Cu} \leqq -3$　②

となればよい．したがって，$\log \alpha_{Cu} \geqq 13.9$ であればよい．

アンモニアをマスキング剤とする場合，銅の副反応係数は次式となる．

$\alpha_{Cu(NH_3)} = 1 + 10^{4.13}[NH_3] + 10^{7.61}[NH_3]^2 + 10.48 [NH_3]^3 + 10^{12.59}[NH_3]^4$　③

式③において，$\alpha_{Cu(NH_3)} = 10^{13.9}$ とするためには，$[NH_3] = 2.1$ M であればよい．したがって，アンモニアの総濃度を 2.5 M とし，pH 10 とすればよい(pH = 10 では $[NH_4^+] = 0.41$ M である).

アンモニアの代わりにエチレンジアミン（en）を用いる場合には，銅の副反応係数は次式で示される．

$\alpha_{Cu(en)} = 1 + 10^{10.55}[en] + 10^{19.60}[en]^2$　④

式④より，$\alpha_{Cu(en)} = 10^{13.9}$ とするためには，$[en] = 10^{-2.85} = 1.4 \times 10^{-3}$ M であればよい．したがって，en の総濃度は 3.2×10^{-3} M（pH 10）とすればよい．

5.5　錯体生成反応の分析化学的応用

分析化学では，錯体生成反応は，金属イオンの検出，同定，定量に利用される．例えば，古くからニッケルイオン（Ni^{2+}）の検出にはジメチルグリオキシム（図 5.1）を用いる桃

色キレート沈殿，コバルトイオン（Co^{2+}）の検出・同定には1-ニトロソ-2-ナフトールを用いる赤色キレートの沈殿反応が用いられてきた．また，これらキレートは有機溶媒にも抽出され，金属イオンの分離および比色（吸光度）測定などにも応用された．

これらの他にも，分析化学への応用として，キレート滴定があり，金属イオン濃度を求める絶対定量法として重要な方法である．

5. 5. 1　キレート滴定

錯体生成反応に基づく滴定法を一般に錯滴定（compleximetric titration）という．古くは単座配位子も用いられたが，現在はもっぱら多座配位子（キレート試薬）が用いられる．なかでも，下に示すような，多くの金属イオンと安定なキレートを生成するEDTAおよびその類縁試薬のアミノポリカルボン酸類がよく用いられる．

アミノポリカルボン酸類のようなキレート試薬を用いる金属イオンの滴定は，キレート滴定（chelatometric titration）といわれ，シュヴァルツェンバッハ（G. Schwarzenbach）らにより創始され，1945年に発表された．以後我が国の研究者も含め多くの研究者により広範な研究が続けられてきた．現在では最も手軽にできる金属イオンの絶対定量法*13として重要な手法の1つとなっている．

滴定に用いられる滴定剤（titrant）としては，EDTAが最もよく用いられる．EDTAの主な特徴は次の通りである．

① 6座配位子としてはたらき，水溶液中で多くの金属イオンと安定なキレートを速やかに生成する．

② 金属イオンの電荷に関係なく，ほとんどの金属イオンと（1：1）のモル比で反応する．

③ EDTAおよび生成したキレートは，通常のpH領域ではともに水溶性である．

④ EDTAの水溶液は無色である．また，キレートも大部分無色であるが，わずかに着色しているものもある（キレートの色：Co赤色，Cu青色，Ni青色，Pd黄色）．

⑤ 高純度の試薬が得られる．通常は，EDTAの二ナトリウム塩が比較的水によく溶ける（0.2 M程度）のでしばしば用いられる．現在入手可能なEDTA･2Naの純度は99.5 %以上である．

現在では，高純度のEDTAが入手できるので，乾燥後に一定量を測りとり水に溶かして標準液とすることもできるが，通常は一次標準物質の金属溶液（亜鉛を溶解して調製）を用いて，EDTAの力価を定める．このように調製，標定したEDTA溶液を滴定剤として用いれば，金属イオンの絶対量を測定できることになる．代表的アミノポリカルボン酸

*13 大部分の機器分析は標準溶液を用いて作成した検量線から量（濃度など）を求めなければならない．一方，重量分析，容量分析では，検量線を用いずに，化学量論的関係から計算により量を直接求めることができる．このような重量分析，容量分析などを絶対測定法という．

および化学式を以下に示す.

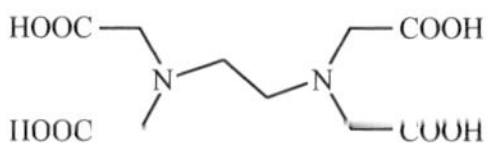

エチレンジアミン四酢酸
(EDTA)

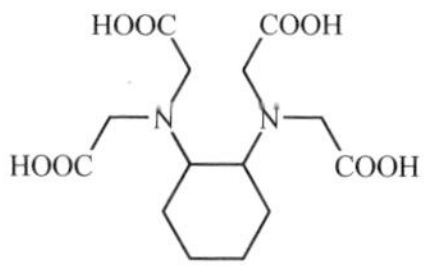

シクロヘキサンジアミン四酢酸
(CDTA)

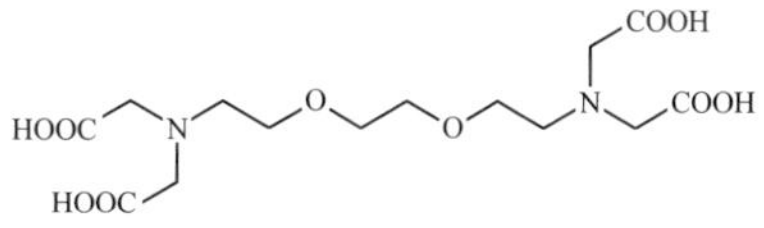

エチレングリコールビス(2-アミノエチルエーテル)四酢酸
(EGTA)

1) キレート滴定法の分類

通常は，EDTA を滴定液とする直接法が用いられるが，金属イオンあるいは指示薬の関係で，逆滴定法，置換滴定法も用いられる.

直接滴定法　最も一般的な滴定法であり，滴定液にキレート試薬液を用い，試料液中の金属イオンを滴定する.

逆滴定法　試料液中の金属イオンに対し，過剰量のキレート試薬を加え，その過剰量を適当な金属イオンで滴定する逆滴定法は，①目的とする金属イオンに対する適当な指示薬がない場合，②滴定 pH において，目的とする金属イオンが水酸化物の沈殿を生じるような場合，③キレート生成速度が遅い場合などに用いられる．例えば，アルミニウムイオンのキレート滴定では，過剰の EDTA を加え，弱酸性（pH 3）とし，沸騰するまで加熱してまずキレートを生成させる．室温まで冷却し，過剰の EDTA を亜鉛標準液で滴定する.

置換滴定法　逆滴定法における①，②のような場合に用いることができる滴定法である．例えば Mg-EDTA キレートの溶液に，試料の金属イオン M^{m+} が加わると，次の置換反応が起こる.

$$MgY^{2-} + M^{m+} \rightleftarrows MY^{m-4} + Mg^{2+}$$

$K_{M,Y'} \gg K_{Mg,Y'}$ のとき，遊離した Mg^{2+} を，pH 10 で BT(エリオクロムブラック T）を指示薬として，EDTA で滴定することにより，間接的に M^{m+} の濃度を求めることができる.

2) キレート滴定曲線

滴定に伴う金属イオンあるいはキレート試薬の濃度変化と滴定量との関係を描けば，滴定曲線となる．通常は金属イオンの変化を pM あるいは pM′ の変化とし，滴定率（a）に対してプロットする.

金属イオン M^{m+} の溶液をキレート試薬 H_nY の溶液で滴定する場合を考えてみる．副反応も考慮した反応式は次式（5.56）で示される.

$$M' + Y' \rightleftarrows (MY)' \qquad K_{M',Y'}^{(MY)'} = \frac{[(MY)']}{[M'][Y']} \tag{5.56}$$

金属イオンの総濃度をC_M，キレート試薬の総濃度をC_Yとすると，次式（5. 57），（5. 58）が成り立っている．

$$C_M = [(MY)'] + [M'] \quad (5.57)$$

$$C_Y = [(MY)'] + [Y'] \quad (5.58)$$

式（5. 57），（5. 58）より，

$$C_Y = C_M - [M'] + [Y'] \quad (5.59)$$

となる．式（5. 56）で示される条件生成定数から，[Y′]は次式で示されることになる．

$$[Y'] = \frac{C_M - [M']}{[M']K_{M',Y'}^{(MY)'}} \quad (5.60)$$

式（5. 59）に式（5. 60）を代入し，$(C_Y / C_M) = a$（a：滴定率）を用いて表すと，滴定率と金属イオンの濃度との関係式（5. 61）が得られる．

$$a = \frac{C_Y}{C_M} = 1 - \frac{[M']}{C_M} + \frac{1}{[M']K_{M',Y'}^{(MY)'}} - \frac{1}{C_M K_{M',Y'}^{(MY)'}} \quad (5.61)$$

キレート滴定が理想的に行われるためには，当量点（$[M'] = [Y']$，$[(MY)'] \approx C_M$）において，式（5. 41）と同様の関係式（5. 62）あるいは（5. 63）が満足されなければならない．

$$\frac{[(MY)']}{[M']} = K_{M',Y'}^{(MY)'} \times [Y'] \geqq 10^3 \quad (5.62)$$

$$\frac{[(MY)']}{[M']} \times K_{M',Y'}^{(MY)'} \times [Y'] \approx C_M K_{M',Y'}^{(MY)'} \geqq 10^6 \quad (5.63)$$

したがって，式（5. 61）の最後の項の値は，10^{-6}以下となり，残りの項に対して無視できるので，より簡単な基本式（5. 64）が得られる．通常は式（5. 64）により，pM～aの関係を求めればよい．

滴定率aとpMの関係を示す基本式

$$a = 1 - \frac{[M']}{C_M} + \frac{1}{[M']K_{M',Y'}^{(MY)'}} \quad (5.64)$$

滴定中のpM～aあるいはpM′～aの関係は次のようになる*14．

① 滴定開始前，すなわち$a = 0$のとき

$$[M] = \frac{C_M}{\alpha_M}\,;\ pM = -\log\frac{C_M}{\alpha_M} \text{ あるいは } pM' = -\log C_M \quad (5.65)$$

② 当量点前，すなわち$a < 1$のとき

基本式（5. 64）の右辺第3項は，$\frac{[Y']}{[(MY)']} < 10^{-3}$となり，1に対して無視できるので，次の関係式が導かれる．

$$[M] = \frac{(1-a)C_M}{\alpha_M}\,;\ pM = -\log\frac{C_M}{\alpha_M} - \log(1-a)$$

あるいは

$$pM' = -\log C_M - \log(1-a) \quad (5.66)$$

*14 金属イオンの滴定曲線を実験的に求めるためには，金属電極やイオン選択性電極（pM電極）が用いられる．このような場合には，pM～aの関係式が役立つ．

③　当量点（$a = 1.0$）のとき

基本式（5.64）より，次式の関係が導かれる．

$$[\mathrm{M}]^2 - \frac{C_\mathrm{M}}{\alpha_\mathrm{M}} \times \frac{\alpha_\mathrm{Y}}{K_{\mathrm{M,Y}}^{(\mathrm{MY})'}} \; ; \mathrm{pM_{eq}} = \frac{1}{2}\left(-\log \frac{C_\mathrm{M}}{\alpha_\mathrm{M}} + \log \frac{K_{\mathrm{M,Y}}^{(\mathrm{MY})'}}{\alpha_\mathrm{Y}}\right)$$

あるいは

$$\mathrm{pM'_{eq}} = \frac{1}{2}(-\log C_\mathrm{M} + \log K_{\mathrm{M',Y'}}^{(\mathrm{MY})'}) \qquad (5.67)$$

ここで，$\mathrm{pM_{eq}}$，$\mathrm{pM'_{eq}}$ は当量点における pM，pM′ を示す．

④　当量点後，すなわち $1 < a$ のとき

基本式（5.64）の右辺第2項は無視できるので，次式の関係が導かれる．

$$[\mathrm{M}] = \frac{1}{(a-1)\alpha_\mathrm{M} K_{\mathrm{M',Y'}}^{(\mathrm{MY})'}} \; ; \mathrm{pM} = \log \alpha_\mathrm{M} K_{\mathrm{M',Y'}}^{(\mathrm{MY})'} + \log(a-1)$$

あるいは

$$\mathrm{pM'} = \log K_{\mathrm{M',Y'}}^{(\mathrm{MY})'} + \log(a-1) \qquad (5.68)$$

例えば，$a = 2$ のとき

$$\mathrm{pM} = \log \alpha_\mathrm{M} K_{\mathrm{M',Y'}}^{(\mathrm{MY})'} \qquad (5.69)$$

となる．

式（5.64）～（5.68）からわかるように，pM ～ a の滴定曲線を描くためには，$-\log\left(\frac{C_\mathrm{M}}{\alpha_\mathrm{M}}\right)$，$\log(\alpha_\mathrm{M} K_{\mathrm{M',Y'}}^{(\mathrm{MY})'})$ の値が必要となる．これらの値をそれぞれ A，B とし，さまざまな値に対して描いた滴定曲線が図5.7である．この図からもわかるように，当量点近傍での pM の飛躍（pM ジャンプという）を大きくするためには，$\mathrm{A} = -\log\left(\frac{C_\mathrm{M}}{\alpha_\mathrm{M}}\right)$ の値が小さく，$\mathrm{B} = \log(\alpha_\mathrm{M} K_{\mathrm{M',Y'}}^{(\mathrm{MY})'})$ の値が大きいほどよい．すなわち，これら2つの値の差が大きいほど pM ジャンプは大きく，終点検出が鋭敏となる．この差は次式（5.70）で表される．

$$\log(\alpha_\mathrm{M} K_{\mathrm{M',Y'}}^{(\mathrm{MY})'}) - \{-\log(C_\mathrm{M}/\alpha_\mathrm{M})\} = \log C_\mathrm{M} \cdot K_{\mathrm{M',Y'}}^{(\mathrm{MY})'} \qquad (5.70)$$

式（5.63）からわかるように，理想的な滴定では，この差の値は6以上となる必要がある．

$$\log C_\mathrm{M} \cdot K_{\mathrm{M',Y'}}^{(\mathrm{MY})'} \geqq 6 \qquad (5.71)$$

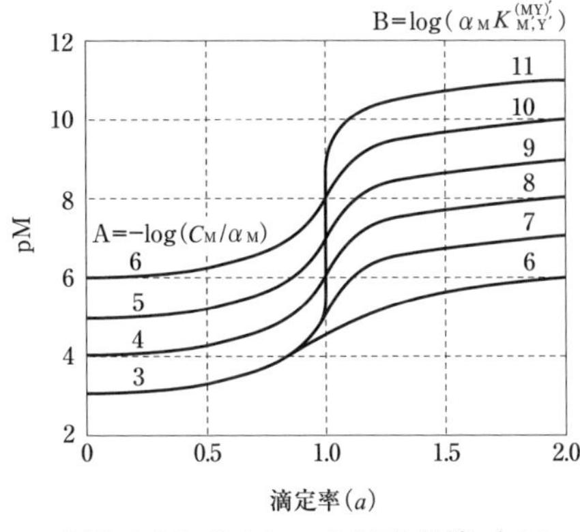

$\mathrm{A} = -\log(C_\mathrm{M}/\alpha_\mathrm{M})$，$\mathrm{B} = \log(\alpha_\mathrm{M} K_{\mathrm{M',Y'}}^{(\mathrm{MY})'})$ とする．$a = 0$ のとき，pM=A；$0 < a < 1$ のとき，滴定曲線は A により決まり，$\mathrm{pM} = \mathrm{A} - \log(1-a)$；$1 < a$ のとき，滴定曲線は B により決まり，$\mathrm{pM} = \mathrm{B} + \log(a-1)$；$a = 1$（当量点）のとき，$\mathrm{pM} = (\mathrm{A}+\mathrm{B})/2$．

図5.7　金属イオンのキレート滴定曲線（pM ～滴定率 a の関係）

例題 5. 15　Cu^{2+} と Ca^{2+} のそれぞれの溶液に，Cu^{2+} および Ca^{2+} と同じ濃度になるようにEDTA 溶液を加えた．以下の問に答えよ．

ただし，Cu^{2+}，Ca^{2+} およびキレートの副反応はないものとする．

（1）pH 10.0 と pH 4.0 における $K^{CuY}_{Cu,Y'}$ と $K^{CaY}_{Ca,Y'}$ を求めよ．

（2）それぞれの pH における滴定の良否を判断せよ．ただし，$\log K_{Cu,Y} = 18.80$，$\log K_{Ca,Y} = 10.70$ とする．

解　答

（1）pH = 10.0，$\log \alpha_{Y(H)} = 0.50$（例題 5. 7 の表より）

Cu^{2+} について $\log K^{CuY}_{Cu,Y'} = 18.80 - 0.50 = 18.30$

Ca^{2+} について $\log K^{CaY}_{Ca,Y'} = 10.70 - 0.50 = 10.20$

pH = 4.0, $\log \alpha_{Y(H)} = 8.61$（例題 5. 7 の表より）

Cu^{2+} について $\log K^{CuY}_{Cu,Y'} = 18.80 - 8.61 = 10.19$

Ca^{2+} について $\log K^{CaY}_{Ca,Y'} = 10.70 - 8.61 = 2.09$

まとめると下の表のようになる．

pH	$\log K^{MY}_{M,Y'}$	
	Cu^{2+}	Ca^{2+}
10.0	18.30	10.20
4.0	10.19	2.09

（2）$K^{CuY}_{Cu,Y'}$ は pH 4.0 でも十分に大きく，定量的に反応するので Cu^{2+} の滴定に用いることができると考えられるが，$K^{CaY}_{Ca,Y'}$ は pH 4.0 では小さく，Ca^{2+} の滴定に用いることができない．

キレート滴定が理想的に行われるためには，当量点において式（5. 62）あるいは式（5. 63）を満足しなければならない．すなわち，滴定が定量的に行われるためには $C_M \times K^{(MY)'}_{M',Y'}$ の値が，少なくとも 10^6 よりも大きくなければならない．

Cu^{2+} の場合には，$C_{Cu} > 10^{-4}$ M であれば，$C_{Cu} \times K^{CuY}_{Cu,Y'} = 10^{6.19} > 10^6$ となり，pH 4 でも滴定できることが平衡論的計算から確認できる．

3）キレート滴定における終点決定の方法

電気的決定法　通常，キレート滴定法では，当量点近傍で起こる金属イオン濃度の急激な変化を利用して終点を決定することができる．金属イオンに応答するさまざまなイオン選択性電極や金属電極を用いる電位差法では，pM ジャンプ，あるいは当量点近傍における滴定曲線の変曲点を利用することができる．また，金属イオン濃度と比例関係にある拡散電流の変化を利用する方法，電気伝導度の変化を利用する方法なども利用できる．

指示薬決定法　金属キレートと指示薬との色調変化を利用する金属指示薬法，酸化還元電位の変化により変色する酸化還元指示薬法がある．

以下では，最も一般的な金属指示薬法について考えてみる．表 5. 6 には代表的な金属指示薬を示している．NN，MX などは溶液状態では分解しやすいため，固体粉末を K_2SO_4 などで希釈した粉末状態のものを用い，滴定直前あるいは終点の直前で溶液に加えるようにする．

表5.6の構造式からわかるように，金属指示薬（metal indicator）はキレート試薬の1種である．また，プロトン解離，付加反応も行うことができるので，酸塩基指示薬としての性質もあり，色調から滴定時のおおよそのpHを知ることもできる．

表5.6　キレート滴定に用いられる金属指示薬

指示薬	構造式	滴定可能金属イオン	変色（直接滴定）
エリオクロムブラックT（BT）	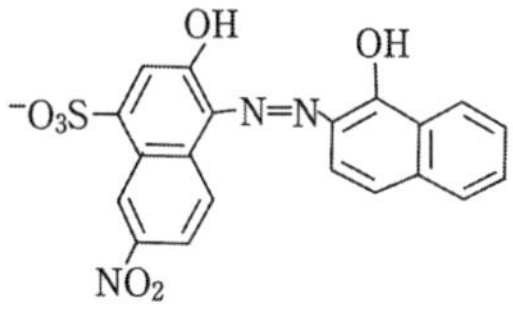 OH, OH, $^{-}O_3S$, N=N, NO_2	Mg^{2+}，Ca^{2+}，Zn^{2+}，Cd^{2+}，Mn^{2+}，Pb^{2+}など	赤→青
NN	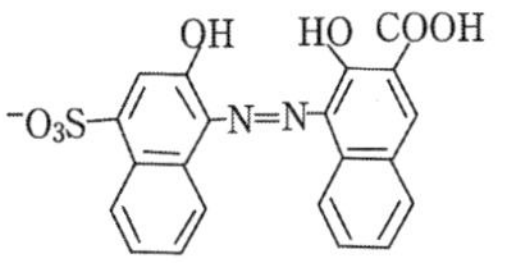 OH, HO, COOH, $^{-}O_3S$, N=N	$(Ca^{2+}+Mg^{2+})$中のCa^{2+}	赤→青
ムレキシド（MX）	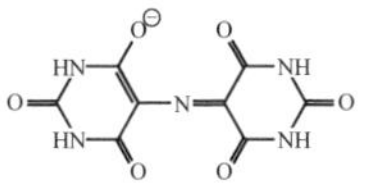 $O^{\ominus}$, O, HN, NH, O, N, O, HN, NH, O, O	Cu^{2+}，Co^{2+}，Ni^{2+}など	赤（または黄）→紫
PAN	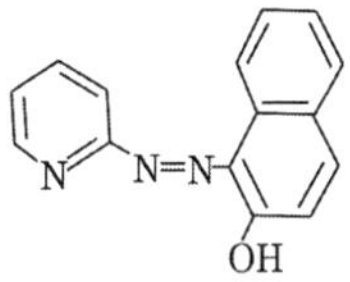 N, N=N, OH	Cu^{2+}，Zn^{2+}，Cd^{2+}など	赤紫→黄
TAN	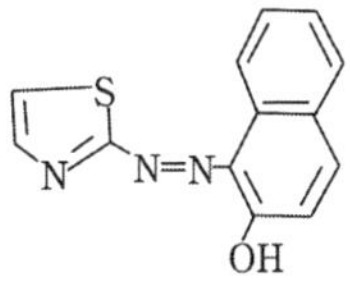 S, N, N=N, OH	Cu^{2+}，Zn^{2+}など	赤紫→黄
キシレノールオレンジ（XO）	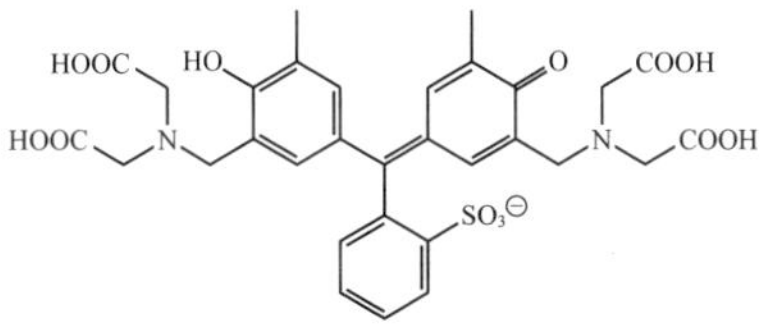 HOOC, HO, O, COOH, HOOC, N, N, COOH, $SO_3^{\ominus}$	Pd^{2+}，Zn^{2+}，Cd^{2+}，Hg^{2+}，Bi(Ⅲ)など	赤紫→黄

＊　正式な化学名は長文であるので，一般に用いられている略名または略号で示した．

例えば，BTはナフトール性水酸基（-OH）を2個，スルホン基（$-SO_3H$）を1個持っている三塩基酸（H_3I）である．しかし，スルホン基のpK_aは非常に小さく，通常の滴定pHでは完全に解離している．またスルホン基の解離の有無は色調にほとんど影響しない．BTの存在イオン種，色調とpHの関係は図5.8のようになる（H_4Y: EDTA）．

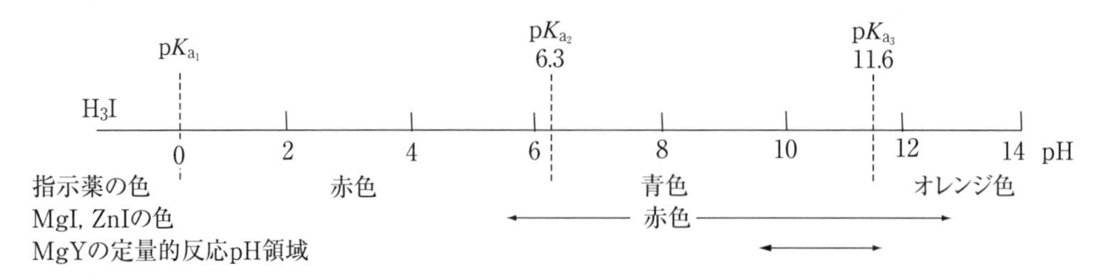

図 5. 8　指示薬の存在種，色調と pH の関係（BT 指示薬— Mg^{2+}，Zn^{2+}）

Mg-EDTA キレートの条件生成定数は，pH 10 で $\log K' = 8.2$ であり，10^{-2} M 程度のマグネシウムイオンであれば定量的に反応することが式（5. 71）からわかる．また，pH 10 で，$C_{Mg} = 1 \times 10^{-2}$ M の溶液を EDTA で滴定する場合を例にすると，式（5. 71）を満足する pH 領域は

$$9.7 < \text{pH} < 12 \tag{5.72}$$

となる（pH 9.7 における $\log \alpha_{Y(H)} = 0.7$，$\log \alpha_{Mg} = 0$；pH 12 における $\log \alpha_{Y(H)} = 0.01$，$\log \alpha_{Mg(OH)} = 0.7$）．したがって，pH 10 付近で滴定すれば，当量点では Mg^{2+} と EDTA は定量的（99.9 %以上）に反応している．しかも，当量点近傍で次式の反応が起こり，赤色から青色への変色が見られるので，この点を終点とすればよい．

$$\underset{(\text{赤色})}{MgI^-} + Y^{4-} + H^+ \rightleftarrows MgY + \underset{(\text{青色})}{HI^{2-}}$$

4）金属指示薬による終点の決定方法

金属指示薬法で正確な当量点を決定するためには，当量点近傍での pM ジャンプが大きく，さらに，pM の変化と指示薬の変色域が一致しなければならない．簡単のため，指示薬（I）と目的金属イオン（M）は（1：1）キレート MI のみを生成し，MI の副反応はないものとする．反応は次式のように示される．

$$M' + I' \rightleftarrows MI \tag{5.73}$$

式（5. 73）に対応する条件生成定数，および金属イオン濃度 M は次式で示される．

$$K_{M',I'} = \frac{[MI]}{[M'][I']}\ ;\ [M'] = \frac{[MI]}{K_{M',I'}[I']} \tag{5.74}$$

一般に，[MI] = [I′]のときを境に色の変化を肉眼で識別できる．この点を変色点という．式（5. 74）から次式が導かれる．

$$pM'_{trans} = \log K_{M',I'} \tag{5.75}$$

ここで，pM'_{trans} は，変色点における（$-\log[M']$）値に相当する．一般的に，肉眼では色調の異なる 2 つの物質の濃度比が 10 以下，10 分の 1 以上の場合を見分けることができるので，次の関係が得られる．

$$0.1 < \frac{[MI]}{[I']} < 10 \tag{5.76}$$

式（5. 74）と（5. 76）より，指示薬の変色域は次式で示される．

$$\log K_{M',I'} + 1 > pM' > \log K_{M',I'} - 1$$

$$pM'_{trans} + 1 > pM' > pM'_{trans} - 1 \tag{5.77}$$

図5.9には，BTを指示薬とし，10^{-4} Mと10^{-2} Mのマグネシウムイオンを EDTA 溶液で滴定したときの滴定曲線（pMg′～ a の関係）を示す．

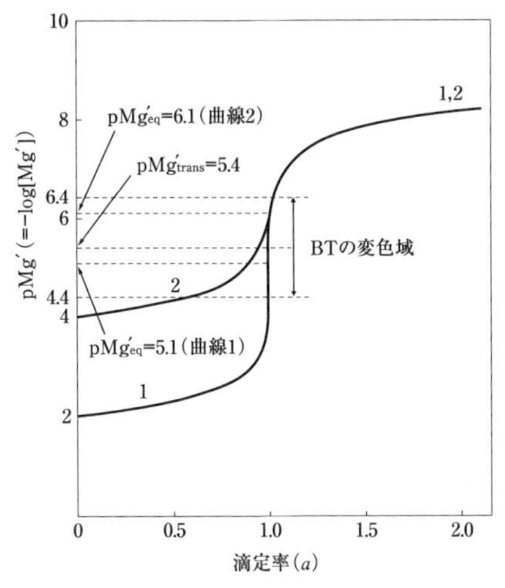

図5.9　EDTAによるマグネシウムイオンの滴定曲線

（pH 10；指示薬：エリオクロムブラック T(BT)）
（1）　$C_{Mg} = 1.0 \times 10^{-2}$ M：（2）　$C_{Mg} = 1.0 \times 10^{-4}$ M：pH 10における $\log \alpha_{Mg(OH)} = 0$，$\log \alpha_{Y(H)} = 0.5$，$\log K^{MgY}_{Mg,Y} = 8.70$
（滴定による体積変化はないものとする）．

pH 10において，指示薬BTの $\log \alpha_{I(H)} = 1.6$，またMgIの生成定数 $\log K_{Mg,I} = 7.0$ である．したがって，変色点は

$$pMg'_{trans} = \log K_{Mg,I} - \log \alpha_{Mg(OH)} - \log \alpha_{I(H)}$$
$$= 7.0 - 0 - 1.6 = 5.4$$

となり，変色域は式（5.77）から，

$$6.4 > pMg' > 4.4$$

である．

5）滴定における誤差

当量点における pM′ を pM'_{eq} とすると，10^{-2} M，10^{-4} M の Mg^{2+} の滴定における pM'_{eq} は pH 10における $K^{MgY}_{Mg',Y'} = 10^{8.2}$（図5.9）と[Mg′] = [Y′]，[MgY] ≈ C_{Mg} の関係より，次のように計算される．

$$C_{Mg} = 10^{-2}\text{ Mのとき，} pMg'_{eq} = 5.1$$

$$C_{Mg} = 10^{-4}\text{ Mのとき，} pMg'_{eq} = 6.1$$

したがって，pMg'_{trans}(= 5.4) は 10^{-2} M マグネシウムの滴定における pMg'_{eq}(= 5.1) にほぼ等しいため，変色点を終点としてもほぼ正確な滴定結果が得られることがわかる．

この場合の相対誤差 $\left(\frac{\Delta C_M}{C_M} \times 100\ \%\right)$ は次式から＋0.04 %と計算される．

$$\frac{\Delta C_M}{C_M} \times 100 = \frac{10^{-pMg'_{eq}} - 10^{-pMg'_{trans}}}{C_M} \times 100(\%) \tag{5.78}$$

一方，10^{-4} M マグネシウムイオンの滴定において，変色点を終点とすると，相対誤差は式（5. 78）から－3.3 %と計算され，大きな誤差を生じることがわかる．しかし，この場合の当量点は変色域の上限（pMg′＝6.4）に近いので，MgI の赤色が完全になくなるところを終点とすれば，かなり当量点に近い正確な結果が得られる．この場合の相対誤差は 0.4 %となるが，pM ジャンプが小さいので，滴定は 10^{-2} M の場合に比べばらつきが大きく，精度が悪くなる可能性がある．

実際の滴定においては，滴定剤および金属指示薬と金属イオンの反応速度，金属指示薬キレートの滴定剤との置換速度なども十分考慮しなければならない．金属指示薬キレートが滴定剤により速やかに置換されない（指示薬のブロッキングという）場合，あるいは微量に存在する共存金属イオンが安定な，あるいは置換不活性な金属指示薬キレートをつくる場合には，当量点での変色が妨害され，正確な当量点の決定ができない．

また，滴定条件下で，共存する金属イオンが滴定剤と反応する場合には，適当なマスキング剤でマスクしなければならない．

例題 5. 16　1.0×10^{-3} M と 1.0×10^{-5} M の亜鉛イオン溶液を，BT 指示薬（I）を用いて EDTA（Y）で滴定したい．（1）0.1 M，あるいは（2）0.01 M アンモニア（NH_3 として存在）を含む pH 8 の緩衝液中での終点について考察せよ．

$\log K_{Zn,Y} = 16.5$，$\log K_{Zn,I} = 12.9$

pH 8 における副反応係数：$\log \alpha_{Zn(OH)} = 0$，$\log \alpha_{Y(H)} = 2.3$，$\log \alpha_{I(H)} = 3.6$

Zn^{2+} のアンモニア錯体：$\log \beta_1 = 2.37$，$\log \beta_2 = 4.61$，$\log \beta_3 = 7.01$，$\log \beta_4 = 9.06$．

解　答

（1）0.1 M アンモニアの場合

$\alpha_{Zn(NH_3)} = 1 + 10^{2.4}[NH_3] + 10^{4.6}[NH_3]^2 + 10^{7.0}[NH_3]^3 + 10^{9.1}[NH_3]^4 = 10^{5.1}$

$pZn'_{trans} = \log K_{Zn,I} - \log \alpha_{Zn} - \log \alpha_I$

$= 12.9 - 5.1 - 3.6 = 4.2$

したがって，変色域は $5.2 > pZn' > 3.2$ となる．また当量点における pZn'_{eq} は次のように計算できる．

$pZn'_{eq} = \frac{1}{2}(-\log C_{Zn} + \log K_{Zn,Y} - \log \alpha_{Zn} - \log \alpha_Y) = \frac{1}{2}(-\log C_{Zn} + 16.5 - 5.1 - 2.3)$

$= \frac{1}{2}(-\log C_{Zn} + 9.1)$

$C_{Zn} = 1.0 \times 10^{-3}$ M のとき，$pZn'_{eq} = \frac{1}{2}(3 + 9.1) = 6.1$

$C_{Zn} = 1.0 \times 10^{-5}$ M のとき，$pZn'_{eq} = \frac{1}{2}(5 + 9.1) = 7.1$

いずれの場合も当量点は変色域外にあり，変色点を終点とすれば大きな負の誤差となる．

さらに，1.0×10^{-5} M 亜鉛の場合には，式（5. 63）の条件も満たしていない（$\log C_{Zn}K_{ZnY} = 4.1 < 6$）．

（2）0.01 M アンモニアの場合

$\alpha_{Zn(NH_3)} = 10^{1.5}$

$pZn'_{trans} = 12.9 - 1.5 - 3.6 = 7.8$

したがって，変色域は 8.8 ＞ pZn′ ＞ 6.8 となる．また，当量点における pZn′は次の値となる．

$$pZn'_{eq} = \frac{1}{2}(-\log C_{Zn} + 12.7)$$

$C_{Zn} = 10^{-3}$ M のとき，

$$pZn'_{eq} = \frac{1}{2}(3 + 12.7) = 7.9$$

$C_{Zn} = 10^{-5}$ M のとき，

$$pZn'_{eq} = \frac{1}{2}(5 + 12.7) = 8.9$$

1.0×10^{-3} M 亜鉛の場合には，変色点と当量点はほとんど一致しているので，変色点を終点とすれば正確な当量点が求まる．一方，1.0×10^{-5} M 亜鉛の場合には，赤色が完全になくなるところを終点とすれば，かなり正確な当量点が求まることになる．また，このアンモニア濃度ではいずれの亜鉛濃度においても，式（5.63）の条件を十分に満たしている．

5.5.2　錯体生成反応に基づく金属イオンの吸光光度法，蛍光光度法

強い可視光吸収を示すキレート試薬が未開拓であった時代には，例えば銅イオンの定量はアンモニア錯体の青色を用いて比色定量（色の濃さを比べて濃度を求める方法）されていた．その後，アンモニアの代わりに，金属錯形性能がより高いエチレンジアミン（en）が用いられた．1960 年代以降はモル吸光係数（ε）数千（10^3 L mol^{-1} cm^{-1}）～10 数万（10^5 L mol^{-1} cm^{-1}）のキレート試薬が開発され，実用化された．例えば，Cu(Ⅱ）イオンは還元され，2,2′-ビキノリル（クプロイン：図 5.11 の c）との（1：2）キレート（吸収極大波長 $\lambda_{max} = 545$ nm，$\varepsilon = 6.5 \times 10^3$ L mol^{-1} cm^{-1}）の吸収が測定に用いられた．類縁試薬の 1,10-フェナントロリン（phen）は Cu(Ⅰ）とも反応するが，Fe(Ⅱ）イオンと反応し，赤色の（1：3）キレート（$\lambda_{max} = 510$ nm，$\varepsilon = 1.1 \times 10^4$ L mol^{-1} cm^{-1}）を生成し，吸光光度定量に用いられる（図 5.10）．

1-ニトロソ-2-ナフトール（図 5.11 の e）は Ilinski らにより Co(Ⅱ)イオンの沈殿試薬として初めて用いられた（1885 年）．類縁試薬のニトロソ R 塩（図 5.11 の f）は水溶性を増すスルホン基を持っているので，Co(Ⅱ)イオンと赤色の水溶性キレートを生成する．Co イオンは通常は固体塩類，あるいは水溶液で Co(Ⅱ)であるが，キレートを生成すると，空気酸化を受けて Co(Ⅲ)の安定な（1：3）キレートとなっており，酸性，アルカリ性，EDTA 溶液中でも安定に存在する．同様に，2-ニトロソ-5-ジメチルアミノフェノール（ニトロソ-DMAP 図 5.11 の g）も（1：3）キレートを生成する（$\lambda_{max} = 530$ nm，$\varepsilon = 6 \times 10^4$ L mol^{-1} cm^{-1}）．これらのニトロソ化合物は Fe(Ⅲ)，Fe(Ⅱ)，Cu(Ⅱ)，Ni(Ⅱ)，Pd(Ⅱ) などとも着色キレートを生成する．特徴的なキレートは，(1：3）の緑色 Fe(Ⅱ)キレートである（ニトロソ-DMAP：$\lambda_{max} = 750$ nm，$\varepsilon = 4 \times 10^4$ L mol^{-1} cm^{-1}）．

クロモトロープ酸（1,8-ジヒドロキシナフタレン-3,6-ジスルホン酸）を母体とするビス

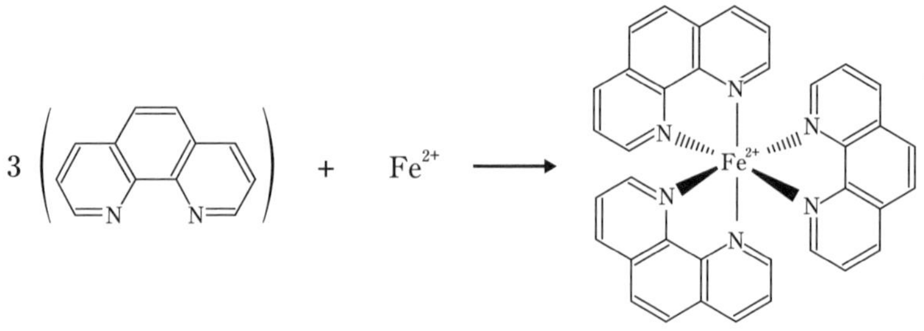

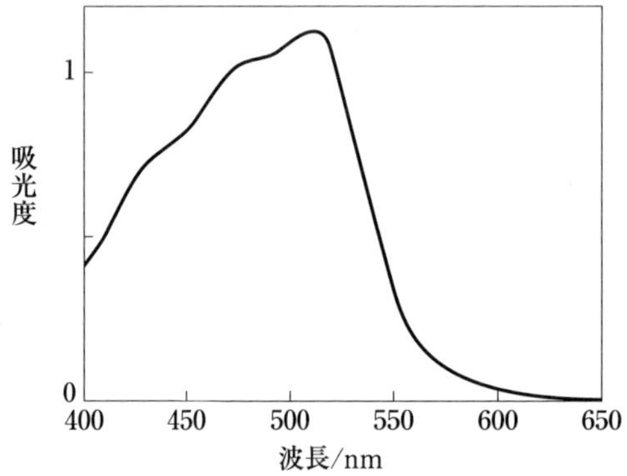

図 5. 10　$Fe(phen)_3^{2+}$ 水溶液（1.0×10^{-4} M）の吸収スペクトル

アゾ化合物（図 5. 11 の h ～ j）はアルカリ土類金属イオンや U(Ⅵ)，Th(Ⅳ)，Zr(Ⅳ)などと水溶性キレートを生成する．例えば，アルセナゾⅢでは，UO_2^{2+}(λ_{max} = 670 nm, ε = 13.0 × 10^4 L $mol^{-1}cm^{-1}$)，Th(Ⅳ)では（λ_{max} = 665 nm，ε = 13.0 × 10^4 L $mol^{-1}cm^{-1}$)，Zr(Ⅳ)では（λ_{max} = 665 nm，ε = 12.0 × 10^4 L $mol^{-1}cm^{-1}$）となり，高感度吸光光度定量に利用される．

1-(2-ピリジルアゾ)-2-ナフトール（PAN：図 5. 11 の k)，1-(2-ピリジルアゾ)レゾルシノール（PAR：図 5. 11 の l ）などのピリジルアゾ誘導体は多くの金属イオンと赤色系統のキレートを生成するので，吸光光度法およびキレート滴定の指示薬として用いられる．PAR の 2 位が -OH，$-NH_2$，-COOH に置換したもの，4 位の -OH がジアルキルアミノ基に置換した多くの類縁体が知られている．これらの金属キレートのモル吸光係数は約 10 万（L $mol^{-1}cm^{-1}$）である．

ニトロソ基（-NO）やアゾ基（-N = N-）の p- 位にアルキルアミノ基を持つキレート試薬のモル吸光係数は一般に大きいことが知られている．これは，キレートがチャージドキノン構造（charged quinoid structure：電荷を帯びたキノン構造）をとりやすくなるためであると考えられている（桐榮: チャージドキノン説)．陽イオン染料（メチレンブルー，マラカイトグリーン，エチルバイオレットなど)，陰イオン染料（フェノールフタレイン，テトラブロモフェノールフタレインエチルエステル，ブロモフェノールブルーなど）などのモル吸光係数が約 10 万になることもチャージドキノン説から説明できる（図 5. 12)．

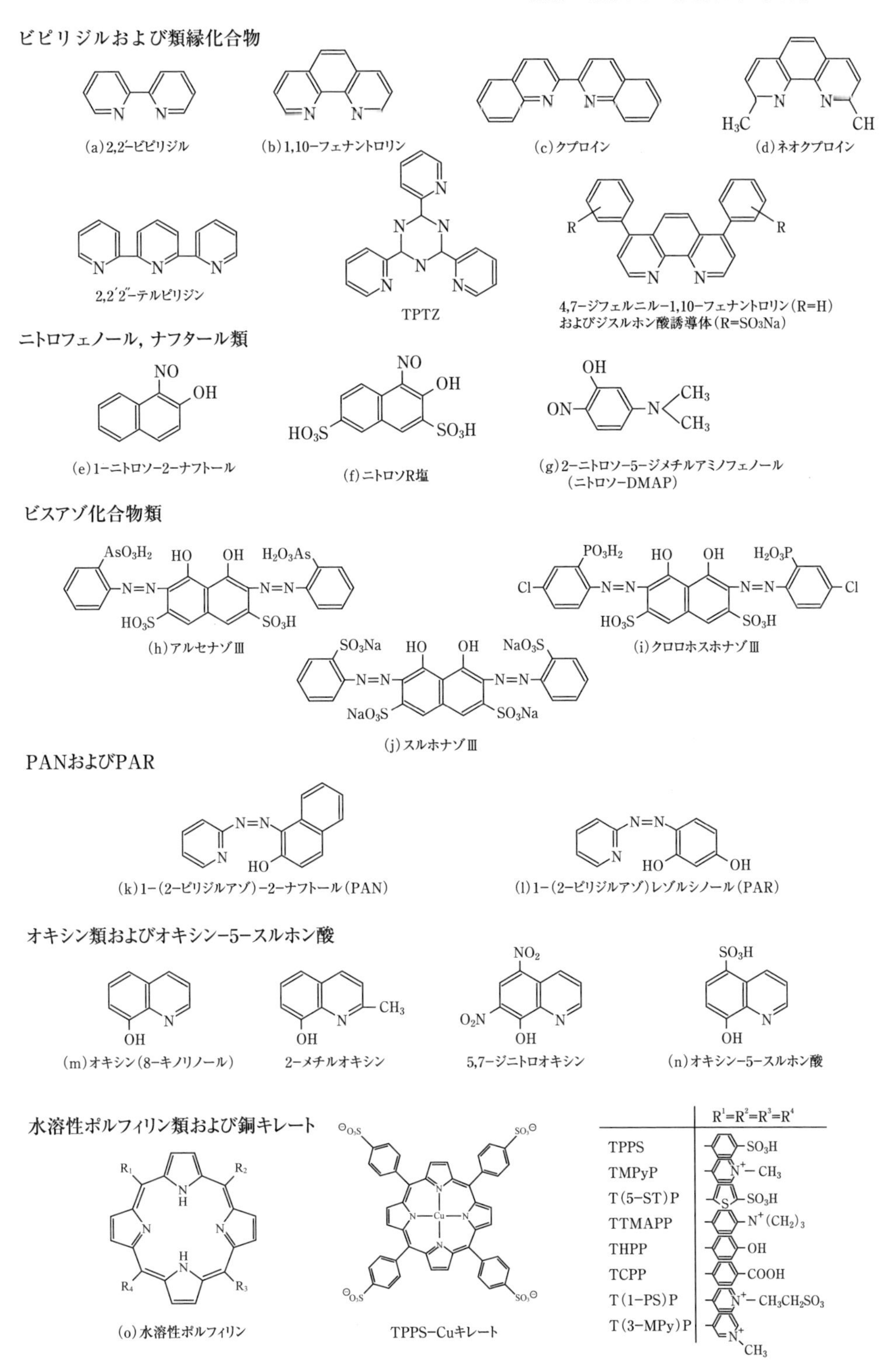

図 5.11　着色キレートを生成する代表的有機試薬類

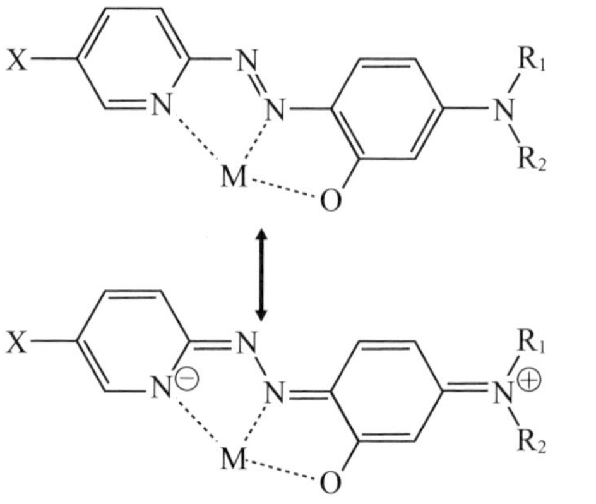

X＝Cl, Br, NO_2, CF_3
R_1＝$C_2H_5^-$, $C_3H_7^-$
R_2＝アルキル基, $-C_2H_4SO_3H$, $-C_3H_6SO_3H$

図5.12　1−(2−ピリジルアゾ)−5−ジアルキルアミノフェノール類縁体キレートおよびチャージドキノンの構造

8-キノリノール（オキシン：図5.11のm）あるいは5位にスルホン基を持つ誘導体（図5.11のn）は多くの金属イオンとキレート（ε：10^3～10^4 L mol^{-1} cm^{-1}）を生成する．Al(Ⅲ)，Ga(Ⅲ)，In(Ⅲ)などの典型元素のキレートは蛍光を示す．

ポルフィリンは天然にも広く存在する化合物である．これらの化合物では，キレート生成反応は遅いが，生成キレートのソーレー帯（soret band）のモル吸光係数は50万台となる（図5.11のo）．多数の誘導体が開発され，金属の高感度吸光光度定量に用いられている．

以上の例は有機試薬（分析試薬として用いられる有機化合物）の例であるが，無機試薬も用いられる．特徴的な例は，モリブデン酸を用いるヘテロポリ酸形成反応である．例えば，塩酸，硝酸，硫酸などの酸性水溶液中で，リン酸（オルトリン酸：H_3PO_4），ヒ酸，ケイ酸などは黄色のヘテロポリ酸（$H_3PMo_{12}O_{40}$，$H_3AsMo_{12}O_{40}$，$H_4SiMo_{12}O_{40}$）を生成し，400 nm付近の吸収が測定に利用される．これらの錯体はMoとOで形成されたカゴ状化合物の中心にP(Ⅴ)，As(Ⅴ)，Si(Ⅳ)などが存在し，黄色を示すことから，モリブデン黄ともいわれている．塩化スズなどで還元すると青色となる（モリブデン青：700～850 nm付近の吸収）．一般にモリブデン青の方がモリブデン黄に比べて10倍程度高感度である．共存物質の影響が比較的少ないことから，現在でもリン，ヒ素，ケイ素の吸光光度定量によく用いられる．

この他にも金属錯体，キレートを形成する有機，無機発色試薬を用いる金属イオンの吸光光度定量法，蛍光光度定量法が多数開発され実用に供されている（JIS K 0102工場排水試験方法などを参照）．

5.5.3　錯体生成反応に基づく金属イオンの溶媒抽出あるいは固相抽出分離，濃縮

キレート試薬はほとんど全て有機化合物であり，生成したキレートが無電荷の場合には親油性（疎水性）が高く，水に溶けにくくなり沈殿となる．このようなキレートは，一般に有機溶媒に抽出されやすい．例えば，ニッケル(Ⅱ)-ジメチルグリオキシムキレート（図5.1のc）はL. Tschugaeffにより1905年にニッケルの沈殿試薬として開発され，(1：2)キレートは水に溶けにくいピンク色沈殿を生じる．クロロホルムに抽出され，黄色を呈する．また，コバルト(Ⅲ)-1-ニトロソ-2-ナフトールの（1：3）キレートはクロロホルム，ベンゼンなどの有機溶媒に抽出され，赤色を呈する．抽出液を酸またはアルカリ，EDTA水溶液などで洗浄するとコバルトキレート以外は分解され，有機相から除かれる．一般にコバルト(Ⅲ)キレートは置換不活性であり，酸，アルカリ，EDTAなどに対しても安定である．コバルト(Ⅲ)キレートはコバルト(Ⅱ)キレートが水中の酸素により酸化されて生成する．

電荷を持つキレート，例えば$-SO_3^-$などのイオン性基を持つキレートは反対電荷の疎水性イオンとイオン会合体を生成し，有機溶媒に抽出される．例えば$Fe(phen)_3^{2+}$(phen：図5.11のb）は，かさ高い陰イオン（ClO_4^-など）とイオン会合体を生成し，ニトロベンゼンなどに抽出される．スルホン基を持つキレート（Co(Ⅲ)-ニトロソ-Rキレート（図5.11のf）など）は第4級アンモニウムイオンとイオン会合体を生成し，クロロホルムなどに抽出される（8章参照）．

これらの抽出種は疎水性の固相（固体吸着剤，例えばODSなど）にも吸着される（固相抽出という）．最近では，有機溶媒を用いる抽出の代わりに固相抽出がよく用いられる(8章参照)．

これらのキレート抽出系は分離，濃縮を目的に行われるが，キレートの紫外，可視吸収を利用した吸光光度法，あるいは蛍光性キレートでは蛍光光度法にも利用できる．非常に多くの抽出法，定量法が開発されている．

5.5.4　錯体生成反応に基づく金属イオンの沈殿分離，重量分析[*15]

電荷を持たないキレートは，一般に水に不溶である．また，キレートの式量は金属そのものよりも数倍～10数倍大きくなっているので重量分析には好都合である．ニッケル―ジメチルグリオキシムキレートのように，溶媒抽出や固相抽出されるキレートは水に難溶性のものが多く，沈殿は重量分析に用いられる．

---

*15 重量は“質量”に置き代えられるべきであるが，“質量分析”は“マススペクトロメトリー”と混乱するので，重量を用いることとする．

第5章の章末問題

5. 1 ●必 須●

水和金属イオンの水分子交換速度定数（$k_{H_2O}^{H_2O^*}/s^{-1}$）は以下の表のとおりである．このデータを基に，通常の条件（室温）下でEDTA滴定により定量できる金属イオンはどれか判断しなさい．また，滴定の困難な金属イオンに対してはどのような方法をとれば滴定可能になるかについて考察しなさい．

	Cr^{3+}	Al^{3+}	Fe^{3+}	Ni^{2+}	Mg^{2+}	Zn^{2+}	Ca^{2+}	Cu^{2+}
$\log(k_{H_2O}^{H_2O^*}/s^{-1})$	−6	0	2	4	6	7	8	9

5. 2 ●必 須●

Cd^{2+} と CN^- の錯生成平衡は次の通りである．$\log[CN^-]$ と各錯体の存在率 f_n との関係を図で示しなさい．

$$Cd^{2+} + CN^- \rightleftharpoons CdCN^+ \qquad \log\beta_1 = 5.5 \qquad (1)$$

$$Cd^{2+} + 2CN^- \rightleftharpoons Cd(CN)^2 \qquad \log\beta_2 = 10.6 \qquad (2)$$

$$Cd^{2+} + 3CN^- \rightleftharpoons Cd(CN)_3^- \qquad \log\beta_3 = 15.3 \qquad (3)$$

$$Cd^{2+} + 4CN^- \rightleftharpoons Cd(CN)_4^{2-} \qquad \log\beta_4 = 18.9 \qquad (4)$$

5. 3 ●必 須●

10^{-3} M EDTAの水溶液において，pH 2, 4, 7, 9, 10.3, 12における［Y^{4-}］の濃度を計算しなさい．必要な定数は付表から引用しなさい．

5. 4 ●必 須●

ニトリロ三酢酸（NTA，H_3L）の $\log\alpha_{L(H)}$ - pHの関係図を描きなさい．

ただし，NTAの $pK_{a_1} = 1.97$; $pK_{a_2} = 2.57$; $pK_{a_3} = 9.81$ とする．

5. 5 ●必 須●

Cu^{2+} と NH_3 の錯体の生成定数は次のとおりである．

$$K_1 = 10^{4.13},\ K_2 = 10^{3.48},\ K_3 = 10^{2.87},\ K_4 = 10^{2.11}$$

$[NH_3] = 10^{-3}$ M における各イオン種の存在率，$f_{Cu^{2+}}$, $f_{Cu(NH_3)^{2+}}$, $f_{Cu(NH_3)_2^{2+}}$, $f_{Cu(NH_3)_3^{2+}}$, $f_{Cu(NH_3)_4^{2+}}$ を求めよ．

5. 6［推 奨］

ある溶液条件下で次の反応の条件生成定数が，$K_{M',L'}^{(ML)'} = 10^{8.0}$ であるとする．

（1），（2），（3）に答えなさい．

$$M' + L' \rightleftharpoons (ML)' \qquad K_{M',L'}^{(ML)'} = [(ML)']/[M'][L'] = 10^{8.0}$$

（1）M, Lの初濃度（反応する前の濃度）がそれぞれ 1.0×10^{-3} Mであったとする．平衡状態で，Lと反応していないMの濃度（すなわち[M′]）はいくらになるか．計算しなさい．

（2）この条件下で，$\alpha_M = 1.0 \times 10^3$，$\alpha_L = 1.0 \times 10^4$，$\alpha_{ML} = 1.0 \times 10^2$ であるとすると，副反応していないM, L, MLの濃度，すなわち[M]，[L]，[ML]はいくらになるか．

（3）$K_{M,L}^{ML}$ の値はいくらになるか．

5.7［推 奨］

Fe^{3+}，Cu^{2+}，Zn^{2+} と EDTA(H_4Y) のキレート生成定数は次のとおりである．

$$K_{Fe,Y} = 10^{25.1},\ K_{Cu,Y} = 10^{18.8},\ K_{Zn,Y} = 10^{16.5}$$

pH = 4 では，どの金属イオンが EDTA と最もよく反応するか．また，pH = 8 ではどうか．次の副反応係数を用いて推察せよ．

$$pH = 4 : \alpha_{Fe(OH)} = 10^{1.8},\ \alpha_{Cu(OH)} = 10^{0},\ \alpha_{Zn(OH)} = 10^{0};\ \alpha_{Y(H)} = 10^{8.6}$$

$$pH = 8 : \alpha_{Fe(OH)} = 10^{9.7},\ \alpha_{Cu(OH)} = 10^{0.2},\ \alpha_{Zn(OH)} = 10^{0};\ \alpha_{Y(H)} = 10^{2.3}$$

5.8［推 奨］

Fe^{3+}，Cu^{2+}，Zn^{2+} と EDTA(H_4Y) のキレート生成定数は次のとおりである．

$$K_{Fe,Y} = 10^{25.1},\ K_{Cu,Y} = 10^{18.8},\ K_{Zn,Y} = 10^{16.5}$$

アンモニアの全濃度 1 M の存在下，pH = 4 では，どの金属イオンが EDTA と最もよく反応するか．また，pH = 8 ではどうか．次の副反応係数を用いて推察せよ．

$$pH = 4 : \alpha_{Fe(OH)} = 10^{1.8},\ \alpha_{Cu(OH)} = 10^{0},\ \alpha_{Zn(OH)} = 10^{0};\ \alpha_{Y(H)} = 10^{8.6}$$

$$\alpha_{Fe(NH_3)} = 10^{0},\ \alpha_{Cu(NH_3)} = 10^{0},\ \alpha_{Zn(NH_3)} = 10^{0}$$

$$pH = 8 : \alpha_{Fe(OH)} = 10^{9.7},\ \alpha_{Cu(OH)} = 10^{0.2},\ \alpha_{Zn(OH)} = 10^{0};\ \alpha_{Y(H)} = 10^{2.3}$$

$$\alpha_{Fe(NH_3)} = 10^{0},\ \alpha_{Cu(NH_3)} = 10^{7.1},\ \alpha_{Zn(NH_3)} = 10^{3.6}$$

5.9 ◀チャレンジ▶

10^{-3} M Fe^{3+}，10^{-1} M SCN^-，1 M F^- を含む水溶液がある．この溶液の pH をいくらにすれば $FeSCN^{2+}$ の赤色が認められるか．ただし HF の $pK_a = 3.2$，$K_{Fe,SCN} = 10^{2.0}$，$K_{Fe,F} = 10^{5.5}$ とする．また，$[FeSCN^{2+}] > 10^{-5.5}$ M のときに赤色は認められるものとする．

5.10 ◀チャレンジ▶

例題 5.16 において，推奨される終点まで滴定したとする．滴定誤差を計算しなさい．

5.11 ◀チャレンジ▶

Ca^{2+} の EDTA 滴定では，エリオクロームブラック T が指示薬として用いられる．市販の指示薬溶液には Mg−EDTA キレートが含まれている（ユニバーサル BT などの商品名）．この理由を考えなさい．

5.12 ◀チャレンジ▶

0.020 M $CaCl_2$ を 0.020 M EDTA（H_4Y）標準溶液で滴定した．当量点において溶液の pH が 3, 7 および 10 のときの未反応の$[Ca^{2+}]$を求めよ．ただし，$K_{Ca,Y} = 10^{10.7}$ とし，副反応係数 $\alpha_{Y(H)}$ は次の値を用いよ．

$$\alpha_{Y(H)} = 10^{10.6}(pH = 3),\ \alpha_{Y(H)} = 10^{3.33}(pH = 7),\ \alpha_{Y(H)} = 10^{0.46}(pH = 10)$$

課 題

5.1 モリブデン酸から生成するヘテロポリ酸について，次のことを調べてまとめなさい．

（1）ヘテロポリ酸を生成するイオンにはどのようなものがあるか．また，それらの利用法はどうか（分析化学に限らない）．

（2）比較的多量にケイ酸イオンが共存する場合，リン酸イオンの吸光光度定量は可能か．可能とすれば，どのような工夫が必要か．

（3）リン酸とヒ酸が共存する場合に，それぞれの吸光光度定量の可能性について考察しなさい．

5. 2　キレート陽イオン，キレート陰イオンの溶媒抽出（イオン会合抽出）法について調べ，どのような対イオンが望ましいか，実例に基づいて考察しなさい．
また，固相抽出ではどうか．

5. 3　キレート試薬を用いる金属イオンの重量分析法にはどのような方法があるか．主な方法について調べなさい．また，実例を基にその利点，特徴は何か，まとめなさい．

5. 4　EDTA滴定による河川水中の硬度（Ca^{2+}, Mg^{2+} および全硬度）測定について，それぞれの硬度測定の原理を平衡論的に説明しなさい．

5. 5

（1）有機化合物において，モル吸光係数を大きくするためには，どのような構造が有利と考えられるか．

（2）金属キレートのモル吸光係数（ε）が約 100,000 L mol^{-1} cm^{-1}(80,000 以上）となるような高感度発色系について調べ代表例をまとめなさい．どのようなキレート試薬において高感度化が達成されているか，(5. 1）の場合と関連して考察しなさい．

5. 6　固相抽出法で用いられる固相にはどのようなものがあるか，類別してまとめなさい．また，一般的に金属イオンの固相抽出にはどのような固相を用いてどのような操作を行えばいいか．

第６章　酸化還元反応

酸化と還元は化学反応の中で最も重要な反応の１つである．酸化剤と還元剤の組み合わせによる酸化還元反応は，容量法による化学分析に利用され，電極を利用した酸化還元反応は電気化学的な分析（機器分析編第４章参照）に応用される．

本章では，酸化還元反応の分析化学的応用を理解する上で重要な基礎的事項を解説する．

《本章で学ぶ重要事項》

（１）　酸化還元反応とガルバニ電池
（２）　ネルンスト式
（３）　標準電極電位と平衡定数
（４）　条件標準電位：pH 依存，沈殿生成や錯体生成を伴う酸化還元反応
（５）　酸化還元滴定：滴定曲線，終点の決定法，滴定の実例

6.1　酸化還元反応と電極電位

6.1.1　酸化還元反応と酸化剤，還元剤

古くは酸化とはある元素が酸素と結合して酸化物を生じる反応をいい，酸化物から酸素が奪われて単体を生じる反応が還元とされていた．現在では酸化とは「原子，分子，イオンが電子を失うこと」であり，還元とは「これらが電子を受けとること」と定義される．

また，酸化還元反応で「他の物質を酸化する物質」あるいは「還元される反応物」を酸化剤（酸化体：Ox）といい，「他の物質を還元する物質」あるいは「酸化される反応物」を還元剤（還元体：Red）という．したがって，式（6.1）の酸化還元反応において，酸化剤とは「電子を受けとることができる物質」であり，還元剤とは「電子を与えることができる物質」である．ここで，e^-は電子を，n は電子数を表す．

$$\underset{\text{Ox}}{\text{酸化剤（酸化体）}} + ne^- \rightleftarrows \underset{\text{Red}}{\text{還元剤（還元体）}} \qquad (6.1)$$

共役な酸化還元対（redox pair）

そして，このような一対の物質を共役な酸化還元対という．酸化剤の強さは，「電子を受けとる傾向の大小で表され，その傾向の大きいものほど酸化力は強い」．一方，還元剤の強さは「電子を与える傾向の大小で表され，その傾向の大きいものほど還元力は強い」．

また，酸化剤あるいは還元剤が強いほど，共役な還元剤あるいは酸化剤は逆に弱くなることは，共役な酸塩基対の強弱の関係と同じである．なお，以下では共役な酸化剤と還元剤を“酸化剤 / 還元剤”，例えば Fe^{3+}/Fe^{2+} や Cr(Ⅵ)/Cr(Ⅲ) のように書くことにする．

具体的に次の Fe^{3+}/Fe^{2+}，Sn^{4+}/Sn^{2+}，Cl_2/Cl^- の共役な酸化還元対について酸化還元反応を考えてみよう．反応は次の式（6.2）～（6.4）のように示される．

$$Fe^{3+} + e^- \rightleftarrows Fe^{2+} \tag{6.2}$$

$$Sn^{4+} + 2e^- \rightleftarrows Sn^{2+} \tag{6.3}$$

$$Cl_2 + 2e^- \rightleftarrows 2Cl^- \tag{6.4}$$

酸化とは右から左へ進む反応であり，「正の原子価の増加」または「負の原子価の減少」（$2Cl^- \longrightarrow Cl_2 + 2e^-$）を伴う現象ということができる．逆に，還元とは左から右へ進む反応であり，「正の原子価の減少」または「負の原子価の増加」を伴う現象である．

6.1.2　酸化数

1940年頃から原子価の代わりに酸化数という概念が用いられ，原子価を全て酸化数で置き換えて，酸化数の増減で酸化還元反応を考えるようになった．酸化数とは化合物中の原子の酸化状態を数量的に表すために導入されたものであり，酸化還元反応の量的関係を理解するのに役立つ．酸化数の決め方を表6.1に示す．

表6.1　酸化数の決め方

種類	酸化数の決め方	例　物質：原子（酸化数）
単体中の原子	常に0	H_2：H(0), O_2(0), N_2：N(0), Fe：Fe(0), Na：Na(0)
単原子イオン	イオンの電荷数に等しい	Fe^{2+}：Fe(+2), Ce^{4+}：Ce(+4), S^{2-}：S(−2)
化合物中の原子	化合物中の水素原子の酸化数を+1，酸素原子の酸化数を−2とし，化合物全体での酸化数の総和は0として，他の原子の酸化数を決める．	H_2SO_3：S(+4), H_2SO_4：S(+6), NaCl：Cl(−1), NaClO：Cl(+1), ClO_2：Cl(+4), $HClO_3$：Cl(+5), NH_3：N(−3)
多原子イオン	それぞれの酸化数の総和がイオンの電荷数に等しい	NO_3^-：N(+5), $C_2O_4^{2-}$：C(+3), CO_3^{2-}：C(+4)

例外：金属水素化物では，水素原子の酸化数は−1になる．例　NaH：Naの酸化数は+1，水素の酸化数は−1になる．過酸化物では，酸素の酸化数は−1になる．例　H_2O_2：Oの酸化数は−1，水素の酸化数は+1になる．

例題6.1　次の（1）～（6）の物質について，（　）に示した原子の酸化数を求めよ．

（1）$Cr_2O_7^{2-}$，(Cr)　（2）$KMnO_4$，(Mn)　（3）$Na_2S_2O_3$，(S)

（4）NH_4VO_3，(V)　（5）SbH_3，(Sb)　（6）Cl_2O，(Cl)

解　答

（1）Crの酸化数を x とすると次式が成立する．

$x \times 2 + (-2) \times 7 = -2$, $x = +6$

酸化数が＋6のクロムを6価クロムという

ことがある．Cr(Ⅵ) と記述することがある．

（2）Mn の酸化数を x とする．ここで，K の酸化数は $+1$ である．

$$(+1)+x+(-2)\times 4=0,\ x=+7$$

または過マンガン酸イオン（MnO_4^-）で考えてもよい．

$$x+(-2)\times 4=-1,\ x=+7$$

（3）S の酸化数を x とする．ここで，Na の酸化数は $+1$ である．

$$(+1)\times 2+x\times 2+(-2)\times 3=0,\ x=+2$$

（4）V の酸化数を x とする．バナジン酸のアンモニウム塩なので，VO_3^- を考える．

$$x+(-2)\times 3=-1,\ x=+5$$

（5）Sb の酸化数を x とする．

$$x+(-1)\times 3=0,\ x=+3$$

（6）Cl の酸化数を x とする．

$$x\times 2+(-2)=0,\ x=+1$$

酸化還元反応を電子の授受反応の面から眺めてみる．電子は溶液中において遊離の状態では安定に存在し得ないので，還元剤が電子を放出するためには電子を受け取ることのできる酸化剤が存在しなければならない．すなわち酸化反応と同時に還元反応が常に起こることになる．

例えば，Fe^{3+} の水溶液に Sn^{2+} の水溶液を加えると，Fe^{3+} は Sn^{2+} から電子を受けとって Fe^{2+} に還元され，Sn^{2+} は Sn^{4+} に酸化される．

$$2Fe^{3+}+2e^- \longrightarrow 2Fe^{2+}$$
$$Sn^{2+} \longrightarrow Sn^{4+}+2e^-$$
$$2Fe^{3+}+Sn^{2+} \longrightarrow 2Fe^{2+}+Sn^{4+} \tag{6.5}$$

6.1.3　電極反応と電極電位およびネルンストの式

金属亜鉛板を硫酸亜鉛水溶液に浸すと，両者の間に電子のやり取りが行われ亜鉛板と溶液の界面に電位差を生じる（図 6.1）．この反応過程は式（6.6）で表される．

$$Zn^{2+}+2e^- \rightleftarrows Zn \tag{6.6}$$

このとき生じた電位差は Zn^{2+}/Zn 系の半電池（単極），すなわち式（6.6）の半反応の起電力に相当し，この電位を単極電位という．

また，Fe^{3+} と Fe^{2+} の両イオンを含む溶液に白金のような不活性な電極を浸すと，Fe^{2+} は白金に電子を与えて Fe^{3+} に，Fe^{3+} は電子を受けとって Fe^{2+} になろうとして式（6.2）に示す平衡状態に達する．

$$Fe^{3+}+e^- \rightleftarrows Fe^{2+} \tag{6.2}$$

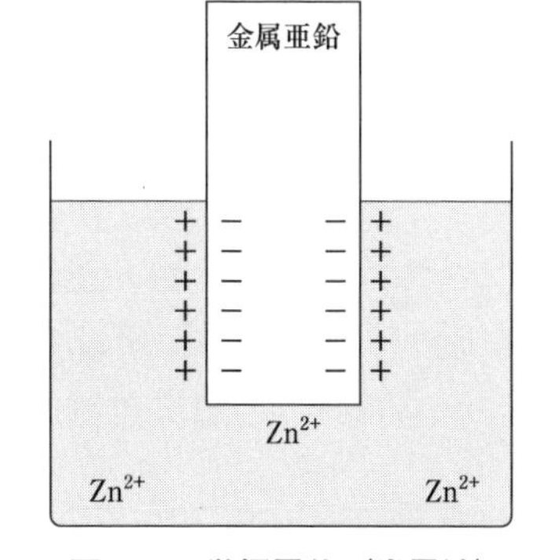

図 6.1　単極電位（半電池）

その結果，白金電極は Fe^{3+} と Fe^{2+} の組成に応じた起電力を持ち，この電位は単極電位に相当する．これらの単極電位の絶対値を単独で測定することはできないが，2 つの半電池を組み合わせた電池を構成し，その起電力を測定することで，単極電位の差を求めることができる．このような電池をガルバニセル（ガルバニ電池）という．

単極電位の基準になる半電池の電極として，図6. 2に示す標準水素電極が用いられる．図に示すように白金黒と呼ばれるPt微粒子がメッキされた白金（白金黒付き白金）電極を用いて水素ガスを通じると白金黒に水素が吸蔵され，式（6. 7）の電極反応が進み平衡に達する．ここで，水素の圧力が1気圧，水素イオンの活量が1の場合を標準水素電極（standard hydrogen electrode，SHE，または normal hydrogen electrode，NHE）と呼び，その電極電位（$E°$）は全ての温度で0.000 Vと定められている．

$$2H^+ + 2e^- \rightleftarrows H_2 \qquad E° = 0.000\ \mathrm{V} \tag{6. 7}$$

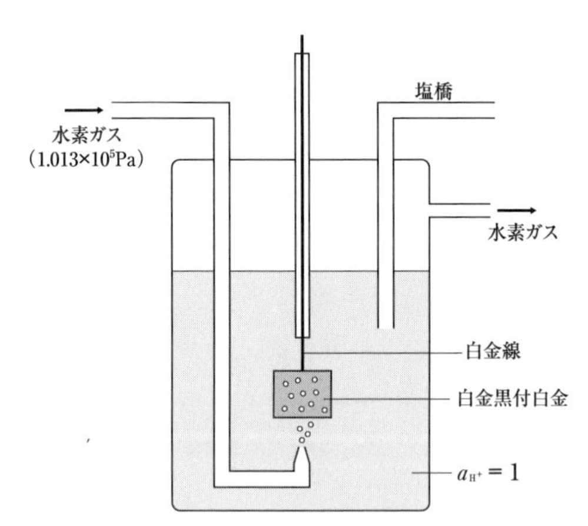

図6. 2　標準水素電極

標準水素電極の半電池を左側に，ある半電池を右側に配置して電池を構成する．例えば，$Zn^{2+} + 2\ e^- \rightleftarrows Zn$（式（6. 6）），$Fe^{3+} + e^- \rightleftarrows Fe^{2+}$（式（6. 2））で表される半反応の半電池を組み合わせたガルバニ電池は，それぞれ，次のように書き表される．

$$\mathrm{Pt, H_2(1\ 気圧)\,|\,H^+}(a = 1)\ \|\ \mathrm{Zn^{2+}}\ (a = 1)\,|\,\mathrm{Zn} \tag{6. 8}$$

$$\mathrm{Pt, H_2(1\ 気圧)\,|\,H^+}(a = 1)\ \|\ \mathrm{Fe^{3+}}\ (a = 1), \mathrm{Fe^{2+}}\ (a = 1)\,|\,\mathrm{Pt} \tag{6. 9}$$

ここで，記号｜は，例えば水素を吸着した白金黒と$H^+(a = 1)$の水溶液の界面を表し，記号‖は，塩橋や隔膜で半電池が連結されていること*1を意味している．

電池の起電力E_{cell}は，（右側の電極電位E_R）−（左側の電極電位E_L）として定義される．

---

*1　電池を構成するとき，2つの溶液が混ざり合うのを防ぐために塩橋または隔膜で連結するが，酸化と還元を別個に行わせて電子を移動させるためには，2つの溶液間を化学的に導通させる必要がある．塩橋は寒天の中に塩化カリウムや硝酸カリウムなどの電解質が含まれているものであり，例えば，反応とともに塩橋から正極側にはK^+が，負極側にはCl^-が溶出して，溶液全体の電荷を一定にしている．したがって，塩橋を使用すると水溶液が塩橋の電解質で汚染されることがあるので，分析に際しては注意する必要がある．また，隔膜は，多孔質の素焼き板やセラミック板でできており，それらの微細な空孔を通して，水溶液中のイオンや分子を通過させることができる．セロファンなどの半透膜も同じ役割をする．

$$E_{cell} = E_R - E_L \tag{6.10}$$

標準状態（25 ℃，1 気圧，反応にかかわる全ての化学種の活量が 1）において，電池図式（6. 8）および（6. 9）の起電力は，それぞれ −0.763 V および 0.771 V になる．これらは，SHE を基準（参照電極）にした半電池の単極電位であり，これを特に標準電極電位（$E°$，standard electrode potential）という．標準電極電位は，物質が電子を受けとる傾向の大小を表したものであり，$E°$が大きいほど酸化力が強くなる（付表 6）．

電池の起電力（E_{cell}）によって n モルの電子が外部の回路を流れたとすると，このときの電気的な仕事は式（6. 11）で表される．

$$\Delta G = -nFE_{cell} \tag{6.11}$$

ここで，ΔG はギブスエネルギー変化，n は反応電子数，F はファラデー定数（96485 C mol^{-1}）である．式（6. 9）で表される電池を考えると，電池全体では次の反応が起こる．

$$Fe^{3+} + \frac{1}{2}H_2 \overset{K}{\rightleftarrows} Fe^{2+} + H^+ \tag{6.12}$$

ここで，K は平衡定数である．この反応に伴うギブスエネルギー変化 ΔG は，

$$\Delta G = \Delta G° + RT\ln K = \Delta G° + RT\ln\frac{a_{Fe^{2+}}\cdot a_{H^+}}{a_{Fe^{3+}}\cdot (a_{H_2})^{1/2}} \tag{6.13}$$

ここで，$\Delta G°$は標準状態におけるギブスエネルギー変化，a は各成分の活量，R は気体定数（8.314 J·K^{-1}·mol^{-1}），T は絶対温度である．式（6. 11）と式（6. 13）から，

$$-nFE_{cell} = \Delta G° + RT\ln K = \Delta G° + RT\ln\frac{a_{Fe^{2+}}\cdot a_{H^+}}{a_{Fe^{3+}}\cdot (a_{H_2})^{1/2}} \tag{6.14}$$

$$E_{cell} = -\frac{\Delta G°}{nF} - \frac{RT}{nF}\ln\frac{a_{H^+}}{(a_{H_2})^{1/2}} - \frac{RT}{nF}\ln\frac{a_{Fe^{2+}}}{a_{Fe^{3+}}} \tag{6.15}$$

ここで，$a_{H_2} = 1$，$a_{H^+} = 1$ なので，式（6. 15）の第 2 項はゼロとなり，さらに $a_{Fe^{3+}} = a_{Fe^{2+}} = 1$ のとき，$E_{cell} = -\Delta G°/nF$ となる．この電位が標準電極電位（$E°$）であり，$E_{cell} = E° = 0.771$ V > 0 より，式（6. 12）の反応が左から右に自発的に進むことが分かる．平衡状態（$\Delta G = 0$）では，式（6. 13）より次の関係が得られる．

$$\Delta G° = -RT\ln K \tag{6.16}$$

一般に，$Ox + ne^- \rightleftarrows Red$ の酸化還元系の電位は，次式で与えられる．

$$E = E° - \frac{RT}{nF}\ln\frac{a_{Red}}{a_{Ox}} \tag{6.17}$$

式（6. 17）は，ネルンスト（H. W. Nernst）の式と呼ばれる．25 ℃では，

$$E = E° - \frac{0.059^{*2}}{n}\log\frac{a_{Red}}{a_{Ox}} \tag{6.18}$$

ある特定の条件（pH やイオン強度など）では，Ox と Red のモル濃度を用いて，式（6. 18）を次のように書くことができる（25 ℃）．

---

*2　RT/F のそれぞれに定数を入れ，常用対数に直すと 0.05916(25 ℃）であるが，本書では 0.059 を用いて計算する．

$$E = \left(E^\circ - \frac{0.059}{n}\log\frac{\gamma_{Red}}{\gamma_{Ox}}\right) - \frac{0.059}{n}\log\frac{[Red]}{[Ox]} = E^{\circ\prime} - \frac{0.059}{n}\log\frac{[Red]}{[Ox]} \quad (6.19)$$

$$E^{\circ\prime} = E^\circ - \frac{0.059}{n}\log\frac{\gamma_{Red}}{\gamma_{Ox}} \quad (6.20)$$

ここで，$E^{\circ\prime}$は条件標準電位（conditional potential）あるいは式量電位（formal potential）といい，溶液の組成が一定であれば定数となる．

ネルンスト式を用いて電池の起電力を表現してみる．例えば，電池図式（6. 9）で表される電池では，Fe^{3+}/Fe^{2+}およびSHEの標準電極電位を，それぞれ$E^\circ_{Fe^{3+}/Fe^{2+}}$および$E^\circ_{SHE}$とすると，

$$Fe^{3+} + e^- \rightleftarrows Fe^{2+} \qquad E_R = E^\circ_{Fe^{3+}/Fe^{2+}} - \frac{0.059}{2}\log\frac{(a_{Fe^{2+}})^2}{(a_{Fe^{3+}})^2}$$

$$2H^+ + 2e^- \rightleftarrows H^2 \qquad E_L = E^\circ_{SHE} - \frac{0.059}{2}\log\frac{a_{H_2}}{(a_{H^+})^2}$$

$$\begin{aligned} E_{cell} &= E_R - E_L \\ &= \left(E^\circ_{Fe^{3+}/Fe^{2+}} - E^\circ_{SHE}\right) - \frac{0.059}{2}\log\frac{(a_{Fe^{2+}})^2\cdot(a_{H^+})^2}{(a_{Fe^{3+}})^2\cdot a_{H_2}} \\ &= \left(E^\circ_{Fe^{3+}/Fe^{2+}} - E^\circ_{SHE}\right) - \frac{0.059}{2}\log K \end{aligned} \quad (6.21)$$

この式（6. 21）は，式（6. 15）に相当する．平衡状態にあるとき，$E_{cell} = 0$より，

$$E^\circ_{Fe^{3+}/Fe^{2+}} - E^\circ_{SHE} = \frac{0.059}{2}\log K \quad (6.22)$$

このように，半反応の標準電極電位から，酸化還元反応の平衡定数を求めることができる．

例題 6.2　次の電池について，（1）～（3）に答えよ．ただし，各金属イオンの活量 $a = 1.0$，$E^\circ_{Sn^{4+}/Sn^{2+}} = 0.15V$，$E^\circ_{Fe^{3+}/Fe^{2+}} = 0.77$ V とする．

$$Pt|Sn^{4+}, Sn^{2+}\|Fe^{3+}, Fe^{2+}|Pt$$

（1）それぞれの電極の半反応と全反応を書きなさい．

（2）25 ℃における電池の起電力（E_{cell}）を求めよ．

（3）全反応の平衡定数を求めよ（25 ℃）．

解　答

（1）Fe^{3+}/Fe^{2+}電極とSn^{2+}/Sn^{4+}電極の半反応は，

$$Fe^{3+} + e^- \rightleftarrows Fe^{2+}$$

$$E^\circ_{Fe^{3+}/Fe^{2+}} = 0.77 \text{ V} \quad ①$$

$$Sn^{4+} + 2e^- \rightleftarrows Sn^{2+}$$

$$E^\circ_{Sn^{4+}/Sn^{2+}} = 0.15 \text{ V} \quad ②$$

式① × 2 − 式②から全反応の式③が得られる．

$$2Fe^{3+} + Sn^{2+} \rightleftarrows 2Fe^{2+} + Sn^{4+}$$

$$E^\circ = 0.62 \text{ V} \quad ③$$

ここで，全反応③の標準電極電位E°は，$E^\circ = E^\circ_{Fe^{3+}/Fe^{2+}} - E^\circ_{Sn^{4+}/Sn^{2+}}$より求める．半反応にどのような係数を掛けても，標準電極電位の値は変わらないことに注意すること．

（2）起電力E_{cell}は，

$$E_{cell} = E_R - E_L = (E^\circ_{Fe^{3+}/Fe^{2+}} - E^\circ_{Sn^{4+}/Sn^{2+}})$$

$$- \frac{0.059}{2} \log \frac{(a_{Fe^{2+}})^2 \cdot a_{Sn^{4+}}}{(a_{Fe^{3+}})^2 \cdot a_{Sn^{2+}}} \quad ④$$

各金属イオンの活量 $a = 1$ より，

$$E_{cell} = 0.62\ \mathrm{V}$$

（3）全反応（式③）の平衡定数 K は，

$$K = \frac{(a_{Fe^{2+}})^2 \cdot a_{Sn^{4+}}}{(a_{Fe^{3+}})^2 \cdot a_{Sn^{2+}}}$$

よって，式④は，

$$E_{cell} = (E^\circ_{Fe^{3+}/Fe^{2+}} - E^\circ_{Sn^{4+}/Sn^{2+}}) - \frac{0.059}{2} \log K$$

反応が平衡状態にあるとき，$E_{cell} = 0$ だから，

$$(E^\circ_{Fe^{3+}/Fe^{2+}} - E^\circ_{Sn^{4+}/Sn^{2+}}) = \frac{0.059}{2} \log K$$

$$\log K = \frac{2 \times (0.77 - 0.15)}{0.059} = 21.0$$

$$K = 1.0 \times 10^{21}$$

6.2　いろいろな系の酸化還元反応

6.2.1　複雑な系の酸化還元反応

1）M^{n+}/M 系の電位

一般に単極として金属 M を金属イオン M^{n+} の水溶液に浸した場合，式（6.23）の平衡が成立し，M の電位は式（6.24）で表される．ここで，固体 M の活量は 1 である．

$$M^{n+} + ne^- \rightleftarrows M_{(s)} \tag{6.23}$$

$$E = E^\circ_{M^{n+}/M} - \frac{0.059}{n} \log \frac{a_M}{a_{M^{n+}}} = E^{\circ\prime}_{M^{n+}/M} + \frac{0.059}{n} \log[M^{n+}] \tag{6.24}$$

例えば，式（6.6）で示される反応系に対して，電位 E は式（6.25）で与えられる．

$$E = E^{\circ\prime}_{Zn^{2+}/Zn} + \frac{0.059}{2} \log[Zn^{2+}] \tag{6.25}$$

2）水素イオンが関与する系

MnO_4^-/Mn^{2+} 系や $Cr_2O_7^{2-}/Cr^{3+}$ 系のように水素イオンが関与する酸化還元系では，電位は水素イオンの活量（濃度）によって著しく変化する．

$$MnO_4^- + 8H^+ + 5e^- \rightleftarrows Mn^{2+} + 4H_2O \tag{6.26}$$

$$E = E^\circ - \frac{0.059}{5} \log \frac{a_{Mn^{2+}}}{a_{MnO_4^-} \cdot (a_{H^+})^8} = E^{\circ\prime} - \frac{0.059}{5} \log \frac{[Mn^{2+}]}{[MnO_4^-][H^+]^8}$$

$$= E^{\circ\prime} - \frac{0.059}{5} \log \frac{[Mn^{2+}]}{[MnO_4^-]} - \frac{8 \times 0.059}{5}\ \mathrm{pH} \tag{6.27}$$

$$Cr_2O_7^{2-} + 14H^+ + 6e^- \rightleftarrows 2Cr^{3+} + 7H_2O \tag{6.28}$$

$$E = E^\circ - \frac{0.059}{6} \log \frac{(a_{Cr^{3+}})^2}{a_{Cr_2O_7^{2-}} \cdot (a_{H^+})^{14}} = E^{\circ\prime} - \frac{0.059}{6} \log \frac{[Cr^{3+}]^2}{[Cr_2O_7^{2-}][H^+]^{14}}$$

$$= E^{\circ\prime} - \frac{0.059}{6} \log \frac{[Cr^{3+}]^2}{[Cr_2O_7^{2-}]} - \frac{14 \times 0.059}{6}\ \mathrm{pH} \tag{6.29}$$

3）沈殿生成が関与する系

式（6.23）で示した M^{n+}/M 系の酸化還元反応において，金属イオン M^{n+} がアニオン X^-

と沈殿 MX_n を生成する場合を考えてみる．

$$M^{n+} + nX^- \rightleftarrows MX_n \downarrow \tag{6.30}$$

$$K^\circ_{sp,\,MX_n} = a_{M^{n+}} \cdot (a_{X^-})^n \tag{6.31}$$

式（6.24）と（6.31）より，

$$E = E^\circ_{M^{n+}/M} + \frac{0.059}{n} \log a_{M^{n+}} = E^\circ + \frac{0.059}{n} \log \frac{K^\circ_{sp,\,MX_n}}{(a_{X^-})^n}$$

$$= E^\circ_{M^{n+}/M} + \frac{0.059}{n} \log K^\circ_{sp,\,MX_n} - \frac{0.059}{n} \log (a_{X^-})^n$$

$$= E^{\circ\prime} - \frac{0.059}{n} \log (a_{X^-})^n \tag{6.32}$$

このように，沈殿生成が関与する場合の電極電位は，溶解度積 $K^\circ_{sp,\,MX_n}$ とアニオンの活量 a_{X^-} に依存する．なお，$E^{\circ\prime}$ は，溶解度積を含む条件標準電位であり，$a_{X^-} = 1$ のときの電位に相当する．

また，式（6.23）と（6.30）の全反応は，

$$MX_n + ne^- \rightleftarrows M_{(s)} + nX^- \tag{6.33}$$

この全反応の電極電位は，$a_{MX_n} = a_M = 1$ より，

$$E = E^\circ_{MX_n/M} - \frac{0.059}{n} \log (a_{X^-})^n \tag{6.34}$$

式（6.32）と（6.34）の電位は等しいので，

$$E^\circ_{MX_n/M} = E^\circ_{M^{n+}/M} + \frac{0.059}{n} \log K^\circ_{sp,\,MX_n} \tag{6.35}$$

式（6.32）と（6.34）は，参照電極として用いられる銀―塩化銀電極やカロメル電極（機器分析編第4章参照）の電位が，塩化物イオン濃度に依存することを説明している．例えば，銀―塩化銀電極の電極反応と電極電位は，

$$AgCl + e^- \rightleftarrows Ag + Cl^-$$

$$E = E^\circ_{AgCl/Ag} - 0.059 \log a_{Cl^-}$$

ここで，標準電極電位 $E^\circ_{AgCl/Ag}$ は，$a_{Cl^-} = 1$ のときの電位に相当する．

$E^\circ_{Ag^+/Ag} = 0.799$ V，$K^\circ_{sp,AgCl} = 1.8 \times 10^{-10}$ とすると，

$$E^\circ_{AgCl/Ag} = E^\circ_{Ag^+/Ag} + 0.059 \log K^\circ_{sp,\,AgCl} = 0.799 - 0.059 \times 9.75 = 0.224 \text{ V}$$

例題 6.3　Hg_2^{2+}/Hg 系の標準電位と塩化水銀(I)（甘こう，カロメル）Hg_2Cl_2 の溶解度積から，Hg_2Cl_2/Hg 系の標準電位を求めよ．

$Hg_2^{2+} + 2e^- \rightleftarrows 2Hg$　　$E^\circ_{Hg_2^{2+}/Hg} = 0.792$ V　　①

$Hg_2^{2+} + 2Cl^- \rightleftarrows Hg_2Cl_2$　　$K^\circ_{sp,\,Hg_2Cl_2} = 2.0 \times 10^{-18}$　　②

$Hg_2Cl_2 + 2e^- \rightleftarrows 2Hg + 2Cl^-$　　$E^\circ_{Hg_2Cl_2/Hg}$　　③

解　答

式①の電極電位は，　$E_1 = E^\circ_{Hg_2^{2+}/Hg} + \dfrac{0.059}{2} \log a_{Hg_2^{2+}}$

$= E^{\circ}_{Hg_2^{2+}/Hg} + \dfrac{0.059}{2} \log K^{\circ}_{sp, Hg_2Cl_2}$

$- 0.059 \log a_{Cl^-}$

式③の電極電位は，

$E_3 = E^{\circ}_{Hg_2Cl_2/Hg} - 0.059 \log a_{Cl^-}$

式①と②の全反応は式③に相当するため，$E_1 = E_3$ より，

$E^{\circ}_{Hg_2Cl_2/Hg} = E^{\circ}_{Hg_2^{2+}/Hg} + \dfrac{0.059}{2} \log K^{\circ}_{sp, Hg_2Cl_2}$

$= 0.792 - \dfrac{0.059}{2} \times 17.7$

$= 0.270$ V

ここで，式③はカロメル電極の電極反応に相当し，電極電位が塩化物イオン濃度に依存することを示している．KClの飽和溶液を用いたものは，飽和カロメル電極（SCE）と呼ばれ，その電位は＋0.241 V（対SHE，25 ℃）となる（機器分析編第4章参照）．

4）錯形成が関与する系

M^{n+}/M 系において，金属イオン M^{n+} が配位子Lと錯体ML，ML_2，…，ML_m（電荷省略）を生成する場合，金属イオンの全濃度 C_M は式（6.36）で表される．

$$C_M = [M^{n+}](1 + K_1[L] + K_1K_2[L]^2 + \cdots + K_1K_2\cdots K_m[L]^m)$$
$$= [M^{n+}](1 + \Sigma^m_{m=1}\beta_m [L]^m) \tag{6.36}$$

$$[M^{n+}] = \frac{C_M}{(1 + \Sigma^m_{m=1}\beta_m [L]^m)} \tag{6.37}$$

ここで，K_m は逐次生成定数，$\beta_m = (K_1K_2\cdots K_m)$ は全生成定数である．式（6.37）を式（6.24）に代入すると，

$$E = E^{\circ\prime}_{M^{n+}/M} - \frac{0.059}{n} \log\left(1 + \sum_{m=1}^{m} \beta_m[L]^m\right) + \frac{0.059}{n} \log C_M \tag{6.38}$$

金属イオン M^{n+} が配位子Lと錯体を生成すると，$(1 + \Sigma^m_{m=1}\beta_m[L]^m) > 1$ であるから電位は低下し，M^{n+} はMに還元されにくくなる．また，配位子Lが塩基性であればLへのプロトン付加が起こるので，電極電位はpHによっても影響される．

$E^{\circ\prime}_{M^{n+}/M}$ は活量係数を含む条件標準電位であるが，イオン強度やpH，配位子濃度が一定であれば，$(1 + \Sigma^m_{m=1}\beta_m[L]^m)$ も一定となる．ここで，新たに条件標準電位 $E^{\circ\prime\prime}_{M^{n+}/M}$ を用いると，電極電位は次のように表される．

$$E = E^{\circ\prime\prime}_{M^{n+}/M} + \frac{0.059}{n} \log C_M \tag{6.39}$$

$$E^{\circ\prime\prime}_{M^{n+}/M} = E^{\circ\prime}_{M^{n+}/M} - \frac{0.059}{n} \log (1 + \Sigma^m_{m=1}\beta_m[L]^m) \tag{6.40}$$

また，配位子が過剰で，$\beta_m[L]^m \gg \cdots \gg \beta_1[L] \gg 1$ となる条件では，$E^{\circ\prime\prime}_{M^{n+}/M}$ がより簡単になる．

$$E^{\circ\prime\prime}_{M^{n+}/M} = E^{\circ\prime}_{M^{n+}/M} - \frac{0.059}{n} \log \beta_m[L]^m \tag{6.41}$$

ここでは，金属イオンの全濃度 $C_M = [ML_m]$ と考えてよい．

Fe^{3+}/Fe^{2+} 系に配位子Lが共存する場合，Fe^{3+} および Fe^{2+} の全濃度をそれぞれ $C_{Fe(III)}$，

$C_{Fe(II)}$とすると，

$$C_{Fe(III)} = [Fe^{3+}](1 + \Sigma_{m=1}^{m}\beta_{Fe(III)m}[L]^{m})$$
$$C_{Fe(II)} = [Fe^{2+}](1 + \Sigma_{m=1}^{m'}\beta_{Fe(II)m'}[L]^{m'})$$

ここで，$\beta_{Fe(III)m}$ と $\beta_{Fe(II)m'}$は，それぞれ Fe^{3+} 錯体および Fe^{2+} 錯体の全生成定数である．

Fe^{3+}/Fe^{2+} 系のネルンスト式に代入すると，

$$E = E^{\circ\prime}_{Fe^{3+}/Fe^{2+}} - 0.059 \log \frac{[Fe^{2+}]}{[Fe^{3+}]}$$
$$= E^{\circ\prime}_{Fe^{3+}/Fe^{2+}} - 0.059 \log \frac{(1 + \Sigma_{m=1}^{m}\beta_{Fe(III)m}[L]^{m})}{(1 + \Sigma_{m=1}^{m'}\beta_{Fe(II)m'}[L]^{m'})} - 0.059 \log \frac{C_{Fe(II)}}{C_{Fe(III)}} \quad (6.42)$$

さらに，イオン強度や pH が一定で，配位子が過剰であり，$\beta_m[L]^m \gg \cdots \gg \beta_1[L] \gg 1$ となる条件であれば，

$$E = E^{\circ\prime\prime}_{Fe^{3+}/Fe^{2+}} - 0.059 \log \frac{C_{Fe(II)}}{C_{Fe(III)}} \quad (6.43)$$

$$E^{\circ\prime\prime}_{Fe^{3+}/Fe^{2+}} = E^{\circ\prime}_{Fe(III)/Fe(II)} - 0.059 \log \frac{\beta_{Fe(III)m}[L]^{m}}{\beta_{Fe(II)m'}[L]^{m'}} \quad (6.44)$$

ここでは，$[Fe^{3+}]$ や $[Fe^{2+}]$ は無視でき，$C_{Fe(III)} = [Fe(III)L_m]$，$C_{Fe(II)} = [Fe(II)L_{m'}]$ としてよい．

式（6. 44）から Fe(Ⅲ)の $\beta_{Fe(III)m}$ が大きいほど電位は低下し，Fe(Ⅱ)の $\beta_{Fe(II)m'}$が大きいほど電位は増大することがわかる．例えば，Fe^{3+}/Fe^{2+} 系に EDTA が存在すると電位は低下し，1,10-フェナントロリン（phen）が存在すると電位は増大する．これは EDTA が Fe^{2+} よりも Fe^{3+} とより安定な錯体を生成し，phen が Fe^{3+} よりも Fe^{2+} とより安定な錯体を生成するからである．

例題 6.4　1,10-フェナントロリン（phen）を過剰に含む中性溶液中の Fe^{3+}/Fe^{2+} 系の条件標準電位 $E^{\circ\prime\prime}_{Fe^{3+}/Fe^{2+}}$ を求めよ．ただし，すべての化学種の活量係数を 1 とし，$E^{\circ\prime}_{Fe^{3+}/Fe^{2+}} = 0.77$ V，$\log \beta_{Fe(III)(phen)^3} = 14.1$，$\log \beta_{Fe(II)(phen)^3} = 21.5$ とする．

解　答

中性付近では，1,10-フェナントロリンのプロトン付加は考えなくてよい．また，配位子を過剰に含んでいるので，式（6. 44）より，

$$E^{\circ\prime\prime}_{Fe^{3+}/Fe^{2+}} = E^{\circ\prime}_{Fe^{3+}/Fe^{2+}} - 0.059 \log \frac{\beta_{Fe(III)(phen)_3}}{\beta_{Fe(II)(phen)_3}}$$
$$= 0.77 - 0.059 \times (14.4 - 21.5)$$
$$= 1.19 \text{ V}$$

これより，Fe^{3+} の酸化力が著しく増大することがわかる．

なお，この条件標準電位 $E^{\circ\prime\prime}_{Fe^{3+}/Fe^{2+}}$ は，下式の $Fe(phen)_3^{3+}/Fe(phen)_3^{2+}$ 系の標準電位 E°に相当する．

$$Fe(phen)_3^{3+} + e^- \rightleftharpoons Fe(phen)_3^{2+}$$
$$E = E^\circ - 0.059 \log \frac{Fe(phen)_3^{2+}}{Fe(phen)_3^{3+}}$$

6.2.2　水の酸化還元反応

水は還元されると水素を発生し，酸化されると酸素を発生する．

1）水が還元される場合（水が酸化剤となる場合）

水が還元されて水素を発生するとき，その半反応は式（6.7）で示される．

$$2H^+ + 2e^- \rightleftarrows H_2 \qquad E^\circ = 0.000\ V \qquad (6.7)$$

あるいは，式（6.45）で表すこともできる．

$$2H_2O + 2e^- \rightleftarrows H_2 + 2OH^- \qquad E^\circ = -0.83\ V \qquad (6.45)$$

式（6.7）の電位 E_1 は，式（6.46）で表され，pH = 0 では $E_1 = 0$ V，pH = 14 では $E_1 = -0.83$ V となる．

$$E_1 = 0.000 + \frac{0.059}{2}\log[H^+]^2 = 0.059\log[H^+] = -0.059\ pH \qquad (6.46)$$

2）水が酸化される場合（水が還元剤となる場合）

水が酸化されて酸素を発生するとき，その半反応は式（6.47）になる．

$$O_2 + 4H^+ + 4e^- \rightleftarrows 2H_2O \qquad E^\circ = 1.23\ V \qquad (6.47)$$

あるいは，式（6.48）で表すこともできる．

$$O_2 + 2H_2O + 4e^- \rightleftarrows 4OH^- \qquad E^\circ = 0.40\ V \qquad (6.48)$$

式（6.47）に対応する電位 E_2 は式（6.49）で表され，O_2 の分圧を 1 atm，［H_2O］を 1 とすると，E_2 は式（6.50）になり，pH = 0 では 1.23 V，pH = 14 では 0.40 V となる．

$$E_2 = 1.23 + \frac{0.059}{4}\log\frac{[O_2][H^+]^4}{[H_2O]^2} \qquad (6.49)$$

$$E_2 = 1.23 + 0.059\log[H^+] = 1.23 - 0.059\ pH \qquad (6.50)$$

これらの関係を図 6.3 に示す．図の ABDC で囲まれた部分で H_2O は安定に存在することができる．理論上は線 AB 以上の電位を持つ酸化剤が存在すれば，水は酸化されて O_2 を発生し，線 CD 以下の電位を持つ還元剤では水は還元されて H_2 を発生することになる．しかし，一般にはこれらの反応速度は遅く，触媒が存在しない場合は水の酸化・還元反応を無視することができる．

例えば Ce^{4+}(E° = 1.61 V）の水溶液は水を酸化して O_2 を発生するはずであるが，この反応は遅く，水溶液は比較的安定である．Cr^{2+}(E° = −0.408 V）の酸性溶液も安定であり水を還元することはない．しかし，きわめて強い酸化剤である F_2(E° = 2.87 V）は水を直ちに酸化して O_2 を発生させる．

$$2F_2 + 2H_2O \rightleftarrows 4H^+ + 4F^- + O_2$$

また，きわめて強い還元剤である K(E° = −2.925 V）や Na(E° = − 2.714 V）は水を還元して H_2 を発生させる．

$$2Na + 2H_2O \rightleftarrows 2Na^+ + 2OH^- + H_2$$

なお，これらの反応で生成する共役な還元剤の F^- や酸化剤の Na^+ は，分類上はそれぞれ還元剤および酸化剤であるが，水中ではそれぞれの還元力，酸化力はきわめて弱く，水との酸化還元反応には無関係である．

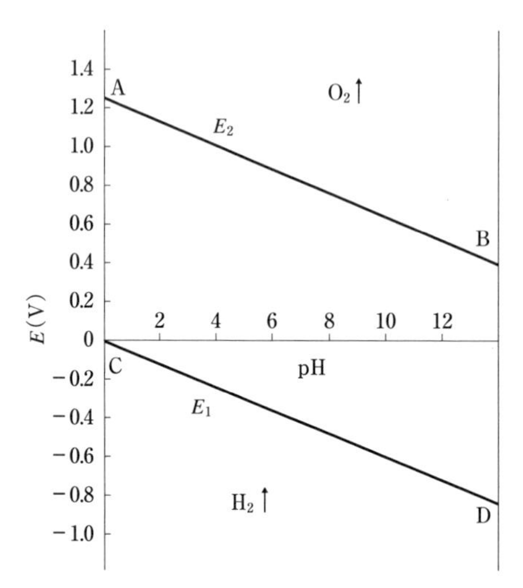

図6.3　水の酸化還元電位とpHの関係

例題6.5　燃料電池には，さまざまな種類のものがあるが，そのひとつに，電解質に高濃度リン酸を使用するリン酸型燃料電池（PAFC：Phosphoric Acid Fuel Cell）がある．電解質の水素イオン濃度を $[H^+]$ = 1 M としたとき，正極と負極の電位および電池の起電力を求めよ．

ただし，酸素の供給源として1 atmの空気（酸素濃度21 %）を利用し，水素の分圧は1 atmとする．

解　答

酸性電解質を用いたときの，酸素電極と水素電極での反応をそれぞれ式①と②に示す．

$$O_2 + 4H^+ + 4e^- \rightleftarrows 2H_2O \quad E^\circ = 1.23\ \mathrm{V} \quad ①$$

$$2H^+ + 2e^- \rightleftarrows H_2 \quad E^\circ = 0.00\ \mathrm{V} \quad ②$$

H_2 の分圧は1 atm，O_2 の分圧は0.21 atmであり，$[H^+]$ = 1 M とすると，酸性電解質中で，式①の電極電位 E_1 と式②の電極電位 E_2 は下式になる．

$$E_1 = 1.23 + \frac{0.059}{4}\log\frac{[O_2][H^+]^4}{[H_2O]^2} = 1.22\ \mathrm{V}$$

$$E_2 = 0.00 + \frac{0.059}{2}\log\frac{[H^+]^2}{[H_2]} = 0.00\ \mathrm{V}$$

したがって，酸素電極が正極，水素電極が負極になり，起電力は下式になる．

$$E_{cell} = E_1 - E_2 = 1.21 - 0.00 = 1.21\ \mathrm{V}$$

コラム2　電解水

水を電気分解すると酸素と水素が発生するが，電解液が食塩水の場合はどうなるであろうか．陽極では，生成した塩素が水と反応して次亜塩素酸と塩酸になり，強酸性の電解水が得られる．食塩水の濃度を調節したり，電解液に塩酸を使用したりすると，それぞれ弱酸性電解水と微酸性電解水が得られる．これらの電解水には次亜塩素酸が含まれており，いずれも食品添加物の殺菌剤として使用されている．陰極では，水素と水酸化物イオンが生成して，水溶液は塩基性になる．これをアルカリイオン水というが，アルカリ金属イオンが電解によって増えているわけではなく，水酸化物イオンと等量の陽イオンが存在しているだけである．

6.2.3　複数の酸化還元系を含む溶液の電位と平衡定数

1電子が関与する酸化剤 Ox_1 と還元剤 Red_2 の反応では，Red_1 と Ox_2 は等モル生成し，次式の平衡が成立する．

$$\mathrm{Ox_1 + Red_2 \underset{}{\overset{K}{\rightleftarrows}} Red_1 + Ox_2} \qquad K：平衡定数$$

簡略化のために活量係数を1とすると，Ox_1/Red_1 系の電位 E_1 と Ox_2/Red_2 系の電位 E_2 は，

$$E_1 = E_1^\circ - 0.059 \log \frac{[\mathrm{Red_1}]}{[\mathrm{Ox_1}]} \tag{6.51}$$

$$E_2 = E_2^\circ - 0.059 \log \frac{[\mathrm{Red_2}]}{[\mathrm{Ox_2}]} \tag{6.52}$$

平衡状態における電位を E_{eq} とすると，$E_{eq} = E_1 = E_2$ であるから，

$$E_{eq} = \frac{E_1 + E_2}{2} = \frac{E_1^\circ + E_2^\circ}{2} - \frac{0.059}{2} \log \frac{[\mathrm{Red_1}][\mathrm{Red_2}]}{[\mathrm{Ox_1}][\mathrm{Ox_2}]} \tag{6.53}$$

Ox_1 と Red_2 の等モル混合溶液の場合，平衡では $[Ox_1] = [Red_2]$，$[Ox_2] = [Red_1]$ となるため，次式の関係が成立する．

$$E_{eq} = \frac{E_1^\circ + E_2^\circ}{2} \tag{6.54}$$

ここで，平衡電位 E_{eq} は酸化還元滴定の当量点における電位に相当する．

また，$E_1 = E_2$ より，平衡定数 K を求めることができる．

$$E_1^\circ - E_2^\circ = 0.059 \log \frac{[\mathrm{Ox_2}][\mathrm{Red_1}]}{[\mathrm{Ox_1}][\mathrm{Red_2}]} = 0.059 \log K$$

$$\log K = \frac{E_1^\circ - E_2^\circ}{0.059} \tag{6.55}$$

例えば，1電子反応の Ce^{4+} と Fe^{2+} の等モル混合水溶液では，次の平衡が成立する．

$$\mathrm{Ce^{4+} + Fe^{2+} \rightleftarrows Ce^{3+} + Fe^{3+}}$$

$E^\circ_{Ce^{4+}/Ce^{3+}} = 1.61$ V，$E^\circ_{Fe^{3+}/Fe^{2+}} = 0.77$ V とすると，平衡電位 E_{eq} と平衡定数 K は，

$$E_{eq} = \frac{E^\circ_{Ce^{4+}/Ce^{3+}} + E^\circ_{Fe^{3+}/Fe^{2+}}}{2} = \frac{1.61 + 0.77}{2} = 1.19\ \mathrm{V}$$

$$0.059 \log K = E^\circ_{Ce^{4+}/Ce^{3+}} - E^\circ_{Fe^{3+}/Fe^{2+}} = 1.61 - 0.77$$

$$K = 10^{14.2}$$

一般に，電子数の異なる半電池反応からなる酸化還元反応では，次のように当量点の電位を求めることができる．

$$Ox_1 + n_1e^- \rightleftarrows Red_1 \tag{6.56}$$

$$Ox_2 + n_2e^- \rightleftarrows Red_2 \tag{6.57}$$

式（6.56）× n_2 － 式（6.57）× n_1 より，全反応式は，

$$n_2\,Ox_1 + n_1\,Red_2 \rightleftarrows n_2\,Red_1 + n_1\,Ox_2 \tag{6.58}$$

式（6.56），式（6.57）の電位は，

$$E_1 = E_1^\circ - \frac{0.059}{n_1}\log\frac{[Red_1]}{[Ox_1]} \tag{6.59}$$

$$E_2 = E_2^\circ - \frac{0.059}{n_2}\log\frac{[Red_2]}{[Ox_2]} \tag{6.60}$$

平衡状態では $E_{eq} = E_1 = E_2$ であり，式（6.59）× n_1 ＋式（6.60）× n_2 より，

$$(n_1 + n_2)E_{eq} = n_1E_1^\circ + n_2E_2^\circ - 0.059\log\frac{[Red_1][Red_2]}{[Ox_1][Ox_2]} \tag{6.61}$$

酸化還元滴定の当量点では，

$$n_1[Ox_1] = n_2[Red_2] \text{ より，} \frac{[Ox_1]}{[Red_2]} = \frac{n_2}{n_1}$$

$$n_2[Ox_2] = n_1[Red_1] \text{ より，} \frac{[Ox_2]}{[Red_1]} = \frac{n_1}{n_2}$$

したがって，当量点の電位 E_{eq} は，

$$E_{eq} = \frac{n_1E_1^\circ + n_2E_2^\circ}{n_1 + n_2} \tag{6.62}$$

また，反応の平衡定数 K は，$E_1 = E_2$ より，下式のように求められる．

$$E_1^\circ - E_2^\circ = \frac{0.059}{n_1n_2}\log\frac{[Red_1]^{n_2}[Ox_2]^{n_1}}{[Ox_1]^{n_2}[Red_2]^{n_1}} = \frac{0.059}{n_1n_2}\log K$$

$$\log K = \frac{n_1n_2(E_1^\circ - E_2^\circ)}{0.059} \tag{6.63}$$

ここで，$MnO_4^- + 8H^+ + 5e^- \rightleftarrows Mn^{2+} + 4H_2O$ のように，水素イオンが反応に関与する系では，当量点の電位は溶液の pH に依存し，定数にならないことに注意すること．

例題 6.6　Fe^{2+} 溶液を MnO_4^- 溶液で滴定する場合，当量点での電位 E_{eq} は，下式で表されることを示せ．ただし，活量係数を 1 とし，E_1° と E_2° は次の半反応の標準電極電位である．

$$MnO_4^- + 8H^+ + 5e^- \rightleftarrows Mn^{2+} + 4H_2O \qquad E_1^\circ = E^\circ_{Mn^{7+}/Mn^{2+}}$$

$$Fe^{3+} + e^- \rightleftarrows Fe^{2+} \qquad E_2^\circ = E^\circ_{Fe^{3+}/Fe^{2+}}$$

$$E_{eq} = \frac{5E_1^\circ + E_2^\circ}{6} - 0.08\ pH$$

解 答

$$E_{Mn^{7+}/Mn^{2+}} = E^{\circ}_{Mn^{7+}/Mn^{2+}} - \frac{0.059}{5}\log\frac{[Mn^{2+}]}{[MnO_4^-][H^+]^8} \quad ①$$

$$E_{Fe^{3+}/Fe^{2+}} = E^{\circ}_{Fe^{3+}/Fe^{2+}} - 0.059\log\frac{[Fe^{2+}]}{[Fe^{3+}]} \quad ②$$

式①× 5 ＋ 式②より，

$$E_{eq} = \frac{5\,E^{\circ}_{Mn^{7+}/Mn^{2+}} + E^{\circ}_{Fe^{3+}/Fe^{2+}}}{6} - \frac{0.059}{6}\log\frac{[Fe^{2+}][Mn^{2+}]}{[Fe^{3+}][MnO_4^-][H^+]^8}$$

当量点では，$[Fe^{2+}] = 5\,[MnO_4^-]$，$[Fe^{3+}] = 5\,[Mn^{2+}]$ なので，

$$E_{eq} = \frac{5\,E^{\circ}_1 + E^{\circ}_2}{6} + \frac{0.059}{6}\log[H^+]^8$$

$$= \frac{5\,E^{\circ}_1 + E^{\circ}_2}{6} - 0.08\ \mathrm{pH}$$

6.2.4 Latimer 図（Latimer diagram）

一般に，酸化状態の高い状態から還元状態に矢印で表したものを Latimer 図という．Latimer 図を利用すると，ガルバニ電池を組み立てて電位を測定しなくても，酸化状態の異なる半反応の標準電位を求めることができる．

例えば，銅は Cu^{2+}，Cu^+，Cu の 3 種類の酸化状態をとる．今，下の Latimer 図を参考にして，式（6.64）の Cu^{2+}/Cu 系の標準電位 E°_3 を求めてみる．矢印方向は，還元反応における標準電位である．

$$Cu^{2+} + 2e^- \rightleftharpoons Cu \tag{6.64}$$

$$\overbrace{Cu^{2+} \xrightarrow{\ E^{\circ}_1 = 0.15\ \mathrm{V}\ } Cu^+ \xrightarrow{\ E^{\circ}_2 = 0.52\ \mathrm{V}\ } Cu}^{E^{\circ}_3}$$

Cu^{2+}/Cu^+ 系と Cu^+/Cu 系の半反応と反応の標準エネルギー変化は，

$$Cu^{2+} + e^- \rightleftharpoons Cu^+ \qquad \Delta G^{\circ}_1 = -1FE^{\circ}_1 \tag{6.65}$$

$$Cu^+ + e^- \rightleftharpoons Cu \qquad \Delta G^{\circ}_2 = -1FE^{\circ}_2 \tag{6.66}$$

ここで，反応の標準エネルギー変化ΔG°は，$\Delta G^{\circ} = -nFE^{\circ}$より求められる．

式（6.65）+（6.66）より，Cu^{2+}/Cu 系の半反応が得られる．

$$Cu^{2+} + 2e^- \rightleftharpoons Cu \qquad \Delta G^{\circ}_3 = -2FE^{\circ}_3 \tag{6.67}$$

$\Delta G^{\circ}_1 + \Delta G^{\circ}_2 = \Delta G^{\circ}_3$ であるので，E°_3 を求めることができる．

$$\Delta G^{\circ}_3 = \Delta G^{\circ}_1 + \Delta G^{\circ}_2$$

$$-2FE^{\circ}_3 = -1FE^{\circ}_1 + (-1FE^{\circ}_2)$$

$$E^{\circ}_3 = \frac{(0.15) + (0.52)}{2} = 0.335\ \mathrm{V}$$

このように，電位を単純に加算するのではなく，標準エネルギー変化を考慮する必要がある．

例題 6.7　ヨウ素はさまざまな酸化状態をとる．次の Latimer 図より，下の半反応の E°_3 を求めよ．

$$IO_3^- + 6H^+ + 6e^- \rightleftarrows I^- + 3H_2O$$

$$\boxed{E^\circ_3}$$

$$IO_3^- \longrightarrow I_2 \longrightarrow I^-$$

$$\boxed{E^\circ_1 = 1.20\ \mathrm{V}} \quad \boxed{E^\circ_2 = 0.54\ \mathrm{V}}$$

解　答

IO_3^-/I_2 系と I_2/I^- 系の半反応と反応の標準エネルギー変化は，

$$IO_3^- + 6H^+ + 5e^- \rightleftarrows \frac{1}{2} I_2 + 3H_2O$$

$$\Delta G^\circ_1 = -5FE^\circ_1 \quad ①$$

$$\frac{1}{2} I_2 + e^- \rightleftarrows I^-$$

$$\Delta G^\circ_2 = -1FE^\circ_2 \quad ②$$

式① + 式②より，IO_3^-/I^- 系の半反応が得られる．

$$IO_3^- + 6H^+ + 6e^- \rightleftarrows I^- + 3H_2O$$

$$\Delta G^\circ_3 = -6FE^\circ_3 \quad ③$$

よって，

$$\Delta G^\circ_3 = \Delta G^\circ_1 + \Delta G^\circ_2$$

$$-6FE^\circ_3 = -5FE^\circ_1 + (-1FE^\circ_2)$$

$$E^\circ_3 = \frac{5 \times (1.20) + 1 \times (0.54)}{6} = 1.09\ \mathrm{V}$$

6. 3　酸化還元滴定

酸化還元滴定にはセリウム（Ⅳ）塩法，過マンガン酸塩法，ヨウ素法，二クロム酸塩法などが知られ，応用範囲はきわめて広い．

6. 3. 1　滴定曲線の作成

1) Fe(Ⅱ) − Ce(Ⅳ) 系

1 M H_2SO_4 酸性で Fe^{2+} の溶液を Ce^{4+} 溶液で滴定する場合を考える．

$$Ce^{4+} + e^- \rightleftarrows Ce^{3+} \qquad E^{\circ\prime}_{Ce^{4+}/Ce^{3+}} = 1.44\ \mathrm{V}\ (1\ \mathrm{M}\ H_2SO_4)$$

$$Fe^{3+} + e^- \rightleftarrows Fe^{2+} \qquad E^{\circ\prime}_{Fe^{3+}/Fe^{2+}} = 0.68\ \mathrm{V}\ (1\ \mathrm{M}\ H_2SO_4)$$

全反応の平衡定数は，$K = 7.6 \times 10^{12}$ となり（6. 2. 3 参照），反応は定量的に進行すると考えてよい．濃度 C_0 M の Fe^{2+} 溶液に Ce^{4+} を aC_0 M 加えたとすると，$0 < a < 1$（a：滴定率）のときの反応後の濃度関係は次のようになる．

	Fe^{2+}	+ Ce^{4+} ⟶	Ce^{3+}	+ Fe^{3+}
反応前	C_0	aC_0	0	0
反応後	$(1-a)C_0$	0	aC_0	aC_0

したがって，当量点前（$0 < a < 1$）の溶液の電位は，次のように表される．

$$E = E^{\circ\prime}_{Fe^{3+}/Fe^{2+}} - 0.059 \log \frac{[Fe^{2+}]}{[Fe^{3+}]}$$

$$= E^{\circ\prime}_{Fe^{3+}/Fe^{2+}} - 0.059 \log \frac{1-a}{a} \qquad (6.68)$$

例えば，Ce^{4+} を Fe^{2+} の半分加えたとき（半当量点 $a = 0.5$）の電位は，

$$E = E^{\circ\prime}_{Fe^{3+}/Fe^{2+}} = 0.68 \text{ V}$$

当量点（$a = 1$）では，式（6. 54）より，

$$E_{eq} = \frac{E^{\circ\prime}_{Ce^{4+}/Ce^{3+}} + E^{\circ\prime}_{Fe^{3+}/Fe^{2+}}}{2} = 1.06 \text{ V} \qquad (6.69)$$

当量点後（$a > 1$）の電位は，次式で計算できる．

$$E = E^{\circ\prime}_{Ce^{4+}/Ce^{3+}} - 0.059 \log \frac{[Ce^{3+}]}{[Ce^{4+}]}$$

$$= E^{\circ\prime}_{Ce^{4+}/Ce^{3+}} - 0.059 \log \frac{1}{a-1} \qquad (6.70)$$

例えば，2 当量点（$a = 2$）では $[Ce^{4+}] = [Ce^{3+}]$ となるので，式（6. 70）より，$E = 1.44$ V となる．

このようにして種々の滴下量に対して電位を計算してプロットすると図 6. 4 が描ける．

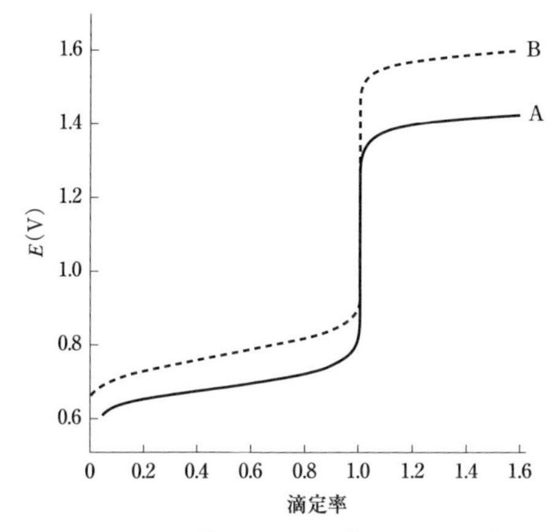

図 6. 4　Ce^{4+} による Fe^{2+} の滴定曲線

A：H_2SO_4(1M) 酸性の条件標準電位を用いたときの電位曲線
B：標準電極電位 E° を用いたときの電位曲線（$E^\circ_{Fe^{3+}/Fe^{2+}} = 0.77$V, $E^\circ_{Ce^{4+}/Ce^{3+}} = 1.61$ V を用いたとき）

2) Fe(Ⅱ)－$KMnO_4$ 系

$[H^+] = 1$ M で Fe^{2+} の溶液を MnO_4^- の溶液で滴定する場合，半反応は，

$$MnO_4^- + 8H^+ + 5e^- \rightleftarrows Mn^{2+} + 4H_2O \qquad E^{\circ\prime}_{Mn^{7+}/Mn^{2+}} = 1.51 \text{ V} \quad ([H^+] = 1 \text{ M})$$

$$Fe^{3+} + e^- \rightleftarrows Fe^{2+} \qquad E^{\circ\prime}_{Fe^{3+}/Fe^{2+}} = 0.75 \text{ V} \quad ([H^+] = 1 \text{ M})$$

全反応は，

$$5Fe^{2+} + MnO_4^- + 8H^+ \rightleftarrows 5Fe^{3+} + Mn^{2+} + 4H_2O$$

全反応の平衡定数 K は，式（6. 63）より，

$$E^{\circ\prime}_{\mathrm{Mn^{7+}/Mn^{2+}}} - E^{\circ\prime}_{\mathrm{Fe^{3+}/Fe^{2+}}} = \frac{0.059}{5\times1}\log\frac{[\mathrm{Fe^{3+}}]^5[\mathrm{Mn^{2+}}]}{[\mathrm{Fe^{2+}}]^5[\mathrm{MnO_4^-}][\mathrm{H^+}]^8} = \frac{0.059}{5}\log K$$

$$\log K = \frac{5(E^{\circ\prime}_{\mathrm{Mn^{7+}/Mn^{2+}}} - E^{\circ\prime}_{\mathrm{Fe^{3+}/Fe^{2+}}})}{0.059} = 64.4 \qquad K = 2.5\times10^{64}$$

平衡定数Kは十分に大きく，反応は定量的に進行する．

当量点前（$0 < a < 1$）の溶液の電位は，次のように表される（a：滴定率）．

$$E = E^{\circ\prime}_{\mathrm{Fe^{3+}/Fe^{2+}}} - 0.059\log\frac{[\mathrm{Fe^{2+}}]}{[\mathrm{Fe^{3+}}]}$$

$$= E^{\circ\prime}_{\mathrm{Fe^{3+}/Fe^{2+}}} - 0.059\log\frac{1-a}{a} \tag{6.71}$$

当量点（$a = 1$）の電位は，式（6.62）より，

$$E_{\mathrm{eq}} = \frac{5E^{\circ\prime}_{\mathrm{Mn^{7+}/Mn^{2+}}} + E^{\circ\prime}_{\mathrm{Fe^{3+}/Fe^{2+}}}}{5+1} = 1.38\ \mathrm{V} \tag{6.72}$$

当量点後（$a > 1$）の電位は，次式で表される．

$$E = E^{\circ\prime}_{\mathrm{Mn^{7+}/Mn^{2+}}} - \frac{0.059}{5}\log\frac{[\mathrm{Mn^{2+}}]}{[\mathrm{MnO_4^-}]}$$

$$= E^{\circ\prime}_{\mathrm{Mn^{7+}/Mn^{2+}}} - \frac{0.059}{5}\log\frac{1}{a-1} \tag{6.73}$$

以上のように，Fe(Ⅱ)－Ce(Ⅳ) 系や Fe(Ⅱ)－$KMnO_4$ 系は，いずれも平衡定数が十分に大きく，当量点近傍において急激に電位が変化する．

一般に，滴定における2つの酸化還元系の標準電極電位E°の差が大きいほど，平衡定数が大きくなる．また，E°の差が大きいほど，電位変化も大きくなる．式（6.58）で表される反応では，式（6.63）の関係が成り立つ（6.2.3参照）．

$$n_2\,\mathrm{Ox_1} + n_1\,\mathrm{Red_2} \rightleftarrows n_2\,\mathrm{Red_1} + n_1\,\mathrm{Ox_2} \tag{6.58}$$

$$E^\circ_1 - E^\circ_2 = \frac{0.059}{n_1n_2}\log\frac{[\mathrm{Red_1}]^{n_2}[\mathrm{Ox_2}]^{n_1}}{[\mathrm{Ox_1}]^{n_2}[\mathrm{Red_2}]^{n_1}} = \frac{0.059}{n_1n_2}\log K \tag{6.63}$$

いま，滴定できる条件として平衡定数$K = 10^8$を代入すると，

$$E^\circ_1 - E^\circ_2 = \frac{0.47}{n_1n_2} \tag{6.74}$$

$n_1 = n_2 = 1$のときは，2つの酸化還元系の標準電極電位の差が0.47 V以上であれば，この反応を酸化還元滴定に用いることができる．反応が99.9 %進行したときをもって定量的とするならば10^{-2} Mのとき$K = 10^6$であるから，そのときは0.35 V以上でよい．

6.3.2　滴定終点の決定

酸化還元滴定においては，次の終点決定法がある．

1）電位差滴定：参照電極と指示電極を組み合わせて被滴定液に浸し，滴定液の滴下によって変化する電位差を測定する（機器分析編第4章参照）．

2）滴定剤による自己指示法：滴定剤が着色していてそれ自身が指示薬となる．過マンガン酸カリウムによる酸化滴定が代表例．

3）発色指示薬法：酸化還元反応には直接関与しないが，ある酸化剤あるいは還元剤と特異的に反応して発色する物質を利用する方法で，ヨウ素と結合するデンプン（青色に呈色）や，鉄（Ⅲ）と結合するチオシアン酸イオン（血赤色に呈色）が代表例である．

4）酸化還元指示薬法：それ自身が酸化還元を受け，酸化型と還元型とで色調が異なる物質を利用する方法で，系の酸化還元電位の変化によって変色するものが用いられる．

酸化還元指示薬の酸化型を I_{Ox}，還元型を I_{Red} とすると，

$$I_{Ox} + ne^- \rightleftharpoons I_{Red}$$

条件標準電位を $E^{\circ\prime}_{In}$ とすると，

$$E = E^{\circ\prime}_{In} - \frac{0.059}{n}\log\frac{[I_{Red}]}{[I_{Ox}]} \qquad (6.75)$$

酸塩基指示薬の場合と同じく，$0.1 < [I_{Red}]/[I_{Ox}] < 10$ の範囲で色調変化を識別できるとすれば，色調変化に要する電位変化は次式で表される．

$$E = E^{\circ\prime}_{In} \pm \frac{0.059}{n} \qquad (6.76)$$

つまり，酸化還元指示薬の色調は，$E^{\circ\prime}_{In}$ を中心に $\pm 0.059/n$(V) の範囲で変化し，明瞭な色調の変化には，$n = 1$ のとき 0.12 V の電位変化が必要になる．指示薬の変色域（電位変化）は，当量点近傍における急激な電位変化と重なる必要があり，当量点の電位に近い $E^{\circ\prime}_{In}$ を持つ指示薬を選択すればよい．よく用いられる酸化還元指示薬を表 6.2 に示す．

表 6.2　主な酸化還元指示薬

指示薬	条件標準電位，$E^{\circ\prime}$	変色（還元型→酸化型）
フェロイン	1.06 V(1 M H_2SO_4)	赤→淡青（ほとんど無色）(1 M H_2SO_4)
ジフェニルアミン	0.76 V(0.5 M H_2SO_4)	無色→紫青
ジフェニルアミン 4-スルホン酸	0.86 V(0.5 M H_2SO_4)	無色→紫
メチレンブルー	0.53 V(0.5 M H_2SO_4)	無色→青

フェロインは Fe(Ⅱ) の 1,10-フェナントロリン錯体 ($Fe(phen)_3^{2+}$) であり，Fe(Ⅱ) のセリウム滴定に最適である．Fe(Ⅱ) 錯体は赤色であり，酸化されると淡青色の鉄（Ⅲ）錯体を生じる．この鉄（Ⅲ）錯体はほとんど無色であるため，実際の滴定では色の強度の違いにより終点を求める．赤色の還元型が少量でも認識できるため，実際の変色域の中心は $E^{\circ\prime}$ より正電位の 1.11 V(1 M H_2SO_4) となる．

$$\underset{\text{淡青色}}{Fe(phen)_3^{3+}} + e^- \rightleftharpoons \underset{\text{赤色}}{Fe(phen)_3^{2+}}$$

また，ジフェニルアミンは酸化還元指示薬として応用された最初の指示薬で，$E^{\circ\prime}$ が低

いため，二クロム酸塩滴定に用いられる（$Cr_2O_7^{2-}/Cr^{3+}$ 対の電位は Ce^{4+}/Ce^{3+} よりも低い）．ジフェニルアミンはまず無色の *N, N′*-ジフェニルベンジジンに酸化され，ついで *N, N′*-ジフェニルベンジジンバイオレットに酸化される．$E^{\circ\prime}$が低いので Fe(Ⅱ）の滴定の際には当量点前で変色が起こるが，リン酸を添加して $E^{\circ\prime}_{Fe^{3+}/Fe^{2+}}$ を低くすることによってよい結果が得られる．

6. 3. 3　標準溶液

酸化還元滴定に用いられる一次標準物質の例を表 6. 3 に示す．これらは所定の乾燥法により乾燥し，計算量を天びんで正確にはかり取り，メスフラスコを用いて一定量の溶液にすれば，そのまま標準溶液（標準物質溶液）として使用することができる．これは酸塩基滴定における一次標準物質（炭酸ナトリウム，フタル酸水素カリウムなど）と同様である．

表 6. 3　酸化還元滴定に用いられる標準物質

試薬	乾燥条件	反応
シュウ酸ナトリウム $Na_2C_2O_4$	200℃で約1時間加熱後，デシケーター中で放冷する	$2CO_2 + 2e^- \rightleftharpoons C_2O_4^{2-}$
二クロム酸カリウム $K_2Cr_2O_7$	メノウ乳鉢で軽く粉砕し，150℃で約1時間加熱後，デシケーター中で放冷する	$Cr_2O_7^{2-} + 14H^+ + 6e^- \rightleftharpoons 2Cr^{3+} + 7H_2O$
ヨウ素酸カリウム KIO_3	メノウ乳鉢で軽く粉砕し，130℃で約1時間加熱後，デシケーター中で放冷する	$IO_3^- + 6H^+ + 6e^- \rightleftharpoons I^- + 3H_2O$
三酸化二ヒ素（酸化ひ素Ⅲ） As_2O_3	105℃で約2時間加熱後，デシケーター中で放冷する	$H_3AsO_4 + 2H^+ + 2e^- \rightleftharpoons HAsO_2 + 2H_2O$

一次標準物質になり得ない試薬として $KMnO_4$ やチオ硫酸ナトリウム $Na_2S_2O_3$ などがある．

酸化還元反応は電子の授受によるので，酸化還元滴定では半反応の反応電子数が重要になる．例えば，式（6. 26）で示される反応において，過マンガン酸塩は酸性溶液では5電子反応であり，過マンガン酸イオン1モルは電子の5モルに相当する．したがって，過マンガン酸イオン1モルは5グラム当量に相当するので，1 M = 5 N(規定）となる．

$$MnO_4^- + 8H^+ + 5e^- \rightleftharpoons Mn^{2+} + H_2O \qquad (6.26)$$

一方，表 6. 3 にあるシュウ酸塩は2電子反応であり，シュウ酸イオン1モルは電子2モルに相当し，2グラム当量に相当する．これより，シュウ酸イオンと過マンガン酸イオンは5モル（10グラム当量）対2モル（10グラム当量），すなわち電子で10モル対10モルの化学量論（stoichiometry）で反応することになる．全反応を式（6. 77）に示す．

$$5C_2O_4^{2-} + 2MnO_4^- + 16H^+ \rightleftharpoons 10CO_2 + 2Mn^{2+} + 8H_2O \qquad (6.77)$$

例題 6.8　酸化還元反応において，次の（1）〜（8）の物質の1モルは電子何モルに相当するか．

（1）ヨウ素　（2）二クロム酸カリウム　（3）ヨウ素酸カリウム
（4）三酸化二ヒ素（無水亜ヒ酸）　（5）モール塩　（6）銅(Ⅱ)イオン（Cu^{2+}/Cu^{+}系）
（7）チオ硫酸ナトリウム　（8）硫酸セリウム［$Ce(SO_4)_2 \cdot 2H_2O$］

解　答

（1）付表6の $I_2 + 2e^- \rightleftarrows 2I^-$ より，2電子反応なので，2モル

（2）表6.3から，6電子反応なので6モル

（3）表6.3から，6電子反応なので6モル

（4）三酸化二ヒ素は水に難溶なので弱アルカリ性で溶解したのち用いる．

$$As_2O_3 + 2H_2O \longrightarrow 2HAsO_2$$

$$H_3AsO_4 + 2H^+ + 2e^- \rightleftarrows HAsO_2 + 2H_2O$$

より，

$HAsO_2$ は2電子反応なので2モル，

As_2O_3 は4電子反応なので4モル

（5）$Fe^{3+} + e^- \rightleftarrows Fe^{2}$ より，1電子反応なので1モル

（6）付表6の $Cu^{2+} + e^- \rightleftarrows Cu^+$ より，1電子反応なので1モル

（7）付表6の $S_4O_6^{\ 2-} + 2e^- \rightleftarrows 2S_2O_3^{\ 2-}$ より，チオ硫酸イオンは1電子反応なので1モル

（8）付表6の $Ce^{4+} + e^- \rightleftarrows Ce^{3+}$ より，1電子反応なので1モル

6.3.4　酸化還元反応の分析化学的応用

1）過マンガン酸塩滴定による還元剤の定量

過マンガン酸カリウムは強い酸化剤で，この水溶液を滴定液として用いて還元性物質を滴定することができる．過マンガン酸カリウム水溶液による酸化還元滴定を過マンガン酸塩滴定法（permanganate titration あるいは permanganometry）という．過マンガン酸塩滴定は滴定溶液が酸性か中性またはアルカリ性かで反応電子数が異なるので注意しなければならない．すなわち，強酸性溶液（$[H^+] > 0.1$ M）では，式（6.78）のように MnO_4^- 1モルは5グラム当量に相当し，電子5モルに相当する．中性〜アルカリ性では式（6.79）のように電子3モルに相当する．

$$MnO_4^- + 8H^+ + 5e^- \longrightarrow Mn^{2+} + 4H_2O \qquad E^{\circ\prime} = 1.51 \text{ V} \qquad (6.78)$$

$$MnO_4^- + 4H^+ + 3e^- \longrightarrow MnO_2 + 2H_2O \qquad E^{\circ\prime} = 1.69 \text{ V} \qquad (6.79)$$

過マンガン酸カリウムの水溶液では溶液中に含まれる有機物や，光，熱などによって分解されて二酸化マンガンを生じるので，溶液を調製後1時間ほど煮沸し，一夜放置したのちガラスフィルター（No. 4G）で濾別し，この溶液を硫酸酸性でシュウ酸ナトリウムの標準溶液を用いて標定する．溶液は褐色のびんか黒色紙で遮光したびんに入れ，冷暗所に保存すれば数カ月は安定である．

シュウ酸ナトリウムは1次標準物質であり，200 ℃で1時間乾燥してデシケーター中に放冷したものを正確にはかり取り標準溶液をつくる．例えば，0.05 M溶液（$f = 1.000$）の250 mLをつくるには1.675 gをはかり取り250 mLの溶液とする．

過マンガン酸カリウムの標定は次のように行う．0.05 Mシュウ酸ナトリウム標準溶液（ファクター，f）20 mLを三角フラスコにとり，硫酸（1 + 4）5 mLを加えて約70 ℃に加温し，0.02 M過マンガン酸カリウム水溶液をゆっくり滴下する．はじめは反応が遅いので，過マンガン酸イオンの赤紫色が消えるまで溶液をよく振り混ぜながら滴定を続ける．

滴定が進むと生成したMn^{2+}の触媒作用により，速やかに反応は進むようになる．終点ではまた反応は遅くなるので，ゆっくり滴定する．ビーカーの下に白紙を敷き，溶液が少しでも赤く着色し，しかもかき混ぜても赤色が持続する点を終点とする．滴定に要した過マンガン酸カリウム水溶液の体積（x mL）から，0.02 M過マンガン酸カリウム水溶液の正確な濃度を求めることができる．

例題 6.9　上記の過マンガン酸カリウム水溶液の標定結果から，0.02 M過マンガン酸カリウム滴定液の正確な濃度を求める式を示せ．

解　答

0.02 M過マンガン酸カリウム水溶液の正確な濃度をC[M]とする．滴定に要した過マンガン酸カリウム水溶液の体積をx [mL]とすると，反応した過マンガン酸カリウムの物質量a(mmol)とそれに相当する電子の物質量（a_e）は下式になる．

$$a = C \times x\,[\text{mmol}]$$

$$a_e = 5a = 5 \times C \times x\,[\text{mmol電子}]$$

反応した0.05 Mシュウ酸ナトリウム（ファクター，f）の物質量b[mmol]とそれに相当する電子の物質量（b_e）は下式になる．

$$b = 0.05 \times f \times 20\,[\text{mmol}]$$

$$b_e = 2 \times 0.05 \times f \times 20\,[\text{mmol電子}]$$

式（6. 77）からシュウ酸ナトリウムと過マンガン酸カリウムの量論比は5/2なので，式①が成立する．

$$\frac{b}{a} = \frac{(0.05 \times f \times 20)}{(C \times x)} = \frac{5}{2} \quad ①$$

あるいは，反応した電子の物質量は等しいので，式②が成立する．

$$a_e = b_e \quad 5 \times C \times x = 2 \times 0.05 \times f \times 20 \quad ②$$

これより，Cは下式で求められる．

$$C = \frac{0.05 \times f \times 20}{x} \times \frac{2}{5} = \frac{0.4 \times f}{x}\ [\text{M}]$$

過マンガン酸塩滴定では，式（6. 77）と式（6. 80）～式（6. 82）に示すようにシュウ酸イオンの他に鉄(Ⅱ)イオン，亜ヒ酸，過酸化水素など多くの還元剤を酸性溶液中で定量できる．

$$5C_2O_4^{2-} + 2MnO_4^- + 16H^+ \longrightarrow 10CO_2 + 2Mn^{2+} + 8H_2O \quad (6.77)$$

$$5Fe^{2+} + MnO_4^- + 8H^+ \longrightarrow 5Fe^{3+} + Mn^{2+} + 4H_2O \quad (6.80)$$

$$5H_3AsO_3 + 2MnO_4^- + 6H^+ \longrightarrow 5H_3AsO_4 + 2Mn^{2+} + 3H_2O \quad (6.81)$$

$$5H_2O_2 + 2MnO_4^- + 6H^+ \longrightarrow 5O_2 + 2Mn^{2+} + 8H_2O \qquad (6.82)$$

また，過マンガン酸塩滴定は，水質汚濁の指標のひとつである化学的酸素要求量（chemical oxygen demand, COD）の測定（演習問題 6.16 参照）に応用されている．これは検水に一定量の過マンガン酸カリウム水溶液（濃度既知）を加え，水中の有機物や無機還元性物質（亜硝酸塩，亜硫酸塩，鉄(Ⅱ)塩，硫化物など）などの被酸化性物質の酸化に伴って消費される過マンガン酸イオンの量を，それに相当する酸素量（mg/L）に換算したものである．

2）ヨウ素滴定による還元剤の定量

ヨウ素滴定法は，式（6.83）で示す I_2 と I^- との酸化還元反応に基づく滴定法である．

$$I_2 + 2e^- \rightleftharpoons 2I^- \qquad E^{\circ\prime} = 0.54\ \mathrm{V} \qquad (6.83)$$

I_2 の酸化力を利用するヨウ素酸化滴定法（iodimetric titration, iodimetry）と酸化性物質と反応させて遊離するヨウ素を式（6.84）で示すチオ硫酸ナトリウム水溶液で滴定する間接的なヨウ素還元滴定法（iodometrtic titration, iodometry）がある．

$$I_2 + 2Na_2S_2O_3 \longrightarrow 2I^- + S_4O_6^{2-} + 4Na^+ \qquad (6.84)$$

この方法はチオ硫酸ナトリウムを用いるので，チオ硫酸塩滴定（thiosulfatimetry）ともいう．チオ硫酸ナトリウム（$Na_2S_2O_3 \cdot 5H_2O$）の結晶を溶かした水溶液に少量の炭酸ナトリウムを添加して溶液を調製する．溶液の調製に用いる蒸留水は，新しく煮沸し二酸化炭素を含まないものを用いる．チオ硫酸ナトリウム水溶液は酸や空気中の二酸化炭素によって硫黄を遊離し，またバクテリアによっても分解するので，煮沸した蒸留水を用いて炭酸ナトリウムを加えてアルカリ性にして保存する．チオ硫酸ナトリウム水溶液の標定は一次標準物質であるヨウ素酸カリウムを用いて，式（6.85）の反応で遊離したヨウ素をチオ硫酸ナトリウム水溶液で滴定して濃度を決定する．

$$IO_3^- + 5I^- + 6H^+ \longrightarrow 3I_2 + 3H_2O \qquad (6.85)$$

$$(IO_3^- + 8I^- + 6H^+ \longrightarrow 3I_3^- + 3H_2O)$$

ヨウ素酸カリウムは表 6.3 や式（6.85）から明らかなように，その 1 モルは電子 6 モルに相当する．標定は次のように行う．300 mL の三角フラスコに（1/60）M KIO_3 標準溶液（ファクター，f）25 mL を取り，蒸留水約 50 mL を加える．この溶液に固体のヨウ化カリウム 1～2 g を溶かし，塩酸（1 + 3）1 mL を加えるとヨウ素が遊離し赤褐色となる．蒸留水で約 200 mL に希釈して 0.1 M チオ硫酸ナトリウム水溶液で滴定する．ヨウ素の色が薄くなり，かすかに黄色が認められる程度になったところで，1 %デンプン溶液 1 mL を加える．ヨウ素デンプン反応により溶液は青色になるので，再び滴定を続け，この青色がちょうど消えるところまでチオ硫酸ナトリウム水溶液を滴下する．1 分間ほど待っても着色しない点を終点とする．

ヨウ素滴定法の応用例として，ウインクラー法として知られる溶存酸素の測定法がある．この方法は一定容積の酸素びんに検水を採取して塩化マンガン(Ⅱ)の水溶液とヨウ化カリウム―水酸化ナトリウムの水溶液を加えて水酸化マンガン(Ⅱ)の沈殿をつくる．酸素が存在しないときは，式（6. 86）の通り水酸化マンガンが沈殿し，沈殿は白色である．

$$Mn^{2+} + 2OH^- \longrightarrow Mn(OH)_2 \qquad (6.86)$$

一方，酸素が存在すると式（6. 87）の反応により褐色の沈殿 $MnO(OH)_2$ が生成する．

$$Mn^{2+} + \frac{1}{2}O_2 + 2OH^- \longrightarrow MnO(OH)_2 \qquad (6.87)$$

このように溶存酸素を固定して1時間～数時間内に滴定する．滴定に際して，塩酸または硫酸を加えて酸性にすると，式（6. 88）の反応により溶存酸素に相当するヨウ素を遊離するので，チオ硫酸ナトリウム水溶液で滴定して溶存酸素量を求めることができる．

$$MnO(OH)_2 + 2I^- + 4H^+ \longrightarrow Mn^{2+} + I_2 + 3H_2O \qquad (6.88)$$

この場合，チオ硫酸ナトリウムの1モルは電子1モルに，酸素分子1モルは下式から電子4モルに相当する．すなわち，チオ硫酸ナトリウムの1モルは酸素分子の1/4モルに相当する．

$$O_2 + 4H^+ + 4e^- \rightleftarrows 2H_2O \qquad E^\circ = 1.23\ V$$

例題 6.10　上記のウインクラー法について，式（6. 84），（6. 87），（6. 88）から，チオ硫酸ナトリウムの4モルが酸素分子の1モルと反応することを確認せよ．

解　答

式 (6. 84)，(6. 87)，(6. 88) を辺々加えると，下式になる．

$$2Na_2S_2O_3 + \frac{1}{2}O_2 + 2H^+ \longrightarrow S_4O_6^{2-} + 4Na^+ + H_2O$$

これより，チオ硫酸ナトリウム4モルは酸素分子1モルの化学量論で反応する．

チオ硫酸イオンと酸素分子の反応は遅く，しかも空気中で行うので，いったん，酸素をマンガン(Ⅱ)で固定し，次いでヨウ素に変換することで，チオ硫酸イオンによる反応速度の速い滴定が可能になる．

3）電気分解による金属イオンの定量

水溶液中の金属イオンを電気分解によって電極表面に析出させ，その質量を求めることで，定量分析が可能になる．この方法を電解重量分析法という．また，電流と電圧から電気量を求めても定量が可能になる．電極表面での電子移動を利用する分析法を電気化学分析法という．本書の姉妹編『基礎教育シリーズ分析化学』<機器分析編>の電気化学分析法で詳しく解説している．

6. 4　酸化還元反応の試料前処理への応用

分析する際に，目的成分が2つ以上の酸化状態で存在することがしばしばある．このようなときには目的成分をあらかじめ酸化あるいは還元して，一定の酸化状態にそろえておく必要がある．この場合，用いる酸化剤あるいは還元剤は容易に分離，除去できるものが望ましい．

試料の前処理の段階でよく使われる酸化剤として次のようなものがある．

①　**ビスマス酸**（三酸化ビスマス）**ナトリウム**（$NaBiO_3$）

強力な酸化剤であり，硝酸酸性，室温で式（6.89）に示すようにMn^{2+}をMnO_4^-に酸化する．$NaBiO_3$は酸性水に不溶であるから濾過すれば取り除くことができる．

$$2Mn^{2+} + 5BiO_3^- + 14H^+ \longrightarrow 2MnO_4^- + 5Bi^{3+} + 7H_2O \qquad (6.89)$$

②　**ペルオキソ二硫酸塩**

式（6.90）に示すように$E°$が大きく，強力な酸化剤で少量のAg(Ⅰ)を触媒として加えると硝酸あるいは硫酸酸性でMn^{2+}をMnO_4^-に，Cr^{3+}を$Cr_2O_7^{2-}$に酸化する．

$$S_2O_8^{2-} + 2e^- \rightleftharpoons 2SO_4^{2-} \qquad E° = 2.01\ \mathrm{V} \qquad (6.90)$$

過剰の$S_2O_8^{2-}$は溶液を沸騰すると式（6.91）のように分解する．

$$2S_2O_8^{2-} + 2H_2O \longrightarrow 4SO_4^{2-} + O_2 + 4H^+ \qquad (6.91)$$

③　**過酸化水素**

式（6.92）に示すように$E° = 1.77\ \mathrm{V}$の強い酸化剤であるが，pH 14では$E° = 0.94\ \mathrm{V}$となる．酸性溶液中ではFe^{2+}をFe^{3+}に酸化し，アルカリ性溶液中ではCr^{3+}をCrO_4^{2-}に，Mn^{2+}をMnO_2に酸化する．過剰のH_2O_2は溶液を2～3分間沸騰させて分解する．

$$H_2O_2 + 2H^+ + 2e^- \rightleftharpoons 2H_2O \qquad (6.92)$$

④　**酸化銀**(Ⅱ)(AgO)

酸性，室温でMn^{2+}をMnO_4^-に，Cr^{3+}を$Cr_2O_7^{2-}$に酸化する．酸性にして沸騰水浴上で加温すれば，過剰のAgOを完全に分解できる．

一方，還元剤としては，酸性溶液中のFe^{3+}やVO_2^+をそれぞれFe^{2+}やVO^{2+}に還元するために用いられる二酸化硫黄が知られている．過剰のSO_2は酸性で溶液を沸騰させることによって除去できる．その他，塩化ヒドロキシアンモニウム（慣用名：塩酸ヒドロキシルアミン$HONH_3Cl$），アスコルビン酸，$SnCl_2$，H_2Sなどが用いられる．また，固体の亜鉛アマルガムは良好な還元剤であり，これをカラムに詰めたJones還元器やAg/AgCl系のWalden還元器がある．Jones還元器はFe^{3+}をFe^{2+}に，Cr^{3+}をCr^{2+}に還元する．Walden還元器はFe^{3+}をFe^{2+}に還元するが，Cr^{3+}を還元しない特徴がある．

コラム3　水道水の殺菌とプールの消毒

水道法に基づく水質基準項目は50項目，水質管理目標設定項目は27項目あり，これらの水質分析を行うことで，安心で安全な水が供給されている．水質基準項目の中で，一般細菌と大腸菌は病原生物の代替指標に区分されており，基準値以内にするために水を殺菌している．水の殺菌は塩素で行われており，水道水中の残留塩素濃度は0.1 mg/L以上で1 mg/L以下（推奨値）になるように決められている．塩素剤には次亜塩素酸ナトリウム液，次亜塩素酸カルシウム，塩素化イソシアヌル酸，液体塩素などがあり，いずれの薬剤も塩素の酸化作用による殺菌効果を利用している．

プールの衛生状態を保つために消毒は欠かせないが，水道水で使われる殺菌剤の他に，二酸化塩素やオゾンによる消毒も行われている．プールの水の残留塩素濃度は0.4 mg/L以上と決められているが，塩素は水中の有機物を分解して，トリハロメタンなどの有機塩素化合物を生成する．残留塩素濃度をむやみに高くすると，副生成物によって健康に悪影響をおよぼすことから，これらについても水質基準が設けられている．最近では塩素を使わずに，オゾン酸化と紫外線照射で殺菌するシステムもあるが，オゾン使用では，残留オゾンの健康への影響も考えられる．さまざまな浄水方法があるが，いずれにしろ，安心で安全な水を得るには心配が絶えない．

例題 6.11　Fe^{3+}とCr^{3+}を含む試料溶液50.00 mLをJones還元器に通してから，強酸性溶液にして5×10^{-3} M $KMnO_4$水溶液（$f = 1.000$）で滴定したところ，28.00 mLであった．別に試料溶液50.00 mLをとり，Walden還元器を通してから，同じ$KMnO_4$水溶液で滴定したところ20.00 mLを要した．試料溶液中のFe^{3+}とCr^{3+}のモル濃度を求めよ．

解　答

Walden還元器を通すとFe^{3+}を求めることができ，Jones還元器ではFe^{3+}とCr^{3+}の合計した濃度を求めることができる．

Fe^{2+}の滴定に要した体積は20.00 mL，Cr^{2+}の滴定に要した体積は8.00 mLになる．

Fe^{3+}/Fe^{2+}系とCr^{3+}/Cr^{2+}系は共に1電子反応，$KMnO_4$は5電子反応なので下式が得られる．

$$1 \times [Fe^{2+}] \times 50.0 = 5 \times 5 \times 10^{-3} \times 20.00$$

$$1 \times [Cr^{2+}] \times 50.0 = 5 \times 5 \times 10^{-3} \times 8.00$$

これより，試料溶液中の各金属イオンの濃度は，次のようになる．

$$[Fe^{3+}] = 1.00 \times 10^{-2}\ M$$

$$[Cr^{3+}] = 4.00 \times 10^{-3}\ M$$

参考文献

（1）　R.A. ディ，A.L. アンダーウッド著，鳥居泰男，康智三訳「定量分析化学改訂版」，（培風館）.
（2）　D.C. ハリス著，宗林由樹監訳，岩元俊一訳「ハリス分析化学　原著 9 版（上）」，（化学同人）.
（3）　岡田哲男，垣内　隆，前田耕治著，「分析化学の基礎―定量的アプローチ」，（化学同人）.

第 6 章の章末問題

6.1 必 須

（酸化数）次の物質について，（　）に示した原子の酸化数を求めよ．

（1）H_3AsO_4，（As）　（2）$LiCoO_2$，（Co）　（3）KIO_4，（I）

（4）$KBrO_3$，（Br）　（5）MoO_2^{2+}，（Mo）　（6）$Fe(CN)_6^{3-}$，（Fe）

6.2 ［推 奨］

（ガルバニ電池）金属および金属イオンの組み合わせによる半電池として，Pb^{2+}/Pb，Fe^{2+}/Fe，Zn^{2+}/Zn，Cr^{3+}/Cr 系の 4 種類がある．これらの還元反応の標準ギブスエネルギー変化を下に示す．これらを組み合わせてできる電池の中で，電池の起電力が一番大きいものについて，極性と電位を求めよ．ただし，各金属イオンの活量は全て 1 とする．

$$Pb^{2+} + 2e^- \rightleftarrows Pb \qquad \Delta G^\circ = 25\ \mathrm{kJ/mol}$$

$$Fe^{2+} + 2e^- \rightleftarrows Fe \qquad \Delta G^\circ = 85\ \mathrm{kJ/mol}$$

$$Zn^{2+} + 2e^- \rightleftarrows Zn \qquad \Delta G^\circ = 147\ \mathrm{kJ/mol}$$

$$Cr^{3+} + 3e^- \rightleftarrows Cr \qquad \Delta G^\circ = 213\ \mathrm{kJ/mol}$$

6.3 必 須

（ネルンスト式）Fe^{3+} と Fe^{2+} が含まれている 1 M の硫酸水溶液に白金電極を入れ，銀－塩化銀電極（機器分析編第 4 章参照）を参照電極（負極）として電位を測定したところ，0.540 V であった．この水溶液中の Fe^{2+} に対する Fe^{3+} のモル比を求めよ．ただし，銀－塩化銀電極の標準電位は 0.222 V である．また，Fe^{3+}/Fe^{2+} 系の条件標準電位は 0.700 V である．

6.4 必 須

（ネルンスト式）次の半電池の電極電位を求めよ．ただし，$[MnO_4^-] = 0.10$ M，$[Mn^{2+}] = 2.0 \times 10^{-4}$ M，$[H^+] = 0.10$ M とする．なお，活量係数を含む条件標準電位は $E^{\circ\prime}_{Mn^{7+}/Mn^{2+}} = 1.51$ V とする．

$$Pt|MnO_4^-,\ Mn^{2+},\ H^+$$

6.5 必 須

（ネルンスト式）次の 2 つの標準電位から，AgI の溶解度積 $K_{sp,\,AgI}$ を求めよ．

$$Ag^+ + e^- \rightleftarrows Ag \qquad E^\circ_{Ag^+/Ag} = 0.799\ \mathrm{V}$$

$$AgI + e^- \rightleftarrows Ag + I^- \qquad E^\circ_{AgI/Ag} = -0.152\ \mathrm{V}$$

$$Ag^+ + I^- \rightleftarrows AgI$$

6.6 •必 須•

（ネルンスト式）AgBr/Ag 系の半反応と標準電位を下式に示す．AgBr の溶解度積を用いて，Ag^+/Ag の標準電位を求めよ．ただし，AgBr の溶解度積は $K_{sp,\,AgBr} = a_{Ag^+} \cdot a_{Br^-} = 5.2 \times 10^{-13}$ とする．

$$AgBr + e^- \rightleftarrows Ag + Br^- \qquad E^\circ = 0.071\ V$$

6.7［推 奨］

（ネルンスト式）鉄の EDTA 錯体について，下に示す FeY^-/FeY^{2-} の半反応の標準電位 E° を求めよ．ただし，$E^\circ_{Fe^{3+}/Fe^{2+}} = 0.77$ V，$\log K_{FeY^-} = 25.1$，$\log K_{FeY^{2-}} = 14.3$ とする．また，すべての化学種の活量係数を 1 とする．

$$FeY^- + e^- \rightleftarrows FeY^{2-}$$

6.8［推 奨］

（ネルンスト式）下式に示す不均化反応がある．この反応について次の（1）～（3）に答えよ．ただし，関与する化学種の活量は全て 1 とする．

$$3I_3^- + 3H_2O \rightleftarrows IO_3^- + 8I^- + 6H^+$$

（1）この反応が左から右に自発的に進むかどうかを検討せよ．

（2）この反応の平衡定数を求めよ．

（3）水素イオン以外の化学種の活量を 1 としたとき，この反応が自発的に左から右に起こる pH を求めよ．

6.9［推 奨］

（燃料電池）燃料電池とは，還元剤の水素に酸化剤の酸素を連続的に供給し，その反応によるエネルギーを電力として取り出すものである．代表例として，アルカリ電解質内で水を生成させて起電力を得るアルカリ型水素－酸素燃料電池（AFC：Alkaline Fuel Cell）がある．水の標準生成ギブスエネルギー（ΔG°）が－237.1 kJ/mol であるとすると，標準状態でこの電池から得られる起電力を求めよ．

6.10［推 奨］

（Latimer 図）クロムは Cr^{6+}，Cr^{3+}，Cr^{2+}，Cr^0 の 4 種類の酸化状態をとることができる．今，下の Latimer 図を参考にして，式①で表される Cr^{2+}/Cr 系の標準電位 E°_1 を求めよ．矢印方向は，還元反応における標準電位である．

$$Cr^{2+} + 2e^- \rightleftarrows Cr \qquad ①$$

$$Cr^{3+} \xrightarrow{E^\circ_3 = -0.41V} Cr^{2+} \xrightarrow{E^\circ_1} Cr \qquad (Cr^{3+} \rightarrow Cr:\ E^\circ_2 = -0.74V)$$

6.11［推 奨］

（Latimer 図）Fe^{3+}/Fe^{2+} と Fe^{2+}/Fe 系の標準電位 E° を下に示す．これより，Fe^{3+}/Fe 系の標準電位 E°_3 を求めよ．

$$Fe^{3+} + e^- \rightleftarrows Fe^{2+} \qquad E_1^\circ = 0.77\ V \qquad ①$$

$$Fe^{2+} + 2e^- \rightleftarrows Fe \qquad E_2^\circ = -0.44\ V \qquad ②$$

6.12 必須

（酸化還元滴定）2つの水溶液を混合して反応が平衡状態になったとき，この水溶液に白金電極を挿入して半電池をつくる．標準水素電極を参照電極（負極）にして電位を測定したときの値を求めよ．ただし，水溶液は $[H^+] = 1$ M とし，このときの条件標準電位は，$E^{\circ\prime}_{Fe^{3+}/Fe^{2+}} = 0.70$ V，$E^{\circ\prime}_{Mn^{7+}/Mn^{2+}} = 1.51$ V とする．

（1）0.10 M Fe^{2+} 溶液 50 mL に 0.020 M MnO_4^- 溶液 20 mL を加えたとき

（2）0.10 M Fe^{2+} 溶液 50 mL に 0.020 M MnO_4^- 溶液 50 mL を加えたとき

（3）0.10 M Fe^{2+} 溶液 50 mL に 0.020 M MnO_4^- 溶液 100 mL を加えたとき

6.13 必須

（酸化還元滴定）1 M $HClO_4$ 水溶液中で 0.100 M Fe^{3+} 50 mL を 0.100 M Sn^{2+} で滴定する．次の滴定量を加えた後の溶液の電位を計算せよ．ただし，1 M $HClO_4$ 水溶液中での条件標準電位は $E^{\circ\prime}_{Sn^{4+}/Sn^{2+}} = -0.16$ V，$E^{\circ\prime}_{Fe^{3+}/Fe^{2+}} = 0.73$ V とし，$HClO_4$ の濃度は変化しないものとする．

（1）10.0 mL　（2）12.5 mL　（3）20.0 mL　（4）24.5 mL　（5）25.0 mL

（6）25.5 mL　（7）30.0 mL

6.14［推 奨］

（酸化還元滴定）Fe(Ⅱ)のセリウム(Ⅳ)塩滴定において，酸化還元指示薬にフェロインを使用した．当量点において，飽和カロメル電極（SCE）を参照電極（負極）にして反応溶液の電位を測定したところ 0.866 V であった．この電位において，酸化されていない $Fe(phen)_3^{2+}$ の割合を求めよ．ただし，フェロインの条件標準電位（1 M H_2SO_4）は 1.06 V であり，飽和カロメル電極（SCE）の電位は $E_{SCE} = 0.244$ V とする．

6.15 必須

（過マンガン酸塩滴定）シュウ酸ナトリウム（式量 = 134.0）0.1692 g を正確にはかり取り，純水に溶かして 250 mL にした．この溶液 20 mL を三角フラスコに取り，硫酸（1 + 4）を 5 mL 加えて約 70 ℃に加温し，過マンガン酸カリウム水溶液で滴定したところ 19.65 mL を要した．過マンガン酸カリウム水溶液の濃度（M）を求めよ．

6.16［推 奨］

（過マンガン酸塩滴定）COD（化学的酸素要求量）の測定操作に関する次の文を読み，（1）～（5）に答えよ．

300 mL の三角フラスコに，ある工場排水 50 mL を正確に取り，純水で約 100 mL とした．硫酸（1 + 2）10 mL と硫酸銀（Ag_2SO_4）粉末 1 g を加えてスターラーで 10 ～ 20 分間撹拌し，次に 5×10^{-3} M $KMnO_4$ 標準溶液（$f = 1.000$）10 mL を正確に加え，30 分間沸騰水浴中で加熱した．フラスコを水浴から取り出し，ただちに 1.25×10^{-2} M $Na_2C_2O_4$ 水溶液 10 mL を正確に加えて振り混ぜた．溶液を 60 ～ 80 ℃に保ちながら，5×10^{-3} M $KMnO_4$ 標準溶液で逆滴定したところ，8.00 mL を要した．別に純水 100 mL を用いて空試験を行った．

なお，COD 値の計算式は次の式で示される．

$$\mathrm{COD[mg/L]} = (a - b) \times f \times \frac{1000}{V} \times 0.2$$

ただし，a：滴定に要した 5×10^{-3} M 過マンガン酸カリウム標準溶液の体積（mL）

b：空試験に要した 5×10^{-3} M 過マンガン酸カリウム標準溶液の体積（mL）

f：5×10^{-3} M 過マンガン酸カリウム標準溶液のファクター

V：検水量（mL）

（1）Ag_2SO_4 粉末を加えるのはなぜか．

（2）沸騰水浴中で加熱するのは何のためか．

（3）1.25×10^{-2} M $Na_2C_2O_4$ 水溶液の調製では，この濃度を正確に求めておく必要があるか．

（4）COD の計算式中の 0.2 を誘導せよ．

（5）工場排水の COD 値はいくらか．ただし，空試験は 0 mL とする．

6.17［推 奨］

（ヨウ素滴定）レモン中のビタミン C(L-アスコルビン酸）をヨウ素滴定法で定量した．果汁 20.00 g を水で 50 mL にし，リン酸酸性下で，0.05 M（f = 1.000）ヨウ素標準溶液で滴定したところ，1.26 mL を要した．レモン中のビタミン C の濃度（mg/100 g 単位）を求めよ．

6.18 •必 須•

（ヨウ素滴定）チオ硫酸ナトリウム標準溶液の濃度を求めるために，ヨウ素酸カリウムを一次標準物質に使用して標定した．次の結果より，チオ硫酸ナトリウム標準溶液の正確な濃度を求める式を誘導せよ．

1/60 M KIO_3 標準溶液（ファクター，f）：25 mL

滴定に要したチオ硫酸ナトリウム標準溶液の体積：x [mL]

チオ硫酸ナトリウム標準溶液の濃度：C [M]

6.19［推 奨］

（ヨウ素滴定）DO（溶存酸素）の測定操作に関する次の文を読み，（1）と（2）に答えよ．

溶存酸素測定びん（酸素びん：100 mL）に検水を満たし，駒込ピペットを使って，ピペットの先端を検水に挿入しながら，硫酸マンガン 0.5 mL とアルカリ性ヨウ化カリウム水溶液 0.5 mL をそれぞれ手早く加える．ただちに測定びん中に空気が残らないように密栓する．数回連続転倒して，生成した褐色の沈殿がびん全体におよぶように十分混合する．沈殿が沈降してきたら再び連続転倒して混合する．

沈殿が沈降し，上澄み液が全体の 1/3 になったら開栓し，びんの首に沿って濃硫酸 1 mL を加える．密栓して数回連続転倒して，ヨウ素を遊離させる．測定びんの検水を全て 500 mL のビーカーに移す．これを 0.025 M チオ硫酸ナトリウム標準溶液で滴定する．溶液がレモン色になったら，デンプン指示薬を 2 ～ 3 mL 加えて再び滴下を続ける．溶液の色が消えたところを終点とする．

（1）0.025 M チオ硫酸ナトリウム標準溶液の滴定量から検水中の溶存酸素濃度 DO（dissolved oxygen：mgO/L）を求める式を誘導せよ．

検水量：V_1 [mL]

チオ硫酸ナトリウム標準溶液の正確な濃度：0.025 M（f = 1.000）

チオ硫酸ナトリウム標準溶液の滴定量：V_2 [mL]

（2）25 ℃の水に酸素が 10.0 mg/L 溶解している．今，検水 100 mL を使用して，上の操作に従って滴定したとき，当量点における 0.025 M チオ硫酸ナトリウム標準溶液（f = 1.000）の滴定量を求めよ．

6.20 ◀チャレンジ▶

（ヨウ素滴定）銅（Ⅱ）イオンを含む試料 1.012 g を 100 mL の水に溶かして試料溶液とした．この溶液に過剰の KI を加えて，I_3^- を生成させた．これを 0.0250 M のチオ硫酸ナトリウム標準溶液で滴定したところ，8.28 mL を要した．次の（1）と（2）に答えよ．

（1）I_3^-/I^- 系の標準電極電位が E° = 0.54 V であり，Cu^{2+}/Cu と Cu^{2+}/Cu^+ 系の標準電極電位がそれぞれ E° = 0.34 V と 0.15 V であるが，Cu^{2+} によって I_3^- が生成する理由を述べよ．

（2）試料中の銅の質量パーセント濃度を求めよ．

課　題

6.1　ダニエル電池は $Zn|Zn^{2+}, SO_4^{2-}\|Cu^{2+}, SO_4^{2-}|Cu$ で表され，塩橋や隔膜で正極と負極が連結されている．もし，塩橋や隔膜を使用せずに，Zn^{2+} と Cu^{2+} の硫酸塩の混合溶液に Zn 板と Cu 板を漬けた場合，電池の電位はどうなるかを説明せよ．

6.2　携帯電話やノートパソコンに使われているリチウムイオン電池（2019 年ノーベル化学賞）は，ガルバニ電池であり，電極反応は次のように表される．

$$C_6Li + 2Li_{0.5}CoO_2 \rightleftharpoons C_6 + 2LiCoO_2$$

リチウムイオン電池の仕組みや，高性能化を実現するためにどのような工夫がされているか調べなさい．

6.3　酸化還元反応は環境分析における化学物質の定量に役立っている．例えば，水質分析における化学的酸素要求量（COD），生物化学的酸素要求量（BOD）および全有機炭素（TOC）の水質基準値を調べ，COD，BOD そして TOC の分析結果から環境水の水質についてどのようなことがわかるかをまとめよ．

6.4　生化学では，プロトンが関与する酸化還元反応が多く，pH = 0（a_{H^+} = 1）における標準電極電位 E° よりも，pH = 7 のときの条件標準電位 $E^{\circ\prime}$ が有用な値として用いられる．L-アスコルビン酸（ビタミン C）を例として，その還元性（電極電位）が pH に依存してどのように変化するか，考察しなさい．

$$\text{デヒドロアスコルビン酸} + 2H^+ + 2e^- \rightleftharpoons \text{アスコルビン酸} + H_2O \qquad E^\circ = 0.390\ \text{V}$$

第7章　沈殿生成反応

沈殿の生成と溶解は分析化学における最も基本的な操作であり，定性分析化学をはじめとして沈殿分離，重量分析，沈殿滴定などの分析法において重要な要素技術の1つとなっている．この章では，沈殿生成に及ぼすいろいろな因子を考察し，沈殿生成平衡について学ぶ．

《本章で学ぶ重要事項》

（1）　沈殿の生成機構

（2）　溶解度積

（3）　沈殿生成平衡に及ぼす諸因子

（4）　沈殿生成を利用した定量法（重量分析，沈殿滴定）

7.1　沈殿の生成と溶解

7.1.1　沈殿の溶解平衡と溶解度積

難溶性の塩 A_mB_n の飽和溶液，すなわち固体 A_mB_n が共存する溶液においては，溶解とイオン解離の2つの平衡が共存している．固体の活量は1であり，また電荷を持たない化学種の活量は濃度と等しい（活量係数は1）とみなすことができる．さらに，一般に難溶性塩の溶解度は非常に小さいのでイオンの活量はモル濃度と等しいと考えても差し支えない．よってこれらの反応および平衡定数は以下のように書くことができる．

$$A_mB_{n(S)} \underset{}{\overset{K_1}{\rightleftarrows}} A_mB_n \qquad K_1 = \frac{a_{A_mB_n}}{a_{A_mB_n(S)}} = a_{A_mB_n} = [A_mB_n] \tag{7.1}$$

$$A_mB_n \overset{K_2}{\rightleftarrows} mA^{n+} + nB^{m-} \qquad K_2 = \frac{a^m_{A^{n+}} \cdot a^n_{B^{m-}}}{a_{A_mB_n}} = \frac{[A^{n+}]^m[B^{m-}]^n}{[A_mB_n]} \tag{7.2}$$

式（7.1）の下付きの（S）は固体を示す．

式（7.1）から $[A_mB_n]$ は，固体が存在するとき一定の値 K_1 となるので，これを式（7.2）に代入すると次式（7.3）に示すように溶存イオン濃度の積は一定値をとることがわかる．この値は溶解度積 K_{sp}（solubility product）といわれる．

$$[A^{n+}]^m[B^{m-}]^n \approx K_1 \cdot K_2 = K_{sp} \tag{7.3}$$

溶解度積は難溶性塩の純水に対する溶解度から求めることができる．例えば，AgCl の純水に対する溶解度を S(M)とすれば，Ag^+ と Cl^- の濃度は等しく，さらにこれは溶解度 S に等しいので（$[Ag^+] = [Cl^-] = S$），

$$K_{sp} = [Ag^+][Cl^-] = S^2 \ (M^2) \tag{7.4}$$

となる．また，これとは異なるタイプの塩，例えば Ag_2CrO_4 の場合では次式となる．

$$Ag_2CrO_{4(S)} \rightleftarrows Ag_2CrO_4 \qquad Ag_2CrO_4 \rightleftarrows 2Ag^+ + CrO_4^{2-} \tag{7.5}$$

式（7.5）の溶解平衡が成立するので，その溶解度を S(M) とすると，

$$K_{sp} = [Ag^+]^2[CrO_4^{2-}] = (2S)^2 \times S = 4S^3 \ (M^3) \tag{7.6}$$

となる．着目している塩を構成しているイオンに関して，式（7.4）や（7.6）のようなその塩のタイプに対応する定義式に従って計算された値が固有の K_{sp} を超えると，その分だけ沈殿することになる．同じタイプの塩（m と n がそれぞれ同じもの）であれば，K_{sp} は小さい程その物質は水に溶け難いことを示し，物質の溶解度を表す平衡定数としてたいへん便利に利用できる（巻末付表7）．ハロゲン化銀（全て $m = n = 1$）の場合，AgCl, AgBr，AgI の K_{sp} はそれぞれ 1.8×10^{-10}，5.2×10^{-13}，8.3×10^{-17} であり，この順に溶解度が低くなることを示している．もちろん式（7.4）より，K_{sp} の値から溶解度 S を計算することができる．例えば AgCl の溶解度 S は以下のように簡単に求めることができる．

$$S = [Ag^+] = [Cl^-] = \sqrt{1.8 \times 10^{-10}} = 1.3 \times 10^{-5} \ M \tag{7.7}$$

例題 7.1　Cl^- の濃度が 5.0×10^{-3} M の溶液がある．この溶液から AgCl が沈殿するためには Ag^+ の濃度はいくらであればよいか．ただし，$K_{sp,AgCl} = 1.8 \times 10^{-10}$ とする．また，Agcl 以外の塩は生成しないものとする．

解　答

AgCl が沈殿するための条件は下式になる．

$$[Ag^+][Cl^-] > K_{sp,AgCl}$$

したがって，

$$[Ag^+] \times 5.0 \times 10^{-3} > 1.8 \times 10^{-10}$$

$$[Ag^+] > 3.6 \times 10^{-8}$$

例題 7.2　AgCl の溶解度は室温で 1.92×10^{-3} g/L である．AgCl の溶解度積を求めよ．ただし，Ag，Cl の原子量はそれぞれ 107.9，35.5 とする．

解　答

AgCl の溶解度をモル濃度（M）で表すと下の数値になる．

$$\frac{1.92 \times 10^{-3}}{107.9 + 35.5} = 1.34 \times 10^{-5} \ M$$

飽和溶液では，$[Ag^+] = [Cl^-] = 1.34 \times 10^{-5}$ M なので，

$$K_{sp,AgCl} = [Ag^+][Cl^-] = (1.34 \times 10^{-5})^2 = 1.80 \times 10^{-10}$$

7.1.2　水酸化物の沈殿生成

多価の陽イオンであるにも関わらず，遷移金属などの多くの金属イオンの純水への溶解度はさほど高くない．これはこれらの金属イオンが次式で示すような加水分解と呼ばれる反応により難溶性の水酸化物を形成するからである．

$$M^{n+} + H_2O \rightleftarrows MOH^{(n-1)+} + H^+$$

$$MOH^{(n-1)+} + H_2O \rightleftarrows M(OH)_2{}^{(n-2)+} + H^+$$

$$\vdots$$

この反応を理解することは，金属イオンの関係する反応の中で特に水系での反応を取り

扱う際に非常に重要である．

金属イオン M^{n+} の水酸化物 $M(OH)_n$ の溶解度積は

$$K_{sp,M(OH)_n} = [M^{n+}][OH^-]^n \tag{7.8}$$

で与えられる．両辺の対数をとって pH と同様の $pM = -\log [M^{n+}]$ の関係を用いると

$$pK_{sp,M(OH)_n} = pM + n\mathrm{pOH} \tag{7.9}$$

さらに $\mathrm{pOH} = pK_w - \mathrm{pH}$ （$[OH^-] = K_w/[H^+]$）を代入して整理すると

$$pM = (pK_{sp,M(OH)_n} - npK_w) + n\mathrm{pH} \tag{7.10}$$

が得られる．この関係を利用すると $K_{sp,M(OH)_n}$ の値が分かっているさまざまな金属について pM ～ pH 図を描くことができる．すなわち，縦軸に pM，横軸に pH をとると，縦軸の切片が（$pK_{sp,M(OH)_n} - npK_w$）で傾きが金属イオンの電荷 n の直線が得られ，これにより金属イオンの溶解度と pH の関係が一目でわかる（図 7. 1）．直線の下がそれぞれの $M(OH)_n$ が沈殿する領域である．

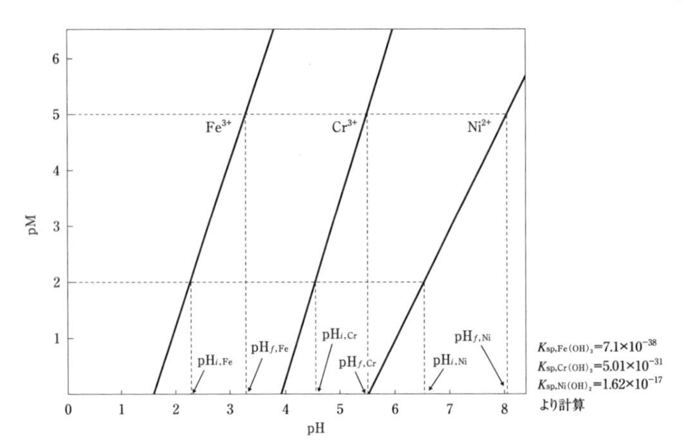

図 7. 1　鉄（Ⅲ），クロム（Ⅲ）およびニッケル（Ⅱ）イオンの水酸化物沈殿生成における pM～pH 図

例えば，10^{-2} M の溶液で金属イオンが水酸化物として沈殿しない上限の pH_i を読み取るには，図に pM ＝ 2 の水平線を引き，この線と pM ～ pH の直線の交点の pH を見ればよい．また，この溶液の金属イオンが定量的に（99.9 % 以上）水酸化物として沈殿する pH_f は pM が 3 単位変化した pM ＝ 2 ＋ 3 ＝ 5 の水平線と直線との交点の pH である．すなわち，沈殿開始の pH_i，および 99.9 % 沈殿する pH_f は

$$\mathrm{pH}_i = pK_w - \frac{1}{n}(\log C_M + pK_{sp,M(OH)_n}) \tag{7.11}$$

$$\mathrm{pH}_f = pK_w - \frac{1}{n}(\log C_M + pK_{sp,M(OH)_n}) + \frac{3}{n} \tag{7.12}$$

となる．pH_i と pH_f の差は $3/n$ であるので，一価の金属イオン，すなわち $n = 1$ では 3 pH 単位，$n = 2$ では 1.5 pH 単位，$n = 3$ では pH を 1 だけ上げれば定量的に沈殿を生成させることができることを示している．

アルミニウムイオンや亜鉛イオンなどのような両性金属イオンの水酸化物では，一度生成した水酸化物が過剰のアルカリによって次のように溶解する．

$$Al(OH)_{3(S)} \rightleftarrows H^+ + H_2AlO_3^- \quad (7.13)$$

（あるいは　$Al(OH)_{3(S)} + OH^- \rightleftarrows H_2AlO_3^- + H_2O$）

$$Zn(OH)_{2(S)} \rightleftarrows H^+ + HZnO_2^- \quad (7.14)$$

このような場合，沈殿が存在している限り右辺の化学種濃度の積，$[H^+][H_2AlO_3^-]$ あるいは $[H^+][HZnO_2^-]$ は一定であり，溶解度積と同じように取り扱うことができる．Al $(OH)_3$ の場合，

$$K'_{sp,Al(OH)_3} = [H^+][H_2AlO_3^-] \quad (7.15)$$

$$-\log[H_2AlO_3^-] = pK'_{sp,Al(OH)_3} - pH \quad (7.16)$$

となる．式（7.10）と式（7.16）の pM と $-\log[H_2AlO_3^-]$ を pH に対してプロットすると図 7.2 のようになり，交点が $Al(OH)_3$ の沈殿生成に最も良い pH で，溶存しているアルミニウム濃度が最も低い点であることがわかる．

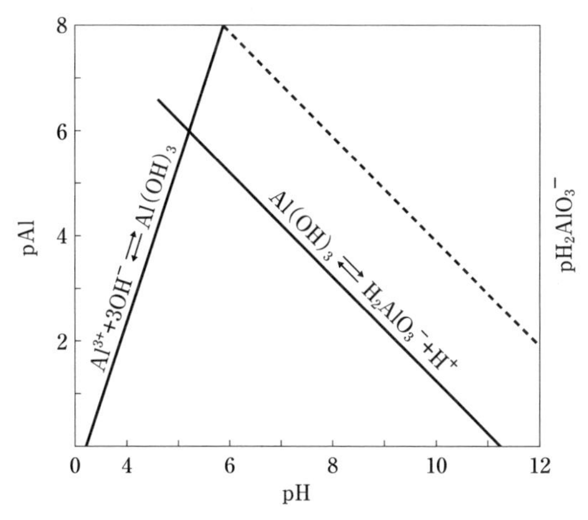

図 7.2　アルミニウムイオンの水酸化物沈殿生成および溶解における pM ～ pH 図

$pK_{sp,Al(OH)_3} = 32.3$，$pK'_{sp,Al(OH)_3} = 11.2$（実線）～ 13.9（破線）

例題 7.3　1.0×10^{-2} M の Cr^{3+} および Ni^{2+} を含む溶液がある．$Cr(OH)_3$ および $Ni(OH)_2$ の沈殿が生成し始める pH_i と水酸化物が定量的に沈殿する pH_f をそれぞれ求めよ．

ただし，$pK_{sp,Cr(OH)_3} = 30.2$，$pK_{sp,Ni(OH)_2} = 17.2$ とする．

解　答

式（7.11）および（7.12）より

Cr^{3+} の場合，$pH_i = 4.6$ および $pH_f = 5.6$

Ni^{2+} の場合，$pH_i = 6.4$ および $pH_f = 7.9$

すなわち，pH をコントロールすることにより分離が可能である．

7.1.3　硫化物の沈殿生成

系統的定性分析では，pHを調整することによって金属を硫化物として分離するという方法が用いられてきた．難溶性の硫化物を生成するⅡ属の金属（A：Pb^{2+}，Hg^{2+}，Cu^{2+}，Cd^{2+}，Bi^{3+}，B：Sn^{2+}，Sn^{4+}，Sb^{3+}，Sb(V)，As(Ⅲ)，As(V)）は，約0.10M HCl溶液中でH_2Sによって沈殿する．沈殿分離後，H_2Sを除き，pHを上げればⅢ属の金属（Fe^{3+}，Al^{3+}，Cr^{3+}）が水酸化物として沈殿する．

硫化物の沈殿生成は金属イオンM^{n+}とS^{2-}イオンとの反応によって起こり，HS^-やH_2Sは沈殿の成分とはならない．したがって，5章で取り扱ったEDTAなどの配位子と金属との錯生成平衡と同様，沈殿生成はpHに左右される．硫化水素は水溶液中でH_2S，HS^-，S^{2-}の3つの形で存在し，次の平衡が成立する．

$$H_2S \rightleftarrows H^+ + HS^- \qquad K_{a_1} = \frac{[H^+][HS^-]}{[H_2S]} = 10^{-7} \tag{7.17}$$

$$HS^- \rightleftarrows H^+ + S^{2-} \qquad K_{a_2} = \frac{[H^+][S^{2-}]}{[HS-]} = 10^{-13} \tag{7.18}$$

いま，さまざまなpHにおける硫化水素の全濃度に対する各化学種の濃度の割合を求めてみよう．硫化水素の全濃度をC_{H_2S}とすると

$$C_{H_2S} = [H_2S] + [HS^-] + [S^{2-}] \tag{7.19}$$

と表される．式（7.17）と（7.18）を変形すれば，それぞれ

$$[HS^-] = \frac{[H_2S]K_{a_1}}{[H^+]} \tag{7.20}$$

$$[S^{2-}] = \frac{[HS^-]K_{a_2}}{[H^+]} = \frac{[H_2S]K_{a_1}K_{a_2}}{[H^+]^2} \tag{7.21}$$

となり，これを式（7.19）に代入すると次式が得られる．

$$\begin{aligned} C_{H_2S} &= [H_2S] + \frac{[H_2S]K_{a_1}}{[H^+]} + \frac{[H_2S]K_{a_1}K_{a_2}}{[H^+]^2} \\ &= [H_2S]\left(1+ \frac{K_{a_1}}{[H^+]} + \frac{K_{a_1}K_{a_2}}{[H^+]^2}\right) \end{aligned} \tag{7.22}$$

したがって，H_2Sの分率f_{H_2S}は

$$f_{H_2S} = \frac{[H_2S]}{C_{H_2S}} = \frac{[H^+]^2}{[H^+]^2 + [H^+]K_{a_1} + K_{a_1}K_{a_2}} \tag{7.23}$$

同様にしてHS^-とS^{2-}の分率，f_{HS^-}および$f_{S^{2-}}$の式も容易に得ることができる．

$$f_{HS^-} = \frac{[HS^-]}{C_{H_2S}} = \frac{[H^+]\,K_{a_1}}{[H^+]^2 + [H^+]K_{a_1} + K_{a_1}K_{a_2}} \tag{7.24}$$

$$f_{S^{2-}} = \frac{[S^{2-}]}{C_{H_2S}} = \frac{K_{a_1}K_{a_2}}{[H^+]^2 + [H^+]K_{a_1} + K_{a_1}K_{a_2}} \tag{7.25}$$

これらの式（7.23）～(7.25）に，式（7.17），(7.18）の値および適当な水素イオン濃度を代入して各化学種の存在率とpHの関係を示すと図7.3のようになる．pHが高くな

るにつれ，主成分が H_2S，HS^-，S^{2-} と変化していく様子がわかる．

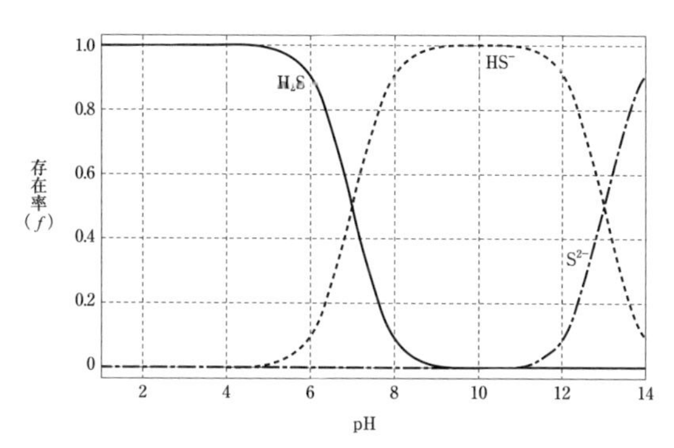

図 7.3　H_2S，HS^-，および S^{2-} の存在率（f）と pH の関係

このうち沈殿生成に関与するのは S^{2-} であるので，その存在比が大きい塩基性領域下で沈殿生成反応はより進行しやすい．いま 5 章の錯生成平衡での取扱と同様に副反応係数を考える．S^{2-} に関する副反応係数 α_S は式（7.25）より

$$\alpha_{S(H)} = \frac{C_{H_2S}}{[S^{2-}]} = \frac{[H^+]^2}{K_{a_1}K_{a_2}} + \frac{[H^+]}{K_{a_2}} + 1 \tag{7.26}$$

となる．金属イオンと結合していない全硫化水素濃度を $[S']$（$= [H_2S] + [HS^-] + [S^{2-}]$）とし，式（7.26）を硫化物 MS の溶解度積 $K_{sp,MS}$ に代入すれば

$$K_{sp,MS} = [M^{2+}][S^{2-}] = [M^{2+}]\frac{[S']}{\alpha_{S(H)}} = \frac{K'_{sp,MS}}{\alpha_{S(H)}} \tag{7.27}$$

第 5 章で用いた条件生成定数にならって，$K'_{sp,MS}$ を条件溶解度積（$K'_{sp,MS} = [M][S'] = \alpha_{S(H)}K_{sp,MS}$）と呼ぶ．$\alpha_{S(H)}$ は pH に依存する（式（7.26））ので，錯生成反応の条件生成定数と同様に $K'_{sp,MS}$ 値は pH によって変わる．一般的に，M^{n+}（$n \neq 2$）の金属イオンに対しては次のように表すことができる．

$$2M^{n+} + nS^{2-} \rightleftarrows M_2S_n$$

$$K_{sp,M_2S_n} = [M^{n+}]^2[S^{2-}]^n = [M^{n+}]^2\left(\frac{[S']}{\alpha_{S(H)}}\right)^n = \frac{K'_{sp,M_2S_n}}{\alpha_{S(H)}{}^n} \tag{7.28}$$

硫化水素の 2 つの解離定数はきわめて小さいので，酸性領域では式（7.26）の右辺第 1 項に比べてそれ以降の項は無視することができる．

$$\alpha_{S(H)} \approx \frac{[H^+]^2}{K_{a_1}K_{a_2}} \tag{7.29}$$

さらに，酸性溶液中では硫化水素の分析濃度は，近似的に次のようになる．

$$[S'] = [H_2S] + [HS^-] + [S^{2-}] \approx [H_2S] \tag{7.30}$$

したがって，式（7.29）および（7.30）より酸性溶液中での硫化物イオン濃度は次式で与えられる．

$$[S^{2-}] = \frac{[S']}{\alpha_{S(H)}} = \frac{[H_2S]\ K_{a_1}K_{a_2}}{[H^+]^2} \tag{7.31}$$

式（7.31）と，対応する硫化物の溶解度積 $K_{sp,MS}$（M^{2+} の場合）を用いて，沈殿の生成を以下のとおり予測することができる．すなわち，溶解度の低い硫化物を与える（$K_{sp,MS}$ の小さい）金属イオンは酸性条件下においても硫化物として沈殿させることができる．7.1.3 の冒頭で述べた陽イオンの系統分析におけるII属はそのような金属イオンである．

$n = 2$ のとき　$[M^{n+}]\left(\dfrac{[H_2S]\ K_{a_1}K_{a_2}}{[H^+]^2}\right) < K_{sp,MS}$ ：沈殿しない

$[M^{n+}]\left(\dfrac{[H_2S]\ K_{a_1}K_{a_2}}{[H^+]^2}\right) > K_{sp,MS}$ ：沈殿する

$n \neq 2$ のとき　$[M^{n+}]^2\left(\dfrac{[H_2S]\ K_{a_1}K_{a_2}}{[H^+]^2}\right)^n < K_{sp,M_2S_n}$ ：沈殿しない

$[M^{n+}]^2\left(\dfrac{[H_2S]\ K_{a_1}K_{a_2}}{[H^+]^2}\right)^n > K_{sp,M_2S_n}$ ：沈殿する

7.2　沈殿の生成過程

7.2.1　沈殿の生成機構

溶液中で目的成分 M^+ を含む溶液に沈殿剤 R^- を添加し，難溶性の塩 MR が沈殿する過程を考えてみよう．R^- 添加に伴い，イオンの濃度の積（$[M^+][R^-]$）がその $K_{sp,MR}$ を超えると，溶液中ではまず核と呼ばれる多数の小さな MR の粒子が形成される．最初に生じたこれらの粒子の上に更に沈殿が生成し，やがて粒子は大きく成長して溶液から沈降する．すなわち沈殿の粒度分布は，核発生と呼ばれる核の形成とその成長という2つの現象の相対的な速度によって決まる．簡単にいうと，定量したい物質の総量（この場合 M^+ の総量）が同じであれば，多くの核が発生すると沈殿1つひとつの粒子は小さくなり，核の数が少ないと粒子は大きくなる．大きな粒子からなる沈殿は小さい粒子からなるものよりも濾過が容易でありしばしば純度も高い．したがって，分析者は核発生の速度（数）が小さくなるように実験を行う必要がある．

1）相対的過飽和度（von Weimarn's theory）

一般に塩の溶解度と温度の関係は図7.4のようになる．AA′が MR の溶解度曲線，過飽和状態の曲線は BB′のように示される．いま温度 T で M^+ の溶液に沈殿剤 R^- を少しずつ加えると塩 MR の濃度が増し，やがて AA′曲線上の点 S に達し飽和となる．しかし，この時点では沈殿の生成はみられず，さらに R^- を加えていくと BB′線上の Q 点に達して過飽和となり，この点で微細な MR の沈殿核が生成するようになる．沈殿はこの核を中心に成長していき，ある程度の大きさになった時点で重力の作用により沈降するようになる．

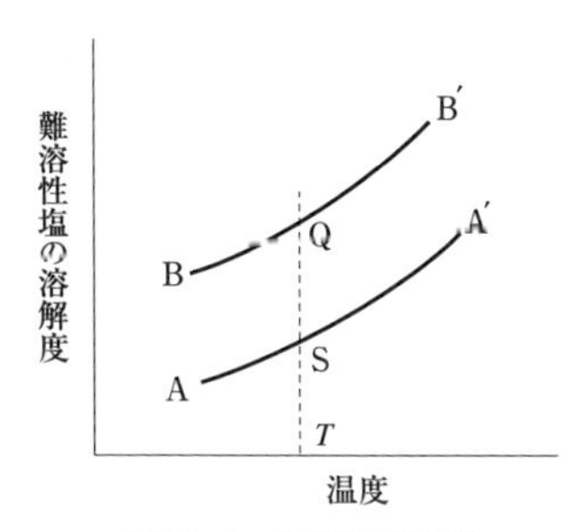

図 7.4　溶解度曲線

初期の沈殿生成の速度 v に関してワイマルン（P. P. von Weimarn）の式（式（7.32））が知られている．

$$v = K\left(\frac{Q-S}{S}\right) \qquad (7.32)$$

ここで Q は沈殿が生成し始めるときの過飽和溶液の濃度，S は平衡溶解度，K は定数である．$Q-S$ は沈殿が生成しはじめるときの過飽和度を表すが，この項が大きいほど生成される核がそれだけ多くなり，沈殿粒子がそれだけ小さくなる．分母の S は沈殿生成をくい止めようとする力，いい換えると沈殿を再溶解しようとする力と考えてよい．沈殿生成の初期，すなわち核発生の速度は，定性的にはこれら両者の比である相対的過飽和度，$(Q-S)/S$ と関連づけることができるというのがこの式の意味するところである．この式から，大きな粒子の沈殿を得るためには，$(Q-S)/S$ の値を小さくする必要がある．そのためには Q を減少させるか S を増加させればよい．通常，溶液をよくかき混ぜながら稀薄な沈殿剤を少量ずつ加えて Q を減少させ，溶液の温度や pH を調節して溶解度 S を大きくして沈殿を生成させる．

沈殿生成条件を調節するという方法の他に，沈殿が生成した後に別の方法で粒子を成長させることが可能な場合がある．この方法とは，沈殿を一定時間，しばしば高温で，母液と接触させて温浸すること，すなわち熟成することであり，これは硫酸バリウムのような結晶性沈殿の粒度を大きくするのに有効である．径が小さな粒子ほど，表面積 / 重量比が大きいので容易に溶け，このために溶液は大きな粒子に対して過飽和状態となる．余分なイオンは大きな粒子の上に堆積することになり，粒子はさらに大きく成長する．これはしばしばオストワルド熟成と呼ばれる．結晶性物質の場合にはイオンは結晶格子に沿って規則正しく堆積するために，不純物を排除しながら粒子は成長する．

コラム　P. P. ワイマルン

Weimarn, Pyotr Petrovich（1870～1935，ロシアの化学者）

1921 年 1 月ウラジオストクから敦賀に上陸，亡命した．彼の亡命は当時 Russia's loss, Japan's gain と評された．1922 年京都帝大講師に，さらに 1923 年大阪工業技術試験所にはコロイド研究室を与えられ，所長の 3 倍以上もの年棒で遇せられたという．

2）コロイド

沈殿粒子はその成長過程で必ずコロイド領域を通過するので，コロイド粒子を理解することは重要である．最初に生じる沈殿核はイオン対（イオン会合体）が数個集まったものと考えられ，これが成長してコロイド粒子となる．コロイド粒子は直径が10^{-7}～10^{-4}cmで，帯電しているため静電反発により粒子間の結合が抑えられ，凝集して沈降することはない．電荷は粒子の表面にイオンが吸着されるために起こる．一般に，微粒子は格子イオンとの共通イオンを溶液からより強く吸着させる傾向がある（Paneth-Fajans-Hahnの規則）．例えば，塩化ナトリウムの溶液に硝酸銀水溶液を添加していく過程においては，生じた塩化銀の微粒子の周りには，Na^+，Cl^-，NO_3^-が存在するが，このうち共通イオンであるCl^-が微粒子表面に強く吸着し，微粒子は負に帯電する．その様子を模式的に図7.5に示す．

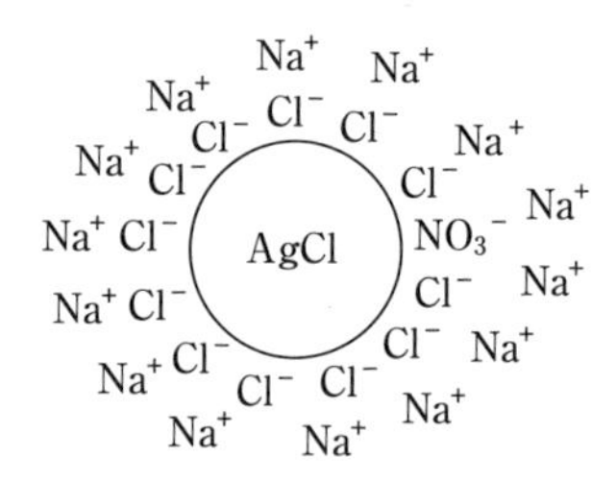

図7.5　NaCl溶液中のAgClのコロイド粒子

当量前，すなわちAg^+に対してCl^-が過剰に存在する条件においては，AgClコロイド表面には，まずCl^-が強く吸着して第一層を形成し，次に対イオンのNa^+を引き付けて第二層目を形成する．第二層目の相互作用は弱く，第一層目の負電荷を完全に中和することはない．これがいわゆる電気二重層である．添加されたAg^+はNa^+より強くCl^-と結合するために，第二層のNa^+を置換し第一層のCl^-の負電荷を完全に中和することになる．AgClコロイド粒子の第一層の電荷が除去されると，粒子は互いに寄り集まって大きな塩化銀の固まりとなり，溶液から沈降する．すなわち凝析させることができるのである．この例では，存在していたCl^-と当量になるまで硝酸銀を加えることで塩化銀を凝析させることができる．凝析は沈殿の構成イオン以外のイオンを加えても生じさせることができる．塩化銀の凝析は多量のKNO_3，$CaCl_2$，$Al(NO_3)_3$によっても起こる．これはコロイド粒子の表面電荷の中和によるものなので，当然ながら表面電荷の反対の電荷を持つイオンが有効であり，電荷が高いほどその効果も高い．種々の電解質の凝析価を表7.1に示す．

沈殿を洗浄する際に，凝析剤のイオンが洗い流されると，固体粒子は再びコロイド状に分散して濾過膜を通過することがある．このように不溶性の物質がコロイドとして液体に分散する現象をペプチゼーション（解膠（かいこう））といい，定量分析の際にはこれを避けなければならない．ペプチゼーションが心配される場合には，洗浄除去される凝析剤のイオンにかわるある種の電解質を洗液に溶かしておく必要がある．例えば，AgCl の洗浄は HNO_3 を含む水で，$Fe(OH)_3$ は NH_4NO_3 を含む水で洗浄する．ここで用いる HNO_3 や NH_4NO_3 は沈殿の乾燥や強熱の際に揮発してしまうので問題とならない

表 7.1 電解質の凝析価†

As_2S_3（負に帯電）電解質	mM	$Fe(OH)_3$（正に帯電）電解質	mM
LiCl	58.4	KI	16.2
NaCl	51.0	KBr	12.5
KNO_3	50.0	KNO_3	11.9
KCl	49.5	KCl	9.0
NH_4Cl	42.3	$MgSO_4$	0.22
HCl	30.8	Tl_2SO_4	0.22
$MgSO_4$	0.81	K_2SO_4	0.20
$MgCl_2$	0.72	$K_2Cr_2O_7$	0.19
$ZnCl_2$	0.69		
$BaCl_2$	0.69		
$CaCl_2$	0.65		
$Al(NO_3)_3$	0.095		
$AlCl_3$	0.093		
$Ce(NO_3)_3$	0.080		

† H. Freundlich, Z. Physik. Chem., 73, 385(1910) より

凝析価：コロイド粒子を凝析させるために必要な電解質の最低濃度．

コロイド粒子が凝析するときに多量の水を含んでゼリー状になる場合がある．これをゲルまたはヒドロゲルという．その固体物質を乳濁質（emulsoid）または親液性（lyophilic）物質といい，溶媒が水のときは親水性（hydrophilic）物質であるという．$Fe_2O_3 \cdot nH_2O$，$Al_2O_3 \cdot nH_2O$，$SiO_2 \cdot nH_2O$ などがこの例である．このタイプのゲルから水を除くには高温で加熱する必要がある．一方，溶媒との親和力が小さいコロイドは懸濁質（suspensoid）または疎液性（lyophobic）物質といい，溶媒が水のとき疎水性（hydrophobic）物質という．例として，AgCl，$BaSO_4$ などがある．これらの沈殿の付着水は 110 ℃で乾燥することにより容易に除くことができる．

7.2.2 沈殿生成に及ぼす諸因子

沈殿生成は比較的単純な反応が多いが，それでも取り扱う溶液の諸条件によってその反応がさまざまに影響を受ける．この傾向を知ることでより有効で正確な結果を与える実験を設計することができる．

1）共通イオン効果（common-ion effect）

硝酸銀の溶液に当量の塩酸を加えて塩化銀の沈殿を生成させたとする．このとき溶液中に残っている銀イオンの濃度は式（7.7）に示したように 1.3×10^{-5} M である．この溶液にさらに塩酸を 10^{-4}，10^{-3} M となるように加えたとする．銀イオンと塩化物イオンの濃

度の積は常に K_{sp} の値で一定であるから，このときの溶液中の銀イオンの濃度はそれぞれ 1.8×10^{-6}，1.8×10^{-7} M に減少する．このように，沈殿の構成イオンと共通のイオンの添加により平衡が移動し，沈殿率が向上することを共通イオン効果という．沈殿をつくる際，分析対象物質に対し沈殿剤をいくぶん過剰に加えて沈殿生成の完結を確実にする．銀の定量の際の AgCl の洗浄に HCl を含む水を用いるのは，ペプチゼーションを防ぐ他に沈殿が溶解するのを共通イオン効果によって防ぐためでもある．鉛を $PbSO_4$ の沈殿として定量する際に H_2SO_4 を含む水を用いるのも同じ理由による．

例題 7.4　$CaCO_3$ の純水および 1.0×10^{-2} M の $CaCl_2$ 溶液中における溶解度を求めよ．ただし，$K_{sp,CaCO_3} = 5.0 \times 10^{-9}$ とし，CO_3^{2-} の水との反応は考えないものとする．

解　答

$CaCO_3$ の純水中の溶解度を S(M) とすると溶解平衡時の濃度は，$[Ca^{2+}] = [CO_3^{2-}] = S$ なので

$$K_{sp,CaCO_3} = S^2 = 5.0 \times 10^{-9}$$

$$S = 7.1 \times 10^{-5}\ \text{M}$$

一方，$CaCl_2$ 溶液中の溶解度を S′ とすると溶解平衡時の濃度は，$[Ca^{2+}] = 1.0 \times 10^{-2} + S'$，$[CO_3^{2-}] = S'$ であるが，

$S' << 1.0 \times 10^{-2}$ であることは明らかなので $[Ca^{2+}] = 1.0 \times 10^{-2}$ と見なしてよい．よって，

$$1.0 \times 10^{-2} \times S' = 5.0 \times 10^{-9}$$

$$S' = 5.0 \times 10^{-7}\ \text{M}$$

となる．すなわち，共通イオンの Ca^{2+} が存在すると $CaCO_3$ の溶解度は減少する．

2）異種イオン効果

沈殿との共通イオンを持たない塩が溶液中に共存するとき，多くの場合，沈殿の溶解度は増大することがわかっている．このような効果は異種イオン効果（diverse-ion effect），中性塩効果（neutral-salt effect），または活量効果（activity effect）などと呼ばれる．この現象は反対電荷を帯びたイオンの引力により分析対象であるイオンの活量係数が減少することによる．活量係数 γ が近似的に1であるという極めて薄い溶液を対象にしていることを前提に，これまでは活量の代わりにモル濃度を用いていた．しかしながら高濃度の塩が存在する系についてはより厳密に熱力学的溶解度積 K_{sp}° を考慮する必要がある．

$$a_{Ag^+} \cdot a_{Cl^-} = K_{sp}^{\circ} \tag{7.33}$$

K_{sp}° は活量を用いたときの溶解度積であり，モル濃度を用いて表すと次のようになる．

$$\gamma_{Ag^+}[Ag^+] \cdot \gamma_{Cl^-}[Cl^-] = K_{sp}^{\circ} \tag{7.34}$$

ここで，γ_{Ag^+} と γ_{Cl^-} はそれぞれ Ag^+ と Cl^- の活量係数である．すなわち

$$[Ag^+][Cl^-] = \frac{K_{sp}^{\circ}}{\gamma_{Ag^+} \cdot \gamma_{Cl^-}} = K_{sp} \tag{7.35}$$

となる．極めて薄い溶液においては，K_{sp} は近似的に K_{sp}° と等しくなるが，溶液のイオン強度が増加するとイオン間の静電相互作用等により活量係数は著しく減少する．このとき

K°_{sp} は一定であるのでイオン濃度の積 K_{sp} は大きくなる．すなわち塩化銀の溶解度が増大することになる．共存塩や分析対象の塩を構成しているイオンが多価になると活量係数の減少傾向はさらに大きくなる．

例題 7.5 AgCl の純水中の溶解度積は $K^\circ_{sp,AgCl} = 1.8 \times 10^{-10} (= 10^{-9.7})$ である．1.0×10^{-2} M KNO_3 溶液中の AgCl の溶解度積 $K_{sp,AgCl}$ を求めよ．

解　答

活量係数 γ_i は次のデバイ-ヒュッケル（Debye-Hückel）の極限式より計算する．

$$-\log \gamma_i = 0.5 z_i^2 \sqrt{I}$$

ここで I はイオン強度で

$$I = \frac{1}{2} \Sigma C_i z_i^2$$

で与えられ，C_i はイオンの濃度，z_i はイオンの電荷を表す．この場合のイオン強度は K^+ と NO_3^- のみを考えればよい（Ag^+ と Cl^- の濃度は K^+ と NO_3^- の濃度に比べてきわめて低い）．

$$I = \frac{1}{2} \{1.0 \times 10^{-2} \times (1)^2 + 1.0 \times 10^{-2} \times (-1)^2\} = 0.01$$

より

$$-\log \gamma_{Ag^+} = 0.5 \times (1)^2 \times \sqrt{0.01} = 0.05$$

$$-\log \gamma_{Cl^-} = 0.5 \times (-1)^2 \times \sqrt{0.01} = 0.05$$

式（7.35）より

$$\log K_{sp,AgCl} = \log K^\circ_{sp,AgCl} - \log \gamma_{Ag^+} - \log \gamma_{Cl^-}$$
$$= -9.7 + 0.05 + 0.05$$
$$= -9.6$$

したがって

$$K_{sp,AgCl} = 10^{-9.6} = 2.5 \times 10^{-10}$$

となる．

3) pH の影響

塩化銀の沈殿は，広い pH 範囲で生成するのに対して，沈殿剤（または競合する錯形成剤）が水酸化物イオン，リン酸イオン，硫化物イオン，炭酸イオン，フッ化物イオンのようなブレンステッドの塩基である場合には，沈殿の生成は溶液の pH の影響を受ける．pH が低下するに従ってプロトン化（副反応）が進むのでこれらの陰イオンとの塩形成による沈殿生成は起こり難くなる．7. 1. 2 で述べた多価金属イオンの加水分解，すなわち水酸化物沈殿の形成や 7. 1. 3 の硫化物沈殿の形成はこの一例である．

ここでは，7. 1. 3 の硫化物沈殿の項で具体的に示した記述と重複するが，以下の例について，あらためて一般的な説明をする．

$$M^+ + R^- \rightleftarrows MR_{(S)} \qquad K_{sp,MR} = [M^+][R^-] \tag{7.36}$$

$$HR \rightleftarrows H^+ + R^- \qquad K_a = \frac{[H^+][R^-]}{[HR]} \tag{7.37}$$

いま，式（7. 36）の沈殿形成反応に及ぼす pH の効果を考える．沈殿剤である R^- はブレンステッドの塩基であり式（7. 37）の反応が副反応として共存している．金属イオン M^+ と結合していない沈殿剤の全濃度を $[R']$ とすると

$$[R'] = [HR] + [R^-] \tag{7.38}$$

式（7. 37）より

$$[HR] = \frac{[H^+][R^-]}{K_a} \quad (7.39)$$

式（7. 39）を式（7. 38）に代入して書き換えると

$$[R'] = [R^-]\left(\frac{[H^+]}{K_a} + 1\right) = [R^-]\alpha_{R(H)} \quad (7.40)$$

が得られる．ここで $\alpha_{R(H)}$ は R^- のプロトン化に関する副反応係数である．R^- のプロトン化を考慮した MR の溶解度積，すなわち条件溶解度積 $K'_{p,MR}$ は

$$K'_{sp,MR} = [M^+][R'] = [M^+][R^-]\alpha_{R(H)} = K_{sp,MR} \times \alpha_{R(H)} \quad (7.41)$$

のように表される．この式から，ある pH における条件溶解度積を求めることができ，その pH における MR の溶解度を知ることができる．

例題 7.6　ある二価金属 M^{2+} は，二塩基酸 H_2A（弱酸）と難溶性の塩 MA を生成する．pH ＝ 4.0 の溶液中における MA の条件溶解度積 $K'_{sp,MA}$，および溶解度 S を求めよ．ただし，$K_{sp,MA} = 1.0 \times 10^{-10}$，$H_2M$ の酸解離定数は $K_{a1} = 5.0 \times 10^{-2}$，$K_{a2} = 5.0 \times 10^{-5}$ とする．

解　答

式（7. 41）より MA の条件溶解度積は

$$K'_{sp,MA} = [M^{2+}][A'] = [M^{2+}][A^{2-}]\alpha_{A(H)}$$
$$= K_{sp,MA} \times \alpha_{A(H)}$$

式（7. 26）より

$$\alpha_{A(H)} = \frac{[H^+]^2}{K_{a_1}K_{a_2}} + \frac{[H^+]}{K_{a_2}} + 1$$

$$= \frac{(10^{-4})^2}{5.0 \times 10^{-2} \times 5.0 \times 10^{-5}} + \frac{10^{-4}}{5.0 \times 10^{-5}} + 1 \approx 3$$

したがって，pH ＝ 4 における MA の条件溶解度積は

$$K'_{sp,MA} = 1.0 \times 10^{-10} \times 3 = 3.0 \times 10^{-10}$$

溶解度は

$$S = \sqrt{K'_{sp,MA}} = 1.7 \times 10^{-5}\ \mathrm{M}$$

コラム　酸性雨による被害

酸性雨の影響で，大理石でできた大聖堂の屋根が腐食している．パルテノン神殿の神々の顔が溶けてのっぺらぼうになりつつある．一時期，センセーショナルに報道され，特にヨーロッパを中心としてかなり深刻に報道された話である．環境汚染物質（SO_x，NO_x，HCl など）の削減努力により，酸性雨の問題は（ヨーロッパでは）沈静化しつつあるし，そもそもこれらの現象が本当に人間の産業活動によって引き起こされたものであるかどうかは冷静に検証する必要がある．

しかしながら，こういわれるのには理由がある．大理石は石灰岩が熱変成して結晶化したものであるので，主成分は $CaCO_3$（$K_{sp} = 4.8 \times 10^{-9}$），すなわちカルシウムイオンと先に述べたブレンステッドの塩基の 1 つである炭酸イオンとの間で形成された難溶性の塩である．当然その溶解度は pH の影響を受け，酸性条件になると以下の反応が進むことで大理石が溶けるのである．

$$CaCO_3 + H^+ \longrightarrow Ca^{2+} + HCO_3^-$$

これまでのやり方（式（7.41））で説明すると，pH 低下に伴って炭酸イオンのプロトン化に関する副反応係数 $\alpha_{CO_3(H)}$ が増加し，条件溶解度積 K'_{sp} を上昇させたということができる．

水道の蛇口，ポットの内壁などに見られる固くて白い物質（通称 スケール）も主成分は同様にケイ酸イオン，炭酸イオンなどのブレンステッド塩基とカルシウム，マグネシウムの間で生じる難溶性固体である．同じ理由で酸性の洗浄剤で溶かして除去することができる．

4）錯生成の影響

一般に，分析対象の金属イオンは，沈殿剤と結合して次に示す AgCl のような中性の塩を形成することで沈殿する．

$$Ag^+ + Cl^- \rightleftharpoons AgCl \qquad \beta_1 = \frac{[AgCl]}{[Ag^+][Cl^-]} \tag{7.42}$$

$$AgCl \rightleftharpoons AgCl_{(S)} \tag{7.43}$$

しかし，塩によってはさらに式（7.44）のように過剰の沈殿剤と反応して可溶性の高次錯イオン（$AgCl_2^-$，$AgCl_3^{2-}$，$AgCl_4^{3-}$）を形成することがあり，この副反応は直接的に溶解度を増大させ沈殿率を低下させる．

$$Ag^+ + nCl^- \rightleftharpoons AgCl_n^{1-n} \qquad \beta_n = \frac{[AgCl_n^{1-n}]}{[Ag^+][Cl^-]^n} \quad (n \neq 1) \tag{7.44}$$

溶液中の銀の全濃度［Ag′］（= S_{Ag}(溶解度)：AgCl 沈殿存在下の場合）をそれぞれの錯体の全生成定数 β_n，および錯イオン形成に関する副反応係数 $\alpha_{Ag(Cl)}$ を使って表すと

$$S_{Ag} = [Ag'] = [Ag^+] + [AgCl] + [AgCl_2^-] + [AgCl_3^{2-}] + [AgCl_4^{3-}] \tag{7.45}$$

$$= [Ag^+](1 + \beta_1[Cl^-] + \beta_2[Cl^-]^2 + \beta_3[Cl^-]^3 + \beta_4[Cl^-]^4)$$

$$= [Ag^+]\alpha_{Ag(Cl)} \tag{7.46}$$

となる．ここで，Cl^- は H^+ と結合しない（HCl が強酸だから）ので Cl^- のプロトン化に関する副反応は考慮しなくてもよい．よって，AgCl の条件溶解度積 $K'_{sp,AgCl}$ は次のように表される．

$$K'_{sp,AgCl} = [Ag'][Cl^-] = K_{sp,AgCl} \times \alpha_{Ag(Cl)} \tag{7.47}$$

$$[Ag'] = \frac{K_{sp,AgCl}\,\alpha_{Ag(Cl)}}{[Cl^-]} = K_{sp,AgCl}\left(\frac{1}{[Cl^-]} + \beta_1 + \beta_2[Cl^-] + \beta_3[Cl^-]^2 + \beta_4[Cl^-]^3\right) \tag{7.48}$$

$K_{sp,AgCl} = 1.8 \times 10^{-10}$ とし，錯体の生成定数 $\log \beta_1 = 2.9$，$\log \beta_2 = 4.7$，$\log \beta_3 = 5.0$，$\log \beta_4 = 5.9$ を用いて計算すると $-\log S_{Ag}$ と $\log[Cl^-]$ との関係は図 7.6 のようになる．AgCl 固体の共存する溶液に NaCl を添加すると共通イオン効果により最初は溶解度が減少するが，その後 $\log[Cl^-] = -2.4$ での溶解度を最小値として錯イオン形成の効果により溶解度は増加する．逆に銀イオン過剰の条件においては，可溶性の錯イオン Ag_2Cl^+ が生じることも知られており，上記と同様の取扱いが可能である．すなわち，今度は AgCl 固体の共存する溶液に Ag^+（$AgNO_3$ 溶液）を添加すると同様の理由で AgCl の溶解度に関して最小となる点が存在する．

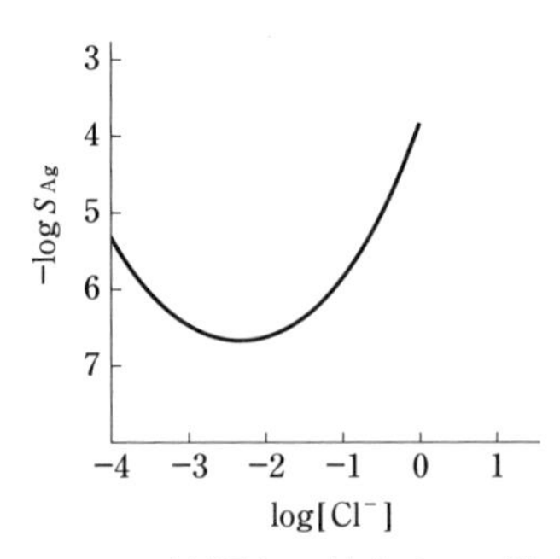

図 7.6　AgCl の溶解度に対する Cl⁻濃度の影響

$$S_{Ag} = [AgCl] + [Ag^+] + [AgCl_2^+] + \cdots$$
$$= [AgCl] + [Ag']$$

また，共存する他の錯形成剤との結合により $AgNH_3^+$ のような可溶性の錯体が形成する場合がある．すなわち，競合する別の平衡により対象金属イオンの一部が消費されたことになり，これも沈殿率を低下させる（溶解度を増大させる）要因となる．

$$Ag^+ + nNH_3 \rightleftarrows Ag(NH_3)_n^+ \qquad \beta_n = \frac{[Ag(NH_3)_n^+]}{[Ag^+][NH_3]^n} \tag{7.49}$$

前述の取扱いと同様にして，次式を得る．

$$S_{Ag} = [Ag'] = [Ag^+](1 + \beta_1[NH_3] + \beta_2[NH_3]^2)$$
$$= [Ag^+]\,\alpha_{Ag(NH_3)} \tag{7.50}$$
$$K'_{sp,AgCl} = [Ag'][Cl^-] = K_{sp,AgCl} \times \alpha_{Ag(NH_3)} \tag{7.51}$$

すなわち，条件によっては AgCl の沈殿はアンモニアに溶ける．これは，陽イオンの系統的定性分析において水銀から銀を分離するのに利用されている．

例題 7.7　0.05 M NH_3(平衡到達後の最終濃度) 溶液の AgCl のモル溶解度 M を計算せよ．ただし，AgCl の溶解度積は $K_{sp,AgCl} = 1.8 \times 10^{-10}$ である．また，Ag^+ の NH_3 との安定度定数は $K_1 = 2.3 \times 10^3$，$K_2 = 6.0 \times 10^3$ とする．

解　答

副反応係数を計算すると式 (7.50)，(7.51) より，

$\alpha_{Ag(NH_3)} = 1 + 2.3 \times 10^3 \times 0.05 + 2.3 \times 10^3 \times 6.0 \times 10^3 \times (0.05)^2 \approx 3.5 \times 10^4$

したがって，

$K'_{sp,AgCl} = 1.8 \times 10^{-10} \times 3.5 \times 10^4$
$= 6.3 \times 10^{-6}$

モル溶解度を S とすると

$S = [Ag'] = [Cl^-]$

よって

$S^2 = 6.3 \times 10^{-6}$

$S = 2.5 \times 10^{-3}$ M

5）温度の影響

多くの無機塩類の水への溶解度は温度の上昇とともに大きくなる．一般には，沈殿生成，濾過，洗浄の操作は熱い溶液で行うと都合がよい．沈殿の粒子が大きくなり，濾過速度も

速くなる上に不純物質をより容易に溶かすことができるからである．したがって，温度を高くしてもなお沈殿の溶解が無視できる場合には，しばしば熱い溶液を用いることができる．しかし，溶解度の大きい $PbCl_2$，$Mg(NH_4)PO_4$ などの場合は沈殿生成後放冷したり，濾過前に溶液を氷水で冷やしたりするなどの操作をしなければ，かなりの量の化合物が失われることになる．また，逆に，$ZnSO_4 \cdot H_2O$，Li_2CO_3，Na_2SO_4 などのように温度の上昇とともに溶解度が減少する塩類もあるので注意を要する．このような塩類は温度を上げて沈殿させることができるので精製しやすい．

6）溶媒の影響

多くの無機塩は有機溶媒よりも水によく溶ける．このことは水の誘電率が比較的大きいためと考えられている．すなわち，水の誘電率 ε は 25 ℃で約 78 であり，単純な静電理論に従えばイオン間の静電相互作用は水中では真空中に比べて約 1/78 にまで低下するために結晶中のイオン間の結合が弱められ，その結果電解質が水に溶けやすくなる．しかしながら，誘電率が水よりも大きな有機溶媒，例えばホルムアミド（$\varepsilon = 111$），N-メチルホルムアミド（$\varepsilon = 182.4$）中では多くの無機塩の溶解度がいくぶん減少することや，逆に誘電率の低いピリジン（$\varepsilon = 12.3$）が多くの重金属を溶かす現象もあり誘電率の大小だけでは説明できない．

一方，溶媒のルイス塩基性（電子供与性）とルイス酸性（電子受容性）の尺度として，ドナー数（donor number, D_N）とアクセプター数（acceptor number, A_N）が用いられている．塩はルイス酸とルイス塩基からなるものと考えると，溶媒分子の電子供与性と電子受容性の程度が塩を陽イオンと陰イオンとに分けるのに重要な役割を果たすと考えられる．すなわち，溶媒は電子受容性の尺度である D_N が大きいと塩のプラスの部分と強く引き合い，一方，電子受容性の尺度である A_N が大きいとマイナスの部分と強く引き合って，陽イオンと陰イオンが溶媒中に溶けていくことになる．表 7.2 に代表的な溶媒の D_N と A_N を示す．

表 7.2　溶媒のドナー数とアクセプター数

溶　媒	D_N	A_N	溶　媒	D_N	A_N
アセトニトリル	14.1	19.3	テトラヒドロフラン[c)]	20.0	8.0
アセトン	17.0	12.5	ニトロベンゼン	4.4	14.8
エタノール	20	37.1	水	18.0	54.8
酢酸	－	52.9	ニトロメタン	2.7	20.5
ジオキサン	14.8	10.8	ピリジン	33.1	14.2
ジエチルエーテル	19.2	3.9	ヘキサメチルホスホルアミド[d)]	38.8	10.6
ジメチルアセトアミド	27.8	13.6	ベンゾニトリル	11.9	15.5
ジメチルスルホキシド[a)]	29.8	19.3	ベンゼン	0.1	8.2
ジメチルホルムアミド[b)]	26.6	16.0	ホルムアミド	24	39.8
炭酸プロピレン	15.1	18.3	メタノール	19.0	41.3

（注）　a）DMSO，b）DMF，c）THF，d）HMPA などの略号が使われる．

水は D_N も A_N も比較的大きい溶媒である．このことは水分子が塩を構成している陽イオンと陰イオンに結合しやすく，そのために塩を溶かしやすくしている．その点，ヘキサメチルホスホルアミド（HMPA）は D_N は大きいが，A_N が小さく，陰イオンに対してはよい溶媒とはいえない．また，ニトロベンゼン（ε = 34.82）やニトロメタン（ε = 35.94）はメタノール（ε = 32.6）と誘電率が同程度でありながら，メタノールに比べて電解質を溶かしにくいのは D_N，A_N ともに小さいことによる．

沈殿の溶解度を減少させるために，水と混ざりあう有機溶媒（アルコール，アセトンなど）を加えることがある．硫酸バリウムの沈殿生成はアルコールの添加によってより完全に近づくのはこのためである．

7.3　有機沈殿剤

多くの無機イオンは，有機沈殿剤と反応して沈殿を生じる．有機沈殿剤の多くは陽イオンと結合してキレートを形成する．

7.3.1　キレート化合物を生成する試薬

金属イオンの有機沈殿剤はドナー原子を持ち金属イオンと五員環ないしは六員環の安定なキレート環を形成し，多くの場合金属イオンの電荷が中和されるために水に不溶になる．生成した電気的中性のキレート化合物は有機化合物としての性質を持ち，有機溶媒に溶けやすく，溶媒抽出分離に用いられることもある．また，キレート化合物は着色することが多く，しばしば吸光光度定量にも用いられる．代表的なものとして図7.7に示すように，

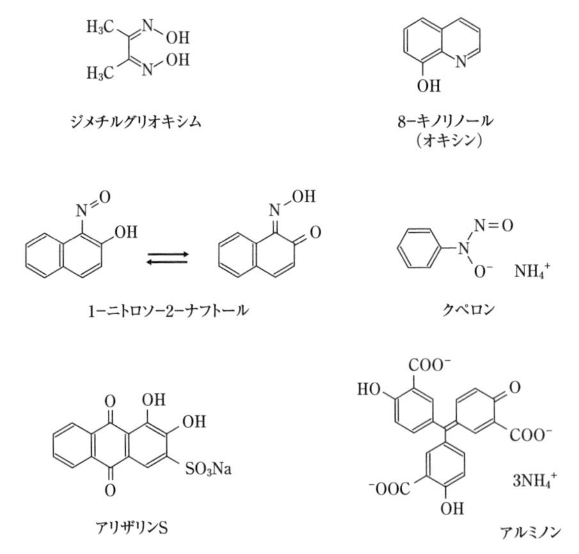

図7.7　代表的な有機沈殿剤およびその化学構造

ジメチルグリオキシム（ニッケルの定量），8-キノリノール（多くの重金属），1-ニトロソ-2-ナフトール（コバルト），クペロン（チタン，ジルコニウム）などがある．有機沈殿剤の長所および短所を以下にまとめる．

長所　定量的に沈殿する
錯体としての重量が大きいので微量の金属イオンを定量できる
沈殿のかさが大きく取扱が容易である

短所　沈殿剤が水に溶けにくく共沈することがある
水分除去の温度で揮発，または分解するものがある
沈殿が疎水性のためクリープ（器壁をはい上がる現象）しやすい

7.3.2　吸着化合物（レーキ）

水溶性の有機染料が沈殿物の表面に吸着結合して呈色することがある．この呈色物をレーキ（lake）という．この性質を持つ有機染料の例としてアリザリンSやアルミノンをあげることができる（図7.7）．

アリザリンSは多くの金属水酸化物とレーキをつくり，アルミニウムとは赤色（アンモニアアルカリ性），Zr^{4+} とは赤色～赤紫色のレーキ（希塩酸）を生じるのでこれらの金属イオンの検出，比色試薬として用いられている他，スズ，鉄，カルシウムなど多くの金属の検出試薬として使用される．アルミノン（アウリントリカルボン酸アンモニウム）は赤褐色の結晶で水溶性であるが，水酸化アルミニウムに吸着して赤色のレーキを生じるのでアルミニウムの検出と比色定量に利用される．

7.4　均一溶液からの沈殿法（均一沈殿法）

7.2の沈殿の生成過程の節で学んだように，良好な沈殿をつくるには相対的過飽和度が低く保たれた状態でゆっくりと沈殿を成長させるのがよい．数少ない核をゆっくりとより大きく成長させることで，濾過の容易な，しかも純度の高い沈殿を得ることができるからである．そのためには，沈殿生成においては溶液をよくかき混ぜながら稀薄な沈殿剤を少しずつ加えなければならない．しかし，このように注意を払って沈殿生成したとしても，溶液内の沈殿剤が滴下された箇所では短い時間ではあるが沈殿剤の局所濃度が高くなり，そこで多くの沈殿核が生じてしまうことを避けることには限界がある．重量分析で要求される良好な沈殿を得るためには，局部的に沈殿剤の濃度が上がることのないような状態で沈殿生成を行うことが望ましい．この目的のために均一溶液からの沈殿法（均一沈殿法：precipitation from homogeneous solution, PFHS）といわれる沈殿生成方法が用いられることがある．この方法では，沈殿剤そのものを加えることをせずに，代わりに適当な反応により溶液中で沈殿剤を徐々に生成させる．反応速度を適当に調整することにより，均一

に，しかもゆっくりと沈殿剤が生成するので，溶液全体にわたって長時間の間，相対的過飽和度の低い理想的な状態を保つことができる．あるいはブレンステッドの塩基が沈殿剤となるような反応においては，pHを上昇させるような第二の反応を同じ溶液内で徐々に進行させることで（すなわち，式（7. 41）の副反応係数α_Rを制御することによって）間接的に沈殿生成反応をゆっくりと進行させることもできる．

均一沈殿法は次のように分類される．

A. 陰イオン放出法（anion release）
- pH上昇法　－　尿素加水分解法
- エステル，アセチル化化合物加水分解法
- 酸化還元法
- 試薬合成法
- 酵素法

B. 陽イオン放出法（cation release）
- 酸化還元法
- 錯体分解法
    - 酸化分解法
    - 加熱分解法
    - pH降下法

これらの方法の中で最も広く用いられている方法は尿素の加水分解を利用するpH上昇法と試薬合成法である．尿素はきわめて弱い塩基で，室温ではほとんど加水分解しないが，90～100℃では加水分解してアンモニアを生じて溶液のpHは上昇する（式（7. 52））．溶液を冷却すれば加水分解反応は停止するので，任意のpHで沈殿の生成を停止させることができる．尿素法によって，アルミニウム，鉄(Ⅲ)，トリウム，ガリウム，チタン，スズ(Ⅳ)，ジルコニウムなどの水酸化物，あるいは塩基性塩の良好な沈殿を得ることができる．また，尿素の溶液にシュウ酸，8-キノリノール，ジメチルグリオキシムなどを加えて加熱して，加水分解するとマグネシウムイオンの共沈が少ないシュウ酸カルシウム，結晶性のよいアルミニウムのオキシン錯体やニッケルのジメチルグリオキシム錯体の沈殿を得ることができる．

$$CO(NH_2)_2 + H_2O \longrightarrow CO_2 + 2NH_3 \qquad (7.52)$$

この他，シュウ酸ジメチルやシュウ酸ジエチルの加水分解（式（7. 53））によってトリウム，ランタノイドやマグネシウムのシュウ酸塩を，アミド硫酸（スルファミン酸）の加水分解（式（7. 54））によってバリウムや鉛の硫酸塩を得ることができる．チオアセトアミドや8-キノリノールのアセチル化合物を加水分解（式（7. 55））して，種々の金属の硫化物やオキシン錯体を沈殿させることができる．

$$(CH_3)_2C_2O_4 + 2H_2O \longrightarrow C_2O_4^{2-} + 2CH_3OH + 2H^+ \qquad (7.53)$$

$$NH_2HSO_3 + H_2O \longrightarrow SO_4^{2-} + NH_4^+ + H^+ \qquad (7.54)$$

$$CH_3CSNH_2 + 2H_2O \longrightarrow CH_3COO^- + NH_4^+ + H_2S \qquad (7.55)$$

試薬を合成する方法として，2-ナフトールと亜硝酸から1-ニトロソ-2-ナフトールを合成してコバルト(Ⅲ)錯体を生成させたり（式（7. 56）），ジアセチルとヒドロキシルアミン

からジメチルグリオキシムを合成して（式（7.56））ニッケル錯体を沈殿させる方法がある．

$$\text{(2-naphthol)} + HNO_2 \longrightarrow \text{(1-nitroso-2-naphthol)} + H_2O \qquad (7.56)$$

$$CH_3COCOCH_3 + 2NH_2OH \longrightarrow CH_3C(=N\text{-}OH)C(=N\text{-}OH)CH_3 + 2H_2O \qquad (7.57)$$

陽イオン放出法にはセリウム(Ⅲ)をペルオキソ二硫酸塩でセリウム(Ⅳ)にゆっくり酸化して難溶性のヨウ素酸セリウム(Ⅳ)を生成させたり，pH 3.0 ～ 3.2 で鉄(Ⅲ)-EDTA 錯体に過酸化水素を加えて加熱し，錯体を少しずつ分解しながら良好な水酸化鉄(Ⅲ)を沈殿させたりする方法がある．pH 降下法として，硫酸バリウムの沈殿生成がある．これはアルカリ性で安定なバリウム(Ⅱ)-EDTA 錯体を生成させておき，ここにペルオキソ二硫酸塩を加えて加熱すると加水分解によって硫酸が生成する（式（7.58））．そのため pH が降下し，錯体からバリウム(Ⅱ)イオンが遊離するとともに良好な硫酸バリウムの沈殿が生成する．

$$S_2O_8^{2-} + H_2O \longrightarrow 2SO_4^{2-} + \frac{1}{2}O_2 + 2H^+ \qquad (7.58)$$

7.5　重量分析法への応用

定量したいイオンを含む溶液について，適切な対イオンを使って対象とするイオンを難溶性の塩として沈殿させ，生成物の質量から目的とするイオンの量を決定する方法を重量分析という．例えば，濃度未知のバリウムイオンを含む溶液に対して，Na_2SO_4 溶液を添加してバリウムを $BaSO_4$($K_{sp,BaSO_4} = 1.3 \times 10^{-10}$) として沈殿させ，濾別後沈殿の質量を測定することでバリウムイオンを定量する．実際には，先に述べたように，このとき沈殿剤である Na_2SO_4 は予想される Ba^{2+} の当量よりもやや多めに加えて沈殿生成をより完全なものにする（共通イオン効果）．また，$BaSO_4$ は結晶性沈殿に分類されるので結晶の純度を上げるために母液中で沈殿を温浸し，結晶を熟成させる操作を行う．一般に，重量分析法は高価な機器を必要としない古典的手法であるが，原理，操作の単純さゆえに正確さ，精度に優れた方法であり，絶対定量法の１つとしても重要である．

重量分析を目的とする沈殿は，少なくとも次の性質を持つことが望ましい．

（１）沈殿の溶解度が小さく，母液中に溶解したままで残っている量が無視できること．

（２）沈殿の組成が一定で，しかも安定していること．または，乾燥や強熱することによって，容易に一定組成の化合物に変換できうる沈殿形であること．

（３）粒子の大きさが適当で，共存する他成分を共沈し難く，濾過や洗浄の操作が容易で

表 7. 3　種々の元素の重量分析

周期律表の族	元素	沈殿物	秤量物質
IA	カリウム	$KClO_4$	$KClO_4$
ⅡA	カルシウム	CaC_2O_4	CaO
ⅢA	アルミニウム	$Al_2O_3 \cdot xH_2O$	Al_2O_3
ⅣA	ケイ素	$SiO_2 \cdot xH_2O$	SiO_2
ⅤA	リン	$MgNH_4PO_4 \cdot 6H_2O$	$Mg_2P_2O_7$
ⅥA	硫黄	$BaSO_4$	$BaSO_4$
ⅦA	塩素	$AgCl$	$AgCl$
IB	銀	$AgCl$	$AgCl$
ⅡB	亜鉛	$ZnNH_4PO_4$	$Zn_2P_2O_7$
ⅢB	スカンジウム	スカンジウムオキシネート	スカンジウムオキシネート
ⅣB	チタン	チタンクペレート	TiO_2
ⅤB	バナジウム	$HgVO_3$	V_2O_5
ⅥB	クロム	$Cr_2O_3 \cdot xH_2O$	Cr_2O_3
ⅦB	マンガン	MnO_2	Mn_3O_4
Ⅷ	鉄	$Fe_2O_3 \cdot xH_2O$	Fe_2O_3
	コバルト	CoS	$CoSO_4$
	ニッケル	ニッケルジメチルグリオキシメート	ニッケルジメチルグリオキシメート

あること．

（4）目的成分と沈殿剤の反応が選択的であること．

（5）沈殿の分子量（式量）が大きいこと．

（6）水分や他のガスを吸収しないこと．

表 7.3 に種々の元素の重量分析に用いられる沈殿物と秤量物質の物質形を示す．

7. 6　容量分析法（沈殿滴定）への応用

定量的に沈殿生成する反応（十分に大きな K_{sp} を持つ系）に関してその反応の終点を正確に知ることができれば，その系を沈殿滴定に適用することができる．沈殿滴定によって，銀イオンによるハロゲン化物イオンの定量や，チオシアン酸塩による銀イオンの定量が行われている．これらは標準溶液として硝酸銀溶液を用いるので銀滴定ともいわれる．

7. 6. 1　滴定曲線

ハロゲン化物イオン（X^-）を含む溶液を硝酸銀の標準溶液で滴定する場合，各段階において沈殿しないで残っているハロゲン化物イオンの濃度 $[X^-]$ を求め，$pX = -\log[X^-]$ を硝酸銀溶液の滴下量に対してプロットすると滴定曲線を描くことができる．

$$X^- + Ag^+ \longrightarrow AgX_{(S)} \tag{7.59}$$

例えば，0.1 M NaX(X^- = Cl^-，Br^-，I^-) 溶液 100 mL を，0.1 M $AgNO_3$ 溶液で滴定する場合を考える．反応は式（7.59）のように1：1で定量的に進むので，滴定開始から当量点（equivalent point, eq）までは，滴下量 x mL 加えたとき，残っている X^- は（100 − x）× 0.1 mmol である．そのときの溶液の体積は（100 + x）mL であるので，X^- の濃度変化は

$$[X^-] = \frac{(100 - x) \times 0.1}{100 + x} \quad (7.60)$$

より知ることができる．当量点では

$$[Ag^+]_{eq} = [X^-]_{eq} = \sqrt{K_{sp}} \quad (7.61)$$

となる．

当量点後は過剰に加えられた銀イオンの濃度を求め，pAg + pX = pK_{sp} より pX を求めることができる．$AgNO_3$ 溶液を y mL(y > 100) 加えたとすると，過剰の Ag^+ は（y − 100）× 0.1 mmol，体積は（100 + y）mL であるから式（7.61）より［Ag^+］の変化量を知ることができる．

$$[Ag^+] = \frac{(y - 100) \times 0.1}{100 + y} \quad (7.62)$$

AgCl，AgBr，AgI の K_{sp} はそれぞれ 1.8×10^{-10}，5.2×10^{-13}，8.3×10^{-17} であるので，0.1 M Cl^-，Br^-，および I^- 溶液 100 mL に同濃度の $AgNO_3$ 溶液を滴下した際の滴定曲線を描くと図7.8のようになる．式（7.60）〜式（7.62）の計算からもわかるように，当量点付近における pX の変化（ΔpX）は，ハロゲン化銀の溶解度が小さいほど（K_{sp} が小さいほど），またハロゲン化物イオンの初期濃度（全濃度）が大きいほど大きくなることが理解できる．

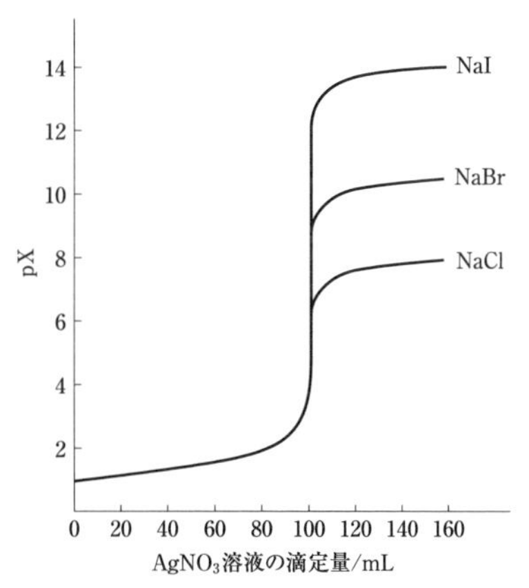

図7.8 0.1M $AgNO_3$ による 0.1M NaCl，0.1M NaBr および 0.1M NaI(100mL) の滴定曲線
pX = −log[X^-]，X^- = Cl^-，Br^-，I^-

例題 7.8　0.1 M NaCl 溶液 50 mL を 0.1 M $AgNO_3$ 溶液で滴定する．$AgNO_3$ 溶液を（a）20.0 mL，（b）49.9 mL，（c）50.0 mL，（d）50.1 mL，（e）60.0 mL 加えたときの pCl（$= -\log[Cl^-]$）を求めよ．ただし，$K_{sp,AgCl} = 1.8 \times 10^{-10}$ とする．

解　答

反応は定量的に進むと考えても差し支えないから

（a）式（7. 60）より

$$[Cl^-] = \frac{(50.0 - 20.0) \times 0.1}{50.0 + 20.0} = 4.3 \times 10^{-2}\ M$$

$$pCl = 1.4$$

（b）同様にして　pCl = 4.0

（c）当量点では $[Ag^+] = [Cl^-]$ なので式（7. 61）より

$$[Cl^-] = \sqrt{K_{sp}} = 1.3 \times 10^{-5}\ M$$

$$pCl = 4.9$$

（d）当量点以降は過剰の滴定剤の濃度から求める．

$$[Ag^+] = \frac{(50.1 - 50.0) \times 0.1}{50.0 + 50.1} = 1.0 \times 10^{-4}\ M$$

$$pCl = pK_{sp,AgCl} - pAg = 5.7$$

（e）同様にして　pCl = 7.7

7. 6. 2　終点指示法

酸塩基滴定で当量点付近の pH 変化によりその色が変わる色素（ほとんどの場合，当量点付近に pK_a を持つブレンステッドの酸または塩基）を用いて反応の終点を知るように，沈殿滴定においても終点を知るためのいくつかの方法がある．当量点付近での被滴定物質量の変化に応答し，さらに指示薬の反応が計測対象としている反応に影響を与えないことが必要である．

1）モール（Mohr）法

クロム酸イオン（黄色）は銀イオンと反応し，クロム酸銀の赤色沈殿を生じることが知られている．NaCl 溶液の $AgNO_3$ 溶液による滴定の場合，当量点までは添加される Ag^+ は全て Cl^- と結合し，白色の AgCl 沈殿を生じるが（式（7. 63）），滴定が進み当量点を過ぎると過剰の Ag^+ が CrO_4^{2-} と反応し Ag_2CrO_4 の赤色沈殿を生成し（式（7. 64））終点を知らせるというものである．

$$Cl^- + Ag^+ \longrightarrow AgCl_{(S)} \qquad K_{sp,AgCl} = 1.8 \times 10^{-10} \tag{7. 63}$$

$$CrO_4^{2-} + 2Ag^+ \longrightarrow Ag_2CrO_{4(S)} \qquad K_{sp,Ag_2CrO_4} = 2.4 \times 10^{-12} \tag{7. 64}$$

等量点のごく近傍で正しくクロム酸銀の赤色沈殿が生成するには，指示薬の濃度を適切に保つ必要がある．塩化銀の溶解度積から，式（7. 7）でも示したように当量点では，$[Ag^+]_{eq} = 1.3 \times 10^{-5}$ M であり，この濃度条件でクロム酸銀が生成しはじめるために必要なクロム酸イオンの濃度は

$$[CrO_4^{2-}] = \frac{K_{sp,Ag_2CrO_4}}{[Ag^+]_{eq}^2} = 1.4 \times 10^{-2} \tag{7. 65}$$

となる．実際にはこの濃度ではクロム酸イオン自身の色である黄色が強すぎるので 5×10^{-3}

M 程度の濃度で滴定を行う．この濃度ではクロム酸銀の沈殿を生じはじめるのに必要な銀イオン濃度が計算値よりも幾分高くなるが，滴定液を 100 mL として 0.1 M $AgNO_3$ 溶液で滴定する場合，余分に必要な $AgNO_3$ 溶液は一滴にも満たない量であり，問題となるような誤差を生じることはない．

モール法では滴定中に攪拌を十分に行わないと AgCl が Cl^- を取り込んだ状態で凝集するために，終点が早めに現れる．滴定液の pH も重要である．CrO_4^{2-} は酸性（pH < 6.5）では $Cr_2O_7^{2-}$ となり（式（7.66）），クロム酸銀の条件溶解度積 K'_{sp} が増大し終点が不明瞭となる．逆に pH 10 では白色の AgOH が沈殿し，さらに褐色の Ag_2O となる．

$$2CrO_4^{2-} + 2H^+ \rightleftharpoons 2HCrO_4^- \rightleftharpoons Cr_2O_7^{2-} + H_2O \qquad (7.66)$$

モール法は塩化物イオンの他，臭化物イオン，シアン化物イオンの滴定に応用することができるが，ヨウ化物イオンやチオシアン酸イオンに関してはクロム酸イオンの沈殿への吸着が強いので用いられない．

例題 7.9　モール法においては指示薬 K_2CrO_4 の濃度は計算により求めた最適値よりも低い 5×10^{-3} M を用いて滴定する．その場合，滴定値が当量点として期待される値よりも高めの値となることを示せ．また，当量点での溶液の体積が 100 mL として，この誤差は滴定溶液である 0.1 M の $AgNO_3$ 何 mL に相当するか．ただし，$K_{sp,Ag_2CrO_4} = 2.4 \times 10^{-12}$ とする．

解　答

5×10^{-3} M の $[CrO_4^{2-}]$ と Ag_2CrO_4 の沈殿を生成するのに必要な $[Ag^+]$ は

$$[Ag^+] = \sqrt{\frac{K_{sp,Ag_2CrO_4}}{5 \times 10^{-3}}} = 2.2 \times 10^{-5}\ \mathrm{M}$$

式（7.7）より当量点における $[Ag^+]$ は 1.3×10^{-5} M であるから

$$2.2 \times 10^{-5} - 1.3 \times 10^{-5} = 0.9 \times 10^{-5}\ \mathrm{M}$$

だけ過剰に加えなければならないことになる．

また，これに相当する 0.1 M $AgNO_3$ 溶液を x mL とすると

$$x = \frac{100 \times 0.9 \times 10^{-5}}{0.1} = 0.009\ \mathrm{mL}$$

となる．これは 1 滴にも満たない量であり，滴定条件として問題がないことがわかる．ただし，低濃度（～10^{-4} M）試料の場合には無視できないこともあり，空試験を行い，補正する必要がある．

2）フォルハルト（Volhard）**法**

銀イオンをチオシアン酸イオンで滴定する場合，指示薬としてあらかじめ鉄(Ⅲ)イオン水溶液（硫酸アンモニウム鉄(Ⅲ)(鉄ミョウバン)：$Fe(NH_4)(SO_4)_2 \cdot 12H_2O$ の水溶液）を加えておき，銀イオンよりも過剰のチオシアン酸イオンが加わったところで鉄(Ⅲ)イオンと反応して赤褐色の錯体 $FeSCN^{2+}$ が生成する点を終点とする方法である．

$$Ag^+ + SCN^- \longrightarrow AgSCN_{(S)} \qquad (7.67)$$

$$Fe^{3+} + SCN^- \longrightarrow FeSCN^{2+} \qquad (7.68)$$

この方法は塩化物イオンの間接滴定に利用される．すなわち，塩化物イオンに対し一定

過剰の $AgNO_3$ 溶液を加えて AgCl を沈殿させてから，残っている過剰の銀イオンをチオシアン酸イオンで滴定する方法である．この方法は酸性で塩化物イオンの定量ができるという利点がある．このとき，2つの難溶性沈殿の溶解度積を比べると塩化銀の方が大きい．両難溶塩共存下においては $[Cl^-]/[SCN^-]$ の比は式（7. 69）のとおり一定になる．すなわち，平衡条件下，$[Cl^-]$ は $[SCN^-]$ よりも 150 倍高い．このことは，系にチオシアン酸イオンが過剰に添加されると式（7. 70）の反応が進み，当量点をかなり過ぎてから $FeSCN^{2+}$ 沈殿が生じることを意味する．このために，Cl^- 濃度を低く見積もってしまう．したがって，フォルハルト法では，あらかじめ生じた AgCl を濾別し，その濾液中の Ag^+ を滴定により定量する．

$$\frac{[Cl^-]}{[SCN^-]} = \frac{[Ag^+][Cl^-]}{[Ag^+][SCN^-]} = \frac{K_{sp,AgCl}}{K_{sp,AgSCN}} = \frac{1.8\times10^{-10}}{1.2\times10^{-12}} = 1.5 \times 10^2 \quad (7.69)$$

$$AgCl + SCN^- \longrightarrow AgSCN + Cl^- \quad (7.70)$$

3）ファヤンス（Fajans）法

フルオレセイン（HFl）のような有機色素を指示薬として銀滴定の終点を知ることができる．当量点以前，すなわち塩化物イオンが過剰な条件ではフルオレセインは元来の黄緑色の蛍光を発する．当量点を過ぎて銀イオンが過剰になると塩化銀の沈殿には銀イオンが吸着するようになり，$(AgCl)_n \cdot Ag^+$ のように正に帯電する．フルオレセインの陰イオン（Fl^-）はこれに可逆的に静電吸着し，蛍光が消えて赤色に呈色する．

このように沈殿表面に吸着されて変色するような指示薬を吸着指示薬といい，フルオレセインの他に，4,5-ジクロロフルオレセイン，2,4,5,7-テトラブロモフルオレセイン（エオシン Y），テトラブロモフェノールフタレインエチルエステルなどの酸性指示薬が知られている．上述とは逆に，ハロゲン化物イオンを滴定液として銀イオンを滴定する場合，終

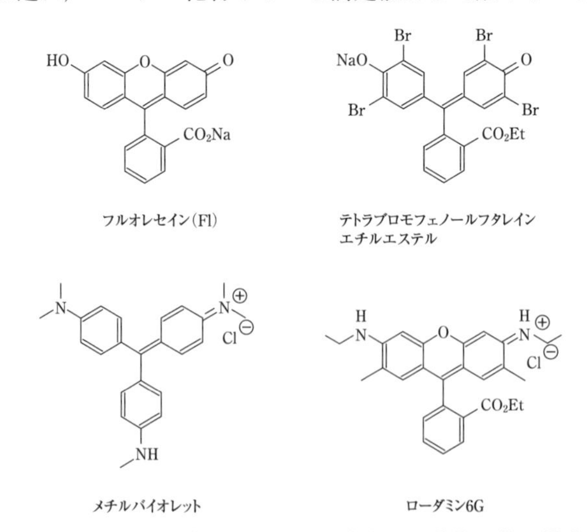

図 7. 9　Fajans 法で利用される代表的吸着指示薬の構造
上段：酸性指示薬，下段：塩基性指示薬

点を境に（過剰のハロゲン化物イオンの吸着のために），沈殿の電荷は負となるので正電荷の色素が吸着され沈殿が着色する．このような色素としてメチルバイオレット，ローダミン 6G などの塩基性指示薬が用いられる（図 7.9）．

参考文献

（1）　定量分析化学，R. A. Day, Jr., A. L. Underwood 著，鳥居泰男，康智三 訳，培風館
（2）　分析化学，G. D. Christian, P. K. Dasgupta, K. A. Schug 著，今任稔彦，角田欣一 監訳，丸善出版

第 7 章の章末問題

7.1 必須

（溶解度積）　以下の難溶性塩のモル溶解度を計算せよ．ただし，溶解平衡以外の反応は起こらないものとする．なお，各塩の後ろの（　）内の数字は溶解度積を表す．

（1）$BaSO_4$　($K_{sp} = 1.3 \times 10^{-10}$)　　（2）$Cu(OH)_2$　($K_{sp} = 2.2 \times 10^{-20}$)
（3）Ag_2CO_3　($K_{sp} = 8.1 \times 10^{-12}$)　　（4）$Ca_3(PO_4)_2$　($K_{sp} = 3.1 \times 10^{-23}$)

7.2 必須

（溶解度積）　以下の難溶性塩の溶解度積を求めよ．ただし，溶解平衡以外の反応は起こらないものとする．なお，各塩の後ろの（　）内の数字は溶解度を表す．

（1）AgBr　($S = 0.120$ mg/L)　　（2）CaF_2　($S = 2.1 \times 10^{-4}$ M)
（3）$Ag_2Cr_2O_4$　($S = 2.65$ mg/100 mL)

7.3 必須

（溶解度積）　食塩水に過剰の $AgNO_3$ 溶液を加えた．平衡到達後の溶液について $[Ag^+] = 0.0015$ M であったとすれば，Cl^- の濃度はどれほどか．ただし，$K_{sp,AgCl} = 1.8 \times 10^{-10}$ とする．

7.4 必須

（溶解度積）　0.0020 M の $CaCl_2$ 溶液 50 mL と 0.20 M の Na_2SO_4 溶液 50 mL を混合して平衡に到達させた．このとき溶液に溶けているイオン，Ca^{2+}，Na^+，Cl^-，および SO_4^{2-} のモル濃度を求めよ．ただし，異種イオン効果は考えない．また，$K_{sp,CaSO_4} = 1.2 \times 10^{-6}$ とする．

7.5 [推 奨]

（溶解度積）　水酸化カルシウム $Ca(OH)_2$ を水に懸濁させ飽和溶液を調製した．溶解平衡に到達したときの上澄み液の pH を計算せよ．ただし，$K_{sp,Ca(OH)_2} = 5.5 \times 10^{-6}$ である．

7.6 [推 奨]

（共通イオン効果）　以下の条件下における CaF_2 のモル溶解度を計算せよ．ただし，CaF_2 の K_{sp} は 4.9×10^{-11} とする．

（1）純水中　　（2）10 mM NaF 溶液中　　（3）10 mM $CaCl_2$ 溶液中

7.7 [推 奨]

（異種イオン効果）　以下の条件下における $BaSO_4$ の溶解度積 K_{sp} を計算せよ．ただし，

$BaSO_4$ の熱力学的溶解度積 K°_{sp} は 1.3×10^{-10} とする．活量係数の計算では，デバイ-ヒュッケルの限界則を用いること．

（1）10 mM NaCl 溶液中　　（2）10 mM $CaCl_2$ 溶液中

7.8［推 奨］

（pH 効果）　pH 2 および pH 7 における $BaCrO_4$ の溶解度積を計算せよ．ただし，$K_{sp,BaCrO_4} = 1.3 \times 10^{-10}$．クロム酸の酸解離定数は，$pK_{a_1} = 0.74$，$pK_{a_2} = 6.49$ とする．

7.9［推 奨］

（pH 効果）　pH 2 および pH 7 における $BaSO_4$ の溶解度積を計算せよ．ただし，$K_{sp,BaSO_4} = 1.3 \times 10^{-10}$．硫酸の酸解離定数は，$pK_{a_1} \approx -5$，$pK_{a_2} = 1.92$ とする．

7.10［推 奨］

（重量分析）　$[Cl^-] = 0.010$ M，$[I^-] = 0.050$ M を含む溶液に硝酸銀水溶液を添加する．AgCl と AgI の溶解度積の差を利用して両陰イオンを分離することが可能であるかどうかを示せ．ただし，$K_{sp,AgCl} = 1.8 \times 10^{-10}$，および $K_{sp,AgI} = 8.3 \times 10^{-17}$．また，初濃度の 99.9 % が沈殿した時点で反応が完結したと見なす．

7.11［推 奨］

（重量分析）　Fe^{2+} と Mn^{2+} をいずれも 0.010 M の濃度で含む混合溶液の pH を徐々に上げて両者を分離したい．どちらか一方のイオンだけが 99.9 % 沈殿したとき定量的に分離できたと考えて，両者を分離することが可能か示せ．不可能な場合には，沈殿しやすい方のイオン 99.9 % が沈殿したときにもう片方のイオンが何 % 沈殿しているかを計算せよ．ただし，$K_{sp,Fe(OH)_2} = 8 \times 10^{-16}$，および $K_{sp,Mn(OH)_2} = 1.9 \times 10^{-13}$ である．

7.12［推 奨］

（沈殿滴定）　例題 7.8 の被滴定溶液を同濃度の NaBr，および NaI に置き換えて，それぞれの滴定曲線を描き，図 7. 8 のようになることを確認せよ．

7.13［推 奨］

（近似計算の妥当性）　0.050 M の NaX 溶液 50.0 mL を 0.050 M の MNO_3 で滴定する．いま，溶液中では次の反応のみが進行する．

$$M^+ + X^- \rightleftharpoons MX\downarrow$$

MNO_3 溶液を 49.9 mL 添加した時点の pX に関して，以下の条件下，MX の溶解を無視した場合と考慮した場合について計算せよ．

(a) $K_{sp,MX} = 1 \times 10^{-10}$　　(b) $K_{sp,MX} = 1 \times 10^{-8}$　　(c) $K_{sp,MX} = 1 \times 10^{-6}$

7.14◀チャレンジ▶

（沈殿滴定）　0.10 M の NaX 溶液 50 mL を同濃度の $AgNO_3$ 溶液で滴定する．いま，滴定液を 49.95 mL 加えた時点での反応は完結しており，さらに 2 滴（0.10 mL）加えたときに pX が 2.00 単位以上ジャンプすれば滴定が可能と判断される．必要とされる AgX の K_{sp} 値を計算せよ．ただし，NaX は溶液中で完全解離して溶解し，溶解反応以外の平衡を考慮しないものとする．

7.15 ◀チャレンジ▶

（酸化還元平衡との複合問題）　次に示すセルについて左側の電極の溶液に水酸化ナトリウムを加えると $Pb(OH)_2$ が沈殿する．溶液の最終 pH が 10.00 であり，その際セルの電圧は 0.58 V（銀電極が正）であった．$Pb(OH)_2$ の溶解度積 K_{sp} を計算せよ．

$$Pb|Pb^{2+}(x\ M)\|HCl\ (1\ M),\ AgCl|Ag$$

7.16［推奨］

（酸化還元平衡との複合問題）　次の 2 つの単極電位

$$Mn^{2+} + 2e \rightleftharpoons Mn \qquad E^\circ = -1.18\ V$$

$$Mn(OH)_2 + 2e \rightleftharpoons Mn + 2OH^- \qquad E^\circ = -1.59\ V$$

を用いて $Mn(OH)_2$ の溶解度積 K_{sp} を計算せよ．

7.17［推奨］

（pH 効果）　図 7.1 にならって，以下に示す各金属イオンの水酸化物の沈殿生成に関する pM－pH 図を描け．さらに，それぞれの水酸化物が沈殿しはじめるときの pH を計算せよ．ただし，各陽イオンの濃度はそれぞれ 0.10 M とする．なお，各水酸化物の後ろの（　）内の数字は溶解度積を表す．

（1）AgOH　($K_{sp} = 2 \times 10^{-8}$)　　（2）$Ca(OH)_2$　($K_{sp} = 5.5 \times 10^{-6}$)

（3）$Mg(OH)_2$　($K_{sp} = 1.8 \times 10^{-11}$)　　（4）$Fe(OH)_3$　($K_{sp} = 7.1 \times 10^{-38}$)

7.18［推奨］

（pH 効果）　pH 8.0 の $CaCO_3$ の飽和溶液から，CaC_2O_4 の沈殿が始まるときの $[C_2O_4^{2-}]$ を計算せよ．ただし，$K_{sp,CaCO_3} = 4.8 \times 10^{-9}$，$K_{sp,CaC_2O_4} = 2.6 \times 10^{-9}$ であり，炭酸の酸解離定数は，$pK_{a_1} = 6.46$，$pK_{a_2} = 10.25$ とする．

7.19 ◀チャレンジ▶

（pH，錯生成効果）　0.005 M 塩化マンガン溶液に H_2S ガスを飽和させても MnS が全く生成しないとき，pH の最大値はいくらか．溶液中の H_2S の濃度は常に 0.1 M に保たれるものとし，$K_{a,H_2S} = [H^+]^2[S^{2-}]/[H_2S] = 1 \times 10^{-20}$，$K_{sp,MnS} = 3 \times 10^{-10}$ とする．

7.20 ◀チャレンジ▶

（錯生成効果）　アンモニアと塩化ナトリウムをそれぞれ 0.1 M 含む溶液 100 mL に塩化銀は何モル溶解するか．ただし，実験条件下，錯体としては $Ag(NH_3)_2^+$ のみが生成し，錯体の生成定数は，塩化銀の溶解度積は $K_{sp,AgCl} = 1.8 \times 10^{-10}$ とする．

課　題

7.1　NaCl と AgCl になぜ大きな溶解度の差が生じるのか説明しなさい．

7.2　AgI，AgBr，AgCl，AgF の溶解度になぜ差があるのか理由を考えてみなさい．

7.3　HSAB 則と溶解度の関係について調べてみなさい．

7.4　$Ag_2Cr_2O_4$ の溶解度積を実験で求めるにはどうすればよいかその方法を考えてみなさい．

第8章　物質の分離と濃縮

実際試料の化学分析では，分析対象物質となる成分の種類とその量を正確に把握することが最も重要な目的である．その目的を達成するためには主に化学反応を利用する化学的分析法と物理現象に基づいた物理的（機器）分析法を十分に理解する必要がある．加えて，錯形成や酸化還元などの化学反応，液液相，固液相間の溶質の分配や平衡に基づいた物質分離は，実際の分析（測定）における重要な前処理操作としてしばしば用いられる．

本章では，液液相間および固液相間の溶質の分配を解説するとともに，この分配を利用した溶質の分離や濃縮についての理論から応用までを述べる．さらには，最近，注目されている新しい分離濃縮法についても紹介する．

《本章で学ぶ重要事項》

（1）溶媒抽出：分配平衡および中性分子，金属キレート，イオン会合体の抽出平衡
（2）固相抽出（固液抽出）：特徴と捕捉機構
（3）イオン交換：イオン交換平衡およびイオン交換体の種類
（4）膜を使った分離
（5）共沈を利用する分離：共沈法および浮選

8.1　分析化学における分離と濃縮の必要性

近年の分析機器の目覚しい発展により，化学分析における精度や正確さ，感度，選択性は著しく向上している．しかしながら，分析機器の検出限界以下で存在する極微量成分も少なくない．さらに，これらの極微量成分を分析する際に多量に共存する主要成分（マトリックス（matrix）という）が妨害する場合もある．このような場合には，極微量に存在する分析対象成分の濃縮や共存成分からの分離が必要になる．一般に，マトリックスから分析対象成分を分離する場合に，濃縮も同時に行えることが多いため，このような操作を分離濃縮法と呼ぶこともある．

さらに，実際の分析ではこれらの操作（前処理操作）によって分析対象成分をさまざまな検出方法に適応できる最適な状態にしなければならない．溶媒抽出法，固相抽出（固液抽出），イオン交換法，沈殿分離法（共沈），蒸発法などが，代表的な古典的分離法として挙げられるが，最近ではマイクロバブル（直径が50 μm以下の微細な気泡）やイオン液体（陽イオンと陰イオンのみからなる液体），超臨界流体などを用いた新しい分離法も検討されている．

なお，分離では，回収率，濃縮率および分離係数などが重要になる．例として，第一相に含まれるA成分を第二相に分離する際の各式の定義を以下に記す．

$$\text{回収率(recovery)} = \frac{\text{(第二相中のAの量)}}{\text{(第一相中のAの初めの量)}} \times 100(\%)$$

$$\text{濃縮率(concentration ratio)} = \frac{\text{(第二相のAの濃度)}}{\text{(第一相のAの濃度)}} \times 100(\%)$$

また，はじめの第一相に A，B 2つの成分が含まれるとき，2つの成分の分離の程度は次式で与えられる．

$$\text{分離係数(separation factor)} = \frac{\text{(第二相中のAとBの量比)}}{\text{(第一相中のAとBの量比)}} = \frac{\text{(Aの濃縮率)}}{\text{(Bの濃縮率)}} = \frac{\text{(Aの分配比}^{*1}\text{)}}{\text{(Bの分配比)}}$$

8.2　溶媒抽出

8.2.1　分配平衡

溶媒抽出（solvent extraction）法あるいは液液抽出（liquid-liquid extraction）法は互いに混じり合わない二液相間における溶質の分配を利用する分離方法である．二液相間での溶質の分配に関しては，「一定の温度，圧力のもとで，ある溶質（solute）が2つの互いに混じり合わない溶媒（solvent）間に分配する場合，それぞれの相における溶質の分子量が一定であれば，平衡に達したときの両相中の溶質の濃度比も一定となる.」というネルンスト（W.Nernst）の分配率（分配の法則（distribution law）と呼ぶ場合もある.）が成立する．多くの場合，二液相は水（水相）と有機溶媒（有機相）であることが多い．一般的な操作を以下に記す．

まず，分液ロートに溶質を含む水相と有機相（有機相の密度が小さいとする）の二液相を入れ，手または振とう器で数分間振り混ぜて溶質を水相から有機相へ抽出する（バッチ抽出法）．この操作で容易に溶質を有機相に抽出分離することができる．しばらく静置した後，分液ロートのコックを開いて下層を取り出す．図 8.1 に操作の概略図を示す．

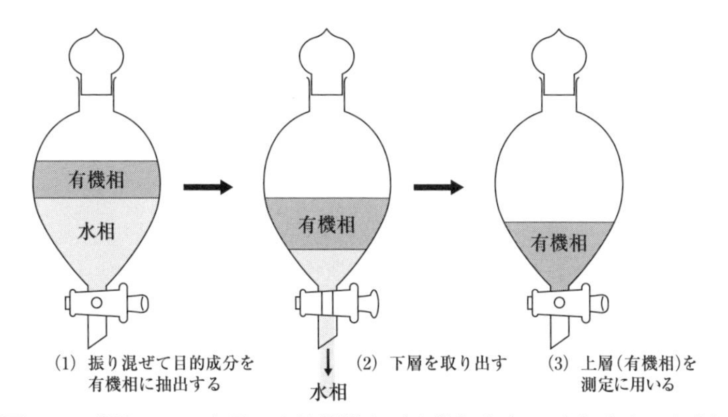

図 8.1　分液ロートを用いた溶媒抽出（有機相密度 < 水相密度のとき）

*1　式（8.3）分配比と，式（8.36）参照．

溶媒抽出法は目的成分の分離や濃縮に有効な方法であるが，毒性のある有機溶媒の使用などにより人体および環境への影響が懸念される．最近では有機溶媒の代わりにイオン液体（ionic liquid）や超臨界流体（supercritical fluid）を用いる方法，ポリエチレングリコール（PEG）と硫酸ナトリウムによる水性二相系（aqueous two-phase system）などの新しい液液抽出系（liquid-liquid extraction system）も開発されている．

二相間分配において，ある化学種Sが水相と有機相の間で平衡状態にあるとき（式（8.1）），両相に存在するS(両相中の分子式および分子量は等しい）の濃度には次の分配平衡式（8.2）が成り立つ．

$$\mathrm{S_{aq}} \rightleftarrows \mathrm{S_o} \tag{8.1}$$

$$K_\mathrm{D} = [\mathrm{S}]_\mathrm{o}/[\mathrm{S}]_\mathrm{aq} \tag{8.2}$$

このとき，添字oは有機相を，aqは水相を示す．K_Dを分配係数（distribution coefficient）といい，1つの化学種の分配平衡を規定するもので，温度と溶媒の種類のみに依存する定数であるが，通常は溶質が解離や会合などの化学反応を起こさずに一種類だけの化学種として存在することは少ない．このような場合には，単純に両相における溶質の濃度の比をとっても一定の値とはならない．しかし，ある1つの化学種に注目してその二相間分配を考えると，その濃度比は一定の値をとる（ネルンストの分配率）．

K_Dが1つの化学種の分配を示すのに対し，化学種に関係なく，水相および有機相における溶質の全濃度の比を示したものを分配比（distribution ratio）といい，Dで示す．今，溶質Sが$\mathrm{S_1}$，$\mathrm{S_2}$，… のような化学種として両相に存在しているとすると，分配比Dは以下のように示される．分配比が大きいほど溶質が有機相に抽出されやすいことを意味する．

$$\mathrm{D} = \frac{\text{有機相中の溶質Sの全濃度}}{\text{水相中の溶質Sの全濃度}} = \frac{C_\mathrm{S,o}}{C_\mathrm{S,aq}} = \frac{[\mathrm{S_1}]_\mathrm{o} + [\mathrm{S_2}]_\mathrm{o} + \cdots}{[\mathrm{S_1}]_\mathrm{aq} + [\mathrm{S_2}]_\mathrm{aq} + \cdots} \tag{8.3}$$

ここで，ある化学種$\mathrm{S_1}$，$\mathrm{S_2}$，…に注目すると，その分配は分配係数$K_\mathrm{D,S_1}$，$K_\mathrm{D,S_2}$，…で示される．ただし，1つの化学種しか存在しないような単純な系では，分配係数と分配比は等しくなる．

$$K_\mathrm{D,S_1} = \frac{[\mathrm{S_1}]_\mathrm{o}}{[\mathrm{S_1}]_\mathrm{aq}},\ K_\mathrm{D,S_2} = \frac{[\mathrm{S_2}]_\mathrm{o}}{[\mathrm{S_2}]_\mathrm{aq}},\ \cdots \tag{8.4}$$

一方，全溶質のうち，どの程度（何パーセント）の溶質が水相から有機相へ抽出されたかを表すには抽出百分率（E(%)：percent extraction）が便利である．

$$E(\%) = \frac{100\ C_\mathrm{o}V_\mathrm{o}}{C_\mathrm{o}V_\mathrm{o} + C_\mathrm{aq}V_\mathrm{aq}} = \frac{100\ D}{D + \dfrac{V_\mathrm{aq}}{V_\mathrm{o}}} \tag{8.5}$$

ここで，V_oおよびV_aqはそれぞれ有機相と水相の体積を，C_oおよびC_aqはそれぞれ有機相中および水相中の溶質の全濃度を示す．

8.2.2　電荷を持たない電気的中性分子の抽出

溶質を水相から有機相に抽出するには，溶質自身が水と親和性が小さく，逆に有機溶媒と親和性が大きいほど抽出は効果的である．すなわち，溶質と水との相互作用が弱く，水に対する溶解度が小さいことが必要である．有機溶媒に抽出される溶質はほとんどが無電荷であり，溶質が電荷を持つ場合は反対電荷のキレート試薬や対（つい）イオンを加えて電気的に中性な分子種とする．溶媒抽出系は大きく分けて，無電荷（中性）分子の抽出，キレート化合物の抽出，イオン対（イオン会合体）の抽出の3つに分類される．以下，それぞれについて解説する．

通常，モノカルボン酸などの弱酸の有機酸やヨウ素（I_2）など，電荷を持たない非イオン性化合物（non-ionic compound）は，ヘキサン，ベンゼン，クロロホルム，四塩化炭素などのような無極性有機溶媒（non-polar organic solvent）によく溶解する．ここでは，モノカルボン酸である安息香酸（HBz）の水相からベンゼン中への抽出について考える（図8.2）．

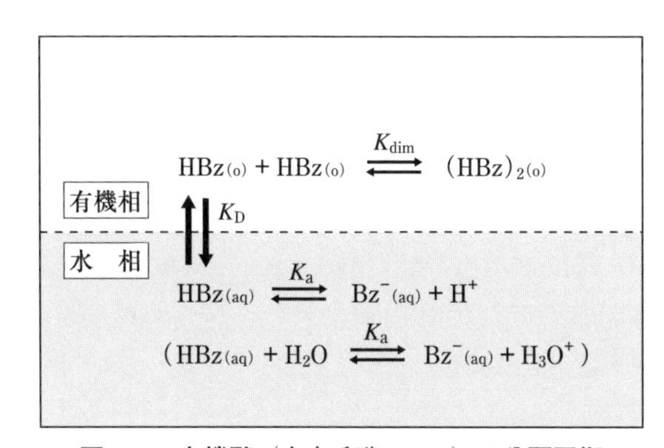

図8.2　有機酸（安息香酸：HB_2）**の分配平衡**

この場合，単一の化学種HBzのみが分配される場合を考えると分配係数は次式で表される．

$$K_D = \frac{[HBz]_o}{[HBz]_{aq}} \tag{8.6}$$

HBzは水相中では主に単量体として存在するが，その一部はH^+を解離してイオンBz^-になっている（有機相中では解離しない）．また，HBzはベンゼン中では二量体（dimer）を形成して安定に存在する（図8.3）．

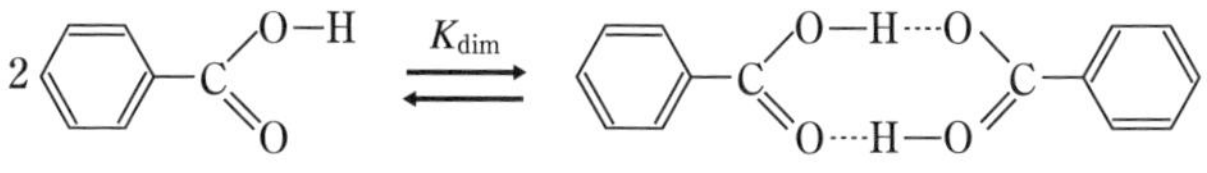

$$2\,C_6H_5\text{–}C(=O)\text{–}O\text{–}H \overset{K_{dim}}{\rightleftarrows} C_6H_5\text{–}C(\text{–}O\text{–}H\cdots O\text{–})(\text{=}O\cdots H\text{–}O\text{=})C\text{–}C_6H_5$$

図8.3　安息香酸の二量体

HBz の水中での酸解離定数 K_a，有機相中での二量体生成定数 K_{dim} は次式で示される．

$$HBz_{(aq)} \xrightleftharpoons{K_a} Bz^-{}_{(aq)} + H^+{}_{(aq)} \qquad K_a = \frac{[Bz^-]_{aq}[H^+]_{aq}}{[HBz]_{aq}} \tag{8.7}$$

$$HBz_{(o)} + HBz_{(o)} \xrightleftharpoons{K_{dim}} (HBz)_{2(o)} \qquad K_{dim} = \frac{[(HBz)_2]_o}{[HBz]_o^2} \tag{8.8}$$

したがって，分配比 D は，

$$D = \frac{C_{S,o}}{C_{S,aq}} = \frac{[HBz]_o + 2[(HBz)_2]_o}{[HBz]_{aq} + [Bz^-]_{aq}} \tag{8.9}$$

と表される．式（8. 6）～（8. 8）を式（8. 9）に代入して整理すると次式が得られる．

$$D = \frac{K_D(1 + 2K_{dim}[HBz]_o)}{1 + \dfrac{K_a}{[H^+]_{aq}}} \tag{8.10}$$

式（8. 10）から，HBz の分配比 D は定数 K_a，K_{dim}，K_D の他に，水相の［H^+］（pH）と有機相中の HBz の濃度に依存することがわかる．なお，HBz の濃度が低く，かつ，有機相中の二量体形成を無視できる場合やエチルエーテルのように HBz が会合体を形成しない有機相を用いた場合，式（8. 10）は次のようになる．

$$D = \frac{K_D}{1 + \dfrac{K_a}{[H^+]_{aq}}} \tag{8.11}$$

式（8. 11）から，水相中の HBz を効率よく有機相に抽出するためには K_a よりも［H^+］が大きい領域すなわち，pK_a よりも酸性の領域（低 pH 領域）で抽出するのが効果的であることがわかる．特に pH が低く（［H^+］が大きく），HBz の酸解離が無視できる場合は，$D = K_D$ となり，分配比は pH に依存しないで一定値となる（図 8. 4）．

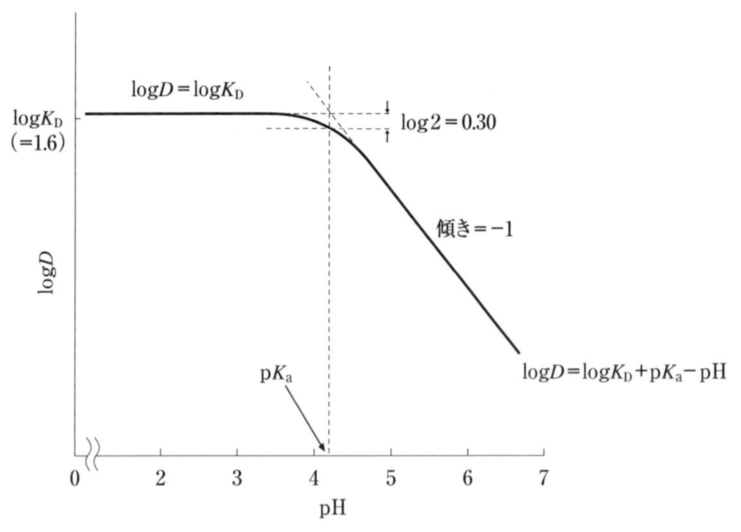

図 8. 3　安息香酸の二相間分配における pH と log D の関係

安息香酸（HBz）の水-エチルエーテル間の log K_D = 1.6

なお，pH が高く，HBz のほとんどが水相中で Bz^- として存在する場合は，有機相中の HBz の濃度が低くなり，二量体の形成が無視できるので式（8.10）は式（8.12）のように表される．また，pH が低く，水相中での HBz の解離が無視できるものの有機相中での二量体形成が無視できない場合は式（8.13）のようになる．

$$D = \frac{K_D[H^+]_{aq}}{K_a} \qquad \log D = \log K_D + pK_a - pH \tag{8.12}$$

$$D = K_D(1 + 2K_{dim}[HBz]_o) \tag{8.13}$$

いま，水 100 cm^3 とエチルエーテル 100 mL が入った分液ロートに HBz 1.0 g を入れ，HBz の分配係数 K_D を 40($\log K_D = 1.6$)，HBz の 25 ℃での pK_a を 4.2 としたときの，水相の pH の違いによる HBz 濃度の変化を調べてみる．pH が 3.0，5.0 あるいは 7.0 のとき，式（8.11）を使うと，D は pH 3.0 のとき 37.6，pH 5.0 のとき 5.48，pH 7.0 のとき 0.063 となり，pH が低いほどエチルエーテル相に存在する HBz の濃度が高くなることがわかる．いい換えると，水相中の HBz をエチルエーテル相に抽出する場合は，$[H^+]_{aq}$ の高い，すなわち，酸性で抽出した方が効果的であることがわかる．式（8.11）の関係を $\log D$－pH プロットしたものが図 8.4 である．図および式（8.11）より，pH ≪ pK_a のとき $\log D = \log K_D$，pH = pK_a のとき $\log D = \log K_D - \log 2$，pH ≫ pK_a のとき $\log D = \log K_D + pK_a - pH$（式（8.12））となることがわかる．

例題 8.1　200 mL の水に酸（HA）2.0 g を溶解し，有機溶媒 200 mL を加えて振り混ぜ，分配平衡状態にした．水相が pH 2.0，pH 8.0 のときの分配比 D を求めなさい．ただし，分配係数（K_D）は 45，酸解離定数（K_a）は 6.5×10^{-5}，二量体生成定数（K_{dim}）は無視できるものとする．

解　答

（1）pH 2.0　　式（8.11）より

$$D = \frac{K_D}{1 + \dfrac{K_a}{[H^+]_{aq}}} = \frac{45}{1 + \dfrac{6.5 \times 10^{-5}}{0.01}} = 44.7$$

（2）pH 8.0　　式（8.12）より

$$D = \frac{K_D[H^+]_{aq}}{K_a} = \frac{45 \times (1 \times 10^{-8})}{6.5 \times 10^{-5}} = 0.0069$$

8.2.3　繰り返し抽出

水相から有機相への抽出率を上げるためには分配比 D の大きな系を用いるか，多量の有機溶媒を用いて水相と有機相の体積比（V_{aq}/V_o）を小さくする．しかし，実際の抽出では 1 度の操作で全ての有機溶媒を用いるよりは少量ずつ数回に分けて操作を繰り返す方が効果的である．

例えば，酪酸（n-$CH_3CH_2CH_2COOH$）3 g を溶解した水 300 mL(3 g 酪酸 /300 mL）から酪酸をエチルエーテル 300 mL に抽出する場合を考えてみる．なお，このときの分配比

D は 25 ℃で 3.0 とする．

一度に 300 mL のエチルエーテルを用いる場合，水相に残る酪酸の量を x g とすると，

$$D = 3.0 = \frac{(3 - x)/300}{x/300}$$

となる．この式を解くと，$x = 0.75$ g となり，2.25 g の酪酸がエチルエーテルに抽出され，抽出率（回収率）は 75 %になる．

次に，エチルエーテルを 150 mL ずつ 2 回に分けて操作を行った場合を考えると，

$$D = 3.0 = \frac{(3 - x_1)/150}{x_1/300}, \qquad D = 3.0 = \frac{(x_1 - x_2)/150}{x_2/300}$$

となる．上記と同様にこの式を解くと，$x_2 = 0.48$ g，抽出率（回収率）は 84 %になる．

よって前述したように溶媒抽出では一度の操作で全ての有機溶媒を用いるよりは，少量ずつ数回に分けて操作を繰り返す方が効果的に抽出（回収）できることがわかる．

これらの結果を一般的にまとめてみる．

水相 V_{aq} mL 中に x_0(g または mol) 含まれている溶質が有機溶媒 V_o mL を使って繰り返し n 回抽出されたとする．1 回目の抽出操作で水相に残る溶質の量を x_1(g または mol) とすると，

$$D = \frac{(x_0 - x_1)/V_o}{x_1/V_{aq}} \tag{8.14}$$

となる．この式を整理して x_1(g または mol) を求めると次式になる．

$$x_1 = x_0 \times \frac{V_{aq}}{V_o D + V_{aq}} \tag{8.15}$$

さらに同体積の有機溶媒で抽出を行ったときの水相に残る溶質の量を x_2(g または mol) とすれば，

$$x_2 = x_1\left(\frac{V_{aq}}{V_o D + V_{aq}}\right) = x_0\left(\frac{V_{aq}}{V_o D + V_{aq}}\right)^2 \tag{8.16}$$

となる．

よって，この抽出を n 回行ったときに水相に残る溶質の量 x_n(g または mol) は次式（8.17）で示される．

$$x_n = x_0\left(\frac{V_{aq}}{V_o D + V_{aq}}\right)^n \tag{8.17}$$

例題 8. 2　水相と有機相間の物質 A の分配比は 4.0 である．物質 A を含む水相 100 mL を，100 mL の有機溶媒で 1 回抽出する場合と，20 mL の有機溶媒で 5 回抽出する場合の物質 A の抽出率をそれぞれ求めなさい．

解　答

はじめの水相中の物質 A の物質量を x_0，n 回目の抽出時に水相に残った物質 A の物質量を x_n とする

（1）100 mL を用いて 1 回で抽出する場合，式（8.15）より

$$x_1 = x_0\left(\frac{100}{4.0 \times 100 + 100}\right) \qquad x_1 = 0.2x_0$$

このときの抽出率（E %）は，

$$E\ \% = \frac{x_0 - x_1}{x_0} = \frac{1 - 0.2}{1} \times 100 = 80\ \%$$

（2）20 mL ずつ用いて 5 回で抽出する場合，式（8.17）より

$$x_5 = x_0\left(\frac{100}{4.0 \times 20 + 100}\right)^5 \qquad x_5 = 0.053\, x_0$$

このときの抽出率（E %）は，

$$E\ \% = \frac{x_0 - x_5}{x_0} = \frac{1 - 0.053}{1} \times 100 = 94.7\ \%$$

8.2.4　金属キレート化合物の抽出

金属イオンの分離濃縮法として溶媒抽出法は最も有効な方法の 1 つである．金属イオンの多くは水中で水分子が配位したアクア錯体として安定に存在している．このように水中で安定に存在している金属イオンを有機相に抽出するためには，金属イオンを有機溶媒に馴染みやすい，すなわち，親有機性に優れた構造にしなければならない．具体的には金属イオンの電荷を中和し，金属イオンに配位している水分子を取り除き，疎水性で親有機性を有する配位子で置き換える．その結果，水中の金属イオンは親有機性を持つことになり有機相へ抽出されやすくなる．このためには弱酸のキレート試薬（H_nL）が一般的に用いられる．溶媒抽出法に用いられるキレート試薬の多くは水素イオンを放出して n 価の陰イオンになる多座配位子*2 である．

この n 価の陰イオンが金属イオンと結合して電気的に中性で安定な金属キレート化合物を生成する．一般にキレート試薬は水素イオン（H^+）非解離の場合は水よりも有機溶媒に溶けやすいが，一部は水に溶けて解離する．なお，簡単のために，キレート試薬を HL とし，有機相中に存在する金属（M^{n+}）キレート化合物は全て ML_n，水中に存在する金属化学種は水和金属イオン M^{n+} のみとする．もちろん，金属キレート化合物の生成については $ML^{(n-1)+}$，$ML_2{}^{(n-2)+}$ などの低次の中間体も考えられるが，過剰のキレート試薬を用いた場合はこれらの中間体を無視することができる．また，金属キレート化合物の分配係数が十分大きい場合には，水相中に存在する ML_n の濃度は無視できる．すなわち，水中で金属イオンは金属キレート化合物を生成すると有機相に抽出されて，水相には水和金属イオンのみが存在するとしてよい．

以上のように仮定できる系での金属キレート化合物の有機相への抽出は，キレート試薬

*2 NH_3 や Cl^- などのように，配位できる原子またはイオンが 1 つしかない配位子を単座配位子，$NH_2CH_2CH_2NH_2$（エチレンジアミン）や $C_2O_4{}^-$（シュウ酸イオン）などのように配位できる原子またはイオンが 2 つある配位子を二座配位子という．二座配位子や $NH(CH_2COOH)_2$（イミノ二酢酸，三座配位子）や $N(CH_2COOH)_3$（ニトリロ三酢酸，四座配位子）などのように 2 つ以上の配位原子またはイオンのある配位子を多座配位子，またはキレート試薬という．

(HL) が有機相と水相に分配され，水相中の HL は水相中で解離して陰イオン (L^-) になり，これが金属イオンに配位して無電荷の金属キレート化合物を形成して有機相に抽出されると考えることができる．これらの4つの平衡をまとめると図8.5のように示される．

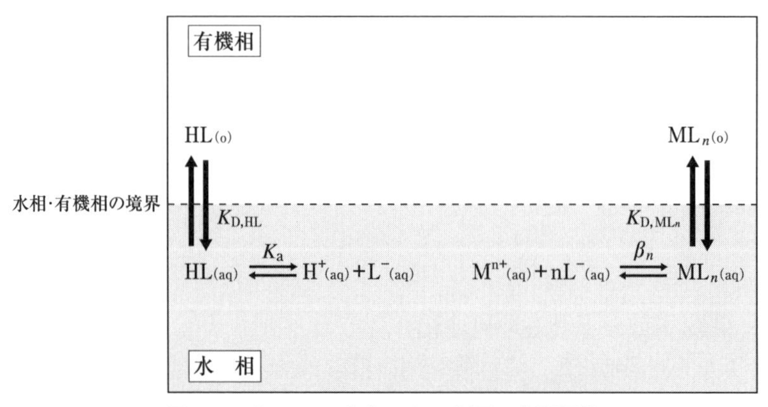

図8.5　キレート生成による金属の分配平衡

関係する平衡定数は以下のように定義できる．

キレート試薬の分配係数 $K_{D,HL}$,

$$K_{D,HL} = \frac{[HL]_o}{[HL]_{aq}} \tag{8.18}$$

キレート試薬の酸解離定数 K_a,

$$K_a = \frac{[H^+]_{aq}[L^-]_{aq}}{[HL]_{aq}} \tag{8.19}$$

金属キレート化合物の全生成定数 β_n,

$$\beta_n = \frac{[ML_n]_{aq}}{[M^{n+}]_{aq}[L^-]_{aq}^n} \tag{8.20}$$

金属キレート化合物の分配係数 K_{D,ML_n},

$$K_{D,ML_n} = \frac{[ML_n]_o}{[ML_n]_{aq}} \tag{8.21}$$

ここで，水相および有機相に存在する主な化学種は，それぞれ，M^{n+}，ML_n であり，この抽出系における金属の分配比は，次式で示される．

$$D = \frac{[ML_n]_o}{[M^{n+}]_{aq}} \tag{8.22}$$

式 (8.22) に，式 (8.18).(8.21) を代入して整理すると次式になる．

$$D = \frac{K_{D,ML_n}\beta_n K_a{}^n [HL]_o{}^n}{K_{D,HL}{}^n [H^+]_{aq}{}^n} \tag{8.23}$$

この式における定数を1つにまとめて

$$K_{ex} = \frac{K_{D,ML_n}\beta_n K_a{}^n}{K_{D,HL}{}^n} \tag{8.24}$$

とおけば，式 (8.23) は，

$$D = K_{ex} \times \frac{[HL]_o{}^n}{[H^+]_{aq}{}^n} \tag{8.25}$$

となる．式（8.25）には金属化学種の濃度項が含まれていないので，金属の分配比は有機相におけるキレート試薬の濃度と水相の pH に依存し，金属イオンの濃度に関係ないことを示している．すなわち，有機相中のキレート試薬濃度が高くなり，水相の pH も高くなる（$[H^+]$ が小さくなる）と分配比が大きくなり金属の抽出率が高くなることがわかる．

K_{ex} は抽出定数（extraction constant）と呼ばれ，次の平衡の平衡定数に対応する．

$$M^{n+}_{(aq)} + nHL_{(o)} \xrightleftharpoons{K_{ex}} ML_{n,(o)} + nH^+_{(aq)} \tag{8.26}$$

$$K_{ex} = \frac{[ML_n]_o[H^+]_{aq}^{\,n}}{[M^{n+}]_{aq}[HL]_o^{\,n}} \tag{8.27}$$

式（8.25）の両辺の対数をとって整理すると，

$$\log D = \log K_{ex} + n\mathrm{pH} + n\log[HL]_o \tag{8.28}$$

が得られる．この式より，有機相中のキレート試薬濃度が一定の場合には $\log D$ は pH と傾き n の直線関係となり，pH が一定の場合には $\log D$ と $\log[HL]_o$ は傾き n の直線関係となる．それぞれ，n は抽出される金属イオンの電荷または金属イオンに結合するキレート試薬の数を示す[*3]．しかし，pH や $[HL]_o$ の増大に伴って直線関係はずれはじめ，いずれの場合も一定値を示すようになる（図 8.6）．これは pH または $[HL]_o$ の増大に伴って $[L^-]_{aq}$ も増大し，水相中の金属キレート化合物の濃度が高くなるために，$[M^{n+}]_{aq} \ll [ML_n]_{aq}$ となり，金属キレートの有機相への抽出割合が増加し，水相の金属イオン濃度は減少する．この結果，$D = K_{D,ML_n}$ となり，$\log D$ からキレートの分配係数を求めることができる．

このような金属キレート抽出系は水中の微量金属元素の分離や濃縮に用いられる．

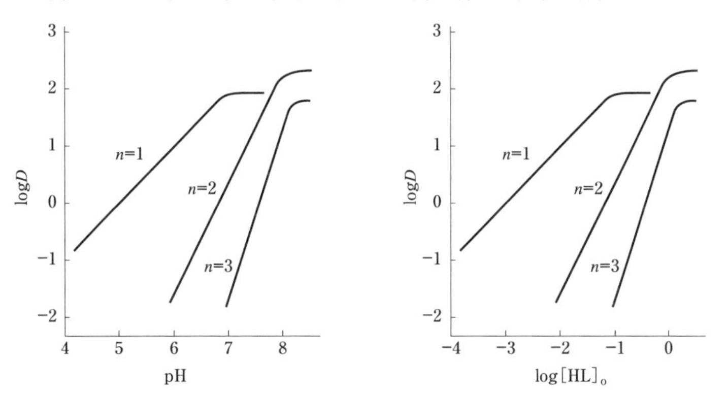

図 8.6 金属の分配比 $\log D$ と pH およびキレート試薬濃度 $\log\,[HL]_o$ の関係

*3 実際の抽出系では，金属イオンの残っている配位座に電荷を持たない配位子 A が配位し，より抽出性のキレート（付加錯体ともいう）を形成する場合がある．A が HL の場合もある．

$$ML_{n(o)} + mA_{(o)} \rightleftharpoons ML_nA_{m(o)} \quad ①$$

$$ML_{n(o)} + mHL_{(o)} \rightleftharpoons ML_n(HL)_{m(o)} \quad ②$$

①では，$\log D = \log K_{ex} + n\mathrm{pH} + n\log[HL]_o + m\log[A]_o$

②では，$\log D = \log K_{ex} + n\mathrm{pH} + (n + m)\log[HL]_o$

となり，pH と $[HL]_o$ の係数は必ずしも一致するとは限らない．①のような抽出系を協同抽出（synergistic extraction）という．A としては，ピリジン，1,10-フェナントロリン，リン酸トリブチル（TBP）などがある（8.2.5 参照）．

8.2.5　協同効果

ある抽出試薬を用いて金属イオンを抽出しようとしても抽出率が低くて実用的な分離ができないことがある．しかし，第二の試薬を加えると，第一の抽出試薬，第二の試薬をそれぞれ単独で用いたときよりも抽出率が著しく向上する場合がある．この現象を協同効果（synergism）といい，加えた第二の試薬を協同効果試薬（synergist）という．前述したように，金属キレート化合物の生成では金属イオンにキレート試薬が結合して電気的に中性になったとしても金属イオンの全ての配位座がキレート試薬によって満たされるとは限らない．すなわち，他の配位座に水分子が配位している場合の抽出率は低い．金属キレートの抽出における協同効果は付加錯体の生成によることが多い．例えば，二価の亜鉛イオンは解離して一価の負の電荷を有する二座配位子のテノイルトリフルオロアセトン（TTA）を二分子配位して電気的に中性となるが，亜鉛イオンの配位数は6であり，残りの配位座には水分子が配位しているために抽出率は低い．そこで，この抽出系に電気的に中性なピリジンやリン酸トリブチル（TBP）などを加えると，これらが水分子と置換して親有機性に優れた付加錯体が形成され有機相への抽出率が増大する．図8.7に付加錯体の生成による協同効果の例を示す．

なお，協同効果は付加錯体の生成によるものばかりでなく，二種類以上のキレート試薬を混合して混合配位子錯体を生成した場合にも認められることがある．

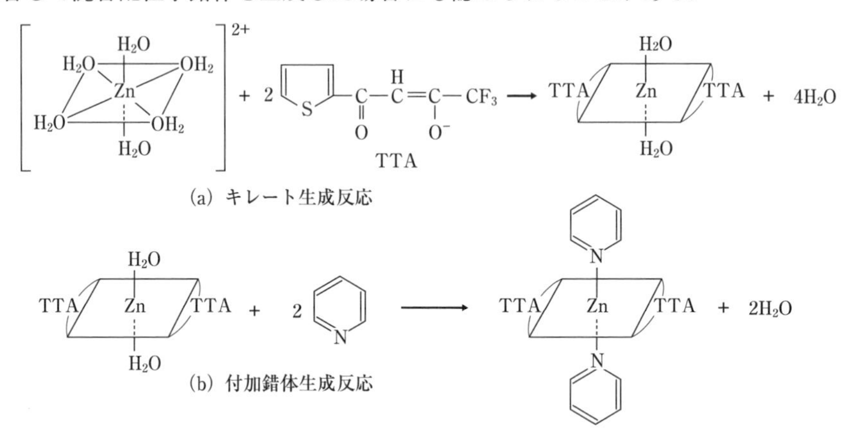

図8.7　キレート抽出系における協同効果

例題8.3　2価のコバルトイオンはキレート試薬であるTTA（テノイルトリフルオロアセトン）と錯体を生成するが，その錯体の有機溶媒への抽出率は低い．この錯体の抽出率を上げるためにはどのようにしたらよいか．抽出率が低い理由と抽出率を向上させる方法を述べなさい．

解 答

2価のコバルトイオンの配位数は6であり，2座配位子であるTTAを2分子配位し，残りの2つの配位座には水分子が配位している．したがって，親有機性が低く，有機溶媒への抽出率が低い．

そこで，電気的に中性なLewis塩基であるピリジンなどを付加錯体形成剤として加え，前述の水分子と配位子置換を行うことで，親有機性に優れた付加錯体を形成させ，有機溶媒への抽出率を向上させることができる．

8.2.6 イオン会合体の抽出

有機相に抽出される化合物は電気的に中性な化学種である．このような化学種には，前述の陽イオンである金属イオンと陰イオンの配位子から生成する金属錯体(金属キレート)の他にも互いに反対符号のイオンが1：1の対になったもの（イオン対）や多数個会合したもの（3重対，4重対など）がある．これら全てをイオン会合体という．さらに，イオン会合体が高濃度に存在するような場合にはイオン会合体が複数個集まり多量体を生成することもある．

金属錯体の生成は化学的な結合（配位結合）によるものであるが，イオン対（ion pair）やイオン会合体（ion associate）[*4]は陽イオンと陰イオンの間にはたらく静電気的引力により結合したものである．

以下，最も一般的な一価の陽イオンと一価の陰イオンのイオン会合体の生成と抽出平衡について述べる．

まず，最初にイオン会合体の生成反応を次式のように示す．

$$C^+ + A^- \rightleftarrows C^+\cdot A^- \tag{8.29}$$

$$K_{ass} = \frac{[C^+\cdot A^-]_{aq}}{[C^+]_{aq}[A^-]_{aq}} \tag{8.30}$$

ここで，$C^+\cdot A^-$は陽イオンC^+と陰イオンA^-の間で形成されたイオン会合体であり，K_{ass}がイオン会合定数である．

イオン会合性（イオン会合のしやすさ）は式（8.30）で定義されるK_{ass}の大きさにより議論できるが，実際は溶媒の誘電率（ε），イオンの大きさ（かさ高さ），イオンの電荷などに影響される．一般に，溶媒の誘電率が小さいほど，イオン間距離が短いほど，イオンの電荷が大きいほどイオン会合しやすい．また，溶媒が水の場合には，イオン半径が大きい（かさ高い）ほど疎水性のイオン間でもイオン会合しやすい傾向がある．これは，溶

*4 イオン会合体には（1：1）のイオン対（ion pair），（1：2）の三重対（triplet），（1：3）または（2：2）の四重対（tetraplet）などが全て含まれる．また，イオン会合体の生成をイオン会合（ion association）といい，対となる相手のイオンを対イオン（ついイオン：pairing ion）という．反対イオンを意味する対イオン（たいイオン：counter ion）と区別しなければならない．Counter ionは必ずしもpairing ionとはならない．

媒の水が疎水性イオンを系から排除しようとする性質（負の水和ともいう）を持っているためである．

図8.8にはイオン会合体の二相間分配平衡を示す．高濃度の場合には多量体 $(C^+ \cdot A^-)_p$ の生成も考慮しなければならないが，通常の分離・分析で用いる程度の濃度（10^{-4} M程度）以下では水相，有機相において多量体の存在はほとんど無視できる．このような場合には，図の点線で囲んだ反応のみを考えればよい．

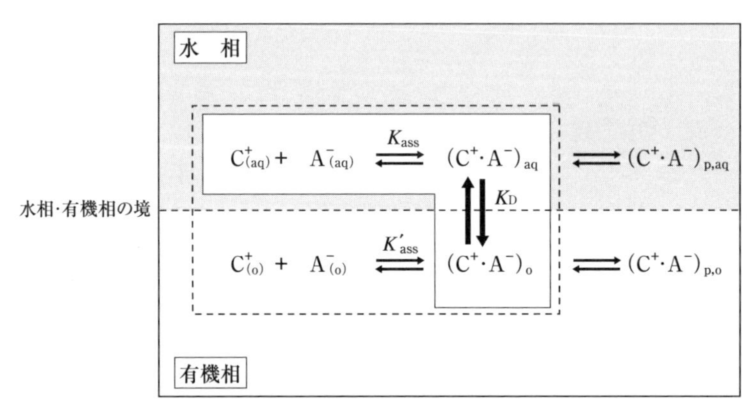

図8.8　イオン会合体の分配平衡

陽イオン C^+ の抽出を例に考えてみると，C^+ の分配比 D_C は次式で示される．

$$D_C = \frac{[C^+ \cdot A^-]_o + [C^+]_o}{[C^+ \cdot A^-]_{aq} + [C^+]_{aq}} = K_D \left(1 + \frac{1}{K'_{ass}[A^-]_o}\right)\left(1 + \frac{1}{K_{ass}[A^-]_{aq}}\right)^{-1} \quad (8.31)$$

ここで，K_D はイオン会合体の分配係数，K'_{ass} は有機相における会合定数であり，それぞれ次式で定義されている．

$$K_D = \frac{[C^+ \cdot A^-]_o}{[C^+ \cdot A^-]_{aq}} \quad (8.32)$$

$$K'_{ass} = \frac{[C^+ \cdot A^-]_o}{[C^+]_o[A^-]_o} \quad (8.33)$$

式（8.31）からわかるように，陽イオン C^+ の分配比 D_C を大きくするためには，K_D が大きくなるような対陰イオン A^- を用い，有機相の A^- の濃度を小さく，逆に水相の A^- の濃度を大きくすればよい．さらに，理想的には，有機相においてイオン会合しにくく（イオン会合体が解離しやすい，すなわち K'_{ass} が小さく），水相ではイオン会合しやすい（K_{ass} が大きい）反応系が望ましい．このような例としては，抽出溶媒に誘電率の比較的大きいニトロベンゼン（$\varepsilon = 35$），ニトロメタン（$\varepsilon = 28$）を用い，かさ高い陰イオン（ジピクリルアミンイオン，ピクリン酸イオンなど）を用いるアルカリ金属イオンの二相間分配系などがある．

極性の小さい溶媒（$\varepsilon < 10$）では，有機相中の解離も無視でき，図8.8の実線で囲んだ

反応のみを考えればよい．この場合には，式（8.31）においてK'_{ass}が非常に大きく，1に対して（$1/K'_{ass}[A^-]_o$）の値が無視できる．したがって，陽イオンの分配比は次の式で示される．

$$D_C = \frac{[C^+\cdot A^-]_o}{[C^+\cdot A^-]_{aq} + [C^+]_{aq}} = K_D\left(1 + \frac{1}{K_{ass}[A^-]_{aq}}\right)^{-1} \qquad (8.34)$$

一般に，水相におけるイオン会合体の濃度は小さく，$[C^+]_{aq} \gg [C^+\cdot A^-]_{aq}$が成立するので，式（8.34）はさらに次式となり，分配比D_Cは水相中の対イオンの濃度に比例することがわかる．

$$D_C = \frac{[C^+\cdot A^-]_o}{[C^+]_{aq}} \approx K_D K_{ass}[A^-]_{aq} = K'_{ex}[A^-]_{aq} \qquad (8.35)$$

式（8.35）において，K'_{ex}はイオン会合体の抽出定数といわれ，K_DとK_{ass}の積（$K_D K_{ass} = [C^+\cdot A^-]_o/[C^+]_{aq}[A^-]_{aq}$）に等しい．この式はあまり誘電率の大きくない抽出溶媒を用いる通常のイオン会合抽出系に幅広く適応できる．したがって，一般にイオンの抽出性は抽出定数を用いて議論することができる．

イオン会合抽出系はかさ高い疎水性のイオンの抽出分離・濃縮法としてしばしば用いられる．例えば，陰イオン界面活性剤（ドデシルベンゼンスルホン酸：DBS^-）のエチルバイオレット（EV^+）などを用いるトルエン抽出（JIS K-0101,0102など），第4級アンモニウムイオン（逆性セッケンまたは陽イオン界面活性剤，例えば，テトラデシルジメチルベンジルアンモニウムイオン（$Zeph^+$），ヘキサデシル（セチル）ピリジウムイオン（CP^+）など）のテトラブロモフェノールフタレインエチルエステル（$TBPE^-$）を用いるジクロロエタン抽出，さらに，医薬品中の有機陽イオンなどを疎水性の色素イオンを対イオンとして抽出分離することができ，有機相中の色素対イオンの吸光度を測定すれば，目的イオンの定量も可能になる．

その他のいくつかのイオン会合体抽出の具体例を以下に示す．かさ高い陽イオンであるテトラフェニルアルソニウムイオン$[(C_6H_5)_4As]^+$を用いると過マンガン酸イオン$[MnO_4^-]$や過レニウム酸イオン$[ReO_4^-]$などの金属陰イオンを有機相に抽出できる．同様に$[Fe(SCN)_5]^{2-}$や$[ZnCl_4]^-$などの金属陰イオンはトリ-n-オクチルアミンなどのアミンがプロトンを付加して生成するアンモニウム陽イオンとイオン会合体を形成して抽出される．1,10-フェナントロリンはFe(II)などの金属イオンに配位するが，配位子は無電荷であるために金属イオンの電荷がそのまま残る．このような陽電荷を持った金属キレートは過塩素酸イオン$[ClO_4]^-$などのかさ高い疎水性の陰イオンとイオン会合体を形成することによってニトロベンゼンなどに抽出される．12-クラウン-4やジベンゾ-18-クラウン-6などのクラウンエーテルも配位子として用いられる．アルカリ金属などの金属イオンはクラウンエーテル環内の酸素と結合して固定され，大きな錯陽イオンを生成し，ピクリン酸イオンなどのかさ高い陰イオンとイオン会合体を形成して抽出される．

有機溶媒自身が抽出される化学種の生成に関係する場合もある．例えば，Fe^{3+} は塩酸溶液からジエチルエーテルなどのエーテル類に抽出される．すなわち，強酸性溶液中（6 M HCl など）で Fe^{3+} は $[FeCl_4]^-$ として安定に存在するが，ジエチルエーテルが塩酸中の H^+ と溶媒和して $[(C_2H_5)_2OH]^+$ のような陽イオンを形成するため，これらがイオン会合体を形成して有機相に抽出される（1927年 J. W. Rothe により発見）．

一般に，イオン会合抽出系は抽出種の有機相における溶解度が大きいので，比較的金属イオン濃度が高い状態でも対応できる．

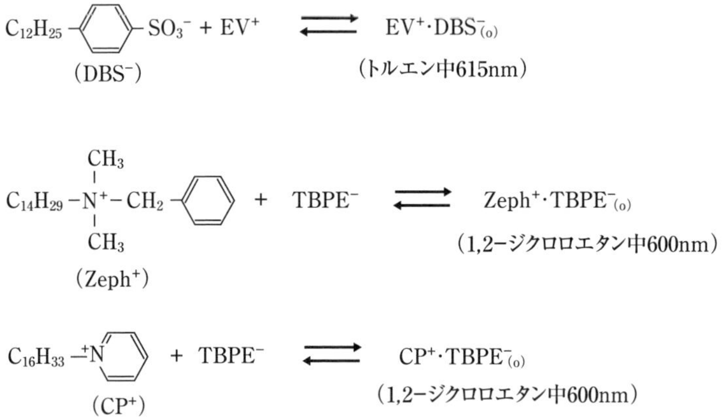

$C_{12}H_{25}-C_6H_4-SO_3^- + EV^+ \rightleftharpoons EV^+\cdot DBS^-_{(o)}$

(DBS⁻)　　（トルエン中615nm）

$C_{14}H_{29}-N^+(CH_3)_2-CH_2-C_6H_5 + TBPE^- \rightleftharpoons Zeph^+\cdot TBPE^-_{(o)}$

($Zeph^+$)　　（1,2−ジクロロエタン中600nm）

$C_{16}H_{33}-{}^+NC_5H_5 + TBPE^- \rightleftharpoons CP^+\cdot TBPE^-_{(o)}$

(CP^+)　　（1,2−ジクロロエタン中600nm）

図8.9　イオン会合体の抽出例（吸光光度定量に利用される）

コラム　クラウン化合物の発見

クラウンエーテルは，$(-CH_2-CH_2-O-)_n$ の一般構造式で示される環状ポリエーテルの総称で分子構造が王冠に似ていることからこの名称がつけられた．1967年アメリカのペダーセン（Charles Pederson）によって合成され，後に，ペダーセンはその功績により1987年ノーベル化学賞を受賞した．一般に x-クラウン-y-エーテルと呼ばれ，x は原子の総数，y は酸素原子の数を示す．環内の酸素がアルカリ金属などの金属陽イオンに配位して三次元的に取り込むことができる．

ペダーセン（アメリカ）は，ノルウェー人の父，日本人の母の間に生まれた（出生地：韓国釜山）．父親の職場の関係で少年時代に長崎で2年間，横浜で7年間過ごし，18歳で単身渡米し，オハイオ州 Dayton 大学で学士，マサチューセッツ工科大学で修士号（有機化学専攻）を取得し，アメリカの有名な化学会社 Du Pont へ入社し，研究員となった．Du Pont でバナジウムキレート剤を開発しているとき，偶然にクラウンエーテルを見い出した（このような運よく偶然的な発見を serendipity というが，不断の努力が根底にあることを学ぶべきである．）この新化合物がナトリウムイオンやカリウムイオンを環内に取り込むことを発見し，カリウム錯体は過マンガン酸イオン（MnO_4^-）とイオン会合体をつくりベンゼンに抽出されることを示した．さらには生体中におけるイオンの膜輸送担体モデル，分子・イオン認識試薬への応用など化学のみならず幅広い学問分野へ大きな貢献をした．

8.2.7　金属イオンの濃縮と分離選択性

溶媒抽出法の大きな役割として，金属イオンなどの目的成分の濃縮と混合系における金属イオンの相互分離などがあげられる．水相中に溶解している目的成分を水相の体積の n 分の1の有機溶媒に抽出した場合，分配比が 10^2 以上では目的成分はほぼ n 倍に濃縮されたことになるので，通常では測定できないような極微量の物質の定量が可能になり，機器測定のみかけの検出および測定感度が向上する．

また，溶媒抽出法は混合成分の分離にも利用される．すなわち，同じ抽出試薬を用いても金属イオンにより抽出される化学種や抽出定数が異なるため混合成分の相互分離が可能になる．ここで，溶媒抽出における M_1^{n+}（M_1L_n 生成），M_2^{n+}（M_2L_n 生成）の2つの金属イオンの選択的分離はそれぞれの金属イオンの抽出定数を用いた次式によって考察することができる．

$$S = \frac{D_1}{D_2} = \frac{K_{ex(M_1)}}{K_{ex(M_2)}} \tag{8.36}$$

ここで，S を分離係数（separation factor）という．

いま，M_1^{n+} を 99 %以上有機相に抽出し，M_2^{n+} は 99 %以上水相に存在させるために必要な条件は，$D_1 \geqq 10^2$，$D_2 \leqq 10^{-2}$ となり，

$$S = \frac{K_{ex(M_1)}}{K_{ex(M_2)}} \geq 10^4 \tag{8.37}$$

であればよい．この条件を満たしたときに，M_1^{n+} と M_2^{n+} の相互分離が達成されたということができる．この条件を満たすためには，水相の pH の調整，マスキング剤の利用，抽出速度の差の利用などが考えられる．

1）抽出時の pH 調整：同じ抽出試薬を用いても金属イオンの種類により，抽出される化学種や抽出定数が異なるために，抽出時の pH の影響が金属イオンによって異なる場合が多い．このような場合には抽出時の水相の pH を効果的に設定することにより，金属イオンの選択的な抽出が可能になる．

図8.10にオキシン（8-キノリノール：HO_X）によるいくつかの金属イオンのクロロホルムへの抽出における抽出率と水相の pH の関係について示す．Fe^{3+} と Mn^{2+} を含む水相の pH を 2.0 ～ 5.5 に調節すれば，Fe^{3+} のみを定量的にクロロホルム相へ抽出できることがわかる．

2）マスキング剤の利用：溶媒抽出におけるマスキングとは，目的の金属イオンだけを有機相に抽出して，共存する他のイオンは電荷を持った安定な錯体として水相に残す操作のことをいい，そのために使用する試薬がマスキング剤である．

水相にある金属イオン M^{n+} がマスキング剤 HR と反応して水溶性の錯体 MR，$MR_{2\cdots}$ を生成する場合を考える．なお，キレート試薬は HL とする．水相中に存在する金属イオンの濃度を式（8.38）のように記すと分配比 D_M は式（8.39）で示される．

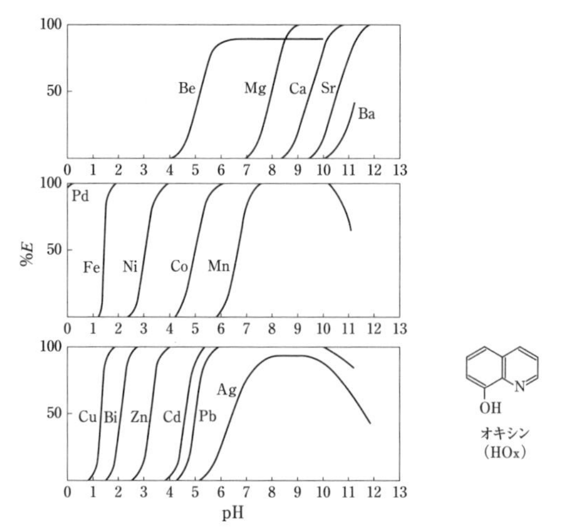

図8.10　オキシン（8-キノリノール：HO_x）による金属イオンの抽出曲線

有機相はクロロホルム，有機相のオキシンの初濃度は，アルカリ土類金属の場合は0.5 M，その他は0.1 M，$V_{aq}：V_o = 1：1$，FeとBiは3価，Agは1価，他は2価イオン．J. Stary, "The Solvent Extraction of Metal Chelates, Pergamon", Oxford (1964), pp. 92-94より．化学同人「基礎分析化学」今泉洋他

$$C_M = [M^{n+}] + [MR] + [MR_2] + \cdots = [M^{n+}]\alpha_{M(R)} \qquad (8.38)$$

$$D_M = \frac{[ML_n]_o}{[M^{n+}]_{aq}\alpha_{M(R)}} \qquad (8.39)$$

式（8.39）は式（8.27）を用いて変形され，次式になる．

$$D_M = K_{ex} \times \frac{[HL]_o{}^n}{\alpha_{M(R)}[H^+]_{aq}{}^n} \qquad (8.40)$$

式（8.40）から，α_M(R)が大きいほど，すなわち，MR，MR_2…の生成定数が大きいほどD_Mが小さくなり，M^{n+}がML_nとして抽出されにくくなることがわかる．

そこで，2種の金属イオン$M_1{}^{n+}$，$M_2{}^{n+}$がそのままでは両金属イオンともキレート試薬（HL）と金属キレート化合物を生成して有機相に抽出され，式（8.37）の条件が満足されないような場合は，$M_2{}^{n+}$とだけ安定な水溶性錯体を生成するマスキング剤HRを添加すれば，$M_1{}^{n+}$だけを選択的に抽出することができる．すなわち，抽出したい金属イオンとマスキング剤との錯生成定数はできるだけ小さく，分離したい共存金属イオンとの錯生成定数はできるだけ大きいほうがマスキングの効果が大きい．よって，目的金属イオンと妨害金属イオンの抽出試薬とマスキング剤の錯生成定数を比較することで，マスキング剤の効果が推定できる．

3）抽出速度差の利用：抽出試薬（キレート試薬）の分配定数は大きいものが多いので，水相中の試薬濃度は低くなる．そのため，抽出錯体（金属キレート化合物）の生成速度の差を抽出速度の差として利用することができる．この速度差を利用して，特定の金属イオンに対する抽出選択性を向上させることができる．

4）置換反応速度差の利用：金属錯体の置換反応の速度差を利用する．例えば，Co(Ⅲ)，

Cr(Ⅲ)，Rh(Ⅲ) 錯体などは置換不活性（inert）錯体といわれ，置換反応速度は遅い．Co^{2+} は水中で安定であるが，キレートは一般に Co(Ⅲ)R_3(HR：キレート試薬）となり置換不活性となる．1-ニトロソ-2-ナフトール（HR）はコバルトと CoR_3 を生成し，ベンゼンなどの有機溶媒に抽出される．他の Fe^{3+}，Cu^{2+}，Ni^{2+} などのキレートも同時に抽出されるが，CoR_3 以外のキレートは酸性条件下，あるいは安定なキレート剤の EDTA などを加えると分解し，水相へもどる．有機相の赤色を測定に利用すればコバルトが定量できる．

8.2.8 溶媒抽出におけるその他の操作

溶媒抽出法におけるその他の操作を記す．イオン会合体の抽出において，水相に無機塩を加えると目的成分の分配比が増大することがある．これを塩析（salting out）といい，このような効果を示す塩を塩析剤（salting out agent）という．一般に，抽出される化学種と同一の陰イオンを持つ多価の金属塩が有効である．これは塩析剤の添加により，抽出化学種の生成に関与するイオンが増大して抽出化学種生成の方向に平衡が移動し，その濃度が増加することによるものと考えられる．また，水和状態の化学種から水分子が奪われて有機相へ抽出されやすくなる，塩析剤に含まれる陽イオンの水和による自由な水分子の減少，抽出化学種の活量変化なども考えられ，塩析ではこれらが複合的に作用していると考えられる．よって，塩析では目的のイオンよりも水和しやすいイオン，すなわち，電荷が大きくサイズの小さいイオンが効果的である．また，塩析剤を加えると一般に相分離が速くなる．

前述のように，溶媒抽出法には予備濃縮効果による測定の精度や感度を向上させる効果がある．目的成分を抽出後，有機相をそのまま定量に供する場合は問題ないが，有機相に抽出された成分が複数あるような場合などは有機相から目的成分を分ける必要がある．この操作をストリッピング（stripping）という．溶媒が容易に揮発する場合には，目的成分を抽出した有機相に少量の水または酸などを加えて水浴で加熱蒸発させてストリッピングを行うこともできる．なお，この場合，目的成分は不揮発性でなければならない．また，有機相から水相へ目的成分を戻す操作を特に逆抽出（back extraction）という．逆抽出は目的成分が最も有機相に抽出されにくい条件の水溶液，例えば，錯形成しにくい酸性溶液などと目的成分を含む有機相と振り混ぜることによって行われる．この操作により，抽出は 2 回行われたことになるので，選択性はさらに向上する．

8.2.9 抽出溶媒の選択

溶媒抽出法で使用する溶媒の選択は重要である．キレート抽出系ではベンゼンやクロロホルムなどの炭化水素系で低誘電率の溶媒が，イオン会合体抽出系では 1,2-ジクロロエタンや MIBK(メチルイソブチルケトン）などのエーテル，ケトン，エステル系の高誘電率の溶媒がよく用いられる．なお，エチルバイオレット－陰イオン界面活性剤イオン会合体のような疎水性の大きなイオン会合体の抽出にはトルエンが用いられる．

実際に分液ロートを用いて相分離を行う際，目的成分を濃縮した溶媒が下層にあった方が操作性はよいが，水よりも重い溶媒の多くはハロゲン系有機溶媒（上述のクロロホルム，1,2-ジクロロエタンなど）であり，環境を配慮する視点からこれらの使用が制限されるようになってきた．安全に使用できる有機溶媒としてシクロヘキサンがあげられるが，水よりも軽いために上層に分層され，操作性の点で煩雑さが残る．

最近では，安全性や環境を意識し，低有害溶媒として，ポリエチレングリコールやデキストリンなどの水溶性高分子を用いた水性二相系抽出法，有機溶媒の代わりにイオン液体を用いた抽出法などが開発されている．水性二相系抽出法は2種類の異なる水溶性高分子と水，または1種類の水溶性高分子と無機電解質および水とで構成される二相系を利用するもので，用いる高分子や電解質の種類や濃度，温度を適切に選択することで抽出率を制御することができる．また，抽出溶媒を用意する必要がなく，高分子と電解質，界面活性剤などを試料水に溶解するだけで二相抽出系を作り出すことができることから，オンサイト簡易分析への適応が期待できる．その他にもポリ（N－イソプロピルアクリルアミド：PNIPAAm）など下限臨界温度（LCST）を有する温度感応性高分子を用いた方法も検討されている．

1）イオン液体を用いた抽出法

イオン液体（ionic liquids）はイオンのみから構成されているイオン会合体の液体で，常温で液体状態にある陽イオンと陰イオンからなる塩である．そのため，イオンの組み合わせは無限であり，その組み合わせによって，極性，疎水性，溶媒親和性などの溶媒特性を制御できるため，目的に応じたイオン液体の合成が可能である．また，不揮発性，不燃性，高極性などの特徴も有している．通常の溶媒抽出法では抽出化学種の電荷を中和するために対イオンなどを水相に添加する場合があるが（イオン対抽出），イオン液体では液体中に膨大な量のイオンが存在してイオン液体自体が電荷を有しているため，イオン液体を構成するイオンが水相に移行して電荷を中和し，目的成分をイオン液体相へ抽出することができる（イオン交換抽出）．

イオン液体を有機溶媒に代わる抽出溶媒として使用する際は，水と混和せずに二相を形成する必要がある．したがって，イオン液体の構成イオンには固体の難溶性塩と類似した性質が求められる．すなわち，イオン液体の陽イオンと陰イオンで構成されるイオン対が1つの極性分子のように振る舞う必要がある．図8.11に代表的な陽イオンと陰イオンを示した．なお，イオン液体に特定の官能基を導入することで，イオン液体自身に種々の機能を付与することが可能になる．

ここで，イオン液体への金属イオンの抽出例を記す．水中のストロンチウムイオン（Sr^{2+}）は有機溶媒にほとんど抽出されないが，イオン液体を抽出溶媒とすることで抽出率を劇的に向上させることができる．クラウンエーテル（無電荷）によりSr^{2+}を一般的

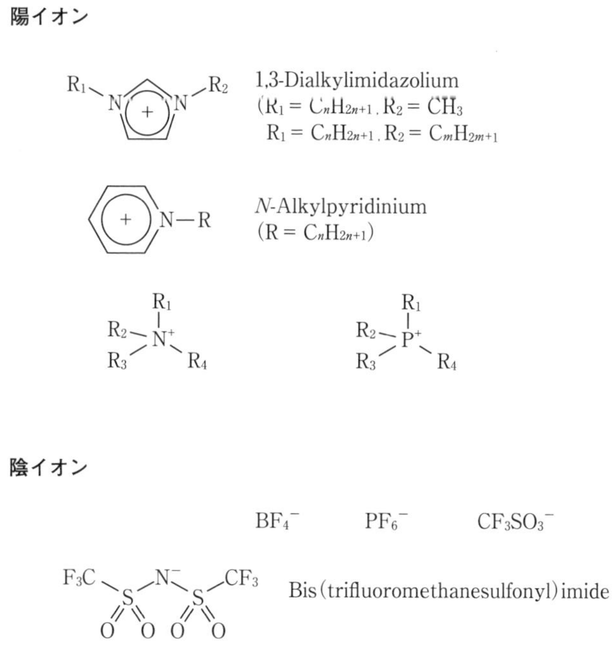

陽イオン

1,3-Dialkylimidazolium
($R_1 = C_nH_{2n+1}$, $R_2 = CH_3$
$R_1 = C_nH_{2n+1}$, $R_2 = C_mH_{2m+1}$)

N-Alkylpyridinium
($R = C_nH_{2n+1}$)

$R_1R_2R_3R_4N^+$　　$R_1R_2R_3R_4P^+$

陰イオン

BF_4^-　　PF_6^-　　$CF_3SO_3^-$

$F_3C-SO_2-N^--SO_2-CF_3$　Bis(trifluoromethanesulfonyl)imide

図 8.11　代表的なイオン液体を構成する「陽イオン」と「陰イオン」
平山直紀，J. Ion Exch., 22(1), p.33(2011).

な有機相に抽出する場合，クラウンエーテルの空孔内に Sr^{2+} が取り込まれ，そこに 2 つの硝酸イオン（NO_3^-）が配位したイオン対の状態で抽出される．一方，イオン液体に抽出する場合は，陽イオンである Sr^{2+} を取り込んだクラウンエーテルとイオン液体の構成単位である陽イオンとの交換反応により，二相間で電荷のバランスを保ちながら抽出される．

2) 有機相固化法

溶媒抽出法は便利な分離濃縮方法であるが，抽出後の相分離操作の煩わしさ，有機溶媒を使用するなどいくつかの問題があるのも事実である．相分離については有機相を完全に回収することは分液ロートを用いてもなかなか困難である，水相もしくは有機相のどちらかを固化できれば，傾斜法により多相を除去できるので，簡便に相分離が行える．また，溶媒抽出法で用いる有機溶媒はクロロホルムなどハロゲン系溶媒がよく使われており，環境問題の観点からその使用が制限されるようになってきた．そこで，有機相を固化する有機相固化法が注目されるようになった．最も一般的な方法はナフタレンを用いた方法である．ナフタレンの融点は約 80 ℃なので，高温で抽出操作を行い，その後，冷却させてナフタレンを固化させて相分離を行う方法である．固化した有機相を溶媒に溶解させて吸光光度法などに応用する方法や，固体のまま蛍光 X 線などで測定する方法も行われている．これに対し，融点が室温付近にある溶媒（易固化性溶媒）を有機相として用いると，抽出後に冷却遠心分離機などにより相分離を行い，そのまま室温で放置すると再び液化するので，多くの分析方法に適応できる利点がある．表8.1に代表的な易固化性有機溶媒を示した．

最近では，下部臨界温度（LCST）を有するNIP-AM(N-isopropyl-acrylamide）などの水溶性高分子を用いる方法も報告されている．これらの水溶性高分子を含む水溶液をLCST以上に加温して振り混ぜると，析出が起こり小さな体積を有する凝集相が形成されるが，室温に戻すことにより再び水に溶解する．このように温度に依存して可逆的に水に対して溶解性が変化する高水溶性高分子を温度感応性高分子とよぶ．この性質を利用し，水中の極微量疎水性有機化合物や疎水性金属キレートなどの選択的分離濃縮が可能になる．なお，水溶性金属キレートの場合はイオン対を形成させることで抽出が可能になった．その他にも，排水中のクロロフェノールなどの有害物質の除去にも使われており，温度感応性高分子の環境浄化に於ける媒体としての有効性も示唆されている．

表8.1　易固化性溶媒の固化挙動と化学的性質

易固化性溶媒	融点(℃)	比重[1]	水に対する溶解度[2]	固化挙動[3]
p-キシレン	13	0.861(20)	不溶性	上層固化
ジフェニルメタン	26-27	1.006(20)	不溶性	下層固化
シクロヘキサノール	25	0.968(25)	3.6/20℃	—
フェノキシエタノール	14	1.102(22)	2.0/25℃	—
1,3-ジメトキシベンゼン	23	1.081(21)	難溶性	—
ジフェニルエーテル	27	1.148(20)	難溶性	下層固化
アセトフェノン	20	1.024(25)	微溶性	上層または下層固化
プロピオフェノン	21	1.013(16)	不溶性	上層または下層固化
安息香酸ベンジル	19	1.112(25)	不溶性	—
p-エクロロトルエン	8	1.070(20)	不溶性	—
1,2,4-トリクロロベンゼン	17-18	1.446(26)	不溶性	下層固化

1) 括弧内の温度における4℃の水に対する値，2) 水100 gに対する値．3)「上層固化」，「下層固化」は有機相が上層であるいは下層で固化したことを表す．—は，実験条件下で固化しなかったことを表す．
藤永薫，ぶんせき，3, p.118(2008).

8.3　固相抽出

8.3.1　固相抽出法の特徴

固相抽出法（solid phase extraction：SPE）は，試料中の特定成分を化学的親和性の高い固相に捕捉して分離する方法であり，分離も分離精製と分離濃縮の2種類に分類される．

分離精製は分析試料溶液と固相を接触させ，目的物質は捕捉せずに分析の妨害となる夾雑物質を固相に捕捉して除去する．一方，分離濃縮は分析試料溶液と固相を接触させて，目的物質を固相に一度捕捉し，洗浄などにより試料中の夾雑物質を除去後，固相に捕捉された目的成分を化学的親和性の高い少量の溶離液を用いて溶出させて回収する．

固相抽出法には，溶媒抽出法などの従来の分離濃縮方法と比べて，次のような利点がある．

① 操作が容易：固相抽出に使用する器具は簡易なものが多く，操作が簡便で，熟練した技術を必要とせず，操作時間も短縮できる．また，現場での操作に適している．

② 自動化が容易：固相抽出器と検出器をオンライン接続することで，分析の自動化が可能になる．

③ 高い濃縮倍率：試料液量と溶出液量の割合を変えることで，広範囲の濃縮倍率を得ることができる（溶媒抽出では溶媒の一部が水へ溶解するために高い濃縮倍率を得るのが難しい）．また，固相をカラムなどに充てんすることで，保持体積を増加させ，少量から多量の試料を対象にすることができる．

④ 環境負荷が少ない：有機溶媒の使用量をゼロまたはきわめて少量にすることができるので，環境負荷が少なく，作業環境や排水処理の点で優れている．

固相抽出では濃縮しようとする成分の性質やそれらを含む試料溶液の種類や性質によって，用いる固相もその捕捉機構も異なる．以下に代表的な捕捉機構を示す（図8.13）．

⑤ エマルジョンの生成がない：溶媒抽出法では，混じりあわない2液相を振り混ぜるため，分離の際にエマルジョン（乳濁液）が生じて分離操作が煩雑になるが固相抽出法では，エマルジョン層を生成しないため，液相と固相の分離が容易である．

8.3.2 操作

固相抽出法の操作にはバッチ法（batch method）とカラム法（column method）がある．バッチ法は，試料溶液に粒度の細かい固相（固体）を分散させて，目的成分をこの固相に捕捉し，その後，固相を濾(ろ)過や遠心分離によって液相（試料溶液）から分離する．固相に捕捉された目的成分は少量の溶離液を用いて溶出させる．一方，カラム法では，カラム（円筒型の容器に固相（固体）が充填されたもの）に試料溶液を通液し，目的成分を捕捉する．その後，適当な溶離液を用いて目的成分を溶出させる．カラム法以外にも膜分離法（membrane method）があるが，これはカラム長さ極端に短くしたカラム法とみなすことができる．

カラム法における固相抽出の濃縮基本操作を図8.12に示す．

① コンディショニング：あらかじめ固相を活性化させておき，試料を流しやすい状態にする．この操作はカラムの洗浄にもなる．例：疎水性の固相を用いる場合は，その

ままでは使用できないので，エタノールなどの親水性溶媒を通液させて固相を水になじませる．その後，純水を通して余分なアルコールを洗い流す．

② 試料の添加と保持：試料溶液を流して目的物質を保持させる．このとき，一部の夾雑物も同時に保持される．

③ 洗浄：適当な洗浄液を通すことで夾雑物を洗い流す．この際，目的物質が溶出しないように洗浄液の組成を検討する必要がある．

④ 溶出：固相に捕捉された目的物質を溶出させる．溶出に用いる溶媒は目的物質に応じて適切なものを選択する．なお，濃縮倍率を上げるためには出来るだけ少量の溶離液で溶出する．

カラムへの通液は，自然落下による方法，マニホールドなどを用いた減圧による方法，加圧ポンプやシリンジをカラムに接続させる加圧法などがある．

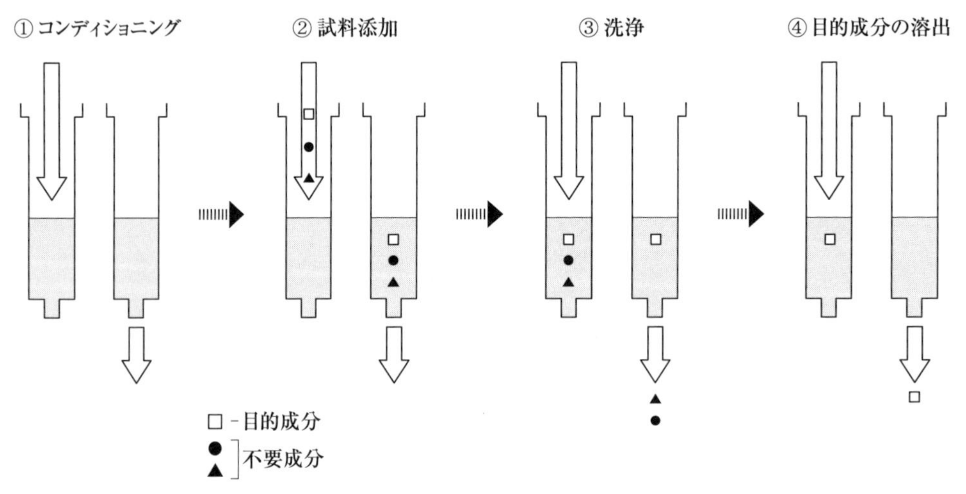

図8.12　カラム法による一般的な操作手順

8.3.3　捕捉機構

固相抽出における捕捉機構は目的物質の種類によって異なる．固相抽出に於ける目的物質の分離機構は基本的に液体クロマトグラフィーの原理と同じである．以下に代表的な機構を記す．

1）順相固相・極性担体（極性相互作用）

担体にはアルミナ，シリカゲル，珪藻土およびフロリジル（ケイ酸マグネシウム）などが用いられる．これらの担体にアミノ基，水酸基，アミノプロピル基，シアノプロピル基，プロピルジオール基などの極性基を導入することにより水素結合や双極子—双極子結合などの相互作用を発現させて極性物質を捕捉する．極性担体による捕捉は低極性溶媒中で促進され，極性溶媒により分断される．したがって，試料導入にはヘキサンなどの低極性溶媒に溶解した試料が，担持された目的物質の溶出には極性溶媒が用いられる．

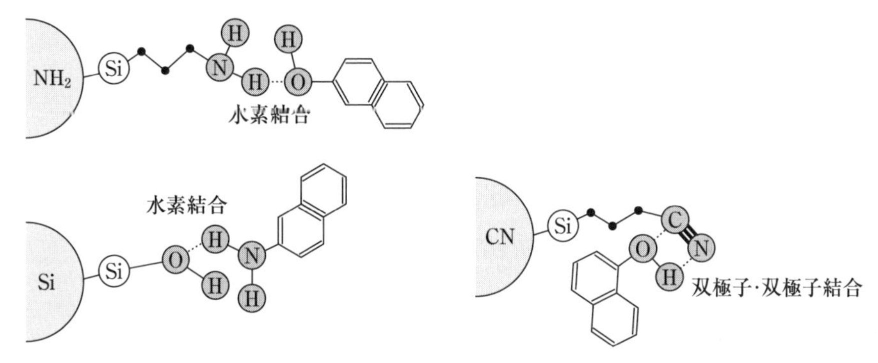

図 8.13　極性相互作用

2）逆相固相・無極性担体（無極性相互作用）

担体にはアルキル基などの疎水的な官能基を結合したシリカゲル，疎水性を有するスチレン－ジビニルベンゼン共重合体などのポリマー系担体が主に用いられる．特に，シリカゲルではオクタデシル基（C18）あるいはオクチル基（C8）が結合したシリカゲルが主要であり，C18 シリカゲルは ODS と称される．無極性物質の無極性担体への捕捉はシリカゲルに結合した疎水基と無極性物質間の無極性相互作用（ファンデルワールス力）による．無極性担体による捕捉は極性溶媒中で促進され，低極性溶媒により分断される．したがって，試料導入には水などの極性の高い溶媒を用いた試料が，担持された目的物質の溶離にはアセトニトリルやメタノールなどの低極性溶媒が用いられる．なお，シリカゲル表面に残存したシラノール残基と溶質の間には水素結合やイオン結合などの極性相互作用が二次的相互作用として生じる．オクタデシル基やオクチル基の他にも，ヘキシル基，ブチル基，エチル基などを結合したシリガゲルも使用さてれている．これらの化学結合シリカゲルによる無極性相互作用は C8，C18 の場合よりも低いが，極性相互作用の二次的相互作用は C8 や C18 よりも高い．

一方，スチレン－ジビニルベンゼン共重合体は代表的なポリマー系担体であり，無極性相互作用はポリマー自身の疎水性に基づく．このポリマー系担体に親水基の化学修飾や親水性モノマーを共重合させることで極性物質の捕捉も可能になる．また，ポリマー系担体はシリカゲル系担体よりも単位重量当たりの捕捉容量が大きいことから，最近ではシリカゲル担体よりもポリマー系担体の方がよく用いられるようになっている．

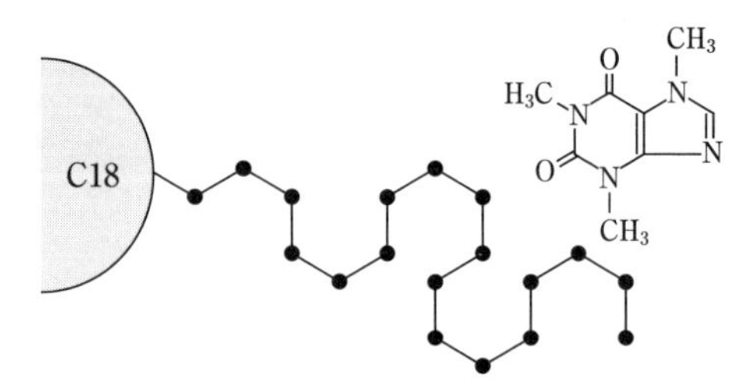

図 8. 14　無極性相互作用

3) イオン交換固相（静電気的相互作用）

担体はシリカゲルや合成高分子にイオン交換基を導入したもので，導入するイオン交換基の種類によって選択性を持たせることができる．強陽イオン交換体にはスルホ基が，弱陽イオン交換体にはカルボキシ基が導入されている．一方，強陰イオン交換体には4級アミンが，弱陰イオン交換体には1級または2級のアミンがそれぞれ導入されている．イオン交換体による捕捉能は強いイオン性相互作用（静電気的相互作用）によるため，他の相互作用より高い．

イオン交換相互作用は試料溶液の pH やイオン強度などによって捕捉と溶出をコントロールすることができる．

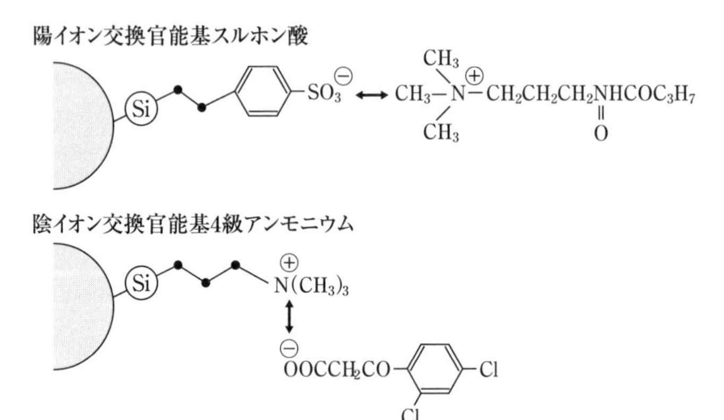

図 8. 15　静電気的相互作用

4) 混合（Mixed-mode）**固相**

無極性相互作用とイオン交換相互作用を有する固相が混合固相で，複数の相互作用が目的物質の保持に関与するため，夾雑成分が複雑な試料の精製に有効である．ポリマー系担体にイオン交換基を導入したイオン交換担体はポリマー自身の疎水性に基づく無極性相互作用と導入したイオン交換基によるイオン交換相互作用を有する代表的な混合固相である．

5) キレート樹脂

有機ポリマーなどの担体に錯生成能（キレート形成能）を有する官能基を化学結合させた固相で，配位結合により目的成分を捕捉する．イミノ二酢酸（IDA）型，ニトリロ三酢酸（NTA）型，ポリアミノカルボン酸型，*N*−メチルグルカミン型などが代表的なキレート樹脂である．キレート樹脂を用いた固相抽出法は上水試験法，環境省の環境基準，日本産業規格（JIS）などの公定法にも採用されている．キレート樹脂については8. 4. 3. に詳しく記載した．

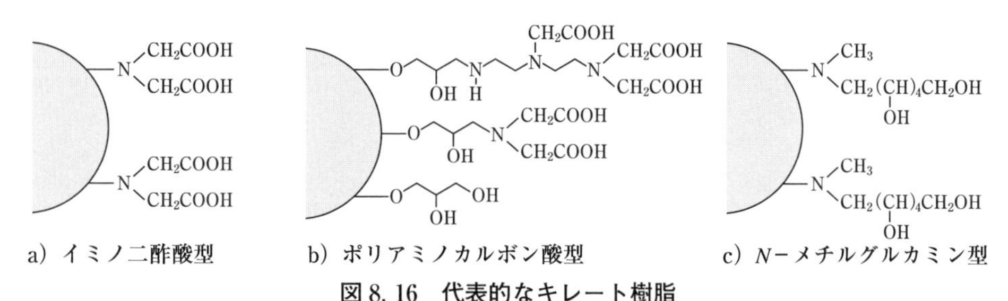

図8. 16　代表的なキレート樹脂

古庄 義明 他，分析化学，57(12), p.969(2008). より作成

6）高選択性（分子認識）**固相**

クラウンエーテルなどの大環状化合物は環状半径が対象元素のイオン半径とほぼ等しい場合に高い親和性を示す．この性質を利用して分子認識が可能になる．このような環状官能基を導入した固相は特定の分子構造を有する目的物質を高い選択性をもって捕捉することができる．

イオン交換反応および錯生成反応を用いた分離濃縮については次項8. 4で詳しく述べる．実際の固相抽出ではこれらの捕捉機構が同時に作用する場合もある．例えば，イオン交換樹脂はスチレンジ-ビニルベンゼン共重合体にイオン交換基を導入して静電気的相互作用により目的成分を捕捉しようとするものであるが，実際にはスチレンジ-ビニルベンゼン共重合体自身の疎水性相互作用の発現も無視できない．その他，シアノプロピル基ではシアノ基による静電気的相互作用とプロピル基による疎水性相互作用が，化学修飾シリカゲルでは結合した官能基の他にシリカゲル自身のシラノール基による静電気的相互作用がそれぞれ考えられる．このような複数の捕捉機構の発現は目的成分の捕捉に有効に作用する場合もあるが，逆に選択性を失う場合もある．

そのような場合は反応に関与しない特定の官能基を化学処理により潰す（エンドキャップ）処理を行う．

8. 3. 4　固相抽出法の新展開

1）固相マイクロ抽出法（solid phase micro extraction：SPME）

固相抽出法をより小型化した方法に固相マイクロ抽出法（SPME）がある．SPMEではサンプリングから目的成分の抽出，濃縮，クロマトグラフ法などの分析機器への導入が簡便に行える．装置の概略を図8. 19に示す．マイクロシリンジの針の中にポリジメチルシロキサンやポリアクリレートなどの固相抽出剤を被覆した溶融シリカファイバーやビニルベンゼンファイバーを内蔵したデバイスである．試料溶液の入ったビンのゴム製の蓋に針を差し込み，プランジャー操作により，固相抽出剤で被覆されたファイバー部を試料溶液またはヘッドスペースに露出させる．試料溶液に露出させる直接浸漬法は環境水などのような比較的きれいな水試料に適用され，試料マトリックスに直接接触しないヘッドスペース法は，食品や生体試料，汚染の著しい水試料などの分析に適用される．ただし，ヘッドスペース法では目的成分がある程度の蒸気圧を持つ必要がある．

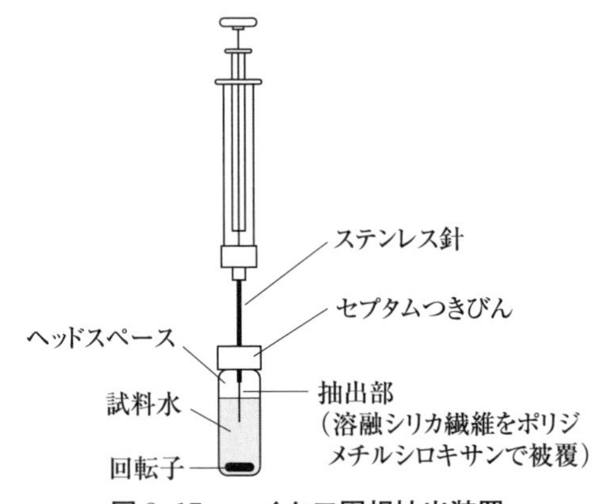

図 8. 17　マイクロ固相抽出装置

目的成分は液固分配平衡または気固分配平衡により固相抽出剤で被覆されたファイバー部に捕捉される．ファイバー部は針の中に収納後，針をビンから抜き，そのままガスクロマトグラフ（GC）の気化室で目的成分を昇温により脱離させてキャリアーガスにより GC カラムに導入するか，耐圧脱離チャンバー内で目的成分を溶媒または移動相に脱離して高速液体クロマトグラフ（HPLC）カラムに導入し，目的成分の分析を行う．SPME はファイバーが繰り返し使える，自動化が容易などの優れた特徴を有している．固相抽出剤の選択は非常に重要であり，極性の低い固相抽出剤を被覆したファイバーは無極性物質に有効である．また，試料溶液への塩の添加，試料溶液の加温やかき混ぜは目的成分と固相の分配係数を高め，さらには，分配平衡に達する時間を短縮することができる．

最近では，数 μL の試料溶液に極微小の金ナノ粒子を添加して抽出を行い，遠心分離により固相を回収する固相ナノ抽出（solid phase nano extraction）などの新しい抽出法も提案されている．

2）その他の固相抽出法

その他の固相抽出法としては，撹拌に用いる回転子，容器やチューブの内壁に目的成分を捕捉するスターバー抽出法（stir bar sorptive extraction：SBSE），インチューブ固相マイクロ抽出法（in-tube solid phase miro extraction：in-tube SPME）なども行われている．SBSE はポリジメチルシロキサン（PDME）を被覆した回転子を試料溶液中でかき混ぜて目的成分を捕捉後，水中から取り出し，SPME と同様に目的成分の脱着を行う方法であるが，SBMEでは特別な加熱脱着装置を必要とするために抽出から装置への導入の自動化は困難である．

SBSEではPDMEを回転子に被覆したが，PDMEをバイアル瓶の内壁に被覆したバイアル抽出法（vial wall sorptive extraction：VWSE）は大量のPDMSのコーティングが可能であり，微量な試料にも適用可能である．操作はバイアル瓶に試料溶液を添加し，振とうするだけで分析目的成分を効率よく抽出・濃縮できる．また，各種機器分析への導入もできるため，自動化も可能である．

一方，In-tubeSPMEはGCのキャピラリーカラムを抽出デバイスとし，カラム内壁の固定相で目的成分を抽出する方法である．SPMEでは固相抽出剤を被覆したファイバー部を試料溶液やヘッドスペースに露出して目的成分を抽出するのに対し，In-tube SPMEでは試料溶液の流れの中で抽出，脱離が行われる．カラム固定相に捕捉された目的成分を脱離する方法には，移動相の流れの中で脱離するダイナミック法と外部から別の溶離液を注入して脱離させるスタティック法の2つがある．

3) 自動化分析（オンライン分析）

カラム法による固相抽出法では加圧や吸引などによりカラムに試料溶液や溶離液を通液するが，ポンプなどを用いて通液する自動化も行われている．また，カラムスイッチング方式を取り入れて，高速液体クロマトグラフィー（HPLC）と結合したSPE/HPLC分析システムも開発されており，生体試料や医薬品などの分析に応用されている．前述のSPMEやIn-tube SPMEなどはすでに自動化が行われており，特に，In-tube SPMEはそのGCキャピラリーカラムをHPLCのオートサンプラーとインジェクションニードルの間に装着することで，簡単にオンライン分析装置が構築できる．

4) 直接測定法

固相抽出法では試料溶液に吸着体を投入して目的成分を捕捉後，吸引濾過などにより固相と液相を分離し，少量の溶離液を用いて目的成分を固相から溶離させる方法（バッチ法）と吸着体をカラムに詰めて試料溶液を通液して目的成分を捕捉した後，少量の溶離液を用いて目的成分を溶出させる方法（カラム法）が通常の分離濃縮であり，得られた溶離液中の目的成分の濃度を吸光光度法や原子吸光分析法などにより測定する．しかし，最近では，目的成分を捕捉した固相を直接または溶離操作を伴うことなく少量の溶液に分散させて電気加熱式原子吸光分析法に供する，すなわち，固相や分散液の一部を黒鉛炉やメタル炉に直接導入する方法も行われている．

8.4　イオン交換

8.4.1　イオン交換

古くから硬水や海水などを砂や土壌に通すと軟水化や脱塩が起こり，飲料水として使用できることが知られていた．19世紀，イギリスのトンプソン（H. S. Thompson）らは土壌に硫酸アンモニウムの水溶液を通じたところ，ほとんどのアンモニウムイオンが土壌に吸着され，その代わりに土壌からカルシウムイオンが溶出されることを見出した．これがイオン交換に関する最初の化学的記録である．このように，電解質（イオン）を含む水溶液に不溶性の固体（固相）を入れたとき，この固相の中に静電気的に保持されているイオンが，水溶液中のイオンと可逆的に交換する現象をイオン交換（ion exchange）という．

この現象を利用して，溶液中の不要なイオンを固相に取り込んだり，微量のイオンを濃縮して取り出したりする方法を一般にイオン交換法（ion exchange method）といい，物質の分離，濃縮に有効である．固相のうち，陽イオンを交換できるものを陽イオン交換体（cation exchanger），陰イオンを交換できるものを陰イオン交換体（anion exchanger）という．

イオン交換反応は次のように示すことができる．

（陽イオン交換）　$R-M^-A^+ + B^+ \rightleftarrows R-M^-B^+ + A^+$

（陰イオン交換）　$R-M^+A^- + B^- \rightleftarrows R-M^+B^- + A^-$

ここで，$R-M^-A^+$ は陽イオン交換体，$R-M^+A^-$ は陰イオン交換体を示し，R は固相（樹脂：resin）を示す．M^- および M^+ はイオン交換体自体に結合した不溶性のイオンで固定イオン（fixed ion）という．また，固定イオンと反対の電荷符号を持つイオンは対（たい）イオン（counter-ion）といい，固定イオンと同じ符号の電荷を持つイオンを共通イオン（co-ion）という．

イオン交換反応ではイオン交換体（固相）と溶液相との間で常に電気的中性が保たれていることから，A^+ と B^+ または A^- と B^- が当量で交換される可逆反応であるといえる．

8.4.2　イオン交換平衡

1）イオン交換平衡と分配係数

イオン交換反応はイオン交換体中のイオンと溶液中のイオンの交換による分配平衡といえる．ここでは，陽イオン交換を例にとり，イオン交換平衡について説明する．なお，陰イオン交換も同様に考えることができる．

陽イオン交換樹脂中の A^{a+} イオンと溶液中の B^{b+} イオンの交換反応は下記のように示すことができる．

$$b(R-M^-)_aA^{a+} + aB^{b+} \rightleftarrows a(R-M^-)_bB^{b+} + bA^{a+}$$

ここで，R－M⁻は固定イオンを含むイオン交換体を示す．この平衡の熱力学的平衡定数は下式（8.41）で与えられる．なお，上付きバーは交換体相を，ないものは溶液相の活量を示す．選択係数（$K_{\mathrm{A}}^{\mathrm{B}}$）はBイオンのAイオンに対する選択性を示す．$a=b$のとき，$K_{\mathrm{A}}^{\mathrm{B}}$が1より大きければBイオンの方がAイオンよりもイオン交換体に優先的に吸着されることを意味する．

$$K_{\mathrm{A}}^{\mathrm{B}} = \frac{\bar{a}_{\mathrm{B}}{}^{a} a_{\mathrm{A}}{}^{b}}{\bar{a}_{\mathrm{A}}{}^{b} a_{\mathrm{B}}{}^{a}} \tag{8.41}$$

式（8.41）の活量を濃度で表したものを選択係数（selectivity coefficient）という．例えば，活量をそれぞれ，モル濃度c，重量モル濃度m，当量分率xで示すと以下のようになる．なお，Aイオンの当量分率（x_{A}）は1つの相におけるAイオンとBイオンの物質量（mol）をそれぞれn_{A}，n_{B}とすると，$x_{\mathrm{A}} = an_{\mathrm{A}}/(an_{\mathrm{A}} + bn_{\mathrm{B}})$で与えられる．

$$^{c}K_{\mathrm{A}}^{\mathrm{B}} = \frac{\bar{c}_{\mathrm{B}}{}^{a} c_{\mathrm{A}}{}^{b}}{\bar{c}_{\mathrm{A}}{}^{b} c_{\mathrm{B}}{}^{a}} \qquad ^{m}K_{\mathrm{A}}^{\mathrm{B}} = \frac{\bar{m}_{\mathrm{B}}{}^{a} m_{\mathrm{A}}{}^{b}}{\bar{m}_{\mathrm{A}}{}^{b} m_{\mathrm{B}}{}^{a}} \qquad ^{x}K_{\mathrm{A}}^{\mathrm{B}} = \frac{\bar{x}_{\mathrm{B}}{}^{a} x_{\mathrm{A}}{}^{b}}{\bar{x}_{\mathrm{A}}{}^{b} x_{\mathrm{B}}{}^{a}}$$

選択係数は一定条件下でのイオンの選択性を示すものであり，条件が変われば変化する．

実験的には選択性を示す際には次式で示される分離係数（$\alpha_{\mathrm{A}}^{\mathrm{B}}$）を用いる場合が多いが，基本的な考えは選択係数（$K_{\mathrm{A}}^{\mathrm{B}}$）と同じである．

$$\alpha_{\mathrm{A}}^{\mathrm{B}} = \frac{\bar{c}_{\mathrm{B}}{}^{a} c_{\mathrm{A}}{}^{b}}{\bar{c}_{\mathrm{A}}{}^{b} c_{\mathrm{B}}{}^{a}} = \frac{\bar{m}_{\mathrm{B}}{}^{a} m_{\mathrm{A}}{}^{b}}{\bar{m}_{\mathrm{A}}{}^{b} m_{\mathrm{B}}{}^{a}} = \frac{\bar{x}_{\mathrm{B}}{}^{a} x_{\mathrm{A}}{}^{b}}{\bar{x}_{\mathrm{A}}{}^{b} x_{\mathrm{B}}{}^{a}}$$

一方，イオン交換平衡も溶媒抽出法と同様に分配係数（K_{D}）で表すことができる．

$$K_{\mathrm{D}} = \frac{\text{イオン交換体中に捕捉された目的イオンの量}(\mathrm{meq \cdot g^{-1}})}{\text{溶液中の目的イオンの濃度}(\mathrm{meq \cdot mL^{-1}})} \tag{8.42}$$

ここで，目的イオン（Bイオン）の濃度が希薄で，しかも交換体中に対イオン（Aイオン）が多量に存在する場合，K_{D}の値は一定になり，定数と見なすことができるが，その条件にあてはまらない場合は濃度に依存して変化する．

$$K_{\mathrm{D}} = \frac{\bar{x}_{\mathrm{B}}}{x_{\mathrm{B}}} = \text{一定}$$

K_{D}は選択係数K_{A}^{B}と同様にイオン交換体が目的イオンを捕捉するときの性能を表す．

2）イオン交換容量

イオン交換体のイオン交換能を示す尺度の1つにイオン交換容量（ion-exchange capacity）があり，交換体の乾燥質量1 gあたりの交換可能なミリグラム当量数（$\mathrm{meq \cdot g^{-1}}$），または水中での交換体の体積1 mLあたりのミリグラム当量数（$\mathrm{meq \cdot g^{-1}}$）で定義される．一般に，陽イオン交換体ではH型，陰イオン交換体では強塩基性のものはCl型，弱塩基性のものはOH型を標準として交換容量を示す．

イオン交換体中の交換可能なイオンの総量，すなわち，交換体内に存在するイオン交換基の総数を総イオン交換容量という．交換するイオンのサイズが大きい場合には，全てのイオン交換基への交換は妨げられる可能性もある．このような場合には実質的なイオン交換容量は総イオン交換容量より低くなる．

H型またはOH型のイオン交換体のイオン交換容量は，酸塩基反応に不活性な塩の存在下での滴定によって容易に測定することができる．H型の強酸性陽イオン交換体を過剰のNaCl存在下でNaOH水溶液を用いて滴定する場合，反応式は次式のようになる．

$$\mathrm{R-M^-H^+ + NaOH \rightleftarrows R-M^-Na^+ + H_2O}$$

この滴定は強酸―強塩基の中和滴定と同様に考えることができ，その滴定曲線は強酸の中和滴定で得られるものと同じ型になる．

m[g] のH型陽イオン交換体から遊離した酸を中和するのに，濃度 x[M] のNaOH水溶液を y[mL] 用いたとき，イオン交換容量（Q）は次式で示される．

$$Q = \frac{xy}{m}[\mathrm{meq \cdot g^{-1}}] \tag{8.43}$$

または，このイオン交換体をカラムに詰め，NaCl水溶液を通液させて，流出してきたHCl溶液をNaOH水溶液で滴定してもイオン交換量を求めることができる（漏出実験）．イオン交換体をカラムに詰め，これにイオン交換する成分を含んだ溶液を連続的に流す．はじめは，溶液中のイオン交換する成分がイオン交換体に捕捉され，その代わりにイオン交換体から交換された対イオンが流出するが，飽和状態になると，溶出液にはイオン交換されなかった成分がそのまま流出（漏出）してくる．このときの流出液量と濃度の関係は図8.18のような曲線になり，この曲線を破過曲線（break through curve）という．溶出液にその成分が出てくる直前（破過点：break through point）までに捕捉された成分の量を破過交換容量（break through capacity）といい，abcdの面積に相当する．また，総交換容量はabedの面積に相当する．単位は $\mathrm{meq \cdot g^{-1}}$ または $\mathrm{meq \cdot mL^{-1}}$ である．破過交換容量は濃度と流量にかなり依存する．なお，この方法はイオン交換体以外の固相抽出剤にも摘用できる．

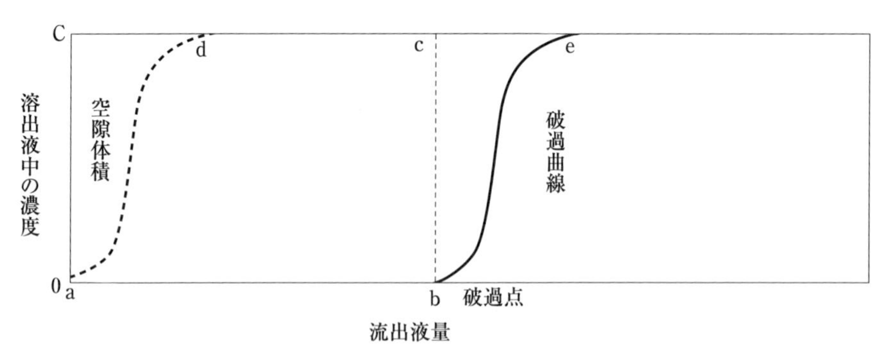

図8.18　ブレークスルー（破過）曲線

化学同人「基礎分析化学」今泉洋他

3）イオン交換の選択性

イオン交換体がどのようなイオンを選択的に交換するかは，イオン交換体の構造や性質，溶液の組成や各イオンの性質およびイオン強度などが関係し，種々の条件によって異なることが多いので，ここでは，一般的な傾向について記す．

（a）　電荷の大きいものほど，イオン交換体への親和性が強いため，強く捕捉される傾向がある．

$$Th^{4+} > Al^{3+} > Ca^{2+} > Na^{+}$$

$$SO_4^{2-} > Cl^{-}$$

この傾向は溶液の濃度が希薄であるほど著しく，濃度が高くなるとその差は小さくなる．

（b）　同じ電荷のイオンでは，Li^{+} や Mg^{2+} などのように強く水和しているイオン（構造形成イオン）ほどイオン交換体に捕捉されにくい傾向を示し，水和の程度が小さい（裸のイオンのイオン半径が大きい）ほど強く捕捉される傾向がある．以下にイオン価数ごとのイオン交換体への捕捉されやすさを示す．

一価陽イオン：$Tl^{+} > Ag^{+} > Cs^{+} > Rb^{+} > K^{+} > NH_4^{+} > Na^{+} > H^{+} > Li^{+}$

二価陽イオン：$Ba^{2+} > Pb^{2+} > Sr^{2+} > Ca^{2+} > Mn^{2+} > Be^{2+} > Ni^{2+} >$
$Cd^{2+} > Cu^{2+} > Co^{2+} > Zn^{2+} > Mg^{2+}$

三価陽イオン：$Ac^{3+} > La^{3+} > Ce^{3+} > Pr^{3+} > Nd^{3+} > Tm^{3+} > Yb^{3+} > Lb^{3+} > Sc^{3+} > Al^{3+}$

一価陰イオン：$SCN^{-} > ClO_4^{-} > I^{-} > NO_3^{-} > Br^{-} > Cl^{-} > CH_3COO^{-} > OH^{-} > F^{-}$

4）イオン交換速度

イオン交換反応は固相と液相の異相間反応であるので，その反応速度はイオンの拡散速度にかなり依存する．平衡になるまでの過程は以下のように考えられる．

（a）　イオン交換体の境膜（粒子表面）への溶液内（対象）イオンの拡散（境膜内拡散）

（b）　対象イオンのイオン交換体粒子内への拡散（交換体粒子内拡散）

（c）　イオン交換粒子内のイオンと対象イオンの交換（交換反応）

（d）　イオン交換体粒子内から境膜（粒子表面）への交換されたイオンの拡散（交換体粒子内拡散）

（e）　境膜（粒子表面）から溶液への交換されたイオンの拡散（溶液内拡散）実際のイオン交換速度は交換されるイオンの種類，イオン交換体の粒径，溶液の濃度，架橋度や膨潤度（有機イオン交換体の場合）などの影響を受けるために複雑である．

8.4.3　イオン交換体

1）無機イオン交換体

8.4.1に記したように，イオン交換が認められた最初は土壌の示す水質浄化作用である．その後，ドイツのガンズ（Gans）がアルミノケイ酸塩からなるイオン交換体（合成ゼオライト）を合成し，水の軟化に成功した．現在では有機性のイオン交換体（イオン交換樹脂）が主流であるが，歴史的には無機イオン交換体の研究が先である．

無機イオン交換体には，モンモリロナイトなどの粘土鉱物のような天然物と合成アルミノケイ酸塩（合成ゼオライト），金属水酸化物やシリカゲルなどの合成物がある．一般に，無機イオン交換体は有機イオン交換体に比べて耐熱性に優れており，100 ℃以上の高温でもイオン交換が可能なものも多い．さらに，有機溶媒や酸化剤などにも安定，放射線分解に対する抵抗力も大きいなどの優れた特徴を持つ．イオン交換特性についても，ある特定のイオンに高い選択性を有するものも多く，無定形のアルミノケイ酸ナトリウム型の交換体は Cs^{+} や Sr^{2+} に対して特異的な選択性を示すことから，使用済原子炉燃料を含むような強放射性溶液からの放射性化学種の除去などに使用されている．

その他にも，シリカゲル（陽イオン交換），酸化アルミニウム（陰イオン交換），酸化鉄（Ⅲ）（陽イオン交換），酸化チタン（陽イオン交換），リン酸ジルコニウム（陽イオン交換），ヘテロポリ酸塩（陽イオン交換）などが無機イオン交換体として知られている．

しかし，無機イオン交換体は有機イオン交換体に比べ，調製条件によって，その特性が変化しやすく，イオン交換容量が有機イオン交換体に比べて小さい，酸や塩基に弱いものもあるなどの欠点がある．

2）有機イオン交換体

最初の有機イオン交換体はイギリスのアダムス（Adams）とホルムス（Holmes）がつくったフェノールとホルムアルデヒドの縮合体およびアニリンとホルムアルデヒドの縮合体であった．現在ではスチレンとジビニルベンゼン（DVB）の共重合体を樹脂の基本骨格としたイオン交換樹脂が主流である（例：図8. 21）．この共重合体に導入するイオン交換基（官能基）の違いによって，陽イオンを交換する陽イオン交換樹脂や陰イオンを交換する陰イオン交換樹脂（例：図8. 21）になる．これらは微細孔を有する三次元網目構造を持ち，ゲル型イオン交換樹脂と呼ばれる．このイオン交換樹脂では架橋度は重要な因子の1つであり，架橋度の高いものは強度的に優れている．低いものはイオン交換速度が速いが，柔らかく，圧力や浸透圧変化によって膨潤し，体積が変化しやすいなどの欠点がある．

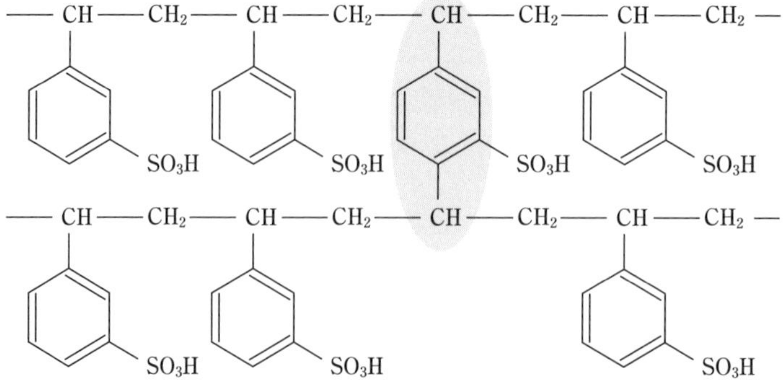

―CH―CH_2―CH―CH_2―CH―CH_2―CH―CH_2―

SO_3H　SO_3H　SO_3H　SO_3H

―CH―CH_2―CH―CH_2―CH―CH_2―CH―CH_2―

SO_3H　SO_3H　SO_3H

図8. 19　スチレン―ジビニルベンゼン共重合体を基材とする強酸性陽イオン交換樹脂の構造

図中の影をつけた部分はジビニルベンゼンによる架橋部を示す．

有機イオン交換体にはスチレン－ジビニルベンゼン共重合体の他にもセルロースイオン交換体などがある．セルロースイオン交換体は架橋構造を持たず，交換基が鎖状分子の表面に存在するため，比較的分子サイズの大きな分子が容易に交換基に接触できるので，生体成分の分離などに用いられている．

最近では，金属とキレートを形成するような交換基を導入して，特定の金属イオンに高い選択性を持たせたキレート樹脂も多数開発されている．

以下に各イオン交換樹脂の特性を記す．なお，式中のRはイオン交換体の基本骨格を示す．

（a）強酸性陽イオン交換樹脂

スルホ基（$-SO_3H$）を交換基とする．スルホ基は解離性が強く強酸性である．酸性でも塩基性でも解離して陰イオンになるため，広いpH領域で陽イオン交換能を示す．

$$R-SO_3H \rightleftarrows R-SO_3^- + H^+$$

（b）弱酸性陽イオン交換樹脂

カルボキシ基（$-COOH$），ホスホン基（$-PO_3H_2$），フェノール基（$-OH$）などの弱酸を交換基とする．これらは解離定数があまり大きくないため，酸性領域では解離しないのでイオン交換性を示さないが，中性または塩基性では陽イオン交換能を示す．

$$R-COOH \longrightarrow R-COO^- + H^+$$

$$R-PO_3H_2 \longrightarrow R-PO_3^{2-} + 2H^+$$

$$R-OH \longrightarrow R-O^- + H^+$$

（c）強塩基性陰イオン交換樹脂

第四級アンモニウム基（$-\overset{+}{N}X_3$）を交換基とする．第四級アンモニウム基は解離性が強く強塩基性である．酸性でも塩基性でも解離して陽イオンになるため，広いpH領域で陰イオン交換能を示す．ここで，X_3のXはアルキル基を示す．

$$R-NX_3OH \longrightarrow R-NX_3^+ + OH^-$$

たとえば，$X=-CH_3$　のとき，

$$R-N(CH_3)_3OH \longrightarrow R-N(CH_3)_3 + OH^-$$

（d）弱塩基性陰イオン交換樹脂

第一級アミン（$-NH_2$），第二級アミン（$-NHX_1$），第三級アミン（$-NX_1X_2$）などの第三級以下のアミンを交換基とする．アミノ基（$-NH_2$）を例に示すと以下のようになる．アミノ基は中性および酸性領域でプロトン化して陰イオン交換能を示すが，そのプロトン化は弱いため，塩基性溶液ではイオン交換能を示さない．

$$R-NH_2 + H_2O \longrightarrow R-NH_3^+ + OH^-$$

（e）キレート樹脂

イオン交換樹脂が主に静電気的引力で対イオンを交換吸着するのとは別に，金属と配位結合して金属キレートを形成するような交換基を持つイオン交換樹脂をキレート樹脂という．キレート樹脂は特定の金属イオンに対して強い親和性を有するので，多種の金属イオンを含む溶液中から特定の金属イオンを選択的に捕捉することができる．イミノ二酢酸基（$-CH_2N(CH_2COOH)_2$），ポリエチレンポリアミン基（$-(C_2H_4NH)_nH$），ジチオカルバメート基（> NCSSH），チオール基（$-SH$）などが代表的な交換基である．イミノ二酢酸型キレート樹脂ではカルボキシ基の酸素とイミノ基の窒素が金属イオンに配位して金属キレートを形成する．したがって，金属イオンの親和力の大きさはイミノ二酢酸錯体の生成定数の大きさの順序に類似している．実際の選択性の順序はイオン強度や液性によっても変わるが，おおよそ $Cu^{2+} > Hg^{2+} > Pb^{2+} > Fe^{3+} > Al^{3+} > Cr^{3+} > Ni^{2+} > Zn^{2+} > Co^{2+} > Cd^{2+} > Mn^{2+} > Ba^{2+} > Ca^{2+} > Na^{+}$ である．

代表的なイオン交換樹脂を表8.2に示す．

表8.2　各種イオン交換樹脂と性質

イオン交換樹脂の種類	交換基	適当なpH範囲	交換容量 meq/mL	市販品の例	樹脂基体のタイプ
強酸性陽イオン交換樹脂	$-SO_3H$	0～14	1.9	ダイアイオン SK-1	ゲル型（スチレン系）
		0～14	1.4	Dowex 50W	ゲル型（スチレン系）
弱酸性陽イオン交換樹脂	-COOH	0～14	1.9	Amberlite IR120B	ゲル型（スチレン系）
		5～14	2.8	ダイアイオン WK10	ポーラス型（メタクリル系）
		5～14	4.1	Dowex CCR2	ポーラス型
		5～14	3	Amberlite IRC50	ポーラス型（メタクリル系）
強塩基性陰イオン交換樹脂	$-N(CH_3)_3Cl$	0～14	1.3～1.7	ダイアイオン SA100	ゲル型（スチレン系）
		0～14	2	Dowex1	ゲル型（スチレン系）
		0～14	1.4	Amberlite IRA400	ゲル型（スチレン系）
弱塩基性陰イオン交換樹脂	$-N(CH_3)_2$	0～9	2.5	ダイアイオン WA20	ポーラス型（スチレン系）
		0～7	1.8	Dowex66	ポーラス型
		0～9	1.6	Amberlite IRA67	ゲル型（アクリル系）
キレート樹脂	$-CH_2N(CH_2COOH)_2$	1～5	0.5*	ダイアイオン CR10	ポーラス型（スチレン系）
		1.5～14	0.8	Amberlite IRC718	ポーラス型（スチレン系）
		1.5～14	0.4	Bio·Rad Chelex100	ゲル型（スチレン系）

*　Cu^{2+} mmol mL^{-1}．（小熊幸一他「基礎分析化学」朝倉書店）

3）イオン交換繊維・キレート繊維

最近では，PVA（ポリビニルアルコール）やポリプロピレン，ポリエチレンなどを繊維状に加工し，これらにイオン交換基やキレート基を導入したイオン交換繊維やキレート繊維などの新しい固相抽出剤が開発されている．これらの固相抽出剤は基本骨格が繊維であるために，今までの樹脂に比べて，イオン交換速度が速い，再生効率が高い，取り扱いが簡単などの特徴を有している．

8.4.4　イオン交換反応の応用

微量成分の濃縮，機器による測定前の妨害イオンの除去，排水処理，海水の淡水化，水の軟水化など，イオン交換法は工業的にも広く使われている．

その他，イオン交換反応は無機イオンの分離だけでなく，アミノ酸やタンパク質などの生体物質は水溶液中で電荷を持っていることが多いので，有機化合物の分離にも適用できる．

8.5　膜を使った分離

8.5.1　膜分離

液体や気体の中に含まれている粒子や溶液中に含まれる物質の濾過や濃縮，精製にさまざまな膜が用いられている．このように膜を用いた分離を膜分離（membrane separation）といい，この膜分離プロセスに使用される膜を分離膜（separation membrane）という．膜を用いた分離は広い分野で日常的に行われており，その目的は目的成分を膜内に留めるか透過させるかである．特に，分子量の大きな物質と小さな物質の混合溶液から分子量の小さな物質を透過させて取り除く方法を透析という．その分離機構は主に粒子サイズによる“分子ふるい”である．膜を用いて試料中の成分を分離するためには何らかの推進力が必要である．表 8.3 にその推進力と被分離成分を示すが，一般的な膜分離では圧力差を推進力にする場合が多い．なお，表 8.4 には膜の孔径による分離膜の種類を示した．

ここでは，水処理分野を中心に分離膜の分類について記す．

表 8.3　膜分離現象の分類

移動物質 / 推進力	溶　質	溶　媒
濃度差	透　析	浸　透
電位差	電気透析	電気浸透
圧力差	圧(力)透析	精密濾過 限外濾過 逆浸透
温度差	熱透析	熱浸透

表 8.4　孔径による分離膜の種類

	分離粒径と分子量	操作圧力	透過物質	阻止される粒子例	応用例
濾紙	> 数 μm 程度	減圧～200 kPa	溶液，コロイド，懸濁粒子	結晶性沈殿や粗大粒子などの目に見える粒子	固液分離
MF 膜	100 nm～10 μm	減圧～200 kPa	溶液，溶解物質	細菌類，微生物，コロイド	除菌，上水
NF 膜	1～2 nm （分子量約 200～1000）の範囲のより小さな粒子などを阻止する膜	減圧～200 kPa	溶液，溶解物質	多価イオン，低分子量化合物	果汁濃縮，上水
UF 膜	2～100 nm （分子量約 1000 以上）の範囲の粒子などを阻止する膜	減圧～1 MPa	低分子溶液，塩水溶液	タンパク質，ウィルス，巨大分子	果汁や乳製品の濃縮，伝送塗料の回収
RO 膜	< 2 nm （分子量 100 以下程度），加圧により浸透圧差と逆方向に溶媒が移動できる膜	1～10 MPa	水	1 価イオン，無機塩類，各種分子類	海水の淡水化，純水製造，医薬用水の製造

1）孔径および膜構造による分類

一般的な固液分離には濾紙やガラスフィルターが用いられるが，水処理分野で利用される分離膜には，精密濾過膜（MF：microfiltration membrane），限外濾過膜（UF：ultrafiltration membrane），ナノ濾過膜（NF：nanofiltration membrane），逆浸透膜（半透膜）（RO：reverse osmosis membrane）の 4 種類がある．

また，膜構造は対称膜と非対称膜に分けられ，対称膜は膜断面の構造が均一な膜であり，非対称膜は断面の構造が不均一で，スキン層と呼ばれる分離機能を担う厚さの薄い緻密層とそれを支える支持層とから構成される．RO 膜は代表的な非対称膜である．

2) 膜素材による分類

分離膜の材質は大きく有機膜と無機膜とに分けられる．有機膜にはポリエチレン，ポリプロピレン，酢酸セルロースなどが，無機膜にはアルミナ系，シリカ系，ゼオライト系などがある．

その他，PTFE poly(tetrafluoroethylene)：テフロン)，PVDF(Poly(vinylidene fluoride)，PE(ポリエチレン)，PP(ポリエチレン，ポリプロピレン)，ポリスルホン，ポリエーテルスルホンなどの高分子も良く使われ，特にポリスルホンおよびポリエーテルスルホンは限外濾過膜，逆浸透膜の支持層としてよく使われている．

実際の製品の製造としてはこれらを混合，共重合，置換基の導入などの各種調整を行い，分離能の向上，多孔質構造の構築，溶媒への溶解性の調製，耐熱性および耐久性の向上を図る．

3) その他の分離膜

（a）イオン交換膜（ion exchange membrane）

陽イオンもしくは陰イオンのみを選択的に通す膜をイオン交換膜という．イオン交換膜はイオン交換樹脂を多孔質膜にしたもので，スチレンとジビニルベンゼンを共重合して作成される．得られたこのポリスチレン樹脂を膜厚み100から200 μm，イオンが通過する細孔径が1 nm(分画分子量300）程度となるように製膜する．これを濃硫酸でスルホン化することで細孔内に固定された陰イオンを持つ陽イオン交換膜が作成される．一方，陰イオン交換膜は基材をアミノ化して，固定された陽イオンを導入することで作成される．陽イオンのみを選択的に透過させる膜を陽イオン交換膜，陰イオンのみを選択的に透過させる膜を陰イオン交換膜という．イオン交換膜は脱塩処理や食塩の製造，苛性ソーダの製造に使われる．その概略図を図8.22に示す．海水が入った槽に陽イオン交換膜と陰イオン交換膜を交互に並べ，その両端に電極を置き電圧をかけると，陽イオンであるNa^+は陰極へ，陰イオンであるCl^-は陽極へ移動する．しかし，Na^+は陽イオン交換膜を透過できるが陰イオン交換膜は透過できないためにその手前の槽に留まる．同様に，Cl^-は陰イオン交換膜を透過できるが陽イオン交換膜は透過できないためにその手前の槽に留まる．よって，隣り合った交互の部屋で濃縮塩水と淡水を得ることができる．この方法を電気透析法（electro-osmosis）という．

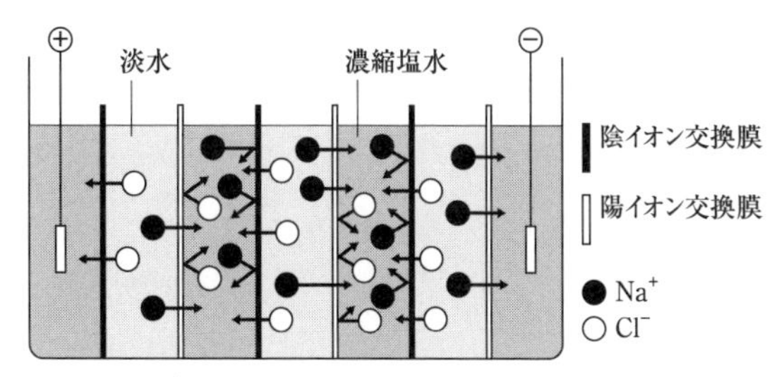

図8.20 イオン交換膜を用いた電気透析法による淡水，濃縮塩水製造の原理

（b）ガス分離膜（gas separation membrane）

気体分子の大きさや移動速度差，もしくは気体分子の溶解度および膜中の拡散速度差を利用してガス成分を分離する膜をガス分離膜という．二酸化炭素とメタンの分離，酸素富化，水素分離などに応用されている．

（c）透析膜（dialysis membrane）

透析法に使われる膜を透析膜という．透析膜は圧力をかけないために薄く作られており，細孔径はUF膜やRO膜まで各種のものがある．

（d）ゼオライト膜（zeolite membrane）

ゼオライト膜は他の無機膜には見られない「ふるい特性」を有する膜である．実用に耐えられる強度を持ちながら薄膜化するために，アルミナやジルコニアなどの多孔質な支持体に成膜される．

8.6　共沈殿を利用する分離

8.6.1　共沈法

沈殿法は試料溶液に沈殿剤を加えて目的成分を水酸化物などの沈殿として析出させた後，濾過などにより分離する方法である（第7章参照）．しかし，目的成分が100万分の1（ppm），10億分の1(ppb）などの溶解度以下の極低濃度の場合は定量的に沈殿させることができない．このような場合に，それ自身が沈殿する際に，微量の目的成分が一緒に沈殿するような沈殿試薬を用いて目的成分も同時に定量的に沈殿させ，他成分と分離することができる．このような操作を共沈法といい，用いる試薬を共沈試薬という．通常，共沈現象は沈殿法においては沈殿汚染の原因として問題になるが，極微量成分の濃縮分離法としては有効な方法である．目的成分が共沈法により濃縮される機構としては，共沈剤により生成した沈殿（難溶性化合物）に微量成分が捕捉される吸着と沈殿が生成する際に目的成分を取り込む吸蔵がある．生成する沈殿は，(1) 少量で迅速かつ定量的に沈殿する，(2) 母液からの沈殿の分離が容易，(3) 共沈捕捉後の目的成分の定量に妨害とならない，(4) 目的成分に対して選択性が高いなどの性質を有することが望ましい．

共沈剤には鉄やジルコニウム，ハフニウムなどの水酸化物，銅などの硫化物，リン酸ガリウムや二酸化マンガンなどの無機化合物，ピロリジンジチオカルバミン酸（DDTC），ジメチルグリオキシム，オレイン酸ナトリウムなどの有機試薬が用いられている．表8.5に共沈捕集の例を示す．

表 8.5　共沈捕集の例

捕集沈殿	捕集される主な元素
水酸化鉄（Ⅲ）	Cr, Mn, Zn, As, Cd, Al, Ti, V, Co, Ni, Ge, Se, Zr, Mo, Ru, Rh, Sn, Te, W, Ir, Pt, Tl, Bi, Th, U
水酸化アルミニウム	Cr, Fe, Zn, Be, Ti, V, Co, Ni, Ga, Ge, Zr, Nb, Mo, Ru, Rh, Sn, La, Eu, Hf, W, Ir, Pt, Bi, U
水酸化マンガン（Ⅳ）	Cr, Fe, Al, Mo, In, Sn, Sb, Au, Tl, Bi, Th, Pa
テルル	Hg, Pd, Ag, Pt, Au
銅-8-キノリノレート	Mn, Fe, Cu, Zn, Cd, Hg, Mg, Al, Ca

8.6.2　浮選

浮選は起泡分離とも呼ばれ，水中の目的成分を界面活性剤やキレート試薬などで疎水化後に多量の微細な窒素や空気などの気泡を送り込み，その表面に目的成分を付着させて液面に浮上分離させる方法である

金属イオンの場合は，適切な共沈剤を用いて目的金属イオンを無機沈殿や有機沈殿として共沈捕捉し，その沈殿の表面電荷と反対の電荷を有する界面活性剤を添加して疎水化させて気泡に吸着させる方法（共沈浮選）と，金属イオンや錯イオンをこれらと反対の電荷を持つ界面活性剤と反応させて疎水性の会合体を形成させ浮選分離する方法(イオン浮選)に大別される．コロイド粒子も反対の電荷を有する界面活性剤を添加して疎水化後，浮選により分離することができる．液面には目的成分を含んだ捕集沈殿層（スカム：溶性皮膜）や泡沫層が生成するので，すくい取るか，浮選セルの半融ガラス板を通じて母液の吸引除去により分離回収する．

8.6.3　マイクロバブル吸着

前述した浮選では窒素や空気などの気泡を用いるが，最近ではより小さなマイクロバブルを用いた分離法が提案されている．マイクロバブルは直径約 1 ～ 100 μm の微細な気泡で，農業，漁業，医療，各種工業，エネルギー関連産業などさまざまな分野で利用されている．ちなみに，直径約 1 μm 以下の極微細な気泡をウルトラファインバブル（旧名称：ナノバブル）と定義する．気泡を使った分離では気泡の表面積が分離効率に大きく影響する．そのため，浮選では多量の界面活性剤の添加により気液界面張力を低下させて気泡のサイズを小さくさせるが，マイクロバブルはもともと微細な気泡であるため多量の界面活性剤を使用する必要がない．気泡の吸着サイトは気泡表面のみである．そのため，液中に分散している全ガス体積が同一のとき，分散している気泡の平均体積が小さいほど全気液接触面積は増大する．液中を浮遊する気相の全体積を V[m^3]，気泡の直径を d_B[m] とすると，気液接触面積 A_B[m^2] は次式で示される．

$$A_B = \frac{6V}{d_B}$$

これより吸着に有効な気泡の面積 A_B は V に比例し，d_B に反比例することがわかる．よって，通常の浮選で使用する気泡に比べて，マイクロバブルはより大きな気液接触面積を有ることから吸着操作に有効であることがわかる．

マイクロバブルは pH 4.0 付近に等電点を有しており，低 pH 領域では正に帯電し，高 pH 領域では負に帯電しているため，帯電性吸着物質の電気的吸着が可能である．また，前述のようにマイクロバブルによる吸着では多量の界面活性剤を使用する必要はないが，少量の界面活性剤の添加によりマイクロバブル表面を改質し，吸着物質の選択性を付与することができる．例えば，陰イオン界面活性剤を添加してマイクロバブルの表面を負に帯電させることで正電荷を有した吸着物質を選択的に吸着させることができる．その他にも，疎水性相互作用も有しているので，疎水性吸着物質の吸着も可能である．

8.7　超臨界流体抽出

物質には気体，液体，固体の３つの状態（物質の三態）が存在するが，気体と液体が識別できなくなる点として臨界点が定義されている．この臨界点の温度は臨界温度，圧力は臨界圧力と呼ばれ，この臨界温度と臨界圧力の領域を超えた状態が超臨界状態であり，この状態の液体は超臨界流体（Supercritical Fluid：SF）と称される．SF は液体の性質と気体の性質を併せ持つ．液体に近い密度と溶解力，特に誘電率が低下するために極性の低い有機化合物を溶解する．粘性は気体に近い値を示し，拡散係数は気体と液体の中間程度の値を示す．表 8.6 に SF，気体，液体の主な物性値を比較した．この表の拡散係数を見ても液体を用いるよりも SF を用いた方が迅速な物質移動（抽出）が行えることがわかる．また，SF の密度は圧力と温度により大きく変化する．溶解度は密度に依存するので，密度を圧力，温度を変化させることで SF の溶解度を制御することができる．なお，拡散係数も温度と圧力の変化により大きく変化する．

表 8.6　気体，液体，超臨界流体の物性比較

物性	気体	超臨界流体	液体
密度（kg/m^3）	0.6～2.0	100～1000	1000
粘度（Ps/s）	10^{-5}	10^{-4}～10^{-5}	10^{-3}
拡散係数（m^2/s）	10^{-5}	10^{-7}～10^{-8}	10^{-9}
熱伝導性（W/m K）	10^{-3}	10^{-1}～10^{-3}	10^{-1}

SF は液液抽出よりも固体試料からの成分の抽出（固液抽出）溶媒として効果的に用いられる．SF による抽出を超臨界抽出法（Supercritical Fluid Extraction：SFE）とよぶ．最近では環境修復などを目的として，汚染土壌からの重金属除去などにも応用されている．SF 抽出で良く用いられるのは超臨界二酸化炭素（$SF-CO_2$）である．$SF-CO_2$ は臨界温度（31.4 ℃），臨界圧力（7.3 MPa）ともに低いので容易に超臨界状態が得られる．二酸

化炭素の状態図を図 8.21 に示す．網目で示した領域が超臨界領域である．また，表 8.7 に種々の物質の臨界温度，臨界圧力を示した．SF − CO_2 の臨界温度は低く，これらのことから，SF − CO_2 が熱分解しやすいような熱不安定物質の抽出に適応できることがわかる．

なお，水溶液中の金属イオンはそのままでは SF − CO_2 に溶解しないため，SF − CO_2 に抽出するには安定な疎水性金属錯体を生成するような有機リン酸やオキシン（8−キノリノール）などの抽出剤（モディファイヤー）を用いる．

このように，超臨界流体抽出法は有機溶媒を用いないクリーンな技術として注目を浴びている．

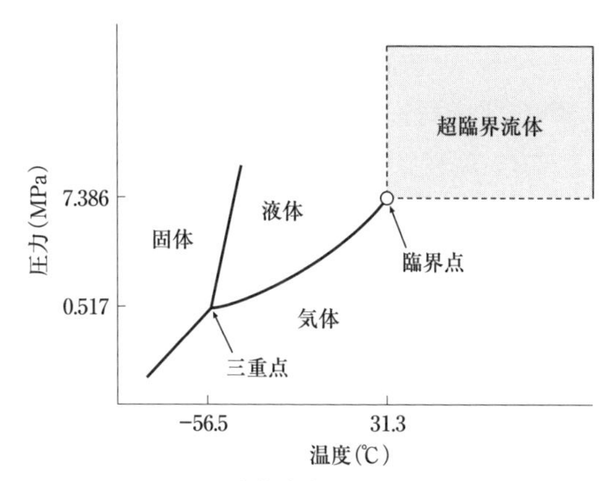

図 8.21 二酸化炭素の超臨界流体領域

表 8.7 種々の物質の臨界温度と臨界圧力，臨界密度

物質	臨界温度（℃）	臨界圧力（MPa）	臨界密度（kg/m^3）
酸素	− 118.6	5.05	427
二酸化炭素	31.0	7.34	468
アンモニア	132.4	11.28	235
メタノール	239.4	8.10	272
水	374.1	22.06	322

8.8 吸着平衡

分析化学の基本は第 2 章に記載したように化学平衡である．ここでは，固相と気相，固相と液相などの 2 相間における吸着物質と吸着剤の吸着平衡について述べる．なお，吸着物質とは吸着される物質のことを，吸着剤とは吸着物質を吸着する活性炭やシリカゲルなどの固相を示す．

吸着物質を含む気相または液相中に吸着剤を入れると吸着剤への吸着物質の吸着量が徐々に増加し，気相または液相中の吸着物質の濃度が低下する．吸着された吸着物質量は吸着剤の比表面積に依存するが，一般に吸着剤単位質量当たりの吸着量（mol または g）で表す．

固相と液相の吸着平衡を考えた場合，吸着物質が希薄な場合はすべての吸着物質が吸着剤に吸着するが，高濃度溶液の場合はそれ以上吸着できない吸着物質が溶液内に残存して平衡状態になる．ここで，吸着平衡定数（K）を次式のように定義した場合，K の値は吸着剤の吸着能力が高い場合は大きな値になり，低い場合は小さな値となる．固相抽出法は溶液中の目的物質を吸着により分離濃縮することを目的としているため，K の値は大きいほうがよい．

$$K = \frac{\text{吸着剤に吸着した吸着物質の濃度}}{\text{溶液中の吸着物質の濃度}}$$

吸着平衡における両相中の吸着物質の濃度差は吸着物質や吸着剤の組み合わせによって異なる．一定温度において，吸着剤に吸着した吸着物質の質量 q[kg 吸着物質 kg^{-1} 吸着剤] と溶液中の吸着物質の濃度 C[kgm^{-3}] の関係を示したのが吸着等温線であり，吸着等温線をモデル化した数式を吸着等温式という．一般的に吸着挙動の評価を行う際，気相吸着であれば吸着等温線，吸着等圧線，吸着等量線などが用いられるが，液相吸着の場合には吸着に及ぼす圧力の影響が小さく，温度の影響も気相ほど大きくないなどの理由から吸着等温線が広く用いられている．

吸着平衡の理解は固相抽出法を設計する際に重要になる．図 8. 22 に代表的な吸着等温線を示す．

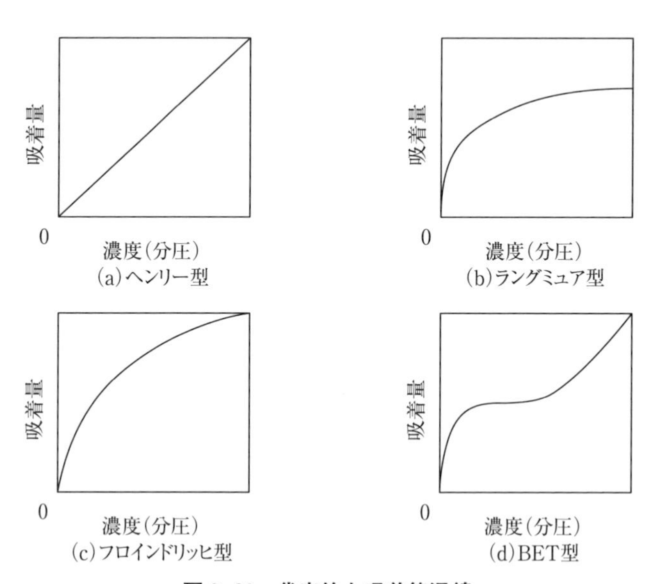

図 8. 22　代表的な吸着等温線

以下に代表的な吸着等温式を示す．

1）Henry の吸着等温式

溶液中の吸着物質濃度が希薄の場合，吸着量 q(吸着剤 1 g 当たりの吸着物質の量（mol・g^{-1})）と吸着物質の濃度 C との間に比例関係が成立し，q は濃度 C の増加とともに直線関係を示す.

$$q = (C_0 - C)/W(1)$$

ここで，C_0 は吸着前の初濃度，C は平衡時の溶液中の吸着物質の濃度を示し，W は吸着剤の重量を示す.

液相の濃度あるいは気相の圧力が小さく，吸着分子間の距離が十分に長く吸着分子同士の相互作用が無視でき，かつ，固体表面と吸着分子のみの相互作用で吸着量を決定できるとき，吸着量 q は次式のように表される.

$$q = K_p C$$

ここで，K_p は吸着平衡定数である.

気体の場合は，溶液濃度 C の代わりに気相圧力 p を用いる.

2）Langmuir の吸着等温式

Langmuir 式は均一な表面を持つ吸着剤への吸着物質の吸着に対して導かれた理論式であり，吸着剤表面の吸着サイトに吸着物質が 1 対 1 の単分子吸着をするときに用いられる. 溶媒の影響を無視できる場合，吸着剤表面の同じ吸着力を持つ吸着サイトに吸着物質が単分子吸着すると Langmuir の吸着等温式が成り立つ．したがって，均一な吸着サイトを持つイオン交換樹脂などの吸着剤の評価や Cu 粉末への Hg の気相吸着現象の理論的アプローチにも用いられる．すべての吸着サイトに吸着物質が吸着するとそれ以上吸着は起こらず，最大吸着量（飽和吸着量）が存在する．Langmuir の吸着等温式を次に示す.

$$q = \frac{q_m KC}{1 + KC}$$

ここで，q_m は最大吸着量，K は吸着平衡定数をそれぞれ示す．K の値が大きいほど，吸着物質の吸着サイトに対する親和性の強さを示す．この式を変形すると次式が得られる.

$$\frac{1}{q} = \frac{1}{q_m KC} + \frac{1}{q_m}$$

3）Freundlich の吸着等温式

Freundlich 式は実験式であるが，シリカゲルへの親水性化合物の吸着，活性炭への有機物の吸着など，不均一表面への吸着現象の評価に用いられることが多い.

$$q = KC^{1/n}$$

ここで，K は吸着平衡定数，$1/n$ は任意のパラメーターで，この値が 0.1〜0.5 の範囲のときに良好な吸着を示し，2 以上の場合は吸着が起こりにくいとされている.

この式の両辺の対数をとると次式が得られ，$\log q$ と $\log C$ の関係は直線関係となり，切片と傾きから K と $1/n$ を求めることができる.

$$\log q = \log K + \frac{1}{n} \log C$$

4) BET(Brunauer-Emmett-Teller) 型吸着等温式

Langmuir の単層吸着モデルを Brunauer，Emmett および Teller が多相吸着に拡張した式で，BET 型吸着等温線と呼ばれる．ラングミュア型吸着等温式は表面に1分子層だけ吸着すると仮定したものであるが，BET 型吸着等温式は無限分子層まで吸着すると仮定した式である．

$$\frac{q}{[v(p_0 - p)]} = \left(\frac{1}{vmC}\right) + \left[\frac{(C - 1)}{vmC}\right]\left(\frac{p}{p_0}\right)$$

ここで，vm は全サイト数（単分子吸着量），v は全吸着量，p は平衡圧力，p_0 は飽和蒸気圧，C は吸着熱と関係する定数である．

この式は活性炭やゼオライトなどの多孔質固体の細孔表面積を窒素ガスの吸着によって測定する際に利用される重要な式である．

$p/[v(p_0 - p)]$ を（p/p_0）に対してプロットすれば直線になる．

バッチ法による吸着のデータから，飽和吸着量や吸着平衡定数を求めることは固相抽出の設計に重要である．また，固相抽出に於ける吸着現象を評価する際は，Langmuir 型吸着等温式や Freundlich 型吸着等温式がよく用いられる．

第8章の章末問題

8.1 必須

物質 A を水相 100 mL に溶解後，10 mL の有機相に 90 %抽出した．物質 A の分配比 D を求めなさい．

8.2 必須

物質 A が 5.00 g 溶けている水相と同じ体積の有機相を激しく振り混ぜて平衡にした．平衡後の有機相中の物質 A の量は 4.50 g であった．物質 A の分配係数 K_D を求めなさい．ただし，物質 A は水相，有機相とも同じ化学種として存在しているものとする．

8.3 必須

濃度 1.0×10^{-3} M の溶質を含む水溶液 100 mL を 10 mL の有機溶媒と振り混ぜたところ，水相の溶質濃度は 2.0×10^{-4} M になった．このときの分配比を求めなさい．

8.4 必須

1.2 M の弱酸 HB 水溶液 100 mL から HB をクロロホルム 60.0 mL に抽出した．抽出後，水相を 20.0 mL 取り，0.100 M NaOH 水溶液で滴定したところ，12.00 mL を要した．HB の分配比 D を求めなさい．

8.5 必須

ヨウ素 I_2 の二硫化炭素 CS_2 と水への分配係数 K_D は 410 である．1.0×10^{-2} M のヨウ素水溶液 100 mL と CS_2 10 mL をよく振り混ぜて，平衡に達したときの CS_2 相の I_2 の濃度は何 M か．また，CS_2 相に何％抽出されているか求めなさい．

8.6 •必須•

濃度 0.10 M の物質 A を含む水溶液 50 mL と有機溶媒 10 mL を振り混ぜて抽出を行ったところ水相中に 0.50 mmol の A が残った．この物質 A の分配比 D と抽出率 E を求めなさい．

8.7 •必須•

溶質 A の水相と有機相の分配比 D は 20 である．0.010 mol の溶質 A を含む水相 50 mL を，50 mL の有機相で 1 回抽出した場合と，25 mL の有機相で 2 回抽出した場合，それぞれについて，水相に残った溶質 A の物質量を求めなさい．

8.8 [推奨]

酪酸 4.0 g を水 500 mL に溶解した後，エーテル 250 mL で抽出したところ 2.4 g が抽出された．続いて，250 mL のエーテルで 2 回目の抽出をしたとき，水相に残る酪酸の量を求めなさい．なお，水相は酸性で酪酸の解離は抑えられているものとする．

8.9 •必須•

一般に，金属キレートの溶媒抽出では，pH が高いほど，抽出率や分配比がよい．その理由について述べなさい．

8.10 [推奨]

酸解離定数 $K_a = 5.0 \times 10^{-4}$ の弱酸 HA の水相と有機相の分配係数 K_D は 10 であった．水相の pH 3.0 のときの分配比 D を求めなさい．

8.11 [推奨]

1.0 M HCl 酸性下でカルボン酸 HA の溶媒抽出を行った．抽出後の水相と有機相の HA の濃度はそれぞれ，1.0×10^{-4} M，2.0×10^{-4} M であった．有機相での HA の二量体生成定数（K_{dim}）を 150 M^{-1} として，HA の分配係数 K_D を求めなさい．

8.12 [推奨]

1.00 g の安息香酸（pK_a = 4.20）を溶かした pH 7.0 の水溶液 100 mL にジエチルエーテル 10.0 mL を加えて振り混ぜ，平衡状態にした．この抽出系における安息香酸の K_D は 40 である．この条件下ではジエチルエーテル相での二量体生成が無視できると仮定して，有機相に抽出される安息香酸の質量を求めなさい．

8.13 [推奨]

アセチルアセトン（pK_a = 9.0）の水と四塩化炭素間の分配係数 log K_D は 0.40 である．

（1）pH 5.0 と 11.0 のときの分配比を求めなさい．

（2）水の体積を 100 mL，四塩化炭素の体積を 10 mL としたときの pH 5.0 と 11.0 のときの抽出率 E を求めなさい．

8.14 [推奨]

0.1 M 酢酸 100.0 mL と有機溶媒 10.0 mL を振り混ぜて抽出を行ったところ，水相中に 5.0×10^{-4} mol の酢酸が残った．

（1）酢酸の分配比 D と抽出率 E を求めなさい．

（2）水溶液に NaOH を加えて塩基性にすると，酢酸の分配比 D はどのように変化するかを，理由を示して説明しなさい．

8. 15［推 奨］

100 mL の水に安息香酸 1.0 g を溶解し，有機溶媒 100 mL を加えて振とうし，分配平衡状態にした．水相の pH が (a)2.5，(b)7.5 のときの分配比 D をそれぞれ求めなさい．ただし，分配係数 K_D は 40，酸解離定数 K_a は 6.5×10^{-5}，二量体生成は無視できるものとする．

8. 16 ●必 須●

水相と有機相間の物質 A の分配比は 4.0 である．0.010 mol の物質 A を含む水相 100 mL を，100 mL の有機相で 1 回抽出する場合と，20 mL の有機相で 5 回抽出する場合の物質 A の抽出率をそれぞれ求めなさい．

（1）100 mL を用いて 1 回で抽出する場合

（2）20 mL ずつ用いて 5 回抽出する場合

8. 17［推 奨］

水溶液 150 mL からある成分 Y を毎回 50 mL ずつのエーテルを用いて 3 回繰り返して抽出した．その結果，水溶液から 97 ％の Y が除去されていた．Y の分配係数 K_D を求めなさい．ただし，水相，有機相中には Y の化学種は 1 種類のみが存在しているものとする．

8. 18 ◀チャレンジ▶

有機化合物 X を 1.0 g 溶解した水試料 100 mL をエーテル 100 mL と振り混ぜた．エーテル層を取り出し分析した結果，X が 0.80 g 含まれていることがわかった．下記の問いに答えよ．

（1）分配比を求めなさい．

（2）X を 97 ％以上抽出するためには，毎回 100 mL のエーテルを使って，何回抽出する必要があるか．

（3）エーテルを 50 mL ずつ用いて 3 回抽出するとき，X は何％抽出されるか．

8. 19［推 奨］

水相 100 mL 中の溶質を 50 mL の有機溶媒を用いて，2 回抽出操作を行ったところ，4 ％の溶質が水相に残った．溶質の分配比を求めなさい．

8. 20 ●必 須●

水とベンゼンの間の物質 A の分配比 D は 3.50 である．いま，物質 A を含む水溶液 75 mL を，ベンゼン 100 mL で 1 回抽出したときと 20 mL で 5 回抽出したときの物質 A の抽出率 E を求めなさい．

8. 21 ◀チャレンジ▶

水溶液中の金属イオン M^{n+} をキレート試薬 HR によって金属錯体 MR_n として有機溶媒に抽出するとき，抽出条件が以下のように変化すると金属イオンの分配比はどのように変化するか，理由を示して説明しなさい．

（1）水溶液中の水素イオン濃度を大きくする．

（2）酸解離定数の大きな HR を用いる．

（3）錯生成定数の大きな HR を用いる．

8.22 必須

5.0 g/L の NaCl 水溶液 100 mL がある．交換容量が 4.2（meq·g^{-1}）の H^+ 型イオン交換樹脂を充填したカラムにこの溶液を通して，Na^+ を完全に除去するためには，何 g のイオン交換樹脂が必要か．ただし，Na，Cl の原子量をそれぞれ，23.0，35.5 とする．

8.23 [推奨]

陽イオン交換樹脂（B^+ 型）を m 価の陽イオン M^{n+} を含む水溶液に入れると，どのようなイオン交換が行われるか説明しなさい．

8.24 [推奨]

乾燥重量 0.50 g の強酸性型陽イオン交換樹脂（H^+ 型）を水で膨潤させてカラムにつめた．

これに塩化ナトリウム水溶液を十分流した後，この溶出液を 0.10 M 水酸化ナトリウム水溶液で滴定を行ったところ，中和するのに 22.01 mL を要した．この陽イオン交換樹脂の交換容量を乾燥質量 1 g あたりの物質量（mol）で示しなさい．

8.25 チャレンジ

乾燥した H^+ 形陽イオン交換樹脂 0.508 g を三角フラスコにはかりとり，約 6 %の塩化ナトリウム水溶液 10.0 mL を加えた後．フェノールフタレインを指示薬として，0.103 M 水酸化ナトリウム水溶液で滴定したところ，終点までに 20.61 mL を要した．

（1）このイオン交換樹脂の交換容量を求めよ．

（2）このイオン交換樹脂 1.02 g をビーカーにはかりとり，これに 0.010 M 塩化カリウム水溶液 100 mL を入れて十分かき混ぜた．濾過して樹脂を溶液から分離した後，濾液を上記の水酸化ナトリウム水溶液で中和滴定を行ったところ，終点までに 8.06 mL を要した．K^+ の分配係数 K_D およびこのイオン交換樹脂の H^+ に対する K^+ の選択係数（イオン交換平衡定数）$K_{H^+}{}^{K^+}$ を求めなさい．

8.26 [推奨]

乾燥した H^+ 型陽イオン交換樹脂 0.50 g を三角フラスコにはかりとり，電解質溶液 10.0 mL を加え，指示薬にフェノールフタレインを用いて 0.10 M 水酸化ナトリウム水溶液で滴定したところ，終点までに 22.5 mL を要した．このイオン交換樹脂の交換容量はいくらか．さらに，この H^+ 型陽イオン交換樹脂をカラムに充填させ，5.0 g/L の塩化ナトリウム水溶液 100.0 mL を通じて，完全に Na^+ を除去するためには少なくとも何グラムのイオン交換樹脂が必要か．ただし，Na，Cl の原子量をそれぞれ，23.0，35.5 とする．

8.27 必須

スルホ基を有する強酸性陽イオン交換体とカルボキシ基を有する弱酸性陽イオン交換体の性質の違いを説明しなさい．また，強酸性陽イオン交換体に対する陽イオンの吸着性の序列を，(1) 電荷の異なる陽イオン，(2) アルカリ金属イオン（Li^+，Na^+，K^+，Rb^+，Cs^+）について説明しなさい．

8. 28 **必須**

乾燥したH^+形陽イオン交換樹脂2.00 gをカラムに詰め，NaCl水溶液を流して樹脂が完全にNa^+形に変わったことを確認してから，溶出液を0.10 M NaOHで滴定したところ，14.00 mLで当量点に達した．このH^+形イオン交換樹脂のイオン交換容量を求めなさい．

8. 29 **必須**

1.20 gのH^+形イオン交換樹脂を充填したカラムに，溶出液が中性になるまで4.0×10^{-3} Mの塩化ナトリウム水溶液を流した．その後，全溶出液を5.00×10^{-2} Mの水酸化ナトリウム水溶液で酸塩基滴定を行ったところ，32.00 mL滴下したところで当量点に達した．このH^+形イオン交換樹脂の交換容量を求めなさい．

8. 30 **必須**

アミノ基$-NH_2$を持つイオン交換体が酸性溶液中で陰イオン交換性を示す理由を，化学反応式を示して説明しなさい．

8. 31 **［推奨］**

乾燥したNa^+形陽イオン交換樹脂5.00 gをカラムに詰め，塩酸を流して樹脂が完全にH^+形に変わったことを確認してから，溶出液を蒸発乾固して残った塩化ナトリウムの質量を測定したところ，1.60 gであった．このNa^+形イオン交換樹脂のイオン交換容量を求めなさい．

8. 32 **［推奨］**

交換容量1.90($meq \cdot g^{-1}$)，Na^+に対する選択係数（イオン交換平衡定数）$K_{H^+}{}^{Na^+} = 1.50$のH^+形陽イオン交換樹脂がある．この樹脂2.0 gに1.0×10^{-3} M塩化ナトリウム水溶液250 mLを加えてかき混ぜると，Na^+の何%が交換されるか．

8. 33 **［推奨］**

不活性な不純物を含むK_2SO_4 0.838 gを適量の純水に溶解し，H型強酸性イオン交換をつめたカラムに通し，さらに純水を十分通した．得られた全溶出液を中和するのに0.200 M水酸化ナトリウム水溶液45.0 mLを要した．この試料中のK_2SO_4の重量百分率を求めなさい．ただし，K，S，Oの原子量をそれぞれ39.1，32.1，16.0とする．

8. 34 **［推奨］**

交換容量が5.0（$meq \cdot g^{-1}$）のH^+型の陽イオン交換樹脂1.0 gを0.010 MのCu^{2+}を含む溶液100 mLに添加してかき混ぜたところ，溶液中のCu^{2+}濃度が2.0×10^{-3} Mで一定になった．このときのイオン交換平衡は以下のように表すことができる．なおR^-は樹脂の陽イオン交換部位，Kはイオン交換平衡定数である．$[H^+]_R$および$[Cu^{2+}]_R$は樹脂での水素イオンおよび銅イオンの樹脂1 g当たりの物質量（mol）で表すとき，以下の問いに答えよ．

$$2R^-H^+ + Cu^{2+} \rightleftharpoons (R^-)_2Cu^{2+} + 2H^+$$

$$K = \frac{[Cu^{2+}]_R[H^+]^2}{[H^+]_R{}^2[Cu^{2+}]}$$

（1）平衡後の$[H^+]$を求めよ．

（2）平衡後の$[Cu^{2+}]_R$を求めよ．

（3）平衡後のイオン交換平衡定数Kを求めよ．

課　題

8.1　分配比と分配係数の違いを説明しなさい．

8.2　一般に混合配位子錯体が生成すると溶媒抽出の効率が上がる．その生成機構（2つ）について説明しなさい．また，実際例を文献から探してまとめなさい．

8.3　協同効果とは何か．説明しなさい．また，実際例を文献から探してまとめなさい．

8.4　有機溶媒を用いない抽出法が検討されている．

これらに関する次の用語について説明しなさい．また，これらを用いる抽出の実際例を文献から探してまとめなさい．

（1）イオン液体

（2）超臨界流体

（3）温度感応性高分子

（4）有機固化法

8.5　溶媒抽出に関する下記の操作や用語について説明しなさい．

（1）ストリッピング

（2）逆抽出

（3）塩析

8.6　溶媒抽出において，選択性を向上させるためにはどのような方法があるか．代表的な方法を3つあげ，説明しなさい．

8.7　水相で解離定数 K_a を持つ弱酸 HBz がエーテルと水相間に分配されるとき，水相の水素イオン濃度が分配比 D に影響を与える．この水素イオン濃度 $[H^+]$ が分配比を支配することを，式を用いて説明しなさい．

8.8　強電解質型イオン交換樹脂と弱電解質型イオン交換樹脂の具体例をあげ，その性質の違いについて説明しなさい．

8.9　無機系イオン交換体にはどのようなものがあるか．具体的な例を調べてまとめなさい．

8.10　キレート樹脂とは何か説明しなさい．

8.11　食塩，グルコース，アミノ酸の混合溶液がある．イオン交換樹脂を用いて，グルコース，アミノ酸を分離・回収するにはどのようにしたらよいか．

8.12　イオン交換膜とは何か．また，イオン交換膜を用いた脱塩システムについて説明しなさい．

8.13　イオン交換膜の他にどのような膜が物質の分離・濃縮に用いられているか，具体的な例を文献から探してまとめなさい．

章末問題の解答

第1章

1. 1

（1）

① $[C] = [D] = x$ M とする．

$$K = 10^4 = \frac{x^2}{(0.01 - 2x)^2(0.01 - x)}$$

$$4 \times 10^4 x^3 - 799x^2 + 5x - 0.01 = 0$$

$$x = [C] = [D] = 4.68 \times 10^{-3}\,M$$

$$[A] = 6.4 \times 10^{-4}\,M$$

$$[B] = 5.3 \times 10^{-3}\,M$$

② 定量的に反応するものとし，残っている A の濃度を y M とする．

$$10^4 = \frac{(0.005)^2}{y^2 \times 0.005}$$

$$y = [A] = 7.1 \times 10^{-3}\,M$$

$$[B] = 0.005 + \frac{7.1 \times 10^{-4}}{2} = 5.4 \times 10^{-3}\,M$$

$$[C] = [D] = 0.005 - \frac{7.1 \times 10^{-4}}{2} = 4.6 \times 10^{-3}\,M$$

①と②の結果より，生成物の濃度にはわずかの誤差がある．

（2）

（i）$K = 10^2$ のとき

① $[C] = [D] = x$ M とする．

$$K = 10^2 = \frac{x^2}{(0.01 - 2x)^2(0.01 - x)}$$

$$4 \times 10^2 x^3 - 7x^2 + 5 \times 10^{-2}x - 1 \times 10^{-4} = 0$$

$$x = [C] = [D] = 3.1 \times 10^{-3}\,M$$

$$[A] = 3.8 \times 10^{-3}\,M$$

$$[B] = 6.9 \times 10^{-3}\,M$$

② 定量的に反応するものとし，残っている A の濃度を y M とする．

$$10^2 = \frac{(0.005)^2}{y^2} \times 0.005$$

$$y = [A] = 7.1 \times 10^{-4}\,M$$

$$[B] = 0.005 + \frac{7.1 \times 10^{-3}}{2} = 8.6 \times 10^{-4}\,M$$

$$[C] = [D] = 0.005 - \frac{7.1 \times 10^{-3}}{2} = 1.4 \times 10^{-3}\,M$$

定量的に反応するという仮定は正しくない．

（ii）$K = 10^6$ のとき

① $[C] = [D] = x$ M とする．

$$K = 10^6 = \frac{x^2}{(0.01 - 2x)^2(0.01 - x)}$$

$$4 \times 10^6 x^3 - (8 \times 10^4 - 1)x^2 + 5 \times 10^2 x - 1 = 0$$

$$x = [C] = [D] = 4.96 \times 10^{-3}\,M$$

$$[A] = 7.0 \times 10^{-5}\,M$$

$$[B] = 5.03 \times 10^{-3}\,M$$

② 定量的に反応するものとし，残っている A の濃度を y M とする．

$$10^6 = \frac{(0.005)^2}{y^2 \times 0.005}$$

$$y = [A] = 7.0 \times 10^{-5}\,M$$

$$[B] = 0.005 + \frac{7.0 \times 10^{-5}}{2} = 5.04 \times 10^{-3}\,M$$

$$[C] = [D] = 0.005 - \frac{7.0 \times 10^{-5}}{2} = 4.97 \times 10^{-3}\,M$$

$K = 10^6$ のときには，①と②の結果より，ほぼ定量的に反応するとしても差し支えない．

1. 2

（1）3次式 $[H^+]^3 + 10^{-5}[H^+]^2 - (10^{-14} + K_a C_a)[H^+] + 10^{-14}K_a = 0$ を解く．

（i）$K_a = 10^{-5}$，$C_a = 10^{-2}$ M のとき

$$[H^+]^3 + 10^{-5}[H^+]^2 - 10^{-7}[H^+] + 10^{-19} = 0$$

$$[H^+] = 3.1 \times 10^{-4}\,M$$

（ii）$K_a = 10^{-5}$，$C_A = 10^{-4}$ M のとき

$$[H^+]^3 + 10^{-5}[H^+]^2 - 10^{-9}[H^+] + 10^{-19} = 0$$

$$[H^+] = 2.7 \times 10^{-5}\,M$$

（2）$[H^+] \gg [OH^-]$ として，

2次式 $[H^+]^2 + 10^{-5}[H^+] - 10^{-7} = 0$ を解く．

（i）$K_a = 10^{-5}$，$C_A = 10^{-2}$ M のとき，

$$[H^+] = 3.1 \times 10^{-4}\,M$$

（ii）$K_a = 10^{-5}$，$C_A = 10^{-4}$ M のとき，

$$[H^+] = 2.7 \times 10^{-5}\,M$$

以上の結果より，2次式として解くことができる．

なお，$C_A \gg [H^+]$として解くと，$C_A = 10^{-2}$ M のとき$[H^+] = 3.2 \times 10^{-4}$ M となり，問題はない．一方，$C_A = 10^{-4}$ M のときには，$[H^+] = 3.2 \times 10^{-5}$ M となり，誤差は大きいので，低濃度のときには，$C_A \gg [H^+]$の仮定は成り立たない．

第2章

2. 1　（1）3桁　（2）5桁　（3）4桁　（4）3桁

2. 2　（1）7.32　（2）3.64　（3）5.26　（4）55.4　（5）32.5

2. 3　滴定値の平均値：$\bar{x} = 25.18$ mL

標準偏差：$s = 0.043$ mL

水酸化ナトリウムの濃度の 95 %信頼区間：$[NaOH] = 0.1012 \pm 0.0001$ M

2. 4

（1）90% 信頼限界における検定

5.77 の場合，Q = (5.77 − 5.66)/(5.77 − 5.48) = 0.11/0.29 = 0.38，0.38 < 0.41 であるため棄却できない．

5.48 の場合，Q = (5.55 − 5.48)/(5.77 − 5.48) = 0.07/0.29 = 0.24，0.24 < 0.41 であるため棄却できない．

平均値：$\bar{x} = 5.61$，標準偏差：$s = 0.076$，

相対標準偏差 RSD = 1.4 %

（2）80 %信頼限界における検定，Q_{80} の値は付表 8 を参照．

5.77 の場合，Q = 0.38 となり，$Q_{80}(n = 10) = 0.349$ より大きいので，棄却できる．

5.66 の場合，Q = 0.056 となり，$Q_{80}(n = 9) = 0.370$ より小さいので，棄却できない．

5.48 の場合，Q = 0.389 となり，$Q_{80}(n = 9) = 0.370$ より大きいので，棄却できる．

5.55 の場合，Q = 0.272 となり，$Q_{80}(n = 8) = 0.399$ より小さいので，棄却できない．

5.77 と 5.48 を除き，平均値 $\bar{x} = 5.61$：，標準偏差：$s = 0.037$，相対標準偏差 RSD = 0.65 %

（3）95 %信頼限界における検定，Q_{95} の値は付表 8 を参照．

$Q_{95}(n = 10) = 0.466$ であり，（1）の計算結果からもわかるように，5.77，5.48 はいずれも棄却できない．よって，（1）と同様になる．

2. 5

（1）A = 10.28，B = 3.04×10^3

（2）log A = 1.01199，log B = 3.483

（3）log A + log B = 4.495

　　log A − log B = −2.471

（4）A × B = 3.13×10^4，A/B = 3.38×10^{-3}

第3章

3. 1　A の濃度が 0.100 M から 0.0500 M になったとき，生成される B は 0.100 M であるため，

平衡定数 $K = \dfrac{[B]^2}{A}$ より，$\dfrac{0.100^2}{0.0500} = 0.200$

3. 2　生成した C を $2x$ M とすると，残っている A，B の濃度は $1.00 - x$ M となる．したがって，

$$\frac{[C]^2}{[A][B]} = 25.0$$

A = B = 1.00 なので，

$$\frac{(2x)^2}{(1.00 - x)(1.00 - x)} = 25.0$$

$$[2x]^2 = 25.0(1.00 - x)^2$$

$$x = \frac{5}{7}\,\mathrm{M}$$

したがって，平衡時の C の濃度はその濃度の倍なので，1.43 M．

3. 3　$NH_3 + H_2O \rightleftharpoons NH_4^+ + OH^-$

平衡定数とギブスエネルギーの変化の関係は $\Delta G = -RT \ln K$ だから

$$K = e^{-\frac{\Delta G}{RT}}$$

であるため，

$$K = e^{-\frac{26.8 \times 10^3 \mathrm{JK^{-1}mol^{-1}}}{8.31 \mathrm{JK^{-1}mol^{-1}} \times 298\,\mathrm{K}}} = 1.995 \times 10^{-5}$$

3. 4　ファントホッフの式から

2 つの温度間での平衡定数は

$$\ln\frac{K_2}{K_1} = -\frac{\Delta H^\circ}{R}\left(\frac{1}{T_1} - \frac{1}{T_2}\right)$$

で表せるので，温度 298 K と 400 K では

$$\ln\frac{6.9}{K_2} = -\frac{-57\frac{\text{kJ}}{\text{mol}}}{8.3\frac{\text{J}}{\text{mol K}}}\left(\frac{1}{298\ \text{K}} - \frac{1}{400\ \text{K}}\right) = 5.88$$

$$K_2 = 0.019$$

したがって，平衡定数が6.9から0.019になるので，平衡は左（原系の方に）移動する．

この反応は発熱反応であるので，ル・シャトリエの法則で考えると，温度を上げると温度が下がる方向に平衡は移動するので，左に移動することになる．

3. 5　ある温度における気相ヨウ化水素HIの解離反応は次の化学反応式で表せる．

$$2HI \rightleftharpoons H_2 + I_2$$

今，2 molのHIから反応を開始したとする．

平衡になったとき，水素とヨウ素がそれぞれ x mol生成したとすると，平衡時の物質量は，ヨウ化水素で（$2 - 2x$）となる．したがって，全体の物質量は2 molなので，ヨウ化水素，水素およびヨウ素の分圧はそれぞれ（$100 - 50x$）Pa, $50x$ Pa, $50x$ Paとなる．圧平衡定数が0.15なので

$$K_p = \frac{[H_2][I_2]}{[HI]^2} = \frac{50x \times 50x}{(50 - 50x)^2} = 0.15$$

となる．これを解いて，$x = 0.436$ mol

したがって，平衡時でのHIの分圧は56 kPaとなる．

3. 6　$N_2O_4 \rightleftharpoons 2NO_2$

反応前	3.0	0
反応後	-3.0α	6α
平衡	$3.0 - 3.0\alpha$	α

全圧 p より

$$N_2O_4 : p \times \frac{(3.0 - 3.0\alpha)}{(3.0 - 3.0\alpha) + 6\alpha} = \frac{3(1 - \alpha)}{3(1 + \alpha)}p$$

$$2NO_2 : p \times \frac{6\alpha}{(3.0 - 3.0\alpha) + 6\alpha} = \frac{6\alpha}{3(1 + \alpha)}p$$

圧平衡定数 K_p より

$$K_p = \frac{2NO_2}{N_2O_4} = \frac{\left(\frac{6\alpha}{3(1+\alpha)}p\right)^2}{\left(\frac{3(1-\alpha)}{3(1+\alpha)}p\right)}$$

$$= \frac{\left(\frac{6\alpha}{3(1+\alpha)}p\right) \times \left(\frac{6\alpha}{3(1+\alpha)}p\right)}{\left(\frac{3(1-\alpha)}{3(1+\alpha)}p\right)}$$

$$= \frac{\left(\frac{36\alpha^2}{3(1+\alpha)}p\right)}{3(1-\alpha)}$$

$$= \frac{36\alpha^2}{3(1+\alpha) \times 3(1-\alpha)}p = \frac{4\alpha^2}{(1+\alpha)(1-\alpha)}p$$

$$= \frac{4\alpha^2}{1 - \alpha^2}p$$

3. 7　今，Aの濃度を1 mol，平衡になったときのB，Cの濃度を x mol，とすると

$$K_C = \frac{x^2}{(1 - x)}\ \frac{1}{V}$$

一方，平衡になったときの分圧を求めると，それぞれ，

$$p_A = \frac{(1 - x)RT}{V} \quad p_B = \frac{xRT}{V}\ p_C = \frac{xRT}{V}$$

$$K_p = \frac{x^2}{(1 - x)}\ \frac{RT}{V}$$

したがって，$K_p = RTK_c$

3. 8　pH = 3のとき，$[H^+] = [CH_3COO^-]$ の濃度は 1.0×10^{-3} M

$$K_a = \frac{[H^+][CH_3COO^-]}{[CH_3COOH]}$$

$$= \frac{(1.00 \times 10^{-3})^2}{x} = 1.8$$

$$x = 5.56 \times 10^{-2}\ \text{M}$$

よって酢酸の濃度は 5.6×10^{-2} Mとなる

3. 9　CH_3COONa の分子量82 g/molより，8.2 (g)/82 (g/mol) = 0.10 mol

これが酢酸で溶かされて1 Lになるのだから，生成する酢酸イオンの濃度は0.10 Mとなる．酢酸の濃度は0.10 Mだから酸解離定数 1.8×10^{-5} は，生成する水素イオンの濃度を x Mとすると

$$K_a = \frac{[H^+][CH_3COO^-]}{[CH_3COOH]} = 1.8 \times 10^{-5}$$

$$= \frac{x \times 0.1}{0.1} = 1.8 \times 10^{-5} = 1.8 \times 10^{-5}$$

したがって，pH = 4.7

3. 10

$$K_a = \frac{[H^+][CH_3COO^-]}{[CH_3COOH]}$$

pH = 5 だから$[H^+] = 10^{-5}$ M

$$1.8 \times 10^{-5} = \frac{1\times 10^{-5}[CH_3COO^-]}{[CH_3COOH]}$$

$$\frac{[CH_3COO^-]}{[CH_3COOH]} = 1.8$$

酢酸を v L とすると，酢酸イオンは$(1 - v)$ L，それぞれの物質量は酢酸が 0.10 v mol，酢酸イオンが$(0.1 - 0.1v)$ mol となるので，全体が 1 L だから，

$$\frac{0.1 - 0.1v}{0.1v} = 1.8$$

$$v = 0.357$$

したがって，酢酸は 360 mL，酢酸ナトリウム水溶液は 640 mL である．

3. 11　硫酸の電離は $H_2SO_4 \longrightarrow 2H^+ + SO_4^{2-}$ となる．

1.0×10^{-3} M の H_2SO_4 は $2 \times 1.0 \times 10^{-3}$ M の H^+ と 1.0×10^{-3} M の SO_4^{2-} を生じる．

H^+ の電荷は +1，SO_4^{2-} の電荷は −2 なのでイオン強度は，式（3. 15）$I = \frac{1}{2}\sum m_i z_i^2$ より

$$I = \frac{1}{2}[(2 \times 1.0 \times 10^{-3})\times(+1)^2 + 1.0 \times 10^{-3}(-2)^2]$$

$$= 3.0 \times 10^{-3}$$

Debye-Hückel の極限法則，式（3. 14）

$\log \gamma_\pm = -A|z^+z^-|\sqrt{I}$ より

$$\log \gamma_\pm = -0.5091 \times |1 \times (-2)| \times \sqrt{3.0 \times 10^{-3}}$$

$$= -0.0557$$

$$\gamma_\pm = 0.8796$$

よって平均活量係数は 0.88 である．

第 4 章

4. 1　（1）2.87　（2）8.87

4. 2　（1）11.13　（2）5.13

4. 3　（1）5.04　（2）1.0×10^{-4} M のとき pH = 2.74，1.0×10^{-3} M のとき pH = 3.74

4. 4　pH = 5.64

4. 5　（1）$HCN + NH_3 \rightleftharpoons NH_4^+ + CN^-$

$K = 10^{-9.14}/10^{-9.26} = 10^{0.12}$　一部反応

反応生成物の濃度を x M とすると，

$K = 10^{0.12} = x^2/(10^{-2} - x)^2$　$x = 5.3 \times 10^{-3}$ M

53 % 反応している．

$$[NH_4^+] = [CN^-] = 5.3 \times 10^{-3}\ M$$

$$[NH_3] = [HCN] = 4.7 \times 10^{-3}\ M$$

共役でない酸および塩基の等容混合溶液の pH を計算すればよい．

$$pH = \frac{1}{2}pK_{a(HA)} + \frac{1}{2}pK_{a(HB)}$$

$$= \frac{1}{2}(9.14 + 9.26) = 9.20$$

（2）$CN^- + CH_3COOH \rightleftharpoons HCN + CH_3COO^-$

$K = 10^{-4.74}/10^{-9.14} = 10^{4.40}$

99 % 以上（約 99.4 %）反応

$$[HCN] = [CH_3COO^-]9.9 \times 10^{-3}\ M$$

$$[CN^-] = [CH_3COOH] = 6.3 \times 10^{-5}\ M$$

$$pH = \frac{1}{2}(9.14 + 4.74) = 6.94$$

（3）$CN^- + HF \rightleftharpoons HCN + F^-$

$K = 10^{-3.16}/10^{-9.14} = 10^{5.98}$　99.9 % 反応

$$[HCN] = [F^-] = 1.0 \times 10^{-2}\ M$$

$$[CN^-] = [HF] = 1.02 \times 10^{-5}\ M$$

$$pH = \frac{1}{2}(9.14 + 3.16) = 6.15$$

（4）$NH_4^+ + CH_3COO^- \rightleftharpoons NH_3 + CH_3COOH$

$K = 10^{-4.52}$　ほとんど反応しない

$$[NH_4^+] = [CH_3COO^-] = 10 \times 10^{-2}\ M$$

$$[NH_3] = [CH_3COOH] = 3.0 \times 10^{-5}\ M$$

$$pH = \frac{1}{2}(9.26 + 4.74) = 7.00$$

（5）反応しない

$$[NH_3] = [NaCN] = 1.0 \times 10^{-2}\ M$$

2 種類の弱塩基の混合溶液の pH より，

$$pH = 10.8$$

（6）$K = 10^{-2.47}$　わずかに反応

$$[CH_3COOH] = [HPO_4^{2-}] = 5.8 \times 10^{-4}\ M$$

$$[CH_3COO^-] = [H_2PO_4^-] = 9.4 \times 10^{-3}\ M$$

$$pH = 6.0$$

(7) $K = 10^{-7.58}$ 　ほとんど反応しない

$[CH_3COOH] = [PO_4^{3-}] = 1.6 \times 10^{-6}$ M

$[CH_3COO^-] = [HPO_4^{2-}] = 1.0 \times 10^{-2}$ M

pH = 8.53

(8) $K = 10^{3.06}$ 　かなり反応(約 97.2 %)する

$[NH_3] = [HPO_4^{2-}] \fallingdotseq 9.7 \times 10^{-3}$ M

$[NH_4^+] = [PO_4^{3-}] \fallingdotseq 2.9 \times 10^{-4}$ M

$$pH = \frac{1}{2}(9.26 + 12.32) = 10.79$$

4. 6 $K > 10^2$

4. 7 $K_a = [H^+](C_B + [H^+])/(C_A - [H^+])$,
$C_A = C_B = 1.0 \times 10^{-1}$ M のとき，pH = 0.91,
$C_A = 1.0 \times 10^{-2}$ M のとき，pH = 2.18

4. 8 いずれも pH = 7.00

4. 9 pH = 8.36

4. 10 KH_2PO_4 = 0.0143 M, Na_2HPO_4 = 0.0286 M

4. 11 (1) 3.06 (2) 5.48 (3) 5.62 (4) 1.83 (5) 8.60 (6) 7.87 (7) 9.76 (8) 7.00 (9) 2.58 (10) 2.00 (11) 3.26 (12) 6.30 (13) 7.00 (14) 7.00 (15) 7.00 (16) 3.48 (時間とともに水酸化物の沈殿が生じる) (17) 4.15 (18) 10.76 (19) 8.96

4. 12

H_3N^+-CH_2-COOH	H_3N^+-CH_2-COO^-	H_2N-CH_2-COO^-
	2.35 (pK_{a_1})	9.78 (pK_{a_2}) pH

4. 13 (1) 12.00 (2) 11.78 (3) 11.52 (4) 11.16 (5) 7.0 (6) 2.96 (滴定曲線は省略する)

4. 14 (1) 10.63 (2) 10.21 (3) 9.74 (4) 9.26 (5) 8.78 (6) 8.30 (7) 5.63 (8) 3.00 (滴定曲線は省略する)

4. 15 (1) 11.62 (2) 10.25 (3) 8.36 (4) 6.46 (5) 3.97 (6) 1.95 (滴定曲線は省略する)

第一当量点を決定するのにふさわしい指示薬はフェノールフタレインである(チモールブルーを用いても問題ない.)

第5章

5. 1 金属錯体生成反応の機構は I_d 機構によるものとされており，その速度定数 K_f は，式 (5. 12) で示されるように $k_{H_2O}^{H_2O^*}$ に関係している．キレート滴定を行う通常の金属イオン濃度 10^{-3} ～ 10^{-2} M では，Fe^{3+} よりも速いものは室温で滴定できるが，Al^{3+} ではきわめて遅い．反応速度を増すために，EDTA を金属に対して過剰に加え，溶液を加熱し定量的に反応させ，過剰の EDTA を逆滴定する．Cr^{3+} では同様に過剰の EDTA を加え，90℃で 5 ～ 10 分加熱し，室温まで冷却し，逆滴定する．

5. 2 アンミン銅(II)錯体の場合（式 (5. 30), (5. 31)) と同様に計算し，横軸に $\log[CN^-]$，縦軸に存在率 f をとりプロットする．

$$f_{Cd(CN)_n} = \frac{\beta_n[CN^-]^n}{1 + 10^{5.5}[CN^-] + 10^{10.6}[CN^-]^2 + 10^{15.3}[CN^-]^3 + 10^{18.9}[CN^-]^4} = \frac{\beta_n[CN^-]^n}{\alpha_{Cd(CN)}}$$

$$f_{Cd} = \frac{1}{\alpha_{Cd(CN)}},\ f_{Cd(CN)} = \frac{10^{5.5}[CN^-]}{\alpha_{Cd(CN)}}$$

$$f_{Cd(CN)_2} = \frac{10^{10.6}[CN^-]^2}{\alpha_{Cd(CN)}},\ f_{Cd(CN)_3} = \frac{10^{15.3}[CN^-]^3}{\alpha_{Cd(CN)}},$$

$$f_{Cd(CN)_4} = \frac{10^{18.9}[CN^-]^4}{\alpha_{Cd(CN)}},$$

$[CN^-] = 10^{-8}$ ～ 10^{-1} M の範囲で計算する．

5. 3 EDTA を H_4Y とする．式 5. 36 と 5. 37 より，

$$\alpha_{Y(H)} = \frac{[(Y)']}{[Y^{4-}]} = 1 + \frac{[H^+]}{K_{a_4}} + \frac{[H^+]^2}{K_{a_4} \cdot K_{a_3}} + \frac{[H^+]^3}{K_{a_4} \cdot K_{a_3} \cdot K_{a_2}} + \frac{[H^+]^4}{K_{a_4} \cdot K_{a_3} \cdot K_{a_2} \cdot K_{a_1}}$$

となる．付表の EDTA の酸解離定数値を代入し，各々の pH における $\alpha_{Y(H)}$ を求める(例題 5. 7 参照)．

$[Y^{4-}] = \dfrac{10^{-3}}{\alpha_{Y(H)}}$ より求められる．

pH	2	4	7
$\alpha_{Y(H)}$	$10^{13.70}$	$10^{8.61}$	$10^{3.40}$
$[Y^{4-}]$	$10^{-16.70}$	$10^{-11.61}$	$10^{-6.40}$
pH	9	10.3	12
$\alpha_{Y(H)}$	$10^{1.36}$	$10^{0.30}$	$10^{0.01}$
$[Y^{4-}]$	$10^{-4.36}$	$10^{-3.30}$	$10^{-3.01}$

5. 4

$\alpha_{L(H)} = 1 + 10^{9.81}[H^+] + 10^{12.38}[H^+]^2 + 10^{14.35}[H^+]^3$　①

（1）式①より，各 pH における $\alpha_{L(H)}$ を求める．

pH	0	1	1.97	2	2.53	
log $\alpha_{L(H)}$	14.4	12.0	8.74	8.72	7.5	
pH	3	4	5	6	7	8
log $\alpha_{L(H)}$	7.0	5.8	4.8	3.8	2.8	1.8
pH	9	9.81	10	11	12	
log $\alpha_{L(H)}$	0.9	0.3	0.2	0.03	0	

（2）スロープ法：ある pH 範囲では，log $\alpha_{L(H)}$ と pH は直線関係にあることを利用する．

（i）pH < 1.97　$\alpha_{L(H)} \approx 10^{14.35}[H^+]^3$

$\log_{L(H)} = 14.35 - 3pH$

（ii）pH = 1.97　$\alpha_{L(H)} = 10^{8.44} + 10^{8.44} = 10^{8.74}$

（iii）1.97 < pH < 2.53　$\log \alpha_{L(H)} = 12.38 - 2pH$

（iv）pH = 2.53　$\alpha_{L(H)} = 10^{7.24} + 10^{7.24} = 10^{7.54}$

（v）2.57 < pH < 9.81　$\log \alpha_{L(H)} = 9.81 - pH$

（vi）pH = 9.81　$\log \alpha_{L(H)} = 0.30$

（vii）9.81 < pH　$\log \alpha_{L(H)} = 0$

（i）～(vii)をグラフ用紙に描くと，pK_a のところで 2 つの直線は交わり，実際の値は交点よりも 0.30（= log 2）大きくなる．

5. 5

式（5. 31）より

$$f_{Cu(NH_3)_n{}^{2+}} = \frac{\beta_n[NH_3]^n}{1 + 10^{4.13}[NH_3] + 10^{7.61}[NH_3]^2 + 10^{10.48}[NH_3]^3 + 10^{12.59}[NH_3]^4}$$

$[NH_3] = 10^{-2}$ M

のとき，

$$f_{Cu(NH_3)_n{}^{2+}} = \frac{\beta_n[NH_3]^n}{10^{1.95}} \quad ①$$

式①に値を代入して計算する．

$$f_{Cu^{2+}} = \frac{1}{10^{1.95}} = 0.01,$$

$$f_{Cu(NH_3)^{2+}} = \frac{\beta_1[NH_3]}{10^{1.95}} = 0.15,$$

$$f_{Cu(NH_3)_2{}^{2+}} = \frac{\beta_2[NH_3]^2}{10^{1.95}} = 0.46,$$

$$f_{Cu(NH_3)^{n2+}} = \frac{\beta_3[NH_3]^3}{10^{1.95}} = 0.34,$$

$$f_{Cu(NH_3)_4{}^{2+}} = \frac{\beta_4[NH_3]^4}{10^{1.95}} = 0.04$$

5. 6

（1）K'は十分に大きいので，定量的に反応するものとする．残っている$[M'] = [L'] = x$とする．

$$10^{8.0} = \frac{10 \times 10^{-3}}{x^2},\ x = 1.0 \times 10^{-5.5} = [M']$$

（2）
$$[M] = \frac{[M']}{\alpha_M} = \frac{10^{-5.5}}{10^3} = 10^{-8.5}\,M,$$

$$[L] = \frac{[L']}{\alpha_L} = \frac{10^{-5.5}}{10^3} = 10^{-9.5}\,M$$

$$[ML] = \frac{[(ML)']}{\alpha_{ML}} = \frac{10^{-3}}{10^2} = 10^{-5}\,M$$

（3）$K' = K^{ML}_{M,L}\left(\dfrac{\alpha_{ML}}{\alpha_M\alpha_L}\right)$　$K^{ML}_{M,L} = 10^{13.0}$

5. 7

pH 4 における条件生成定数を求め，比較する．

$$K'_{Fe,Y} = \frac{10^{25.1}}{10^{1.8} \times 10^{8.6}} = 10^{14.7},$$

$$K'_{Cu,Y} = \frac{10^{18.8}}{10^0 \times 10^{8.6}} = 10^{10.2},$$

$$K'_{Zn,Y} = \frac{10^{16.5}}{10^0 \times 10^{8.6}} = 10^{7.9}$$

したがって，$Fe^{3+} > Cu^{2+} > Zn^{2+}$ の順になり，Fe^{3+} が最もよく反応する．

pH 8 では，

$K'_{Fe,Y} = 10^{13.1}$，$K'_{Cu,Y} = 10^{16.3}$，$K'_{Zn,Y} = 10^{14.2}$．

したがって，Cu^{2+} が最もよく反応する．

5. 8

$$\alpha_M = \alpha_{M(NH_3)} + \alpha_{M(OH)} - 1$$

となる．

pH 4 では，$\alpha_{Fe} = 10^{1.8}$，$\alpha_{Cu} = 1$，$\alpha_{Zn} = 1$，

pH 8 では，$\alpha_{Fe} = 10^{9.7}$，$\alpha_{Cu} = 10^{7.1}$，$\alpha_{Zn} = 10^{3.6}$．

pH 4 では，$K'_{Fe,Y} = 10^{14.7}$，$K'_{Cu,Y} = 10^{10.2}$，$K'_{Zn,Y} = 10^{7.9}$．したがって，Fe^{3+} が最もよく反応する．

pH 8 では，$K'_{Fe,Y} = 10^{13.1}$，$K'_{Cu,Y} = 10^{9.4}$，$K'_{Zn,Y} = 10^{10.6}$．したがって，Fe^{3+} が最もよく反応するが，Cu^{2+} と Zn^{2+} は pH 4 と逆である．

5. 9

$$\alpha_{Fe(F)} = 1 + 10^{5.5}[F^-] \quad ①$$

$$\alpha_{F(H)} = 1 + 10^{3.2}[H^+] = \frac{10^{-2}}{[F^-]} \quad ②$$

$$K'_{Fe,SCN} = \frac{10^{2.0}}{\alpha_{Fe}\cdot\alpha_{SCN}} = \frac{10^{2.0}}{\alpha_{Fe}}$$

$$= \frac{[FeSCN^{2+}]}{[(Fe^{3+})'][SCN^-]} = \frac{10^{-5.5}}{10^{-3}\cdot 10^{-1}} = 10^{-1.5}$$

したがって，$\alpha_{Fe} = \frac{10^{2.0}}{10^{-1.5}} = 10^{3.5}$ となる．式①より，$[F^-] = 10^{-2}$ M でなければならない．

式②より，$[H^+] = 10^{-1.2}$，pH = 1.2.

5. 10

（1）0.1 M アンモニアの場合，

変色域 5.2 > pZn′ > 3.2

（i）$C_{ZN} = 10^{-3}$ M のとき，$pZn'_{eq} = 6.1$．変色域を越えているが，変色域の上限（赤みが完全になくなったところ）を終点とすると，

$$\frac{\Delta C_{Zn}}{C_{Zn}} = \frac{10^{-6.1} - 10^{-5.2}}{10^{-3}} = -5.6 \times 10^{-3}$$

$$\frac{100\Delta C_{Zn}}{C_{Zn}} = -0.56\ \%$$

（ii）$C_{Zn} = 10^{-5}$ M のとき，$pZn'_{eq} = 7.1$．変色域を越えているが，変色域の上限（赤みが完全になくなったところ）を終点とすると，

$$\frac{\Delta C_{Zn}}{C_{Zn}} = \frac{10^{-7.1} - 10^{-5.2}}{10^{-5}} = -0.62$$

$$\frac{100\Delta C_{Zn}}{C_{Zn}} = -62\ \%$$

（2）0.01 M アンモニアの場合，

変色域 8.8 > pZn′ > 6.8.

（i）$C_{ZN} = 10^{-3}$ M のとき，$pZn'_{eq} = 7.9$．変色点 $pZn'_{trans} = 7.8$ に近いので，変色点を終点とすると，

$$\frac{\Delta C_{Zn}}{C_{Zn}} = \frac{10^{-7.9} - 10^{-7.8}}{10^{-3}} = -0.33 \times 10^{-5}$$

$$\frac{100\Delta C_{Zn}}{C_{Zn}} = -3.3 \times 10^{-4}\ \%$$

（ii）$C_{ZN} = 10^{-5}$ M のとき，$pZn'_{eq} = 8.9$．変色域をわずかに越えているが，変色域の上限を終点とすると，

$$\frac{\Delta C_{Zn}}{C_{Zn}} = \frac{10^{-8.9} - 10^{-8.8}}{10^{-5}} = -0.33 \times 10^{-4}$$

$$\frac{100\Delta C_{Zn}}{C_{Zn}} = -3.3 \times 10^{-3}\ \%$$

5. 11　エリオクロームブラックT（BT）指示薬の変色は，Ca^{2+} よりも Mg^{2+} の方が鋭敏な変色を示す．Ca^{2+} の滴定では Mg − EDTA（MgY）を BT とともに加えると，MgY は Ca^{2+} と以下のように反応する．

$$MgY + Ca^{2+} \longrightarrow CaY + Mg^{2+}$$

この溶液を EDTA で滴定すると，まず安定な CaY が生成し，終点近傍になると

$$Mg^{2+} - BT + Y \longrightarrow MgY + BT$$

となり，鋭敏な変色が起こる．

5. 12

（i）pH 3 のとき

$$K'_{Ca,Y} = \frac{K_{Ca,Y}}{\alpha_{Ca}\cdot\alpha_{Y}} = \frac{10^{10.7}}{10^{10.6}} = 10^{0.1}$$

生成したキレートの濃度を x M とすると

$$10^{0.1} = \frac{x}{(0.01 - x)^2},\ x = 1.2 \times 10^{-4}\ \mathrm{M},$$

$$[Ca^{2+}] = 0.0099\ \mathrm{M}$$

（ii）pH 7 のとき

$$K'_{Ca,Y} = \frac{10^{10.7}}{10^{3.33}} = 10^{7.37}$$

ほぼ定量的にキレートを生成するとする．

未反応の濃度を x M とすると，

$$10^{7.37} = \frac{0.01}{x^2},\ x = 2.1 \times 10^{-5}\ \mathrm{M},$$

$$[Ca^{2+}] = 2.1 \times 10^{-5}\ \mathrm{M}$$

（iii）pH 10 のとき

$$K'_{Ca,Y} = 10^{10.24}$$

ほぼ定量的にキレートを生成するとし，（ii）と同様に解く．

$[Ca^{2+}] = 7.6 \times 10^{-7}$ M

第 6 章

6. 1　（1）+5　（2）+3　（3）+7　（4）+5　（5）+6　（6）+3

6. 2

$E = -\dfrac{\Delta G^\circ}{nF} - \dfrac{RT}{nF}\ln\dfrac{a_M}{a_{M^{n+}}}$ の式において，

$a_M = a_{M^{n+}} = 1$とすると，$E = -\dfrac{\Delta G^\circ}{nF}$が得られ，$\Delta G^\circ$の値から電位$E$が求められる．

$$Pb^{2+}/Pb\ 系\quad E = -\frac{25 \times 10^3}{2 \times 96500} = -0.13\ V$$

$$Fe^{2+}/Fe\ 系\quad E = -\frac{85 \times 10^3}{2 \times 96500} = -0.44\ V$$

$$Zn^{2+}/Zn\ 系\quad E = -\frac{147 \times 10^3}{2 \times 96500} = -0.76\ V$$

$$Cr^{3+}/Cr\ 系\quad E = -\frac{213 \times 10^3}{3 \times 96500} = -0.74\ V$$

これより，最大の起電力が得られるのは，Pb^{2+}/Pb系の半電池を正極，Zn^{2+}/Zn系の半電池を負極とするときであり，起電力$E_{cell} = -0.13 - (-0.76\ V) = 0.63\ V$となる．

6. 3

Fe^{3+}/Fe^{2+}電極の半反応を式①に示す．

$$Fe^{3+} + e^- \rightleftharpoons Fe^{2+}$$

$$E^\circ = 0.770\ V,\ E^{\circ\prime} = 0.700\ V \qquad ①$$

銀—塩化銀電極を参照電極として測定した溶液の電位をE，SHE基準の電位をE_rとすると，測定電位Eに銀—塩化銀電極の標準電位($E^\circ_{AgCl/Ag}$)を加えれば，E_rに換算できる．

$E_r = E + E^\circ_{AgCl/Ag} = 0.540 + 0.222 = 0.762\ V$

式①のネルンスト式から，Fe^{2+}に対するFe^{3+}のモル比$\dfrac{[Fe^{3+}]}{[Fe^{2+}]}$が求められる．

$$E_r = E^{\circ\prime} - 0.059 \log \frac{[Fe^{2+}]}{[Fe^{3+}]}$$

$$0.762 = 0.700 + 0.059 \log \frac{[Fe^{3+}]}{[Fe^{2+}]}$$

$$\frac{[Fe^{3+}]}{[Fe^{2+}]} = 11.2$$

6. 4

MnO_4^-/Mn^{2+}の半電池に白金電極を入れたときの単極電位を求める問題である．

下の酸化還元反応から，電極電位は式①で表される．

$$MnO_4^- + 8H^+ + 5e^- \rightleftharpoons Mn^{2+} + 4H_2O$$

$$E = E^\circ - \frac{0.059}{5} \log \frac{a_{Mg^{2+}}}{a_{MnO_4^-} \cdot (a_{H^+})^8}$$

$$= E^{\circ\prime}_{Mn^{7+}/Mn^{2+}} - \frac{0.059}{5} \log \frac{[Mn^{2+}]}{[MnO_4^-][H^+]^8} \qquad ①$$

式①に各値を代入すると，電極電位が得られる．

$$E = 1.51 - \frac{0.059}{5} \log \frac{[2 \times 10^{-4}]}{[0.10][0.1]^8} = 1.51 - 0.61$$

$$= 1.45\ V$$

6. 5

沈殿生成が関与する系では，下式が成立する．

$$E = E^\circ_{M^{n+}/M} + \frac{0.059}{n} \log a_{M^{n+}}$$

$$= E^\circ_{M^{n+}/M} + \frac{0.059}{n} \log K_{sp,MXn} - 0.059 \log a_{X^-}$$

Ag^+ / Ag系の電位Eは，

$$E = E^\circ_{Ag^+/Ag} + 0.059 \log a_{Ag^+}$$

$$= E^\circ_{Ag^+/Ag} + 0.059 \log K_{sp,AgI} - 0.059 \log a_{I^-}$$

AgI / Ag系の電位Eは，

$$E = E^\circ_{AgI/Ag} - 0.059 \log a_{I^-}$$

両式より，

$$E^\circ_{AgI/Ag} = E^\circ_{Ag^+/Ag} + 0.059 \log K_{sp,AgI}$$

$$-0.152 = 0.799 + 0.059 \log K_{sp,AgI}$$

$$K_{sp,AgI} = 10^{-16.1} = 7.9 \times 10^{-17}$$

6. 6

AgBr / Ag系の電位Eは式①で表される．

$$E = E^\circ - 0.059 \log a_{Br^-} \qquad ①$$

$K_{sp,AgBr} = a_{Ag^+} \cdot a_{Br^-}$より，式①は，

$$E = E^\circ - 0.059 \log K_{sp,AgBr} + 0.059 \log a_{Ag^+}$$

$$= 0.797 + 0.059 \log a_{Ag^+}$$

よって，Ag^+/Agの標準電位$E^\circ_{Ag^+/Ag} = 0.797\ V$

なお，AgBr / Ag系の電位Eを，Ag^+/Ag系の標準電位$E^\circ_{Ag^+/Ag}$および溶解度積$K_{sp,AgBr}$を用いて表記すると，

$$E = E^\circ_{Ag^+/Ag} + 0.059 \log K_{sp,AgBr} - 0.059 \log a_{Br^-}$$

ここで，AgBr/Ag系の標準電位$E^\circ = E^\circ_{Ag^+/Ag} + 0.059 \log K_{sp,AgBr}$であることを理解すること．

6. 7

Fe^{3+}/Fe^{2+}の半電池の電位Eは，

$$E = E^\circ_{Fe^{3+}/Fe^{2+}} - 0.059 \log \frac{[Fe^{2+}]}{[Fe^{3+}]} \qquad ①$$

鉄のEDTA錯体の生成定数は，

$$K_{FeY^-} = \frac{[FeY^-]}{[Fe^{3+}][Y^{4-}]},\quad K_{FeY^{2-}} = \frac{[FeY^{2-}]}{[Fe^{2+}][Y^{4-}]}$$

①式に代入すると，

$$E = E^\circ_{Fe^{3+}/Fe^{2+}} - 0.059 \log \frac{[FeY^{2-}]K_{FeY^-}}{[FeY^-]K_{FeY^{2-}}}$$

$$= E^\circ_{Fe^{3+}/Fe^{2+}} - 0.059 \log \frac{K_{FeY^-}}{K_{FeY^{2-}}}$$

$$- 0.059 \log \frac{[FeY^{2-}]}{[FeY^-]}$$

$$= 0.13 - 0.059 \log \frac{[FeY^{2-}]}{[FeY^-]}$$

よって，FeY^-/FeY^{2-}の半反応の標準電位E° = 0.13 V.

なお，この値は，EDTA錯体生成がともなう場合のFe^{3+}/Fe^{2+}系の条件標準電位$E^{\circ\prime}$に相当する．

6. 8

（1）この反応は，次の2つの酸化還元反応の組み合わせになる．

$$I_3^- + 2e^- \rightleftarrows 3I^- \quad E^\circ = 0.54\ V \quad ①$$

$$IO_3^- + 6H^+ + \frac{1}{2}I^- + 5e^- \rightleftarrows \frac{1}{2}I_3^- + 3H_2O$$
$$E^\circ = 1.20\ V \quad ②$$

式① × 5 − 式② × 2より式③が得られ，その電位は式④で表される．

$$3I_3^- + 3H_2O \rightleftarrows IO_3^- + 8I^- + 6H^+$$
$$E^\circ = -0.66\ V \quad ③$$

$$E = E^\circ - \frac{0.059}{5} \log \frac{a_{IO_3^-}\cdot(a_{I^-})^8\cdot(a_{H^+})^6}{(a_{I_3^-})^3\cdot(a_{H_2O})^3} \quad ④$$

式④において，第2項の化学種の活量は全て1なので，$E = -0.66$ Vになる．

よって，$E < 0$なので，反応は左から右に自発的に進まない．

（2）式④の第2項は，平衡定数Kに相当するので，

$$E = -0.66 - \frac{0.059}{5} \log K$$

$E = 0$より，

$$K = 10^{-55.9} = 1.26 \times 10^{-56}$$

（3）水素イオン以外の活量を1とすると，式④は式⑤になる．

$$E = -0.66 - \frac{0.059}{5} \log (a_{H^+})^6$$

$$= -0.66 - \frac{0.059 \times 6}{5} \log a_{H^+}$$

$$= -0.66 + 0.71\ pH \quad ⑤$$

自発的に反応が進むには，$E > 0$になればよいので，pH > 9.3.

6. 9

$$H_2 + \frac{1}{2}O_2 \rightleftarrows H_2O$$

ギブスエネルギー変化は，

$$\Delta G = \Delta G^\circ + RT \ln \frac{(a_{H_2O})}{a_{H_2}\cdot(a_{O_2})^{1/2}}$$

$\Delta G = -nFE$より，

$$E = -\frac{\Delta G^\circ}{nF} + \frac{RT}{nF} \ln \frac{a_{H_2}\cdot(a_{O_2})^{1/2}}{(a_{H_2O})}$$

ここで，$n = 2$，$\Delta G^\circ = -237.1$ kJ/mol，F = 96485 C/mol，T = 273 Kを代入すると，

$$E = 1.23 + 0.027 \log \frac{a_{H_2}\cdot(a_{O_2})^{1/2}}{(a_{H_2O})}$$

これより，O_2とH_2の分圧をそれぞれ1 atmとすると，1.23 Vの起電力が得られる．

一方，水の酸化還元に関係する式①，②の反応からも同様に求めることができる．

$$O_2 + 2H_2O + 4e^- \rightleftarrows 4OH^-$$
$$E^\circ = 0.40\ V \quad ①（正極）$$

$$2H_2O + 2e^- \rightleftarrows H_2 + 2OH^-$$
$$E^\circ = -0.83\ V \quad ②（負極）$$

それぞれの半反応のネルンスト式は，

$$E_1 = 0.40 - \frac{0.059}{4} \log \frac{[OH^-]^4}{[O_2][H_2O]^2}$$

$$E_2 = -0.83 - \frac{0.059}{2} \log \frac{[H_2][OH^-]^2}{[H_2O]^2}$$

ここで，O_2とH_2の分圧をそれぞれ1 atm，$[H_2O]$を1，$[OH^-]$ = 1 Mとすると，

$$E_{cell} = E_1 - E_2 = 0.40 - (-0.83) = 1.23\ V$$

6. 10

反応の標準エネルギー変化ΔG°は，

$$\Delta G^\circ = -nFE$$

Cr^{3+} / Cr 系とCr^{3+} / Cr^{2+}系の半反応，標準電位E°，ΔG°をそれぞれ式②と式③に示す．

$$Cr^{3+} + 3e^- \rightleftarrows Cr \quad E_2^\circ = -0.74\ V$$
$$\Delta G_2^\circ = -3FE_2^\circ \quad ②$$

$$Cr^{3+} + e^- \rightleftarrows Cr^{2+} \quad E_3^\circ = -0.41\ V$$

$$\Delta G_3^\circ = -1FE_3^\circ \qquad ③$$

式② − 式③より，Cr^{2+} / Cr 系の半反応①が得られる．

$$Cr^{2+} + 2e^- \rightleftarrows Cr$$
$$\Delta G_1^\circ = -2FE_1^\circ \qquad ①$$

よって，

$$\Delta G_1^\circ = \Delta G_2^\circ - \Delta G_3^\circ$$
$$-2FE_1^\circ = -3FE_2^\circ - (-1FE_3^\circ)$$
$$E_1^\circ = \frac{3 \times (-0.74) - 1 \times (-0.41)}{2} = -0.91\ \mathrm{V}$$

6. 11

Fe^{3+} / Fe^{2+} 系と Fe^{2+} / Fe 系の半反応，標準電位 E°，標準エネルギー変化 ΔG° をそれぞれ式①と式②に示す．

$$Fe^{3+} + e^- \rightleftarrows Fe^{2+} \qquad E_1^\circ = 0.77\ \mathrm{V}$$
$$\Delta G_1^\circ = -1FE_1^\circ \qquad ①$$
$$Fe^{2+} + 2e^- \rightleftarrows Fe \qquad E_2^\circ = -0.44\ \mathrm{V}$$
$$\Delta G_2^\circ = -2FE_2^\circ \qquad ②$$

式① + 式②より，Fe^{3+} / Fe 系の半反応が得られる．

$$Fe^{3+} + 3e^- \rightleftarrows Fe$$
$$\Delta G_3^\circ = -3FE_3^\circ$$

よって，

$$\Delta G_3^\circ = \Delta G_1^\circ + \Delta G_2^\circ$$
$$-3FE_3^\circ = -1FE_1^\circ + (-2FE_2^\circ)$$
$$E_3^\circ = \frac{1 \times (0.77) + 2 \times (-0.44)}{3} = -0.04\ \mathrm{V}$$

6. 12

（1）Fe^{2+} と $KMnO_4$ の反応は，平衡定数が十分に大きく（$K \approx 10^{64}$），定量的に進行するため，反応後の各イオンの濃度は下のとおりになる．

$$[Fe^{2+}] = \frac{0.10 \times 50 - 0.020 \times 20 \times 5(\mathrm{mmol})}{50 + 20(\mathrm{mL})} = \frac{3.0}{70}\ \mathrm{M}$$

$$[Fe^{3+}] = \frac{0.020 \times 20 \times 5(\mathrm{mmol})}{50 + 20(\mathrm{mL})} = \frac{2.0}{70}\ \mathrm{M}$$

溶液の電位 E は，

$$E = E^{\circ\prime}_{Fe^{3+}/Fe^{2+}} - 0.059 \log \frac{[Fe^{2+}]}{[Fe^{3+}]}$$
$$= 0.70 - 0.059 \log \frac{3.0/70}{2.0/70} = 0.69\ \mathrm{V}$$

（2）過不足なく反応が終了するので，溶液の電位 E_{eq} は，

$$E_{eq} = \frac{5E^{\circ\prime}_{Mn^{7+}/Mn^{2+}} + E^{\circ\prime}_{Fe^{3+}/Fe^{2+}}}{6} = 1.38\ \mathrm{V}$$

（3）Fe^{2+} は完全に Fe^{3+} に酸化されており，溶液中には Mn^{2+} と MnO_4^- が共存している．

$$[Mn^{2+}] = \frac{0.020 \times 50(\mathrm{mmol})}{50 + 100(\mathrm{mL})} = \frac{1.0}{150}\ \mathrm{M}$$

$$[MnO_4^-] = \frac{0.020 \times 100 - 0.020 \times 50(\mathrm{mmol})}{50 + 100(\mathrm{mL})} = \frac{1.0}{150}\ \mathrm{M}$$

溶液の電位 E は，

$$E = E^{\circ\prime}_{Mn^{7+}/Mn^{2+}} - \frac{0.059}{5} \log \frac{[Mn^{2+}]}{[MnO_4^-][H^+]^8}$$
$$= 1.51\ \mathrm{V}$$

6. 13

（1）Fe^{3+} と Sn^{2+} の反応は，平衡定数が十分に大きく（$K \approx 10^{21}$），定量的に進行するため，反応後の各イオンの濃度は下のとおりになる．

$$[Fe^{3+}] = \frac{0.100 \times 50.0 - 0.100 \times 10.0 \times 2(\mathrm{mmol})}{50.0 + 10.0(\mathrm{mL})} = \frac{3.00}{60.0}\ \mathrm{M}$$

$$[Fe^{2+}] = \frac{0.100 \times 10.0 \times 2(\mathrm{mmol})}{50.0 + 10.0(\mathrm{mL})} = \frac{2.00}{60.0}\ \mathrm{M}$$

溶液の電位 E は，

$$E = E^{\circ\prime}_{Fe^{3+}/Fe^{2+}} - 0.059 \log \frac{[Fe^{2+}]}{[Fe^{3+}]}$$
$$= 0.73 - 0.059 \log \frac{2.00/60.0}{3.00/60.0} = 0.74\ \mathrm{V}$$

（2）$[Fe^{3+}] = \frac{2.50}{62.5}$ M，$[Fe^{2+}] = \frac{2.50}{62.5}$ M より，
$E = 0.73$ V

（3）$[Fe^{3+}] = \frac{1.00}{70.0}$ M，$[Fe^{2+}] = \frac{4.00}{70.0}$ M より，
$E = 0.69$ V

（4）$[Fe^{3+}] = \frac{0.100}{74.5}$ M，$[Fe^{2+}] = \frac{4.90}{74.5}$ M より，
$E = 0.63$ V

（5）過不足なく反応が終了する当量点の電位 E_{eq} は，

$$E_{eq} = \frac{2E^{\circ\prime}_{Sn^{4+}/Sn^{2+}} + E^{\circ\prime}_{Fe^{3+}/Fe^{2+}}}{3} = 0.14\ \mathrm{V}$$

（6）当量点後，Fe^{3+} は完全に Fe^{2+} に還元され

ており，溶液中には Sn^{2+} と Sn^{4+} が共存している．

$$[Sn^{4+}] = \frac{0.100 \times 25.0(\mathrm{mmol})}{50.0 + 25.5(\mathrm{mL})} = \frac{2.50}{75.5}\ \mathrm{M}$$

$$[Sn^{2+}] = \frac{0.100 \times 05.0(\mathrm{mmol})}{50.0 + 25.5(\mathrm{mL})} = \frac{0.05}{75.5}\ \mathrm{M}$$

溶液の電位 E は，

$$E = E^{\circ\prime}_{Sn^{4+}/Sn^{2+}} - \frac{0.059}{2}\log\frac{[Sn^{2+}]}{[Sn^{4+}]}$$

$$= -0.16 - \frac{0.059}{2}\log\frac{0.05/75.5}{2.50/75.5} = -0.11\ \mathrm{V}$$

（7）$[Sn^{4+}] = \frac{2.50}{80.0}$ M，$[Sn^{2+}] = \frac{0.50}{80.0}$ M より，

$$E = -0.14\ \mathrm{V}$$

6. 14

飽和カロメル電極(SCE)を参照電極として測定した溶液の電位を E，SHE 基準の電位を E_r とすると，測定電位 E に SCE の電位 E_{SCE}(0.244 V)を加えれば，E_r に換算できる．

$$E_r = E + E_{SCE} = 0.866 + 0.244 = 1.110\ \mathrm{V}$$

フェロインの酸化還元反応は下式で表される．

$$Fe(phen)_3{}^{3+} + e^- \rightleftharpoons Fe(phen)_3{}^{2+}$$

$$E^{\circ\prime}_{In} = 1.06\ \mathrm{V}$$

反応溶液(1M H_2SO_4)中の酸化還元指示薬の電位 E_r は，

$$E_r = E^{\circ\prime}_{In} - \frac{0.059}{n}\log\frac{[In_{Red}]}{[In_{Ox}]}$$

$$= 1.06 - 0.059\log\frac{[Fe(phen)_3^{2+}]}{[Fe(phen)_3^{3+}]}$$

$E_r = 1.11$ V より，

$$\frac{[Fe(phen)_3^{2+}]}{[Fe(phen)_3^{3+}]} = 0.142$$

$$[Fe(phen)_3^{2+}](\%) = \frac{[Fe(phen)_3^{2+}]}{[Fe(phen)_3^{2+}] + [Fe(phen)_3^{3+}]} \times 100 = 12.4\ \%$$

6. 15

反応した電子の物質量は等しいので，$n \cdot C \cdot V = n' \cdot C' \cdot V'$ が成立する．

シュウ酸イオンでは，$n = 2$，$V = 20.00$ mL であり，シュウ酸ナトリウムのモル濃度 C は，

$$C = \frac{169.2\ \mathrm{mg}}{134.0\ \mathrm{g/mol}} \times \frac{1}{250\ \mathrm{mL}} = 5.051 \times 10^{-3}\ \mathrm{M}$$

過マンガン酸イオンでは，$n' = 5$，$V' = 19.65$ mL であり，モル濃度を C' とすると，

$$2 \times 5.051 \times 10^{-3} \times 20.00 = 5 \times C' \times 19.65$$

$$C' = 2.056 \times 10^{-3}\ \mathrm{M}$$

6. 16

（1）試料水に含まれる塩化物イオンが酸化剤を消費してしまうため，Ag_2SO_4 粉末を加えて，Cl^- を AgCl の沈殿として除き，妨害を防ぐ．Ag_2SO_4 1 g で約 200 mg の Cl^- の妨害を防ぐことができる．

（2）試料中の有機物質などの還元性物質を過マンガン酸イオンで完全に酸化分解するため．

（3）空試験で補正しているので，正確な濃度は必要としない．約 1.25×10^{-2} M $Na_2C_2O_4$ 溶液であればよい．正確に 10 mL 加えることが重要になる．

（4）この値は，5×10^{-3} M $KMnO_4$ 標準溶液 1 mL の酸素相当量(mg)を示す．

$MnO_4{}^-$ は 5 電子反応，O_2 は 4 電子反応なので，$MnO_4{}^-$ 1 mol は O_2 1.25 mol に相当する．

したがって，

$$(5 \times 10^{-3}(\mathrm{mM})) \times 1.25 \times 32(\mathrm{mg}) = 0.2\ \mathrm{mg(O)}$$

（5）$\mathrm{COD} = (8.00 - 0) \times 1.000 \times \frac{1000}{50} \times 0.2 = 32\ \mathrm{mg/L}$

6. 17

L-アスコルビン酸(ascorbic acid)は酸化されると，デヒドロアスコルビン酸(dehydroascorbic acid)になる．酸化還元反応を下式に示す．

$$\mathrm{dehydroascorbic\ acid} + 2H^+ + 2e^- \rightleftharpoons \mathrm{ascorbc\ acid} + H_2O$$

果汁 20.00 g に含まれているビタミン C の物質量を a' モルとすると，反応した電子の物質量は等しいので，下式が成立する．

$$n \cdot a = n' \cdot a'$$

$$2 \times 0.05 \times 1.000 \times \frac{1.26}{1000} = 2 \times a'$$

$$a' = 6.30 \times 10^{-5}\ \mathrm{mol}$$

果汁 20.00 g に含まれているビタミン C（分子量 176.1）の質量は，

$$6.30 \times 10^{-5} \times 176.1\ \mathrm{g} = 0.0111\ \mathrm{g}$$

よって，ビタミン C の濃度(mg/100 g 単位)は，

$$\frac{11.1\ \text{mg}}{20.00\ \text{g}} = \frac{5 \times 11.1}{5 \times 20.00} = 55.5\ \text{mg/100 g}$$

6. 18

チオ硫酸ナトリウムとヨウ素酸カリウムの反応を下式に示す．

$$IO_3^- + 5I^- + 6H^+ \rightleftharpoons 3I_2 + 3H_2O$$

$$I_2 + 2Na_2S_2O_3 \rightleftharpoons 2I^- + S_4O_6^{2-} + 4Na^+$$

滴定に要したチオ硫酸ナトリウムの物質量 a [mmol]は，

$$a = C \times x\ [\text{mmol}]$$

反応した1/60 M KIO_3 標準溶液(ファクター，f)の物質量 b [mmol]は，

$$b = \frac{1}{60} \times f \times 25\ [\text{mmol}]$$

チオ硫酸ナトリウムとヨウ素酸カリウムの量論比は6/1なので，$a = 6b$ より，

$$C = \frac{2.5 \times f}{x}\ (\text{M})$$

もしくは，反応した電子の物質量が等しいことに着目すると，$S_2O_3^{2-}$ は1電子反応，IO_3^- は6電子反応なので，

$$1 \times (C \times x)\ [\text{mmol}] = 6 \times \left(\frac{1}{60} \times f \times 25\right)\ [\text{mmol}]$$

$$C = \frac{2.5 \times f}{x}\ (\text{M})$$

6. 19

(1) $S_2O_3^{2-}$ は1電子反応なので，滴定の際に反応した電子の物質量 a [mmol]は，

$$a = 0.025 \times 1.000 \times V_2\ [\text{mmol}]$$

酸素分子1 molは，4電子反応なので，電子1 molは $\frac{1}{4}$ molの酸素分子に相当する．よって，a [mmol]の電子と反応する酸素の物質量 b [mmol]は，

$$b = a \times \frac{1}{4}\ [\text{mmol}]$$

検水量は駒込ピペットで加えた1 mLを除いた $(V_1 - 1)$ mLになる．

溶存酸素濃度DO(mgO/L)は，

$$\text{DO} = \frac{b \times 32(\text{mg})}{V_1 - 1(\text{mL})} = 0.2 \times V_2 \times \frac{1000}{V_1 - 1}\ (\text{mgO/L})$$

(2) DO = 10.0(mg/L)，V_1 = 100 mLを上式に代入すると，

$$\text{DO} = 0.2 \times V_2 \times \frac{1000}{100 - 1}$$

$$V_2 = 9.95\ \text{mL}$$

6. 20

(1) Cu^{2+} によって I_3^- が生成するとき，関係する半反応は，

$$I_3^- + 2e^- \rightleftharpoons 3I^- \quad E^\circ = 0.54\ \text{V} \quad ①$$

$$Cu^{2+} + 2e^- \rightleftharpoons Cu \quad E^\circ = 0.34\ \text{V} \quad ②$$

式② − 式①より，

$$Cu^{2+} + 3I^- \rightleftharpoons Cu + I_3^-$$

$$E^\circ = -0.20\ \text{V}$$

$E^\circ < 0$ より，この反応は自発的に左から右には進まない．

実際の反応では，Cu^{2+} は1電子反応で進み，還元生成物として CuI が生じている．

$$Cu^{2+} + I^- + e^- \rightleftharpoons CuI \quad ③$$

このとき，関係する半反応は，

$$Cu^{2+} + 2e^- \rightleftharpoons Cu$$

$$E^\circ = 0.34\ \text{V} \quad ②$$

$$CuI + e^- \rightleftharpoons Cu + I^-$$

$$E^\circ = -0.19\ \text{V} \quad ④$$

式③の電位は，

$$E = E^\circ - 0.059 \log \frac{[CuI]}{[Cu^{2+}][I^-]} \quad ⑤$$

式②から，$E_1 = 0.34 - \frac{0.059}{2} \log \frac{[Cu]}{[Cu^{2+}]}$ ⑥

式④から，$E_2 = -0.19 - 0.059 \log \frac{[Cu][I^-]}{[CuI]}$ ⑦

式⑥ × 2 − 式⑦より

$$E = 2 \times E_1 - E_2 = 0.87 - 0.059 \log \frac{[CuI]}{[Cu^{2+}][I^-]}$$

よって，式③の E° は，E° = 0.87 Vになる．つまり，ヨウ化物イオンが存在すると，式③で示す半反応によって E° = 0.87 Vになり，酸化力が大きくなる．

実際に進行する反応をまとめると，

$$Cu^{2+} + I^- + e^- \rightleftharpoons CuI \quad E^\circ = 0.87\ \text{V} \quad ③$$

$$I_3^- + 2e^- \rightleftharpoons 3I^- \quad E^\circ = 0.54\ \text{V} \quad ①$$

式③ × 2 − 式①より，

$$2Cu^{2+} + 5I^- \rightleftarrows 2CuI + I_3^- \quad E^\circ = 0.33\ V$$

以上より，Cu^{2+}によってI^-が酸化されて CuI とI_3^-が生成するとき，$E^\circ > 0$となるので，反応は自発的に右に進行する．

（2）Cu^{2+} / CuI 系とチオ硫酸イオン系の酸化で反応した電子の物質量は等しいので，$n \cdot C \cdot V = n' \cdot C' \cdot V'$が成立する．

Cu^{2+}のモル濃度をCとすると，Cu^{2+} / CuI 系では，$n = 1$，$V = 100$ mL，チオ硫酸イオン系では，$n' = 1$，$C' = 0.0250$ M，$V' = 8.28$ mL より，

$$C = \frac{1 \times 0.0250 \times 8.28}{1 \times 100} = 2.07 \times 10^{-3}\,\mathrm{M}$$

100 mL 中のCu^{2+}の物質量a [mmol]は，$a = C \times 100 = 0.207$ mmol．よって，

$$\mathrm{Cu}(\%) = \frac{a \times 63.6(\mathrm{mg})}{1012(\mathrm{mg})} \times 100 = 1.30\ \%$$

第 7 章

7. 1

（1）$K_{sp} = S^2$

$$S = \sqrt{K_{sp}} = \sqrt{1.3 \times 10^{-10}} = 1.1 \times\ (\mathrm{M})$$

（2）$K_{sp} = S \cdot (2S)^2 = 4S^3$

$$S = \sqrt[3]{\frac{K_{sp}}{4}} = 1.8 \times 10^{-7}\ (\mathrm{M})$$

（3）$K_{sp} = (2S)^2 \cdot S = 4S^3$

$$S = \sqrt[3]{\frac{K_{sp}}{4}} = 1.3 \times 10^{-4}\ (\mathrm{M})$$

（4）$K_{sp} = (3S)^3 \cdot (2S)^2 = 108S^5$

$$S = \sqrt[3]{\frac{K_{sp}}{108}} = 1.2 \times 10^{-5}\ (\mathrm{M})$$

7. 2

（1）$120\ \mathrm{mg/L} = \dfrac{0.120}{187.8} \times 10^{-3} = 6.39 \times 10^{-7}\ \mathrm{M}$

$$K_{sp} = S^2 = (6.39 \times 10^{-7})^2 = 4.08 \times 10^{-13}$$

（2）$K_{sp} = S \cdot (2S)^2 = 4S^3 = 3.7 \times 10^{-11}$

（3）$2.65\ \mathrm{mg}/1000\ \mathrm{mL} = \dfrac{0.0265}{383.7} = 6.9 \times 10^{-5}\ \mathrm{M}$

$$K_{sp} = (2S)^2 \cdot S = 4S^3 = 1.3 \times 10^{-12}$$

7. 3　平衡到達後の溶液は AgCl と接触している．したがって，溶解度積の関係に既知の$[Ag^+]$を代入すると，

$$[Ag^+][Cl^-] = 0.0015 \times [Cl^-] = K_{sp,AgCl}$$
$$[Cl^-] = 1.2 \times 10^{-7}(\mathrm{M})$$

7. 4

両溶液を混合すると次の反応が起こる．

$$CaCl_2 + Na_2SO_4 \longrightarrow CaSO_4 + 2NaCl$$

NaCl の溶解度は十分に高く，Na^+，Cl^-は溶液に溶けたままなので，

$$[Na^+] = \frac{0.20 \times 2 \times 50}{50 + 50} = 0.20\ (\mathrm{M})$$

$$[Cl^{2+}] = \frac{0.0020 \times 2 \times 50}{50 + 50} = 0.0020\ (\mathrm{M})$$

となる．

一方，$CaSO_4$の溶解度は高くないので溶解平衡を考慮する．いま，過剰のNa_2SO_4を添加しているので，Ca^{2+}に対してSO_4^{2-}が過剰であり，これを先に求めると，

$$[SO_4^{2-}] = \frac{(0.20 - 0.0020) \times 50}{50 + 50} = 0.099\ (\mathrm{M})$$

となる．$[Ca^{2+}]$は溶解度積の定義から次のように計算できる．

$$[Ca^{2+}] = \frac{1.2 \times 10^{-6}}{0.099} = 1.2 \times 10^{-5}\ (\mathrm{M})$$

7. 5

$K_{sp} = S \cdot (2S)^2 = 4S^3$より水酸化カルシウム由来の$OH^-$の濃度は

$$[OH^-] = 2S = 2.2 \times 10^{-2}\ (\mathrm{M})$$

よって，上澄み溶液の pH は

$$\mathrm{pH} = 14 - \mathrm{pOH} = 12.3$$

7. 6

（1）$K_{sp} = S \cdot (2S)^2 = 4S^3$より

$$S = \sqrt[3]{\frac{K_{sp}}{4}} = 2.3 \times 10^{-4}\ (\mathrm{M})$$

（2）$K_{sp} = [Ca^{2+}][F^-]^2 = [Ca^{2+}] \cdot (0.01)^2$

$$S = [Ca^{2+}] = 4.9 \times 10^{-7}\ (\mathrm{M})$$

（3）$K_{sp} = [Ca^{2+}][F^-]^2 = 0.01 \cdot [F^-]^2$

$$S = [F^-]/2 = 3.5 \times 10^{-5}\ (\mathrm{M})$$

共通イオンにより，溶解度が著しく減少している．また，過剰のCa^{2+}の効果よりも，過剰の

F^-の効果の方が大きいことに注目.

7. 7

（1）10 mM NaCl

Na^+およびCl^-の濃度に比べて，Ba^{2+}およびSO_4^{2-}の濃度はきわめて低いので，イオン強度に関してはNaClのみを考慮する．よってイオン強度Iは，

$$I = \frac{1}{2}\sum C_i z_i^2 = \frac{1}{2}(0.01 \cdot 1^2 + 0.01 \cdot (-1)^2) = 0.01$$

デバイ-ヒュッケルの式に代入すると，

$$-\log y_{Ba} = 0.5\, Z_{Ba}^2 \sqrt{I} = 0.5 \times 2^2\sqrt{0.01} = 0.2$$

$$-\log y_{SO_4} = 0.5\, Z_{SO_4}^2 \sqrt{I} = 0.5 \times (-2)^2\sqrt{0.01} = 0.2$$

よって，

$$\log K_{sp} = \log K_{sp}^\circ - \log \gamma_{Ba} - \log \gamma_{SO_4} = -9.9 + 0.2 + 0.2 = -9.5$$

$$K_{sp} = 3.2 \times 10^{-10}$$

（2）10mM $CaCl_2$

イオン強度は

$$I = \frac{1}{2}\sum C_i z_i^2 = \frac{1}{2}(0.01 \times 2^2 + 0.02 \times (-1)^2) = 0.03$$

以下，デバイ-ヒュッケルの式を用いて（1）と同様にして

$$-\log y_{Ba} = 0.5\, Z_{Ba}^2 \sqrt{I} = 0.5 \cdot 2^2\sqrt{0.03} = 0.35$$

$$-\log y_{SO_4} = 0.5\, Z_{SO_4}^2 \sqrt{I} = 0.5 \cdot (-2)^2\sqrt{0.03}$$

$$\log K_{sp} = \log K_{sp}^\circ - \log y_{Ba} - \log y_{SO_4} = -9.9 + 0.35 + 0.35 = -9.2$$

$$K_{sp} = 6.2 \times 10^{-10}$$

同じ濃度でも，価数の高いイオンの効果が大きいことに注目.

7. 8

$$K'_{sp,BaCrO_4} = [Ba^{2+}][CrO_4'] = [Ba^{2+}][CrO_4^{2-}]\alpha_{CrO_4} = K_{sp,BaCrO_4}\alpha_{CrO_4}$$

（1）pH = 2では，

$$\alpha_{CrO_4} = \frac{[H^+]^2}{K_{a_1}K_{a_2}} + \frac{[H^+]}{K_{a_2}} + 1 = \frac{(10^{-2})^2}{10^{-0.74} \times 10^{-6.49}} + \frac{10^{-2}}{10^{-6.49}} + 1 = 3.3 \times 10^4$$

$$K'_{sp,BaCrO_4} = K_{sp,BaCrO_4}\alpha_{CrO_4} = 1.3 \times 10^{-10} \times 3.3 \times 10^4 = 4.3 \times 10^{-6}$$

（2）pH = 7では，

$$\alpha_{CrO_4} = \frac{[H^+]^2}{K_{a_1}K_{a_2}} + \frac{[H^+]}{K_{a_2}} + 1 = \frac{(10^{-7})^2}{10^{-0.74} \times 10^{-6.49}} + \frac{10^{-7}}{10^{-6.49}} + 1 = 1.3$$

$$K'_{sp,BaCrO_4} = K_{sp,BaCrO_4}\alpha_{CrO_4} = 1.3 \times 10^{-10} \times 1.3 = 1.7 \times 10^{-10}$$

7. 9

$$K'_{sp,BaSO_4} = [Ba^{2+}][SO_4'] = [Ba^{2+}][SO_4^{2-}]\alpha_{CrO_4} = K_{sp,BaSO_4}\alpha_{SO_4}$$

（1）pH = 2では，

$$\alpha_{SO_4} = \frac{[H^+]^2}{K_{a_1}K_{a_2}} + \frac{[H^+]}{K_{a_2}} + 1 = \frac{(10^{-2})^2}{10^5 \times 10^{-1.92}} + \frac{10^{-2}}{10^{-1.92}} + 1 = 1.8$$

$$K'_{sp,BaSO_4} = K_{sp,BaSO_4}\alpha_{SO_4} = 1.3 \times 10^{-10} \times 1.8 = 2.3 \times 10^{-10}$$

（2）pH = 7では，

$$\alpha_{SO_4} = \frac{[H^+]^2}{K_{a_1}K_{a_2}} + \frac{[H^+]}{K_{a_2}} + 1 = \frac{(10^{-7})^2}{10^5 \times 10^{-1.92}} + \frac{10^{-7}}{10^{-1.92}} + 1 = 1.0$$

$$K'_{sp,BaSO_4} = K_{sp,BaSO_4}\alpha_{SO_4} = 1.3 \times 10^{-10} \times 1.0 = 1.3 \times 10^{-10}$$

7. 8との比較で，陰イオンの共役酸のpK_aの違いが，異なるpHの溶液への溶解度に与える影響について注意せよ.

7. 10

両陰イオンはそれぞれ，AgClおよびAgIとして沈殿するが，溶解度積の値からAgIが先に沈殿することがわかる．よって，I^-の99.9 %がAgIとして沈殿した時点でのAg^+の平衡濃度において，AgClの沈殿がまだ始まらないことを示せばよい.

99.9 %のI^-が沈殿した際には，

$$0.050 \times 0.001 = 5 \times 10^{-5}\ M$$

のI^-が溶液中に残っている．このI^-と共存できる濃度は，

$$[Ag^+] = \frac{8.3 \times 10^{-17}}{5 \times 10^{-5}} = 17 \times 10^{-12}\ M$$

一方，AgClの沈殿の始まるAg^+濃度は，

$$[Ag^+] = \frac{1.8 \times 10^{-10}}{0.010} = 18 \times 10^{-8}\,M$$

よって，99.9 %のI^-が沈殿した時点では，まだCl^-の沈殿は始まらないので，溶解度積の差を利用して両者を分離することができる．

7. 11　溶解度積の大小を考慮するとFe^{2+}が先に沈殿する．99.9 %のFe^{2+}が沈殿する時点でのOH^-濃度は，

$$[OH^-] = \sqrt{\frac{8 \times 10^{-16}}{1 \times 10^{-5}}} = 8.9 \times 10^{-6}\,M\ (\approx pH\ 9.0)$$

この条件下では

$$[Mn^{2+}][OH^-]^2 = 0.0010 \times (8.9 \times 10^{-6})^2$$
$$= 7.9 \times 10^{-13} > K'_{sp,Mn(OH)_2}$$

なので，Mn^{2+}の沈殿はすでに始まっている．

8.9×10^{-6} MのOH^-と共存できるMn^{2+}濃度は，

$$[Mn^{2+}] = \frac{1.9 \times 10^{-13}}{(8.9 \times 10^{-6})^2} = 2.4 \times 10^{-3}\,M$$

よって，Fe^{2+}の沈殿が完結した時点でMn^{2+}は，

$$\frac{0.010 - 2.4 \times 10^{-3}}{0.010} \times 100 = 76\ \%$$

がすでに沈殿している．

7. 12　例題7. 8の$K_{sp,AgCl}$を，AgBrおよびAgIの溶解度積，$K_{sp,AgBr}$，$K_{sp,AgI}$で置き換えて同様に計算せよ．

7. 13　MXの溶解を無視した場合．（1），（2），（3）いずれの系でも

$$\frac{(50.0 - 49.9) \times 0.050}{50.0 + 49.9} = 5.0 \times 10^{-5}$$
$$pX = 4.3$$

MXの溶解を無視しない場合．

（1）$K_{sp,Mx} = 1 \times 10^{-5}$

MXの溶解度をSとすると，

$$[M^+] = S,\ [X^-] = 5.0 \times 10^{-5} + S$$
$$S(5.0 \times 10^{-5} + S) = 1 \times 10^{-10}$$
$$S = 1.9 \times 10^{-6}$$
$$pX = -\log(5.0 \times 10^{-5} + 1.9 \times 10^{-6}) = 4.28$$

（2）$K_{sp,Mx} = 1 \times 10^{-8}$

MXの溶解度をSとすると，

$$[M^+] = S,\ [X^-] = 5.0 \times 10^{-5} + S$$
$$S(5.0 \times 10^{-5} + S) = 1 \times 10^{-8}$$
$$S = 7.8 \times 10^{-5}$$
$$pX = -\log(5.0 \times 10^{-5} + 7.8 \times 10^{-5}) = 3.89$$

（3）$K_{sp,Mx} = 1 \times 10^{-6}$

MXの溶解度をSとすると，

$$[M^+] = S,\ [X^-] = 5.0 \times 10^{-5} + S$$
$$S(5.0 \times 10^{-5} + S) = 1 \times 10^{-6}$$
$$S = 9.8 \times 10^{-4}$$
$$pX = -\log(5.0 \times 10^{-5} + 9.8 \times 10^{-4}) = 2.99$$

7. 14　49.95 mLの$AgNO_3$溶液を添加した時点での反応は完結しているから，その時点で残っているX^-の濃度は，

$$[X^-] = \frac{(50.0 - 49.95) \times 0.10}{50.0 + 49.9} = 5.0 \times 10^{-5}\,M$$
$$pX = 4.30$$

さらに，0.10 mL添加した際に，pX = 6.30，すなわち$[X^-] = 5.0 \times 10^{-7}$ M以下にならなければならない．このとき，Ag^+濃度は，

$$[Ag^+] = \frac{0.10 \times 0.05}{50.00 + 50.05} = 50 \times 10^{-5}\,M$$

よって，

$$K_{sp} = [Ag^+][X^-] = 5.0 \times 10^{-5} \times 5.0 \times 10^{-7}$$
$$= 2.5 \times 10^{-11}$$

以下でなければならない．

7. 15

セルの電位から，ネルンストの式を用いて$[Pb^{2+}]$を求めることができる．

$$AgCl + e \rightleftarrows Ag + Cl^- \qquad E^\circ = 0.222\ V$$
$$Pb^{2+} + 2e \rightleftarrows Pb \qquad E^\circ = -0.126\ V$$

$$2AgCl + Pb \rightleftarrows 2Ag + 2Cl^- + Pb^{2+} \quad E^\circ = 0.348\ V$$

$$0.580 = 0.348 - \frac{0.059}{2}\log\frac{1^2 \cdot [Pb^{2+}]}{1}$$
$$= 1.37 \times 10^{-8}\,M$$

この濃度のPb^{2+}がpH 10.00の溶液と平衡であるから，

$$K_{sp,Pb(OH)_2} = [Pb^{2+}][OH^-]^2$$
$$= 1.37 \times 10^{-8} = \times (10^{-4})^2 = 2.5 \times 10^{-16}$$

7. 16

$$Mn^{2+} + 2e \rightleftarrows Mn \qquad E^\circ = -1.18\ V$$
$$Mn^{2+} + 2e \rightleftarrows Mn + 2OH^- \quad E^\circ = -1.59\ V$$

$$Mn^{2+} + 2OH^- \rightleftarrows Mn(OH)_2 \quad E^\circ = 0.41\ V$$

いま平衡状態を考えるから系の電位は0 V，$[Mn^{2+}][OH^-]^2 = K_{sp,Mn(OH)_2}$としてよい．よって，ネルンストの式より，

$$0 = 0.41 - \frac{0.059}{2}\log\frac{1}{K_{sp,Mn(OH)_2}}$$

$$K_{sp,Mn(OH)_2} = 1.26 \times 10^{-14}$$

7. 17

（1）AgOH

$$2 \times 10^{-8} = [Ag^+][OH^-]$$

両辺の対数をとって

$$7.70 = pAg + pOH = pAg + (14 - pH)$$

図7. 1と同じ要領で，縦軸にpAg，横軸にpHをとる．傾きが1，切片が−6.30の直線となる．沈殿しはじめるときのpHは，pAg = 1を代入して，pH = 7.30

（2）$Ca(OH)_2$

$$5.5 \times 10^{-6} = [Ca^{2+}][OH^-]^2$$

両辺の対数をとって

$$5.26 = pCa + 2pOH = pAg + 2(14 - pH)$$

$$pCa = -22.74 + 2pH$$

図7. 1と同じ要領で，縦軸にpCa，横軸にpHをとる．傾きが2，切片が−22.74の直線となる．沈殿しはじめるときのpHは，pCa = 1を代入して，pH = 11.87

（3）$Mg(OH)_2$

$$1.8 \times 10^{-11} = [Mg^{2+}][OH^-]^2$$

両辺の対数をとって

$$10.74 = pMg + 2pOH = pMg + 2(14 - pH)$$

$$pMg = -17.26 + 2pH$$

図7. 1と同じ要領で，縦軸にpMg，横軸にpHをとる．傾きが2，切片が−17.26の直線となる．沈殿しはじめるときのpHは，pCa = 1を代入して，pH = 9.13

（4）$Fe(OH)_3$

$$7.1 \times 10^{-38} = [Fe^{3+}][OH^-]^3$$

両辺の対数をとって

$$37.15 = pFe + 3pOH = pFe + 3(14 - pH)$$

$$pFe = -4.85 + 3pH$$

図7. 1と同じ要領で，縦軸にpFe，横軸にpHをとる．傾きが3，切片が−4.85の直線となる．沈殿しはじめるときのpHは，pFe = 1を代入して，pH = 1.95

7. 18

$$Ca^{2+} + CO_3^{2-} \rightleftarrows CaCO_3$$

$$K_{sp,CaCO_3} = [Ca^{2+}][CO_3^{2-}] = 4.8 \times 10^{-9} \quad ①$$

$$H_2CO_3 \rightleftarrows H^+ + HCO_3^-$$

$$K_{a_1} = \frac{[H^+][HCO_3^-]}{[H_2CO_3]} = 10^{-6.46} = 3.5 \times 10^{-7} \quad ②$$

$$HCO_3^- \rightleftarrows H^+ + CO_3^{2-}$$

$$K_{a_2} = \frac{[H^+][HCO_3^{2-}]}{[HCO_3]} = 10^{-10.25}$$

$$[Ca^{2+}] = [CO_3^{2-}] + [HCO_3^-] + [H_2CO_3] \quad ④$$

$[H^+] = 10^{-8}$を式②，③に代入して，

$$[HCO_3^-] = 10^{2.25}[CO_3^{2-}]$$

$$[H_2CO_3] = 10^{-1.54}[HCO_3^-] = 10^{0.71}[CO_3^{2-}]$$

式①より，

$$[Ca^{2+}] = \frac{4.8 \times 10^{-9}}{[CO_3^{2-}]}$$

さらにこれらを式④に代入すると，

$$\frac{4.8 \times 10^{-9}}{[CO_3^{2-}]} = [CO_3^{2-}] + 10^{2.25}[CO_3^{2-}] + 10^{0.71}[CO_3^{2-}]$$

$$[CO_3^{2-}] = 5.1 \times 10^{-6}$$

式①に代入して，

$$[Ca^{2+}] = \frac{4.8 \times 10^{-9}}{5.1 \times 10^{-6}} = 9.4 \times 10^{-4}$$

$$K_{sp,CaC_2O_4} = [Ca^{2+}][C_2O_4^{2-}] = 2.6 \times 10^{-9}$$

に代入して，

$$[C_2O_4^{2-}] = \frac{2.6 \times 10^{-9}}{9.4 \times 10^{-4}} = 2.8 \times 10^{-6}$$

以上の濃度で沈殿が始まる．

7. 19

0.005 MのMn^{2+}と平衡にある$[S^{2-}]$は，H_2Sの溶解度積より，

$$[S^{2-}] = \frac{K_{sp,MnS}}{[Mn^{2+}]} = \frac{3 \times 10^{-10}}{0.005} = 6 \times 10^{-8}\,M$$

S^{2-}は酸解離平衡にも関与しており，この濃度のS^{2-}の存在できる溶液は，

$$K_{a,H_2S} = \frac{[H^+]^2[S^{2-}]}{[H_2S]} = 1 \times 10^{-20}$$

より，

$$[H^+] = \sqrt{\frac{1 \times 10^{-20} \times [H_2S]}{[S^{2-}]}}$$

$$= \sqrt{\frac{1 \times 10^{-20} \times 0.1}{6 \times 10^{-8}}}$$

$$= 6 \times 10^{-7}\,M$$

以上の H^+ 濃度が必要である．よって，$pH \le 7.0$

7. 20

$$AgCl \rightleftharpoons Ag^+ + Cl^-$$

$$K_{sp,AgCl} = [Ag^+][Cl^-] = 1.8 \times 10^{-10} \quad ①$$

$$Ag^+ + 2NH_3 \rightleftharpoons Ag(NH_3)^{2+}$$

$$K_{Ag(NH_3)_2} = \frac{[Ag(NH_3)_2{}^+]}{[Ag^+][NH_3]^2} = 1.4 \times 10^7 \quad ②$$

全溶解平衡は，上式をあわせて，

$$AgCl + 2NH_3 \rightleftharpoons Ag(NH_3)_2{}^+ + Cl^-$$

$$K = K_{sp,AgCl} \times K_{Ag(NH_3)_2}$$

溶解する AgCl の量は，$[NH_3]$や$[Cl^-]$に比べて非常に少ないと考えられるから，

$$[NH_3] = [Cl^-] = 0.1$$

式①と③より，

$$[Ag^+] = 1.8 \times 10^{-9}$$

$$[Ag(NH_3)_2{}^+] = 2.5 \times 10^{-4}$$

溶解した塩化銀の量は，この両イオンの総和と等しいと考えてよいので，

$$[Ag^+] + [Ag(NH_3)_2{}^+] \approx 2.5 \times 10^{-4}$$

第 8 章

8. 1

$$E\,\% = \frac{100D}{D + \frac{V_{aq}}{V_o}}$$

に各条件を代入すると，次のようになる．

$$90\,\% = \frac{100D}{D + \frac{100}{10}}$$

これを解くと，$D = 90$

8. 2　水相および有機相の体積を V とすれば，平衡後の水相および有機相における物質 A の濃度は，それぞれ，

$$C_{aq} = \frac{(5.00 - 4.50)}{V} = \frac{0.50}{V} \qquad C_o = \frac{4.50}{V}$$

よって，$K_D = \dfrac{C_o}{C_{aq}} = \dfrac{\frac{4.50}{V}}{\frac{0.50}{V}} = 9$

8. 3　はじめの水相中の溶質 A の物質量

$$1.0 \times 10^{-3}\,M \times \frac{100(mL)}{1000(mL)} = 0.1\,mmol$$

抽出後の水相中の溶質 A の物質量

$$2.0 \times 10^{-4}\,M \times \frac{100(mL)}{1000(mL)} = 0.02\,mmol$$

有機相中の溶質 A の物質量

$$0.1(mmol) - 0.02(mmol) = 0.08\,mmol$$

よって，

$$D = \frac{\frac{0.08}{10}}{\frac{0.02}{100}} = 40$$

8. 4

[抽出後の水相の HB 濃度]

$$0.100\,M \times 12.0\,mL = x\,[M] \times 20.0\,mL$$

$$x = 0.06\,M$$

[抽出後の水相中の HB 物質量]

$$0.06\,M \times \frac{100\,mL}{1000\,mL} = 0.006\,mol$$

[抽出後のクロロホルム中の HB 物質量]

$$\left(1.2\,M \times \frac{100\,mL}{1000\,mL}\right) - 0.006 = 0.114\,mol$$

[分配比 D]

$$D = \frac{\frac{0.114}{60}}{\frac{0.006}{100}} = 31.7$$

8. 5　水相および有機相の体積をそれぞれ，V_{aq}，V_o，また，最初の水相の I_2 の物質量を W および平衡後に水相に残っている I_2 の物質量を W_1 とする．

$$K_D = \frac{\left\{\frac{(W - W_1)}{V_o}\right\}}{\left(\frac{W_1}{V_{aq}}\right)} = \frac{[I_2]_o}{[I_2]_{aq}}$$

CS_2 に抽出された I_2 量は，$(0.0010 - W_1)$ mol であるので，

$$K_D = \frac{\left\{\frac{(0.0010 - W_1)}{0.010}\right\}}{\frac{W_1}{0.10}} = 410$$

よって，

$$W_1 = 2.4 \times 10^{-5}\ \text{mol}$$

CS_2 相における I_2 の濃度は，

$$\frac{0.0010 - W_1}{0.010} = 0.098\ \text{M}$$

である．また，抽出率は，

$$E\ \% = \frac{W - W_1}{W} \times 100$$

$$= \frac{0.0010 - (2.4 \times 10^{-5})}{0.0010} \times 100$$

$$= 98\ \%$$

となる．

8. 6　水相にははじめに 5.0 mmol の物質 A があったので，4.5 mmol の物質 A が有機相に抽出されたことになる．したがって，有機相中における物質 A の濃度は 0.45 M であり，水相中では 0.01 M である．よって，分配比 D は，

$$D = \frac{\frac{4.5}{10}}{\frac{0.5}{50}} = \frac{0.45\ \text{M}}{0.01\ \text{M}} = 45$$

また，抽出率 E %は

$$E\ \% = \frac{100 \times D}{D + \frac{50}{10}} = 90\ \%$$

$$\left(\text{別解}：E\ \% = \frac{4.5}{5.0} \times 100 = 90\ \%\right)$$

8. 7　50 mL の有機相で 1 回抽出した場合，水相に残った物質 A の物質量を X_1 とすると，

$$X_1 = 0.010 \times \left(\frac{50}{20 \times 50 + 50}\right) = 4.8 \times 10^{-4}\ \text{mol}$$

25 mL の有機相で 2 回抽出した場合，水相に残った物質 A の物質量を X_2 とすると，

$$X_2 = 0.010 \times \left(\frac{50}{20 \times 25 + 50}\right)^2 = 4.8 \times 10^{-4}\ \text{mol}$$

よって，抽出回数が多いほど，効果的に溶質が有機相に抽出されることがわかる．

8. 8　酪酸を HBR とすると，$[BR^-]_{aq} = 0$ であるから，分配比 D は，

$$D = \frac{[HBR]_o}{[HBR]_{aq} + [BR^-]_{aq}} = \frac{[HBR]_o}{[HBR]_{aq}}$$

となる．酪酸の分配比 D で表すと，1 回目の抽出より，

$$D = \frac{\frac{2.4}{250}}{\frac{1.6}{500}} = 3.0$$

が得られる．2 回目の抽出で水相に残る酪酸の量を x g とすれば，

$$\frac{\frac{1.6 - x}{250}}{\frac{x}{500}} = 3.0$$

であるので，$x = 0.64$ g となる．または，

$$x = 4.0 \times \left(\frac{500}{3.0 \times 250 + 500}\right)^2 = 0.64\ \text{g}$$

8. 9　一般に，溶媒抽出における抽出試薬はルイス塩基であるので，錯生成定数が pH の上昇とともに大きくなるためである．

8. 10

$$K_D = \frac{[HA]_o}{[HA]_{aq}},\quad K_a = \frac{[H^+]_{aq}[A^-]_{aq}}{[HA]_{aq}}$$

有機相には未解離の HA しか存在しないので，

$$D = \frac{[HA]_o}{[HA]_{aq} + [A^-]_{aq}} = \frac{K_D}{1 + \frac{K_a}{[H^+]_{aq}}}$$

$$= \frac{10}{1 + \frac{5.0 \times 10^{-4}}{1.0 \times 10^{-3}}} = 6.7$$

8. 11　有機相中の二量体の濃度を x(M) とすると，$K_{dim} = x/(2 \times 10^{-4} - 2x)^2 = 150$

x の 2 次方程式を解くと，$x = 6 \times 10^{-6}$．$[HA]_o = 2.0 \times 10^{-4} - 2(6 \times 10^{-6}) = 1.88 \times 10^{-4}$(M)．酸濃度が高いので，$[HA]_{aq} = 1.0 \times 10^{-4}$．$K_D = 1.88 \times 10^{-4} / 1.0 \times 10^{-4} = 1.88$

（参考）$ax^2 + bx + c = 0$

$$x = \frac{-b \pm \sqrt{b^2 - 4ac}}{2a}$$

$$K_D = 1.9$$

8. 12　二量体生成が無視でき，かつ $[H^+] \ll K_a$

であるので

$$D = \frac{K_D[H^+]_{aq}}{K_a} = \frac{40 \times 10^{-7.0}}{10^{-4.20}} = 0.064$$

$$E\ \% = \frac{100D}{D + \frac{V_{aq}}{V_o}} = \frac{6.4}{0.064 + 10} = 0.64\ \%$$

したがって，抽出される安息香酸は

$$1.00 \times 0.0064 = 6.4 \times 10^{-3}\ g$$

8. 13

（1）pH 5.0 ではほぼ全てが中性化学種として存在するので，$D = K_D = 2.51$

pH 11.0 ではほぼすべてが陰イオンとして存在するので，

$$D = \frac{K_D[H^+]}{K_a} = \frac{2.51 \times 10^{-11}}{10^{-9}} = 0.0251$$

（2）8. 12 と同様に，抽出率と分配比の関係式に値を代入する．

pH 5.0 では $E = 20.0\ \%$，

pH 11.0 では $E = 0.25\ \%$

8. 14

（1）はじめの酢酸の全量は

$$0.10 \times \frac{100}{1000} = 0.010\ mol$$

$$E = \frac{0.01 - (5.0 \times 10^{-4})}{0.01} \times 100 = 95\ \%$$

$$D = \frac{\frac{9.5 \times 10^{-3}}{10}}{\frac{5 \times 10^{-4}}{100}} = \frac{9.5 \times 10^{-4}\ M}{5 \times 10^{-5}\ M} = 190$$

（2）塩基性になると酢酸が酸解離して酢酸陰イオンになる．酢酸陰イオンの有機相への分配は無視できるほど小さいので，水相が塩基性になると分配比が小さくなる．

8. 15

（a）pH 2.5

$$D = \frac{K_D(1 + 2K_{dim}[PhCOOH]_o)}{1 + \frac{K_a}{[H^+]_{aq}}}$$

$$= \frac{40 \times 1}{1 + \frac{6.5 \times 10^{-5}}{0.0032}} = 39.2$$

（b）pH 7.5

$K_a = 6.5 \times 10^{-5}$ より $pK_a = 4.2$ となる．よって，pH ≫ pK_a と近似できるので，

$$D = \frac{K_D[H^+]_{aq}}{K_a} = \frac{40 \times (3.2 \times 10^{-8})}{6.5 \times 10^{-5}} = 0.02$$

8. 16　はじめの水相中の物質 A の物質量を x_0，n 回目の抽出時に水相に残った物質 A の物質量を x_n とする．

（1）100 mL を用いて 1 回で抽出する場合

$$x_1 = x_0\left(\frac{V_{aq}}{DV_o + V_{aq}}\right) = 0.010\left(\frac{100}{4.0 \times 20 + 100}\right)$$

$$= 2.0 \times 10^{-3}$$

抽出率は，

$$E\ \% = \frac{x_0 - x_1}{x_0} \times 100 = \frac{0.010 - 0.002}{0.010} \times 100$$

$$= 80\ \%$$

（2）20 mL を用いて 5 回抽出する場合

$$x_5 = x_0\left(\frac{V_{aq}}{DV_o + V_{aq}}\right)^5 = 0.010\left(\frac{100}{4.0 \times 100 + 100}\right)^5$$

$$= 5.3 \times 10^{-4}$$

抽出率は，

$$E\ \% = \frac{x_0 - x_5}{x_0} \times 100$$

$$= \frac{0.010 - (53 \times 10^{-4})}{0.010} \times 100$$

$$= 94.7\ \%$$

8. 17　最初の水相中に含まれている溶質を W_0（%），n 回抽出後に水相に残る溶質を W_n（%）として，(8. 17) 式を変形すると，

$$\frac{W_n}{W_0} = \left(\frac{V_{aq}}{K_D V_o + V_{aq}}\right)^n$$

となる．なお，抽出化学種が 1 種類の場合は $K_D = D$ となる．

$$\frac{3}{100} = \left(\frac{150}{K_D \times 50 + 150}\right)^3$$

であるので，

$$0.03 = \left(\frac{3}{K_D + 3}\right)^3$$

よって，$K_D = 6.7$

8. 18

（1）$D = \dfrac{\frac{0.8}{100}}{\frac{1.0 - 0.8}{100}} = 4.0$

（2）$\dfrac{W_n}{W_0} = \left(\dfrac{V_{aq}}{DV_o + V_{aq}}\right)^n$

より，

$$\frac{3}{100} > \left(\frac{100}{4.0 \times 100 + 100}\right)^n = \left(\frac{1}{5}\right)^n$$

よって，$n = 3$

（3）（2）と同様に，

$$\frac{W_n}{W_0} = \left(\frac{100}{4.0 \times 50 + 100}\right)^3 = \left(\frac{1}{3}\right)^3$$

$$100 \times \frac{26}{27} = 96\ \%$$

8. 19　はじめの溶質の量を 1.0 g として考えると，0.96 g が抽出され，0.04 g が水相に残ったことになる．

$$0.04 = 1.0 \times \left(\frac{100}{D \times 50 + 100}\right)^2$$

となる．よって，

$$0.2 = \frac{100}{D \times 50 + 100}$$

これを解いて，$D = 8.0$

8. 20

（1）$x_1 = x_0\left(\frac{75}{3.50 \times 100 + 75}\right) = 0.1765x_0$

つぎに，これを

$$E\ \% = \left(\frac{x_0 - x_1}{x_0}\right) \times 100$$

に代入すると，

$$E\ \% = \left(\frac{x_0 - 0.1765x_0}{x_0}\right) \times 100$$
$$= (1 - 0.1765) \times 100$$
$$= 82.35\ \%$$

（2）$x_5 = x_0\left(\frac{75}{3.50 \times 20 + 75}\right)^5 = 0.0370x_0$

（1）と同様に，

$$E\ \% = \left(\frac{x_0 - 0.0370x_0}{x_0}\right) \times 100$$
$$= (1 - 0.0370) \times 100 = 96.3\ \%$$

8. 21

（1）HR の酸解離が抑制され，錯形成にあずかる R^- の濃度が減少するので，分配比が小さくなる．

（2）同じ pH でも錯形成にあずかる R^- の濃度が大きくなるので，分配比が大きくなる．

（3）同じ HR 濃度でも，生成する錯体の濃度が大きくなるので，分配比が大きくなる．

8. 22

$$\left(\frac{5.0}{23.0 + 35.5}\right) \times 0.100 = 0.00855\ \text{mol} = 8.55\ \text{mmol}$$

このことから，この溶液は 8.55 mmol の Na^+ を含んでいることがわかる．したがって，

$$\frac{8.55}{4.2} = 2.0$$

すなわち，2.0 g のイオン交換樹脂が必要である．

8. 23　イオン交換樹脂相を上付きバーで表すと，

$$m\overline{B^+} + M^{m+} \rightleftarrows mB^+ + \overline{M^{m+}}$$

1 mol の M^{m+} がイオン交換されて樹脂内に保持されると m[mol] の B^+ が水溶液内に出てくる．

8. 24　このカラムに充填されたイオン交換樹脂の交換基の量は，

$$0.010 \times 22.01\ \text{mL} = 2.20\ \text{mmol}$$

したがって，交換容量は，

$$\frac{2.20}{0.50} = 4.40\ \text{mmol} \cdot \text{g}^{-1}$$

8. 25

（1）$\frac{0.103\ \text{M} \times 20.61\ \text{mL}}{0.508\ \text{g}} = 4.18\ \text{meq} \cdot \text{g}^{-1}$

（2）$RH^+ + K^+ \rightleftarrows RK^+ + H^+$

$$K_{H^+}^{K^+} = \frac{\overline{C_B}C_A}{\overline{C_A}C_B} = \frac{\overline{[K^+]}[H^+]}{\overline{[H^+]}[K^+]}$$

$$[H^+] = 0.103 \times 8.06 = 0.830\ \text{mmol}$$
$$[K^+] = 0.0100 \times 100 - 0.830 = 0.170\ \text{mmol}$$
$$\overline{[H^+]} = 4.18 \times 1.02 - 0.830 = 3.43\ \text{mmol}$$
$$\overline{[K^+]} = 0.830\ \text{mmol}$$

$$K_{H^+}^{K^+} = \frac{\frac{0.830}{100} \times \frac{0.830}{1.02}}{\frac{3.43}{1.02} \times \frac{0.170}{100}} = 1.18$$

$$K_D = \frac{\overline{[K^+]}}{[K^+]} = \frac{\frac{0.830}{1.02}}{\frac{0.170}{100}} = 4.79 \times 10^2$$

8. 26

（1）交換容量

$$\frac{0.10\ \text{M} \times 22.5\ \text{cm}^3}{0.5\ \text{g}} = 4.5\ \text{meq} \cdot \text{g}^{-1}$$

（2）イオン交換樹脂の量

$$\left\{\frac{5.0\ \mathrm{g}}{(23.0+35.5)\,\mathrm{gmol^{-1}}}\right\} \times \frac{100.0}{1000}$$

$$= 0.0085\ \mathrm{mol} \qquad \frac{8.5\ \mathrm{mmol}}{4.5\ \mathrm{meq \cdot g^{-1}}} = 1.89\ \mathrm{g}$$

8. 27

・強酸性陽イオン交換体(スルホ基)：酸性，塩基性を問わず，広い pH 範囲で陽イオン交換が可能である.

・弱酸性陽イオン交換体(カルボキシ基)：酸性領域では官能基の酸解離定数が小さいために，水素イオンが解離せず陽イオン交換性を示さないが，中性から塩基性にかけて陽イオン交換性を示す.

(1) 静電引力を利用しているため，一般に電荷の大きいものほど交換体に強く捕捉される．したがって，その序列は $M^{4+} > M^{3+} > M^{2+} > M^{+}$ となる.

(2) 強く水和しているイオン(構造形成イオン)ほど交換体に捕捉されにくいので，イオン半径の小さいものほどイオンの表面電荷密度が大きく水和しやすいので捕捉されにくい．したがって，$Cs^{+} > Rb^{+} > K^{+} > Na^{+} > Li^{+}$ の順になる.

8. 28 滴定値より，樹脂から流出した水素イオンの量は 1.400×10^{-3} mol である．よって，イオン交換容量は

$$\frac{1.4\ \mathrm{mmol}}{2.0\ \mathrm{g}} = 0.700\ \mathrm{meq \cdot g^{-1}}$$

8. 29 8.28と同様に

$$\frac{5.00 \times 10^{-2} \times \dfrac{32.00}{1000} \times 1000}{1.20} = 1.33\ \mathrm{meq \cdot g^{-1}}$$

8. 30 酸性溶液中では以下のように水素イオンがアミノ基に配位(付加)し，陽イオンとなるためイオン交換性を示す.

$$\mathrm{R-NH_2 + H^{+} \rightleftarrows R-NH_3^{+}}$$

8. 31 塩化ナトリウムの式量は 58.4 であるから，1.60 g は 2.74×10^{-2} mol である．よって，イオン交換容量は 5.48 $\mathrm{meq \cdot g^{-1}}$

8. 32

$$K_{\mathrm{H^+}}^{\mathrm{Na^+}} = \frac{[\mathrm{RNa}][\mathrm{H^+}]}{[\mathrm{RH}][\mathrm{Na^+}]} = 1.50$$

吸着される Na^{+} の濃度を x M とすると

$$[\mathrm{Na^+}] = 1.000 \times 10^{-3} - x \qquad [\mathrm{H^+}] = x$$

$$[\mathrm{RNa}] = x \times \frac{250}{2.00}$$

$$[\mathrm{RH}] = \frac{(2 \times 1.90 - 250 \times x)}{2.00}$$

よって，

$$\frac{\left(x \times \dfrac{250}{2.00}\right) \times x}{\left(\dfrac{2 \times 1.90 - 250 \times \mathrm{x}}{2}\right)(10^{-3} - x)} = 1.50$$

答 95.7 %

8. 33 このイオン交換反応は，

$\mathrm{2RH + K_2SO_4 \rightleftarrows 2RK + H_2SO_4}$ で示される.

中和に要した NaOH のグラム当量は，

$$0.200 \times 45.0 \times 10^{-3} = 9.00 \times 10^{-3}\ \mathrm{eq}$$

K_2SO_4 の質量は，

$$9.00 \times 10^{-3} \times \frac{174.2}{2} = 0.784\ \mathrm{g}$$

よって，

$$\frac{0.784\ \mathrm{g}}{0.838\ \mathrm{g}} \times 100 = 93.6\ \%$$

8. 34

(1) 反応式から 1 mol の Cu^{2+} 吸着によって 2 mol の H^{+} が溶液中に放出されるから，

$$[\mathrm{H^+}] = 2 \times [\mathrm{Cu^{2+}}]\text{の変化} = 2 \times (0.010 - 0.002) = 0.016\ \mathrm{M}$$

(2) Cu^{2+} の吸着量 (mol) は，

$$(0.010 - 0.002) \times 0.10 = 8 \times 10^{-4}\ \mathrm{mol} = 0.8\ \mathrm{mmol}$$

よって，$[\mathrm{Cu^{2+}}]_{\mathrm{R}} = 0.8$ mmol/g

(3) Cu^{2+} 1 mol の吸着によって 2 mol の H^{+} が放出されるので，

$$[\mathrm{H^+}]_{\mathrm{R}} = (5.0\ \mathrm{mmol} - 2 \times 0.8\ \mathrm{mmol})/\mathrm{g} = 3.4\ \mathrm{mmol/g}$$

よって，

$$K = \frac{8 \times 10^{-4} \times (16 \times 10^{-3})^2}{(3.4 \times 10^{-3})^2 \times 2.0 \times 10^{-3}} = 8.9\ \mathrm{g/L}$$

付　表

付表1　SI 単位

SI 基本単位

数値と単位の積として表される各種物理量は以下の7種の基本物理量の積または商で表した次元系を用いると組み立てることができる．そこで，国際単位系はこれらの基本物理量とそれぞれ等しい次元をもつ7個の基本単位を基礎として構成されている．

表1　SI 基本単位

物理量	SI 単位の名称	SI 単位の記号	定　　義
長さ	メートル	m	1秒の 299,792,458 分の1の時間に光が真空中を伝わる距離を1メートルとする．
質量	キログラム	kg	国際キログラム原器の質量を1キログラムとする．
時間	秒	s	セシウム-133 原子の基底状態に属する2つの超微細レベル間の遷移に伴って放出される光の振動周期の 9,192,631,770 倍を1秒とする．
電流	アンペア	A	無視できる程度に断面が小さく，無限に長い2本の導体を真空中に 1 m だけ隔てて平行に張り，それに定電流を通じたとき，その導体間に働く力が導体の長さ 1 m につき 2×10^{-7} ニュートンであればその電流を1アンペアとする．
熱力学的温度	ケルビン	K	熱力学的温度の単位ケルビンは水の三重点の熱力学的温度の 1/273.16 と定義される．
物質量	モル	mol	0.012 kg の炭素-12 に含まれる炭素原子と同数の構成単位を含む系の物質の量を1モルとする．単位モルを使うに際してその構成単位を明確に規定しなければならない．
光度	カンデラ	cd	101,325ニュートン/m^2 の圧力下での白金の凝固温度にある黒体の平らな表面 1/600,000 m^2 当たりの垂直方向の光度を1カンデラとする．

ここで，構成単位とは原子，分子，イオン，電子，その他の粒子，あるいはこれらの粒子の明確に規定された組合せである．

SI 関連単位の名称と記号，定義

SI 補助単位としてのラジアン，およびステラジアンのほかに，ある種の SI 組立単位（誘導単位）に対する特別の名称と記号が用いられる．それらを表2に列挙する．また，その他の量に対する SI 誘導単位の例を表3に示した．

表2　SI 基本単位の名称と記号，定義（抜粋）

物理量	SI 単位の名称	SI 単位の記号	定義あるいは SI 基本単位による表現
平面角	ラジアン	rad	円の周上で，その半径の長さに等しい長さの弧を切り取る2本の半径の間に含まれる平面角．
立体角	ステラジアン	sr	球の中心を頂点とし，その球の半径を一辺とする正方形に等しい面積を球の表面上で切り取る立体角．
力	ニュートン	N	$\mathrm{m\,kg\,s^{-2}}$
圧力，応力	パスカル	Pa	$\mathrm{m^{-1}\,kg\,s^{-2}}$ $(=\mathrm{N\,m^{-2}})$
エネルギー	ジュール	J	$\mathrm{m^2\,kg\,s^{-2}}$

物理量	SI 単位の名称	SI 単位の記号	定義あるいは SI 基本単位による表現
仕事率	ワット	W	$m^2\,kg\,s^{-3}$ ($J\,s^{-1}$)
電荷	クーロン	C	$s\,A$
電位差	ボルト	V	$m^2\,kg\,s^{-3}\,A^{-}$ ($J\,A^{-1}s^{-1}$)
電気抵抗	オーム	Ω	$m^2\,kg\,s^{-3}\,A^{-2}$ ($=V\,A^{-1}$)
伝導度	ジーメンス	S	$m^{-2}\,kg^{-1}\,s^3\,A^2$ ($=A\,V^{-1}=\Omega^{-1}$)
電気容量	ファラド	F	$m^{-2}\,kg^{-1}\,s^4\,A^2$ ($=A\,s\,V^{-1}$)
光束	ルーメン	lm	cd sr
照度	ルクス	lx	m^{-2} cd sr
振動数	ヘルツ	Hz	s^{-1}
線源の放射能	ベクレル	Bq	s^{-1}

表 3　その他の量に対する SI 誘導単位とその記号（抜粋）

物理量	SI 単位	SI 単位による表現
面積	平方メートル	m^2
体積	立方メートル	m^3
密度	キログラム毎立方メートル	$kg\,m^{-3}$
速度	メートル毎秒	$m\,s^{-1}$
動粘性率 拡散係数	平方メートル毎秒	$m^2\,s^{-1}$
粘性率	ニュートン秒毎平方メートル	$N\,s\,m^{-2}$
モルエントロピー，モル熱容量	ジュール毎(ケルビン･モル)	$J\,K^{-1}\,mol^{-1}$
濃度	モル毎立方メートル	$mol\,m^{-3}$
電場の強さ	ボルト毎メートル	$V\,m^{-1}$
磁場の強さ	アンペア毎メートル	$A\,m^{-1}$

表 4　SI 位取り接頭語

大きさ	接頭語	記号	大きさ	接頭語	記号
10^{-1}	デシ	d	10	デカ	da
10^{-2}	センチ	c	10^2	ヘクト	h
10^{-3}	ミリ	m	10^3	キロ	k
10^{-6}	マイクロ	μ	10^6	メガ	M
10^{-9}	ナノ	n	10^9	ギガ	G
10^{-12}	ピコ	p	10^{12}	テラ	T
10^{-15}	フェムト	f	10^{15}	ペタ	P
10^{-18}	アット	a	10^{18}	エクサ	E

質量の単位の 10 の整数倍は，グラムに接頭語を付けて表示するとされている．例えば，μkg は使わず mg，nkg ではなく μg，kkg とはせず Mg を使う．

SI 以外の単位

SI 以外の単位として SI と併用される単位がある．表 5 にこれらを列記した．また，併用できないが，従来の文献などでよく使われた単位がある．それらの単位で表記された数字は SI 単位に換算する必要が生じるところから，表 6 に SI 単位との関係を示した．

表 5　SI と併用される単位

物理量	単位の名称	記号	SI 単位による値
時間	分	min	60 s
時間	時	h	3600 s
時間	日	d	86 400 s
平面角	度	°	(π/180) rad
体積	リットル	l，L	10^{-3} m^3
質量	トン	t	10^3 kg
長さ	オングストローム	Å	10^{-10} m
圧力	バール	bar	10^5 Pa
エネルギー	電子ボルト	eV	$1.602\,18\times10^{-19}$ J
質量	統一原子質量単位	u	$1.660\,54\times10^{-27}$ kg

表 6　使われたことのある単位

物理量	単位の名称	記号	SI 単位による値
力	ダイン	dyn	10^{-5} N
圧力	標準大気圧	atm	101325 Pa
圧力	トル (mmHg)	Torr	133.322 Pa
エネルギー	エルグ	erg	10^{-7} J
エネルギー	熱化学カロリー	cal_{th}	4.184 J
磁束密度	ガウス	G	10^{-4} T
電気双極子モーメント	デバイ	D	3.33564×10^{-30} Cm
粘性率	ポアズ	P	10^{-1} N s m^{-2}
動粘性率	ストークス	St	10^{-4} m^2 s^{-1}

表 7　基本物理定数の値（抜粋）

物　理　量	記　号	数　　値	単　位
真空中の光速度	C_0	299 792 458	m s^{-1}
真空の誘電率	ε_0	$8.854\,187\,817\cdots\times10^{-12}$	F m^{-1}
プランク定数	h	$6.626\,069\,3(11)\times10^{-34}$	J s
アボガドロ定数	L，N_A	$6.022\,141\,5(10)\times10^{23}$	mol^{-1}
ファラデー定数	F	$9.648\,533\,83(83)\times10^4$	C mol^{-1}
気体定数	R	8.314 472(15)	J $K^{-1}mol^{-1}$
ボルツマン定数	k，k_B	$1.380\,650\,5(24)\times10^{-23}$	J K^{-1}
重力定数	G	$6.674\,2(10)\times10^{-11}$	$m^3kg^{-1}s^{-2}$

付表 2　　**酸-塩基対の酸解離定数**（水溶液）

酸の名	酸の式	塩基の式	pK_a
亜鉛イオン	Zn^{2+}	$Zn(OH)^+$	9.60
亜硝酸	HNO_2	NO_2^-	3.35
アニリニウムイオン	$C_6H_5NH_3^+$	$C_6H_5NH_2$	4.62
亜ヒ酸	H_3AsO_3	$H_2AsO_3^-$	9.13
亜硫酸	H_2SO_3	HSO_3^-	1.89
	HSO_3^-	SO_3^{2-}	7.20
アルミニウムイオン	Al^{3+}	$Al(OH)^{2+}$	4.96
安息香酸	$C_6H_5CO_2H$	$C_6H_5CO_2^-$	4.12
アンモニウムイオン	NH_4^+	NH_3	9.26
エチレンジアミンテトラ酢酸	H_4A	H_3A^-	2.0
	H_3A^-	H_2A^{2-}	2.67
	H_2A^{2-}	HA^{3-}	6.16
	HA^{3-}	A^{4-}	10.26
エチレンジアンモニウムイオン	H_3N^+-CH_2-CH_2-NH_3^+	H_2N-CH_2-CH_2-NH_3^+	7.23
	H_2N-CH_2-CH_2-NH_3^+	H_2N-CH_2-CH_2-NH_2	9.87
8-キノリノール	H_2Ox^+	HOx	5.0
(オキシン，HOx)	HOx	Ox^-	9.7
ギ酸	HCO_2H	HCO_2^-	3.74
クエン酸	H_4A	H_3A^-	3.03
	H_3A^-	H_2A^{2-}	4.39
	H_2A^{2-}	HA^{3-}	5.71
	HA^{3-}	A^{4-}	16.0
クペロン	HCup	Cup^-	4.2
グリシニウムイオン	H_3N^+-CH_2-COOH	H_3N^+-CH_2-COO^-	2.35
	H_3N^+-CH_2-COO^-	H_2N-CH_2-COO^-	9.78
クロム酸	H_2CrO_4	$HCrO_4^-$	0.74
	$HCrO_4^-$	CrO_4^{2-}	6.49
酢酸	CH_3CO_2H	$CH_3CO_2^-$	4.74
サリチル酸	$C_6H_4(OH)COOH$	$C_6H_4(OH)COO^-$	2.96
	$C_6H_4(OH)COO^-$	$C_6H_4(O^-)COO^-$	13.4
酸性硫酸イオン	HSO_4^-	SO_4^{2-}	1.89
シアン化水素酸	HCN	CN^-	9.14
次亜塩素酸	HClO	ClO^-	7.53
次亜リン酸	H_3PO_2	$H_2PO_2^-$	1.0
ジクロロ酢酸	Cl_2CHCO_2H	$Cl_2CHCO_2^-$	1.3
シュウ酸	$H_2C_2O_4$	$HC_2O_4^-$	1.19
	$HC_2O_4^-$	$C_2O_4^{2-}$	4.21
酒石酸	H_2A	HA^-	3.04
	HA^-	A^{2-}	4.37
炭酸	CO_2，aq.	HCO_3^-	6.46
	HCO_3^-	CO_3^{2-}	10.25
鉄(III)イオン	Fe^{3+}	$Fe(OH)^{2+}$	3.05
ヒ酸	H_3AsO_4	$H_2AsO_4^-$	2.1
	$H_2AsO_4^-$	$HAsO_4^{2-}$	6.7
	$HAsO_4^{2-}$	AsO_4^{3-}	11.2
ヒドロキシアンモニウムイオン	NH_3OH^+	NH_2OH	6.2
2,2′-ビピリジニウムイオン	HA^+	A	4.4
ピリジニウムイオン	$C_5H_5NH^+$	C_5H_5N	5.2

酸の名	酸の式	塩基の式	pK_a
ピロリン酸	$H_4P_2O_7$	$H_3P_2O_7^-$	1.0
	$H_3P_2O_7^-$	$H_2P_2O_7^{2-}$	2.5
	$H_2P_2O_7^{2-}$	$HP_2O_7^{3-}$	6.1
	$HP_2O_7^{3-}$	$P_2O_7^{4-}$	8.5
フェナントロリニウムイオン	HA^+	A	5.0
フェノール	C_6H_5OH	$C_6H_5O^-$	9.89
フタル酸	$C_6H_4(COOH)_2$	$C_6H_4(COOH)COO^-$	2.89
	$C_6H_4(COOH)COO^-$	$C_6H_4(COO^-)_2$	5.41
フッ化水素酸	HF	F^-	3.16
プロピオン酸	CH_3CH_2COOH	CH_3CHCOO^-	4.89
ヘキサメチレンテトラミニウムイオン	HA^+	A	5.1
ホウ酸	H_3BO_3	$H_2BO_3^-$	9.24
モノクロロ酢酸	$ClCH_2CO_2H$	$ClCH_2CO_2^-$	2.82
硫化水素	H_2S	HS^-	7.0
	HS^-	S^{2-}	12.9
リン酸	H_3PO_4	$H_2PO_4^-$	2.12
	$H_2PO_4^-$	HPO_4^{2-}	7.21
	HPO_4^{2-}	PO_4^{3-}	12.32

付表3　無機配位子と金属イオンとの錯生成定数（$\log \beta_n$）

配位子(L)	金属イオン(M)	$\log \beta_1$	$\log \beta_2$	$\log \beta_3$	$\log \beta_4$	$\log \beta_5$	$\log \beta_6$	備考(複核錯体)
NH_3	Ag^+	3.40	7.40					
	Cd^{2+}	2.60	4.65	6.04	6.92	6.6	4.9	
	Co^{2+}	2.05	3.62	4.61	5.31	5.4	4.8	
	Cu^{2+}	4.13	7.61	10.48	12.59			
	Fe^{2+}	1.4	2.2	—	3.7			
	Hg^{2+}	8.80	17.50	18.5	19.4			
	Ni^{2+}	2.75	4.95	6.64	7.79	8.5	8.5	
	Zn^{2+}	2.27	4.61	7.01	9.06			
CO_3^{2-}	UO_2^{2+}			22.8				
CN^-	Ag^+		21.1	21.8	20.7			
	Cd^{2+}	5.5	10.6	15.3	18.9			
	Cu^+		24.0	28.6	30.3			
	Hg^{2+}	18.0	34.7	38.5	41.5			
SCN^-	Ag^+	7.6	9.1	10.1				
	Cd^{2+}	1.4	2.0	2.6				
	Co^{2+}	1.0						
	Cu^{2+}	1.7	2.5	2.7	3.0			
	Fe^{3+}	2.3	4.2	5.6	6.4	6.4		
	Hg^{2+}	—	16.1	19.0	20.9			
	Ni^{2+}	1.2	1.6	1.8				
	Pb^{2+}	0.5	0.9	−1	0.9			
	Zn^{2+}	0.5	0.8	0	1.3			

配位子(L)	金属イオン(M)	log β_1	log β_2	log β_3	log β_4	log β_5	log β_6	備考(複核錯体)
F^-	Al^{3+}	6.1	11.15	15.0	17.7	19.4	19.7	
	Fe^{3+}	5.2	9.2	11.9				
	Hg^{2+}	1.0						
	La^{3+}	2.7						
	Ni^{2+}	0.7						
	Zn^{2+}	0.7						
Cl^-	Ag^+	2.9	4.7	5.0	5.9			
	Cd^{2+}	1.6	2.1	1.5	0.9			
	Cu^{2+}	0.1	−0.5					
	Fe^{3+}	0.6	0.7	−0.7				
	Hg^{2+}	6.7	13.2	14.1	15.1			
	Pb^{2+}	1.2	0.6	1.2				
	Zn^{2+}	−0.2	−0.6	0.15				
Br^-	Ag^+	4.15	7.1	7.95	8.9			
	Cd^{2+}	1.56	2.10	2.16	2.53			
	Hg^{2+}	9.05	17.3	19.7	21.0			
	Pb^{2+}	1.1	1.4	2.2				
I^-	Ag^+	13.85	13.7					
	Cd^{2+}	2.4	3.4	5.0	6.15			
	Hg^{2+}	12.9	23.8	27.6	29.8			
	Pb^{2+}	1.3	2.8	3.4	3.9			
$S_2O_3{}^{2-}$	Ag^+	8.82	13.5					
	Cu^+	10.3	12.2	13.8				
$SO_4{}^{2-}$	Ce^{4+}	3.5	8.0	10.4				
	Cu^{2+}	1.0	1.1	2.3				
	Y^{3+}	2.2	3.3	4.4				
OH^-	Ag^+	2.3	3.6	4.8				
	Al^{3+}				33.3			$\log K_{6Al,15OH}^{Al_6(OH)_{15}}=163$
	Ba^{2+}	0.7						
	Be^{2+}		3.1					$\log K_{2Be,OH}^{Be_2OH}=10.8$
	Bi^{3+}	12.4						$\log K_{6Bi,12OH}^{Bi_6(OH)_{12}}=168.3$
	Ca^{2+}	1.3						
	Cd^{2+}	4.3	7.7	10.3	12.0			
	Cu^{2+}	6.0						$\log K_{2Cu,2OH}^{Cu_2(OH)_2}=17.1$
	Fe^{3+}	11.0	21.7					$\log K_{2Fe,2OH}^{Fe_2(OH)_2}=25.1$
	Mg^{2+}	2.6						
$PO_4{}^{3-}$	Ca^{2+}	M+HL ⇄ MHL　log $K_{M,HL}^{MHL}$			1.7			
	Mg^{2+}				1.9			
	Fe^{3+}				9.35			
	Sr^{2+}				0.25			

A. Ringbom 著，*Complexation in Analytical Chemistry* (Interscience, 1963 年) の表より作成.

付表 4　アミノポリカルボン酸キレート試薬と金属イオンとのキレート生成定数 ($\log K_{M,L}$, $\log K_{ML,L}$)

金属イオン	EDTA[1]	DTPA[2]	CDTA[3]	NTA[4]		EGTA[5]
	$\log K_{M,L}$	$\log K_{M,L}$	$\log K_{M,L}$	$\log K_{M,L}$	$\log K_{ML,L}$	
Ag^{+}	7.3					
Al^{3+}	16.5		17.6	6.4	6.0	
Ba^{2+}	7.8	8.8	8.6	4.8		8.4
Bi^{3+}	22.8		24.5			
Ca^{2+}	10.7	10.6	12.5	6.4		11.0
Cd^{2+}	16.5	19.5	19.2	10.1	4.4	15.6
Co^{2+}	16.3	19.0	18.9	10.6		12.3
Cu^{2+}	18.8	20.5	21.3	12.7	3.6	17
Fe^{2+}	14.3	16.0	18.2	8.8		
Fe^{3+}	25.1	27.5	27.5	15.9	8.4	
Hg^{2+}	21.8	27.0	24.3	12.7		23.2
La^{3+}	15.4	19.1	16.4	10.4	7.7	15.6
Mg^{2+}	8.7	9.3	10.3	5.4		5.2
Mn^{2+}	14.0	15.5	16.8	7.4		11.5
Ni^{2+}	18.6	20.0	19.4	11.3	4.5	12.0
Pb^{2+}	18.0	18.9	19.7	11.8		13.0
Sr^{2+}	8.6	9.7	10.5	5.0		8.5
Zn^{2+}	16.5	18.0	18.7	10.7		12.8
酸解離定数						
pK_{a_1}	2.07	1.94	2.43	1.97		2.08
pK_{a_2}	2.75	2.87	3.52	2.57		2.73
pK_{a_3}	6.24	4.37	6.12	9.81		8.93
pK_{a_4}	10.34	8.69	11.70			9.54
pK_{a_5}		10.56				

1)EDTA：エチレンジアミン四酢酸
2)DOTA：ジエチレントリアミン五酢酸
3)CDTA：シクロヘキサンジアミン四酢酸
4)NTA：ニトリロ三酢酸
5)EGTA：エチレングリコールビス（2-アミノエチルエーテル）四酢酸

付表5　有機配位子と金属イオンの錯生成定数

	酢　酸 CH_3COOH				シュウ酸 $H_2C_2O_4$		
イ オ ン	$\log\beta_1$	$\log\beta_2$	$\log\beta_3$	$\log\beta_4$	$\log\beta_1$	$\log\beta_2$	$\log\beta_3$
Al^{3+}						11.0	14.6
Ba^{2+}	0.4						
Ca^{2+}	0.5						
Cd^{2+}	1.0	1.9	1.8	1.3	2.9	4.7	
Co^{2+}	1.1	1.5			3.5	5.8	
Cu^{2+}	1.7	2.7	3.1		4.5	8.9	
Fe^{3+}	3.4	6.1	8.7		8.0	14.3	18.5
Mg^{2+}					2.4		
Mn^{2+}	0.5	1.4			2.7	4.1	
Ni^{2+}	0.7	1.25			4.1	7.2	8.5
Pb^{2+}	1.9	3.3					
Zn^{2+}	1.3	2.1			3.7	6.0	

	フタル酸 $C_6H_4(COOH)_2$		酒石酸 $H_2C_4H_4O_6$				クエン酸 $C_3H_4(OH)(COOH)_3$
イ オ ン	$\log\beta_1$	$\log\beta_2$	$\log\beta_1$	$\log\beta_2$	$\log\beta_3$	$\log\beta_4$	$\log\beta_1$
Al^{3+}							20.0
Ba^{2+}	1.5						
Ca^{2+}	1.6		1.7				
Cd^{2+}			2.8				11.3
Co^{2+}		4.0	2.1				12.5
Cu^{2+}	3.1	4.4	3.2	5.1	4.8	6.5	18
Fe^{2+}							15.5
Fe^{3+}							25.0
Mg^{2+}			1.2				
Ni^{2+}							14.3
Pb^{2+}	2.2	3.4					12.3
Zn^{2+}			4.5	2.4			11.4

	サリチル酸 $C_6H_4(OH)COOH$			スルホサリチル酸 $C_6H_3(OH)(SO_3H)(COOH)$		
イ オ ン	$\log\beta_1$	$\log\beta_2$	$\log\beta_3$	$\log\beta_1$	$\log\beta_2$	$\log\beta_3$
Al^{3+}	14			12.9	22.9	29.0
Cd^{2+}	5.6			4.7		
Co^{2+}	6.8	11.5		6.0	9.8	
Cr^{3+}				9.6		
Cu^{2+}	10.6	18.5		9.5	16.5	
Fe^{2+}	6.6	11.3		5.9	10	
Fe^{3+}	15.8	27.5	35.3	14.4	25.2	32.2
Mn^{2+}	5.9	9.8		5.2	8.2	
Ni^{2+}	7.0	11.8		6.4	10.2	
Zn^{2+}	6.9			6.1	10.6	

付表 5 のつづき

	タイロン (tiron) $C_6H_2(OH)_2(SO_3)_2^{2-}$			アセチルアセトン $CH_3COCH_2COCH_3$		
イ オ ン	$\log \beta_1$	$\log \beta_2$	$\log \beta_3$	$\log \beta_1$	$\log \beta_2$	$\log \beta_3$
Al^{3+}	14.4	29.6		8.1	15.7	21.2
Ca^{2+}	5.8					
Cd^{2+}				3.4	6.0	
Co^{2+}	9.5			5.0	8.9	
Cu^{2+}	14.5			7.8	14.3	
Fe^{2+}				4.7	8.0	
Fe^{3+}	20.7	35.9	46.9	9.3	17.9	25.1
Mg^{2+}	6.9					
Mn^{2+}	8.6					
Ni^{2+}	10.0			5.5	9.8	11.9
Pb^{2+}				4.2	6.6	
Zn^{2+}	10.4			4.6	8.2	

tiron, 1,2-ジヒドロキシベンゼン-3,5-スルホン酸.

	2,2′-ジピリジン $C_{10}H_8N_2$			1,10-フェナントロリン $C_{12}H_8N_2$		
イ オ ン	$\log \beta_1$	$\log \beta_2$	$\log \beta_3$	$\log \beta_1$	$\log \beta_2$	$\log \beta_3$
Ag^{+}		6.8				
Cd^{2+}	4.5	8.0	10.5	6.4	11.6	15.8
Co^{2+}	5.7	11.3	16.1	7.0	13.7	20.1
Cu^{2+}	8.1	13.5	17.0	9.1	15.8	21.0
Fe^{2+}	4.4	8.0	17.6	5.9	11.1	21.3
Fe^{3+}						14.1
Mn^{2+}	2.5	4.6	6.3	4.1	7.2	10.4
Ni^{2+}	7.1	13.9	20.1	8.8	17.1	24.8
Pb^{2+}				5.1	7.5	7
Zn^{2+}	5.4	9.8	13.5	6.4	12.15	17.0

	α-アラニン $CH_3CH(NH_2)COOH$		グリシン NH_2CH_2COOH			システイン $HSCH_2CH(NH_2)COOH$	
イ オ ン	$\log \beta_1$	$\log \beta_2$	$\log \beta_1$	$\log \beta_2$	$\log \beta_3$	$\log \beta_1$	$\log \beta_2$
Ag^{+}	3.7	6.9	3.3	6.8			
Ca^{2+}	0.8		1.0				
Cd^{2+}	2.5		4.4	8.2			
Co^{2+}	4.4	8.1	4.7	8.5	11.0	9.1	16.4
Cu^{2+}	8.1	14.7	8.1	15.1			
Fe^{2+}		7.0	3.9	7.2		11.0	
Fe^{3+}							31.2
Hg^{2+}			10.5	19.5			44.0
Mg^{2+}			3.1	6.1			
Mn^{2+}	3.0	5.7	3.0	5.1		3.6	
Ni^{2+}	5.6	10.0	5.8	10.6	14.4		18.8
Pb^{2+}	4.6	7.6	5.1	8.2		12.36	
Zn^{2+}	4.8	8.9	5.0	9.1		9.9	18.75

付表 6　標準電極電位（25℃）（E°の値）

電極反応	E°	電極反応	E°
$Li^+ + e^- \rightleftarrows Li$	−3.045	$S + 2H^+ + 2e^- \rightleftarrows H_2S(aq.)$	0.142
$K^+ + e^- \rightleftarrows K$	−2.925	$Sn^{4+} + 2e^- \rightleftarrows Sn^{2+}$	0.15
$Rb^+ + e^- \rightleftarrows Rb$	−2.925	$Cu^{2+} + e^- \rightleftarrows Cu^+$	0.153
$Ba^{2+} + 2e^- \rightleftarrows Ba$	−2.906	$SO_4^{2-} + 4H^+ + 2e^- \rightleftarrows H_2O + H_2SO_3$	0.172
$Sr^{2+} + 2e^- \rightleftarrows Sr$	−2.888	$AgCl + e^- \rightleftarrows Ag + Cl^-$	0.222
$Ca^{2+} + 2e^- \rightleftarrows Ca$	−2.866	$Hg_2Cl_2 + 2e^- \rightleftarrows 2Cl^- + 2Hg$	0.268
$Na^+ + e^- \rightleftarrows Na$	−2.714	$BiO^+ + 2H^+ + 3e^- \rightleftarrows H_2O + Bi$	0.320
$La^{3+} + 3e^- \rightleftarrows La$	−2.522	$Cu^{2+} + 2e^- \rightleftarrows Cu$	0.337
$Mg^{2+} + 2e^- \rightleftarrows Mg$	−2.363	$Fe(CN)_6^{3-} + e^- \rightleftarrows Fe(CN)_6^{4-}$	0.36
$Al^{3+} + 3e^- \rightleftarrows Al$	−1.662	$Ag(NH_3)_2^+ + e^- \rightleftarrows Ag + 2NH_3$	0.373
$Ti^{2+} + 2e^- \rightleftarrows Ti$	−1.628	$I_2 + 2e^- \rightleftarrows 2I^-$	0.536
$Mn^{2+} + 2e^- \rightleftarrows Mn$	−1.180	$Cu^{2+} + Cl^- + e^- \rightleftarrows CuCl$	0.538
$Cd(CN)_4^{2-} + 2e^- \rightleftarrows Cd + 4CN$	−1.028	$H_3AsO_4 + 2H^+ + 2e^- \rightleftarrows 2H_2O + HAsO_2$	0.560
$Zn^{2+} + 2e^- \rightleftarrows Zn$	−0.763	$Hg_2SO_4 + 2e^- \rightleftarrows SO_4^{2-} + 2Hg$	0.615
$2CO_2(g) + 2H^+ + 2e^- \rightleftarrows H_2C_2O_4(aq.)$	−0.49	$O_2 + 2H^+ + 2e^- \rightleftarrows H_2O_2(aq.)$	0.6824
$S + 2e^- \rightleftarrows S^{2-}$	−0.447	$Fe^{3+} + e^- \rightleftarrows Fe^{2+}$	0.771
$Fe^{2+} + 2e^- \rightleftarrows Fe$	−0.440	$Ag^+ + e^- \rightleftarrows Ag$	0.799
$Cr^{3+} + e^- \rightleftarrows Cr^{2+}$	−0.408	$2Hg^{2+} + 2e^- \rightleftarrows Hg_2^{2+}$	0.920
$Cd^{2+} + 2e^- \rightleftarrows Cd$	−0.403	$NO_3^- + 3H^+ + 2e^- \rightleftarrows HNO_2 + H_2O$	0.94
$Ag(CN)_2^- + e^- \rightleftarrows Ag + 2CN^-$	−0.31	$Br_2(aq.) + 2e^- \rightleftarrows 2Br^-$	1.087
$Co^{2+} + 2e^- \rightleftarrows Co$	−0.277	$IO_3^- + 6H^+ + 5e^- \rightleftarrows 1/2\ I_2 + 3H_2O$	1.195
$Ni^{2+} + 2e^- \rightleftarrows Ni$	−0.250	$Pt^{2+} + 2e^- \rightleftarrows Pt$	約1.2
$AgI + e^- \rightleftarrows Ag + I^-$	−0.152	$O_2 + 4H^+ + 4e^- \rightleftarrows 2H_2O$	1.229
$Sn^{2+} + 2e^- \rightleftarrows Sn$	−0.136	$Cr_2O_7^{2-} + 14H^+ + 6e^- \rightleftarrows 2Cr^{3+} + 7H_2O$	1.33
$Pb^{2+} + 2e^- \rightleftarrows Pb$	−0.126	$Cl_2 + 2e^- \rightleftarrows 2Cl^-$	1.360
$HgI_4^{2-} + 2e^- \rightleftarrows Hg + 4I^-$	−0.038	$MnO_4^- + 8H^+ + 5e^- \rightleftarrows Mn^{2+} + 4H_2O$	1.51
$2H^+ + 2e^- \rightleftarrows H_2$	0.000	$BrO_3^- + 6H^+ + 5e^- \rightleftarrows 1/2\ Br_2 + 3H_2O$	1.52
$AgBr + e^- \rightleftarrows Ag + Br^-$	0.0711	$Ce^{4+} + e^- \rightleftarrows Ce^{3+}$	1.61
$S_4O_6^{2-} + 2e^- \rightleftarrows 2S_2O_3^{2-}$	0.08	$HClO + H^+ + e^- \rightleftarrows 1/2\ Cl_2 + H_2O$	1.63
$Co(NH_3)_6^{3+} + e^- \rightleftarrows Co(NH_3)_6^{2+}$	0.108	$F_2(g) + 2e^- \rightleftarrows 2F^-$	2.87

付表 7　難溶性無機化合物の溶解度積（温度は 18～25℃）

化　学　式	K_{sp}	化　学　式	K_{sp}
$AgBr$	5.20×10^{-13}	Hg_2I_2	4.5×10^{-29}
$AgCN$	1.2×10^{-16}	HgO	3.0×10^{-26}
Ag_2CO_3	8.1×10^{-12}	HgS	4×10^{-53}
$Ag_2C_2O_4$	3.5×10^{-11}	$MgCO_3\cdot3H_2O$	1×10^{-5}
$AgCl$	8.2×10^{-11}	$MgC_2O_4\cdot2H_2O$	1×10^{-8}
Ag_2CrO_4	2.4×10^{-12}	MgF_2	6.5×10^{-9}
AgI	8.3×10^{-17}	$MgNH_4PO_4$	3×10^{-13}
$AgSCN$	1.0×10^{-12}	$Mg(OH)_2$	1.8×10^{-11}
Ag_2S	6×10^{-50}	$MnCO_3$	1.8×10^{-11}
Ag_2SO_4	1.6×10^{-5}	$Mn(OH)_2$	1.9×10^{-13}
$Al(OH)_3$	2×10^{-32}	MnS(無定形)	3×10^{-10}
$AlPO_4$	3.9×10^{-11}	(結晶性)	3×10^{-13}
$BaCO_3$	5.1×10^{-9}	$Ni(OH)_2$	6.5×10^{-18}
$BaCrO_4$	1.3×10^{-10}	NiS	1.4×10^{-24}
BaF_2	1.0×10^{-6}	α	3×10^{-19}
$BaSO_4$	1.3×10^{-10}	β	1×10^{-24}
$Be(OH)_2$	7×10^{-22}	γ	2×10^{-26}
Bi_2S_3	1.0×10^{-97}	$PbCO_3$	3.3×10^{-14}
$CaCO_3$	4.8×10^{-9}	PbC_2O_4	4.8×10^{-10}
CaF_2	4.9×10^{-11}	$PbCl_2$	1.6×10^{-5}
$Ca(OH)_2$	5.5×10^{-6}	$PbCrO_4$	1.8×10^{-14}
$Ca_3(PO_4)_2$	3.10×10^{-23}	PbF_2	2.7×10^{-8}
$CaSO_4$	1.2×10^{-6}	PbI_2	7.1×10^{-9}
$Cd(OH)_2$	5.9×10^{-15}	$Pb(OH)_2$	1.6×10^{-7}
CdS	2×10^{-28}	PbS	8×10^{-28}
$Co(OH)_2$	2×10^{-16}	$PbSO_4$	1.6×10^{-8}
CoS	3×10^{-26}	$Sn(OH)_2$	8×10^{-29}
α	4×10^{-21}	SnS	1×10^{-25}
β	2×10^{-25}	$SrCO_3$	1.1×10^{-10}
$Cr(OH)_3$	5.0×10^{-31}	$SrC_2O_4\cdot H_2O$	1.6×10^{-7}
$CuCN$	3.2×10^{-29}	$SrCrO_4$	3.6×10^{-5}
CuI	1.1×10^{-12}	SrF_2	2.5×10^{-9}
$CuSCN$	4.8×10^{-11}	$SrSO_4$	3.2×10^{-7}
Cu_2S	3×10^{-48}	TlI	6.5×10^{-8}
$Cu(OH)_2$	2.2×10^{-20}	$TlSCN$	1.7×10^{-4}
CuS	6×10^{-36}	Tl_2S	6×10^{-21}
$Fe(OH)_2$	8×10^{-16}	$Tl(OH)_3$	6.3×10^{-46}
FeS	6×10^{-18}	$ZnCO_3$	1.4×10^{-11}
$Fe(OH)_3$	7.1×10^{-40}	$ZnC_2O_4\cdot2H_2O$	2.8×10^{-8}
$FePO_4$	1.3×10^{-22}	$Zn(OH)_2$	1.2×10^{-17}
Hg_2Br_2	5.8×10^{-23}	$Zn_3(PO_4)_2$	9.1×10^{-33}
Hg_2Cl_2	1×10^{-17}	ZnS	1.2×10^{-23}
$Hg_2(CN)_2$	5×10^{-40}		

付表 8　異なる信頼限界における棄却係数 Q

	Q_{80}	Q_{90}	Q_{95}	Q_{96}	Q_{98}	Q_{99}
N[b]	80% (α=0.20)	90% (α=0.10)	95% (α=0.05)	96% (α=0.04)	98% (α=0.02)	99% (α=0.01)
3	0.886	0.941	0.970	0.976	0.988	0.994
4	0.679	0.765	0.829	0.846	0.889	0.926
5	0.557	0.642	0.710	0.729	0.780	0.821
6	0.482	0.560	0.625	0.644	0.698	0.740
7	0.434	0.507	0.568	0.586	0.637	0.680
8	0.399	0.468	0.526	0.543	0.590	0.634
9	0.370	0.437	0.493	0.510	0.555	0.598
10	0.349	0.412	0.466	0.483	0.527	0.568
11	0.332	0.392	0.444	0.460	0.502	0.542
12	0.318	0.376	0.426	0.441	0.482	0.522
13	0.305	0.361	0.410	0.425	0.465	0.503
15	0.285	0.338	0.384	0.399	0.438	0.475
20	0.252	0.300	0.342	0.356	0.391	0.425
25	0.230	0.277	0.317	0.329	0.362	0.393
30	0.215	0.260	0.298	0.309	0.341	0.372

D. B. Rorabacher, *Analytical Chemistry*, 63, 139 (1991)：Table I より転載.

索　引

基礎教育シリーズ
分析化学/基礎編/〈第2版〉

ISBN 978-4-8082-3058-6

2011年 4月 1日 初版発行 2021年 4月 1日 2版発行 2024年 4月 1日 4刷発行	著者代表 © 本 水 昌 二 発 行 者 鳥 飼 正 樹 印 刷 製 本 株式会社 三 秀 舎

発行所 株式会社 **東京教学社**

郵便番号 112-0002
住 所 東京都文京区小石川 3-10-5
電 話 03(3868)2405
F A X 03(3868)0673
http://www.tokyokyogakusha.com

元　素　の　周　期　表 (2023)

周期＼族	1	2	3	4	5	6	7	8	9
1	1 H 水　素 1.008 $1s^1$								
2	3 Li リチウム 6.94 $2s^1$	4 Be ベリリウム 9.012 $2s^2$							
3	11 Na ナトリウム 22.99 $3s^1$	12 Mg マグネシウム 24.31 $3s^2$							
4	19 K カリウム 39.10 $4s^1$	20 Ca カルシウム 40.08 $4s^2$	21 Sc スカンジウム 44.96 $3d^14s^2$	22 Ti チタン 47.87 $3d^24s^2$	23 V バナジウム 50.94 $3d^34s^2$	24 Cr クロム 52.00 $3d^54s^1$	25 Mn マンガン 54.94 $3d^54s^2$	26 Fe 鉄 55.85 $3d^64s^2$	27 C コノ 58 3d
5	37 Rb ルビジウム 85.47 $5s^1$	38 Sr ストロンチウム 87.62 $5s^2$	39 Y イットリウム 88.91 $4d^15s^2$	40 Zr ジルコニウム 91.22 $4d^25s^2$	41 Nb ニオブ 92.91 $4d^45s^1$	42 Mo モリブデン 95.95 $4d^55s^1$	43 Tc* テクネチウム (99) $4d^55s^2$	44 Ru ルテニウム 101.1 $4d^75s^1$	45 R ロシ 10 4d
6	55 Cs セシウム 132.9 $6s^1$	56 Ba バリウム 137.3 $6s^2$	57 La ランタン ↓ 71 Lu ルテチウム	72 Hf ハフニウム 178.5 $4f^{14}5d^26s^2$	73 Ta タンタル 180.9 $4f^{14}5d^36s^2$	74 W タングステン 183.8 $4f^{14}5d^46s^2$	75 Re レニウム 186.2 $4f^{14}5d^56s^2$	76 Os オスミウム 190.2 $4f^{14}5d^66s^2$	77 イリ 19 4f
7	87 Fr* フランシウム (223) $7s^1$	88 Ra* ラジウム (226) $7s^2$	89 Ac アクチニウム ↓ 103 Lr ローレンシウム	104 Rf* ラザホージウム (267) $5f^{14}6d^27s^2$	105 Db* ドブニウム (268) $5f^{14}6d^37s^2$	106 Sg* シーボーギウム (271) $5f^{14}6d^47s^2$	107 Bh* ボーリウム (272) $5f^{14}6d^57s^2$	108 Hs* ハッシウム (277) $5f^{14}6d^67s^2$	109 マイト 5f

原子番号―1 H―元素記号
水　素―元素名
1.008―4桁の原子量
$1s^1$―基底状態の電子配置
(2周期以降の電子配置は前周期の希ガスの電子配置を省略して示してある)

ランタノイド

57 La ランタン 138.9 $5d^16s^2$	58 Ce セリウム 140.1 $4f^15d^16s^2$	59 Pr プラセオジム 140.9 $4f^36s^2$	60 Nd ネオジム 144.2 $4f^46s^2$	61 Pm* プロメチウム (145) $4f^56s^2$	62 Sm サマリウム 150.4 $4f^66s^2$	63 ユウ 1 4

アクチノイド

89 Ac* アクチニウム (227) $6d^17s^2$	90 Th* トリウム 232.0 $6d^27s^2$	91 Pa* プロトアクチニウム 231.0 $5f^26d^17s^2$	92 U* ウラン 238.0 $5f^36d^17s^2$	93 Np* ネプツニウム (237) $5f^46d^17s^2$	94 Pu* プルトニウム (239) $5f^67s^2$	95 アメ (5